Avant-propos

Je ne sais pas ce qu'il en est pour vous, mais je brûlais d'impatience de découvrir ce qui s'était passé à la fin de *Tunnels*. Je mourais d'envie de creuser tous ces mystères, mais nos deux auteurs ne me donnaient que des bribes d'information sur les nouveaux personnages, et parlaient à voix basse de monstres et d'étranges inscriptions. « Terminez donc cette histoire ! » hurlais-je alors. Et c'est ce qu'ils ont fini par faire.

Elle est géniale.

Barry Cunningham
Éditeur

TUNNELS

Tome II : *Profondeurs*

Roderick Gordon & Brian Williams

Traduit de l'anglais par Arnaud Regnauld

Déjà paru

Tunnels, tome I

À paraître

Tunnels, tome III :
Chute libre

Titre original :
Deeper

Première publication par Chicken House en Grande-Bretagne, 2008
Texte © Roderick Gordon et Brian Williams, 2008
Illustrations intérieures © Brian Williams, 2008
À l'exception du « pont »
© Roderick Gordon
Tous droits réservés.

© Michel Lafon Publishing, 2008, pour la traduction française
7-13, boulevard Paul-Émile-Victor – Ile de la Jatte
92521 Neuilly-sur-Seine Cedex
www.michel-lafon.com

« Encore et encore, j'ai écouté
Le son des marteaux qui tapaient nuit et jour,
Dans le palais nouvellement érigé,
Qu'ils ont réduit en bris à force de taper toujours :
Autres marteaux, marteaux assourdis,
Silencieux marteaux du déclin. »

RALPH HODGSON, *Les Marteaux* (1871-1962).

PREMIÈRE PARTIE

À découvert

Chapitre Premier

L es portes du véhicule se refermèrent derrière la femme qui venait de descendre, avec un sifflement suivi d'un claquement sourd. Elle resta plantée là, regardant redémarrer le car, apparemment indifférente au vent et à la pluie qui lui cinglaient le visage. Le conducteur enclenchait les vitesses une à une en amorçant une descente laborieuse le long de la colline. Elle attendit que le car disparaisse enfin derrière une haie d'églantines pour se tourner vers les pentes herbues qui s'étendaient de part et d'autre de la route. La ligne d'horizon était si floue que les champs semblaient se confondre avec la grisaille du ciel.

Elle resserra le col de son manteau et se mit en marche, enjambant les flaques d'eau qui creusaient l'asphalte en bordure de la chaussée. L'endroit était désert, mais elle restait en alerte et scrutait sans cesse la route. De temps à autre, elle se retournait même pour jeter un coup d'œil en arrière. Son comportement n'avait rien de particulièrement suspect, n'importe quelle jeune femme aurait sans doute pris les mêmes précautions dans un endroit aussi isolé.

On voyait à peine son visage. Le vent ne cessait de rabattre ses cheveux bruns sur sa large mâchoire, tel un voile ondoyant qui lui aurait brouillé les traits. Quant à ses vêtements, ils n'avaient rien de très remarquable. Quiconque aurait croisé son chemin l'aurait sans doute prise pour une habitante du coin qui, selon toute vraisemblance, rentrait chez elle pour y retrouver sa famille.

Mais la réalité était tout autre.

Il s'agissait de Sarah Jérôme. Elle s'était échappée de la Colonie et craignait pour sa vie.

Elle poursuivit son chemin, franchit le bas-côté et s'engouffra dans une brèche qui s'ouvrait dans la haie d'églantines. Elle atterrit au creux d'une petite dépression, puis, sans se relever, pivota sur elle-même pour observer la route. Elle resta ainsi pendant cinq bonnes minutes à écouter, tel un animal aux aguets. Mais il n'y avait rien d'autre que le crépitement de la pluie et le mugissement du vent. Elle était bien seule.

Elle se noua un foulard autour de la tête avant de ressortir, puis s'éloigna rapidement de la route. À l'abri des regards, derrière un mur de pierres branlantes, elle traversa le champ qui s'étalait devant elle. Puis, sans jamais ralentir l'allure, elle gravit une pente ardue jusqu'au sommet d'une colline. Sarah savait qu'elle était à découvert maintenant et elle s'empressa de redescendre de l'autre côté pour rejoindre la vallée qui s'étendait à ses pieds.

Entraînée par le vent, la pluie décrivait des spirales tournoyantes semblables à de minuscules tornades. Mais quelque chose clochait. Au beau milieu de la tempête, Sarah venait de percevoir un mouvement à la limite de son champ visuel. Elle s'arrêta brusquement, se tourna et aperçut une forme pâle. Un frisson lui parcourut l'échine... Non, il ne s'agissait pas de l'ondulation des bruyères ou des herbes sous le vent... La cadence était différente.

Sarah garda les yeux rivés sur l'endroit où elle avait vu bouger quelque chose jusqu'à ce qu'elle distingue enfin de quoi il s'agissait. Là-bas, de l'autre côté de la vallée, un jeune agneau gambadait de manière erratique entre les touffes de graminées. Tout à coup, l'animal plongea derrière un bosquet d'arbres rabougris, comme effrayé. Sarah avait les nerfs à vif. Qu'est-ce qui avait fait peur à l'animal? Quelqu'un se trouvait-il non loin de là – un autre être humain? Tous les muscles de son corps se raidirent, mais elle se détendit un peu en voyant l'agneau revenir, accompagné cette fois par sa mère. La brebis se mit à brouter d'un air absent tandis que son petit cherchait ses mamelles à coups de museau.

C'était une fausse alerte, mais Sarah ne semblait pas plus amusée qu'elle n'était soulagée. L'agneau se remit à batifoler, la blancheur de la pure laine vierge de sa toison contrastait avec le pelage rêche et maculé de boue de sa mère. Sarah détourna le regard. Il n'y avait pas de place pour de tels divertissements dans sa vie. Et il n'y en aurait jamais. Elle inspectait déjà l'autre côté de la vallée, en quête de la moindre anomalie.

Puis elle se remit en marche, se fraya un chemin à travers la végétation verdoyante dans un calme celtique et franchit les dalles de pierre lisse jusqu'à ce qu'elle atteigne enfin un ruisseau niché au creux de la vallée. Sans la moindre hésitation, elle marcha à grands pas dans les eaux limpides et suivit le cours du ruisseau, prenant parfois appui sur les rochers couverts de mousse pour avancer plus vite.

Comme le lit du ruisseau devenait de plus en plus profond et que l'eau menaçait d'inonder ses chaussures, elle rejoignit d'un bond la berge couverte d'un moelleux tapis d'herbe verte que les moutons avaient broutée. Mais Sarah ne s'y attarda pas pour autant. Elle aperçut bientôt une clôture aux fils rouillés qui bordait le chemin de ferme surélevé qu'elle connaissait si bien.

Sarah vit enfin l'objet de sa quête : au croisement du chemin de ferme et du ruisseau se dressait un pont de pierre rudimentaire dont les pans tombaient en ruine. Elle se mit à trottiner pour arriver plus vite, et il ne lui fallut guère plus de quelques instants pour l'atteindre.

Elle s'accroupit sous l'arche pour prendre le temps de s'essuyer le visage. Puis elle passa de l'autre côté et scruta l'horizon. La nuit approchait, et la lueur rosâtre des réverbères qui venaient de s'allumer commençait tout juste à filtrer à travers le rideau de chênes qui masquaient presque entièrement le clocher d'un village perdu dans le lointain.

Sarah courba l'échine et se faufila à nouveau sous l'arche du pont, s'accrochant les cheveux à la pierre rugueuse. Elle repéra un bloc de granit irrégulier qui affleurait légèrement à la surface. Elle le descella en s'y prenant à deux mains, le déplaçant de gauche à droite puis de haut en bas jusqu'à ce qu'il cède enfin. Elle laissa échapper un grognement en le déposant à terre ; ce bloc était aussi lourd qu'un tas de briques.

Elle se releva, examina la cavité, puis y plongea le bras jusqu'à l'épaule et se mit à chercher à tâtons. Le visage collé à la paroi de pierre, elle dénicha une chaîne sur laquelle elle tira, mais en vain : elle était coincée. Sarah avait beau essayer de la détacher, rien n'y faisait. Elle lâcha un juron, prit une grande inspiration, et fit une nouvelle tentative. La chaîne finit par céder.

Sarah tenait à présent la chaîne d'une seule main, mais elle avait beau tirer, rien ne se produisait, lorsque s'éleva enfin des entrailles du pont un son semblable à un lointain roulement de tonnerre.

Des joints jusqu'alors invisibles se dessinèrent dans un nuage de poudre et de lichens desséchés. C'est alors que s'ouvrit devant elle une brèche de la taille d'une porte aux contours irréguliers. Tout un pan de mur s'enfonça dans la paroi avant de coulisser et de disparaître vers le haut, jusqu'à ce que retentisse un ultime claquement sourd qui fit trembler tout l'édifice. Ensuite elle n'entendit plus que le gargouillement du ruisseau et le crépitement de la pluie.

Sarah pénétra dans cet intérieur lugubre, tira de la poche de son manteau un petit porte-clefs muni d'une lampe torche à la faible lumière. Elle se trouvait dans une chambre de quinze mètres carrés environ. Le plafond était assez haut pour qu'elle puisse se tenir droite dans la pièce. Sarah inspecta les lieux ; des particules de poussière flottaient paresseusement dans l'air, et des toiles d'araignée aussi épaisses que des tapisseries putréfiées ornaient le haut des murs.

Son arrière-arrière-grand-père avait construit cet endroit une année avant d'entraîner sa famille sous la terre pour y commencer une nouvelle vie au sein de la Colonie. Maçon de profession, il avait mis tout son art dans l'élaboration de cette pièce dissimulée au cœur du pont en ruine. Il avait volontairement choisi un lieu situé à des kilomètres de tout, sur ce chemin de ferme fort peu fréquenté. Les parents de Sarah n'avaient pas la moindre idée de ce qui l'avait poussé à entreprendre pareil ouvrage, mais c'était certainement l'un des rares endroits où elle se sentait vraiment en sécurité. À tort ou à raison, elle ne pensait pas que quiconque puisse jamais l'y retrouver. Elle dénoua son foulard et secoua sa chevelure ; elle s'accordait enfin un moment de détente.

Elle s'approcha de l'étroite étagère en pierre placée sur le mur du fond, et le crissement du gravier sous ses pas rompit le silence de mort. À chaque extrémité trônaient deux tridents en fer dont on avait masqué la pointe sous une épaisse gaine de cuir.

– Que la lumière soit, dit-elle d'une voix douce.

Elle tendit les bras et retira simultanément les deux gaines, révélant deux globes phosphorescents prisonniers des griffes rouges et écaillées de leurs tridents respectifs.

Ils n'étaient pas plus gros que des nectarines, mais l'intensité de la lumière verte qui en émanait était telle que Sarah dut se protéger les yeux. On aurait dit qu'après avoir accumulé toute cette énergie sous leurs masques de cuir, les globes se délectaient à présent de cette liberté nouvellement retrouvée. De la pointe des doigts, Sarah effleura la surface glacée de l'un d'eux et ressentit soudain un léger frisson, comme si ce contact renouait quelque lien avec la ville souterraine où on les rencontrait un peu partout.

Quelles souffrances n'avait-elle pas endurées sous ces mêmes lampes...

Elle laissa retomber sa main sur l'étagère pour inspecter l'épaisse couche de poussière qui s'y était accumulée.

Comme elle l'avait espéré, elle y découvrit un petit sac en plastique. Elle s'en empara en souriant, puis le secoua pour le débarrasser de sa couche de crasse. Le sac était scellé par un nœud qu'elle défit promptement de ses doigts glacés. Elle en extirpa un bout de papier soigneusement plié et le porta à ses narines pour le renifler. Il était humide et sentait le moisi ; ce message était là depuis plusieurs mois.

Même si elle ne trouvait pas forcément quelque chose à chacune de ses visites, elle s'en voulait de n'être pas venue plus tôt. Elle ne vérifiait que très rarement cette « boîte aux lettres dormante », car cette procédure mettait tout le monde en péril. Elle n'avait aucun autre contact indirect avec sa vie antérieure. Il y avait toujours un risque, aussi infime soit-il, que le coursier ait été suivi au moment où il s'échappait de la Colonie pour émerger en Surface à Highfield. Elle ne pouvait pas non plus écarter l'éventualité qu'on l'ait repérée au départ de Londres, ou même au cours de son voyage. Elle ne pouvait être sûre de rien. L'ennemi était patient, extraordinairement patient et calculateur. Sarah savait qu'ils n'abandonneraient jamais leur chasse ; ils voulaient la capturer pour la tuer. Il fallait donc qu'elle les batte à leur propre jeu.

Sarah jeta un coup d'œil à sa montre. Elle modifiait systématiquement ses itinéraires à l'aller comme au retour, et elle ne s'était pas laissé beaucoup de temps pour rejoindre le village voisin où elle devait attraper le car qui la ramènerait à Londres.

Elle aurait déjà dû être en route, mais elle avait tellement envie d'avoir des nouvelles de sa famille. Ce bout de papier était son seul lien avec sa mère, son frère et ses deux fils – c'était un peu comme un filin de sécurité.

Il fallait qu'elle sache ce que contenait ce message. Elle le renifla de nouveau.

Mais il y avait autre chose qui la poussait à rompre avec les procédures qu'elle avait prudemment élaborées et toujours suivies sans faillir à chacune de ses visites.

C'était comme s'il émanait une odeur caractéristique de ce bout de papier. Elle se détachait sur le fond de moisissure et de mildiou qui flottait dans cette pièce humide. C'était une odeur forte et désagréable — elle avait la puanteur des mauvaises nouvelles. Ses intuitions lui avaient été bien utiles par le passé. Elle n'allait certainement pas commencer à les ignorer maintenant.

Saisie par un sentiment d'effroi, elle fixa nerveusement le message à la lumière du globe le plus proche, tout en s'efforçant de réfréner son impatience. Puis elle grimaça, consternée par sa propre faiblesse, et déplia le mot pour l'examiner sous la lumière verdâtre, debout devant l'étagère en pierre.

Étonnée de découvrir qu'il n'était pas rédigé de la main de son frère, Sarah fronça les sourcils. Cette écriture enfantine ne lui était pas familière. C'était toujours Tam qui lui écrivait. Voilà qui confirmait son mauvais pressentiment — il y avait un problème, c'était certain. Elle retourna le mot et en parcourut le verso pour voir s'il comportait une signature. « Joe Waites », lut-elle à voix haute, de plus en plus mal à l'aise. Quelque chose clochait. Joe servait parfois de coursier, mais c'est Tam qui aurait dû être l'auteur de ce message.

Elle se mordit la lèvre d'impatience, et se mit à parcourir la lettre à toute allure.

— Oh, mon Dieu ! s'exclama-t-elle en secouant la tête.

Elle relut le début du message, incapable d'admettre ce qu'elle venait d'apprendre. Il ne pouvait s'agir que d'un malentendu, d'une erreur. Mais non, c'était clair comme de l'eau de roche. Ces mots à la graphie simpliste ne laissaient aucun doute. Qui plus est, Sarah n'avait aucune raison de remettre en question le contenu de ce message — c'était l'unique chose sur laquelle elle pouvait compter, la seule constante dans sa vie mouvementée, sans cesse sur le départ. Ces missives lui donnaient la force de poursuivre.

— Non, non pas Tam... pas Tam ! hurla-t-elle avant de s'appuyer lourdement sur l'étagère de pierre comme si elle venait de recevoir un coup derrière la tête.

Elle prit une profonde inspiration et s'efforça de retourner la lettre pour lire la suite.

— Non, non, non... C'est impossible, marmonnait-elle en secouant la tête avec véhémence.

Le reste du message avait fini de l'achever. C'en était trop. Elle lâcha l'étagère dans un gémissement et s'avança jusqu'au centre de la pièce. Chancelante, les bras croisés sur la poitrine, elle leva les yeux au plafond, le regard perdu dans le vide.

Il fallait qu'elle sorte de là. Elle franchit le seuil avec frénésie, abandonnant le pont derrière elle pour continuer tout droit sans jamais s'arrêter. Sous une bruine persistante, elle longea le ruisseau, sans but, s'enfonçant dans les ténèbres de plus en plus épaisses, mais peu lui importait à ce stade. Elle manquait de trébucher à chaque pas sur l'herbe glissante et mouillée.

Elle dérapa au bout de quelques pas, et floc! Elle atterrit directement dans le ruisseau et se laissa choir à genoux. Si grande était sa peine qu'elle ne sentait pas la morsure glacée de l'eau limpide qui l'enveloppait jusqu'à la taille, et tournait la tête en tous sens comme si elle était en proie à la plus terrible agonie.

Alors que jamais elle ne s'était laissé aller ainsi depuis qu'elle avait fui en Surface, depuis ce jour où elle avait abandonné ses deux jeunes enfants et son mari, elle se mit à pleurer. Les quelques larmes qui roulèrent d'abord sur ses joues se transformèrent bien vite en un torrent incontrôlable, comme si une digue avait cédé.

Elle pleura toutes les larmes de son corps, puis se releva lentement, luttant contre les eaux gonflées du ruisseau, épuisée et un masque de colère accroché sur le visage. Ses mains dégoulinantes se crispèrent, et elle referma les poings. Elle maudit alors le ciel de toutes ses forces et lâcha un cri dont le son primitif retentit jusqu'au fond de la vallée déserte.

Chapitre Deux

– **P**as d'école demain, donc! cria Will à Chester, tandis que le train des mineurs s'enfonçait toujours plus profond dans les entrailles de la Terre, les entraînant loin de la Colonie.

Ils éclatèrent de rire, heureux d'être à nouveau réunis, mais retombèrent bien vite dans le silence. Ils ne bougèrent pas du plateau de l'énorme wagon à toit ouvert dans lequel Will avait déniché Chester sous une bâche. Les roues de la locomotive à vapeur roulaient en cadence sur les rails.

Après plusieurs minutes, Will ramena ses jambes sous son menton et se frotta la rotule. Il avait le genou encore douloureux après son atterrissage improvisé sur le toit du train, quelques kilomètres plus haut. Chester avait remarqué son geste et lui adressa un regard interrogateur. Will lui répondit en levant les pouces et en opinant avec enthousiasme.

– Comment t'es arrivé là? hurla Chester pour couvrir le vacarme du train.

– Cal et moi, rétorqua Will tout en pointant l'avant du train où il avait laissé son frère... On a sauté... Imago nous a aidés, poursuivit-il en montrant le plafond de la galerie qui défilait au-dessus d'eux.

– Hein?

– Imago nous a aidés, répéta Will.

– Imago? C'est quoi ce truc? hurla Chester encore plus fort tout en mettant sa main en cornet pour mieux entendre la réponse.

– Pas grave, articula Will en agitant lentement la tête; il aurait tant aimé savoir lire sur les lèvres. Trop génial! T'es en vie! dit-il en adressant un large sourire à son ami.

Will voulait lui donner l'impression que tout allait bien, même si l'avenir n'augurait rien de bon. Il se demandait si son ami savait qu'ils se dirigeaient vers les Profondeurs, ce lieu qu'on évoquait avec effroi dans la Colonie.

Will détourna la tête pour regarder le panneau qui fermait le wagon derrière lui. À en juger d'après ce qu'il avait vu jusqu'à présent, le train, tout comme les wagons d'ailleurs, était bien plus large que tout ce qu'il avait pu rencontrer à la Surface, et il n'était pas vraiment pressé de retourner sur ses pas pour rejoindre son frère, qui l'attendait pourtant. Le parcours n'avait rien d'une promenade de santé ; à la moindre erreur, il risquait la chute. Il aurait probablement péri sous les roues géantes qui arrachaient des étincelles aux énormes rails. Il prit une grande inspiration ; cette pensée était intolérable.

– Prêt à y aller ? cria-t-il à Chester.

Son ami acquiesça et se releva d'un pas chancelant, s'accrocha au panneau arrière du wagon pour lutter contre l'oscillation constante du train qui venait de négocier plusieurs virages.

Chester portait l'habit typique de la Colonie : un court manteau et un pantalon en toile épaisse. Mais Will fut stupéfié lorsque les pans de son pardessus s'ouvrirent soudain et laissèrent entrevoir son corps amaigri.

À l'école, son imposante stature lui avait valu le surnom d'Armoire à glace, mais à bien le regarder à présent il semblait avoir dépéri. À moins qu'il ne s'agisse d'une illusion d'optique causée par les jeux de lumière, il avait le visage décharné et avait perdu beaucoup de poids. Aussi incroyable que cela puisse paraître, Chester semblait presque frêle. Will ne se faisait aucune illusion quant aux conditions de détention qu'il avait connues dans le cachot. Le policier de la Colonie qui les avait arrêtés peu après leur arrivée dans ce monde souterrain les avait jetés dans l'une de ces geôles obscures et sans air. Mais Will n'y avait séjourné qu'une quinzaine de jours. Chester avait connu un calvaire bien plus long, cela avait duré des mois.

Will se prit à fixer son ami et détourna rapidement les yeux. Il était rongé par la culpabilité, car il se savait entièrement responsable de tout ce qu'avait enduré Chester. Tout était à cause de lui, et de lui seul. Il avait entraîné Chester dans cette aventure, poussé par son tempérament impulsif et par son obstination à vouloir retrouver son père disparu.

Chester reprit la parole, mais Will ne saisit pas le moindre mot de ce qu'il venait de lui dire. Il examina son ami à la lumière du globe lumineux qu'il tenait à la main comme s'il tentait de déchiffrer ses pensées. Chester avait le visage couvert d'une épaisse couche de crasse, résidu des fumées sulfureuses du train – on aurait dit une grosse croûte sous laquelle affleurait le blanc de ses yeux.

On ne pouvait pas dire que Chester fût dans une forme resplendissante. Des tuméfactions violettes et boursouflées se distinguaient sous la couche de crasse, et l'on entrevoyait même parfois un soupçon de rouge aux endroits où la peau de son visage semblait se craqueler. Il avait les cheveux si longs qu'ils commençaient à boucler aux pointes. Ils étaient graisseux et lui collaient aux tempes. Mais à la manière dont le dévisageait Chester, Will en conclut qu'il ne devait guère avoir plus fière allure.

Will se passa la main dans les cheveux pour se donner une contenance. Ils étaient blancs et sales. Cela faisait plusieurs mois qu'il n'était pas allé chez le coiffeur.

Mais il y avait des choses bien plus importantes à régler. Will se dirigea vers le panneau qui fermait l'arrière du wagon. Il s'apprêtait à se hisser par-dessus bord, lorsqu'il se tourna vers son ami. Chester tenait à peine sur ses pieds, mais Will n'aurait su dire si c'était dû à sa faiblesse générale ou bien au balancement irrégulier du train.

— Tu vas y arriver ? cria Will.

Chester acquiesça mollement.

— T'es sûr ?

— Oui ! hurla Chester en hochant la tête d'un air un peu plus convaincu cette fois-ci.

Mais le passage d'un wagon à l'autre n'était pas une mince affaire ; après chaque saut, Chester avait besoin de toujours plus de temps pour récupérer. Le train semblait forcer l'allure, ce qui ne leur facilitait guère la tâche. On aurait dit que les deux garçons luttaient contre une bourrasque de force 10, le visage aplati par le vent, et les poumons emplis d'une fumée putride mêlée de dangereuses cendres incandescentes. Elles filaient au-dessus de leurs têtes, telles des lucioles en surcharge électrique, et baignaient les sinistres ténèbres d'une lueur orangée dans le sillage du train qui filait toujours plus vite. Au moins Will pouvait-il se passer de son globe lumineux pour éclairer le chemin.

Les deux garçons remontaient de plus en plus lentement la chaîne des wagons. Chester avait beau s'agripper aux parois, il peinait à tenir debout et il ne put faire semblant encore très longtemps ; il n'y arrivait tout simplement pas. Il se laissa choir sur le plateau du wagon et continua à avancer à quatre pattes, tête baissée, à la vitesse d'une tortue. Mais Will refusait de laisser son ami souffrir ainsi. Sans tenir compte des protestations de Chester, il lui passa un bras autour de la taille et l'aida à se relever.

Ce ne fut qu'au prix d'immenses efforts que Will parvint à lui faire franchir les derniers panneaux tout en le soutenant à chaque pas. Son soulagement fut immense lorsqu'il vit qu'il ne leur restait plus qu'un seul wagon à parcourir – Will doutait sincèrement de pouvoir traîner Chester ainsi beaucoup plus longtemps. Lorsqu'ils atteignirent enfin l'ultime panneau, Will s'y agrippa sans lâcher son ami, puis il prit plusieurs inspirations profondes. Chester était très faible et presque incapable de maîtriser son corps. Will supportait tout le poids de son compagnon, et c'était à peine s'il parvenait à le faire tenir debout. La manœuvre était déjà assez ardue en elle-même. Alors avec l'équivalent d'un sac de pommes de terre géant sous le bras... Il y avait des limites à tout ! Will rassembla toutes ses forces et hissa Chester par-dessus bord. À grand renfort de grognements, ils finirent par franchir l'obstacle et retombèrent sur le plateau du dernier wagon.

Ils se retrouvèrent aussitôt plongés dans un océan de lumière. D'innombrables globes, de la taille de gros calots, roulaient librement sur le sol. Ils s'étaient échappés d'un carton peu solide qui avait amorti la chute de Will lorsqu'il avait sauté à bord du train en marche. Will s'en était déjà largement rempli les poches, mais il savait bien qu'il faudrait trouver le moyen de dissimuler le reste des globes. Ils n'avaient vraiment pas besoin qu'un Colon remarque ces lumières erratiques.

Mais pour l'heure, Will n'avait pas les mains libres. Il aidait son ami à se remettre d'aplomb, un bras passé autour de sa taille, déblayant le passage à coups de pied pour éviter que Chester ne trébuche sur les globes qui s'entrechoquaient et fusaient de toute part, laissant des traînées lumineuses dans leur sillage après chaque nouvel impact. On aurait dit le départ d'une réaction en chaîne.

Will peinait à respirer et commençait à accuser le coup. Il ne leur restait plus que quelques mètres à franchir mais, aussi amaigri fût-il, Chester était loin d'être un poids plume. Pris au cœur d'un tourbillon de lumière, Will ressemblait à un soldat qui aurait aidé son camarade blessé à rejoindre les lignes de front en titubant, alors même qu'ils venaient de se faire surprendre par une attaque ennemie en plein milieu du *no man's land*.

Chester semblait à peine conscient de ce qui l'entourait. Il avait le visage ruisselant de sueur et maculé de traînées crasseuses. Il était à bout de souffle, et tout son corps était secoué par de violents soubresauts.

— On y est presque, lui glissa Will au creux de l'oreille pour l'encourager à tenir bon ; ils venaient d'atteindre une section du wagon où étaient empilées des caisses en bois. Cal nous attend là-haut.

Assis en haut d'une pile, au beau milieu des caisses brisées, le jeune garçon leur tournait le dos. Il n'avait pas bougé depuis que Will l'avait laissé. De plusieurs années son cadet, il ressemblait étrangement à son frère récemment retrouvé. Cal était albinos lui aussi. Il avait les mêmes cheveux blancs et les mêmes larges pommettes héritées d'une mère qu'ils n'avaient connue ni l'un ni l'autre. Mais le visage de Cal demeurait invisible, car il avait la tête baissée et se massait doucement la nuque. Il n'avait pas été aussi chanceux que Will dans sa chute.

Will aida Chester à grimper sur une caisse ; le garçon s'y laissa choir lourdement. Will s'approcha alors de son frère et lui tapota légèrement l'épaule en espérant ne pas lui causer une trop grande frayeur. Imago leur avait dit de rester en alerte, car le train transportait aussi des Colons. Mais Will n'avait aucune raison de s'inquiéter, Cal était bien trop préoccupé par ses divers bobos pour réagir. Ce ne fut qu'après plusieurs secondes et quelques grognements inaudibles qu'il se tourna enfin vers Will, tout en se palpant encore la nuque.

— Cal, je l'ai trouvé ! J'ai retrouvé Chester ! hurla Will sans toutefois parvenir à couvrir le vacarme ambiant.

Cal et Chester échangèrent un regard, mais ne dirent rien. Ils étaient bien trop loin l'un de l'autre pour pouvoir communiquer. Ils s'étaient déjà très brièvement rencontrés dans les pires circonstances imaginables, avec les Styx à leurs trousses. Ce n'était pas vraiment le moment d'échanger des politesses.

Ils détournèrent les yeux, et Chester descendit de sa caisse. Arrivé sur le plateau du wagon, il se prit la tête entre les mains. De toute évidence, il avait investi ses dernières forces dans le trajet qu'il venait de parcourir avec Will. Cal recommença à se masser la nuque. Il ne semblait pas surpris le moins du monde de retrouver Chester dans ce train, ou peut-être n'y accordait-il aucune importance.

Will haussa les épaules.

— Mon Dieu, quelle bande d'épaves vous faites ! dit-il à voix basse, de peur qu'ils ne l'entendent.

Il songea alors à l'avenir, et ses angoisses l'assaillirent à nouveau — c'était comme si quelque chose lui dévorait les entrailles. Pour autant qu'il sût, ils filaient vers un lieu dont même les Colons parlaient à voix basse avec une terreur mêlée de respect. C'était en effet l'une des pires punitions imaginables que de se voir banni, puis déporté dans ce désert sauvage.

Pourtant, le peuple des Colons était doté d'une résistance extraordinaire ; ils avaient enduré les pires conditions de vie des siècles durant dans ce monde souterrain. Si ce fameux endroit vers lequel les conduisait le train était aussi terrible, comment allaient-ils s'en sortir pour leur part ? De nouvelles tribulations les attendaient tous les trois, voilà qui ne faisait pas l'ombre d'un doute. Mais Will devait se rendre à l'évidence : ni son ami ni son frère n'étaient prêts à affronter de telles épreuves. Pas encore, tout au moins.

Will passa la main sous son blouson. Il avait le bras vraiment raide. Il palpa son épaule blessée. Un limier, l'un de ces féroces chiens d'attaque dont se servaient les Styx, l'avait déchiquetée de ses crocs. On avait pansé ses plaies, mais il n'était pas en très grande forme non plus. Il tourna immédiatement les yeux vers les caisses de fruits frais qui les entouraient ; au moins, ils ne manqueraient pas de vivres et conserveraient ainsi toutes leurs forces. Mais à part cela, ils n'étaient guère parés pour affronter la suite.

Will avait l'impression de porter une chape de plomb ; sa responsabilité était immense. Il avait entraîné Cal et Chester dans cette improbable aventure à la recherche de son père. Il se trouvait à présent quelque part sur des terres inconnues dont ils approchaient inexorablement, au fil des méandres de ces galeries. Si le Dr Burrows était toujours en vie, évidemment...

Non ! pensa Will en agitant la tête.

Il n'avait pas le droit de se laisser aller à de telles pensées. Il devait continuer à croire à ses retrouvailles avec son père, et alors tout irait bien, exactement comme il l'avait rêvé. Tous les quatre — le Dr Burrows, Chester, Cal et lui — travailleraient en équipe, découvriraient des merveilles qui défient l'entendement... Des civilisations perdues... Peut-être de nouvelles formes de vie... Et puis... Et puis quoi ?

Il n'en avait pas la moindre idée.

Il ne pouvait se projeter aussi loin dans l'avenir. Il avait beau essayer, il ne voyait pas comment tout cela allait bien pouvoir finir. Mais il restait persuadé que cette histoire connaîtrait une fin heureuse. Il ne restait plus qu'à retrouver son père. C'était lui qui détenait la clef. Comment aurait-il pu en être autrement ?

Chapitre Trois

Le cliquetis des machines à coudre réparties un peu partout sur le plateau de l'atelier semblait répondre au sifflement des presses à vapeur. On aurait dit qu'elles cherchaient à communiquer entre elles.

Une radio que personne n'éteignait jamais tentait en vain de couvrir le vacarme mécanique de ses aigus. Sarah appuya sur la pédale de sa machine, qui se mit à vrombir en piquant le tissu. Tout le monde s'acharnait à la tâche, car il fallait que les vêtements soient prêts pour le lendemain.

Sarah releva la tête. Elle avait entendu crier : une femme se frayait un chemin entre les établis. Lorsqu'elle rejoignit ses collègues qui attendaient à côté de la sortie, elles se mirent à bavarder bruyamment tel un troupeau d'oies surexcitées, avant de franchir les portes battantes qui se refermèrent derrière elles.

Sarah scruta les grandes vitres sales de l'usine. Des nuages s'amoncelaient dans un ciel si sombre qu'on se serait déjà cru au crépuscule, alors qu'il était à peine midi. Les ouvrières étaient encore nombreuses dans l'atelier. Elles s'éreintaient sans relâche sous le cône lumineux d'un plafonnier.

Sarah pressa un bouton situé sous son établi pour éteindre sa machine, attrapa son sac et son manteau, et se précipita vers la sortie. Elle se faufila entre les portes battantes, tout en veillant à ne faire aucun bruit, puis elle fonça au fond du couloir. Elle jeta un coup d'œil par la fenêtre du bureau du directeur dont elle aperçut le dos potelé. Il était penché sur son bureau, absorbé par la lecture de son journal. Sarah aurait dû lui dire qu'elle partait, mais elle avait un train à prendre, et puis moins il y aurait de gens au courant, mieux ce serait.

Une fois dehors, elle inspecta les trottoirs pour vérifier qu'il n'y avait personne de louche dans les parages. C'était un réflexe, elle n'en avait même pas conscience. Comme la voie était libre, elle se dirigea à grands pas vers la colline après avoir quitté la rue principale en effectuant de nombreux détours inutiles.

À force de vivre comme un fantôme, de changer d'emploi comme de logement tous les deux ou trois mois, elle avait rejoint les rangs des invisibles, des immigrants sans papiers et des malfrats à la petite semaine. Mais si elle était en quelque sorte entrée illégalement en Surface, jamais elle n'avait enfreint la loi. Mis à part les fausses identités multiples qu'elle avait endossées au fil des ans, elle n'aurait jamais songé à commettre la moindre infraction, pas même sans un sou en poche. Non, elle ne pouvait pas courir le risque de se faire arrêter et de se retrouver prise au piège du système. Elle aurait soudain laissé derrière elle une trace détectable.

Il était difficile d'imaginer les trente premières années de la vie de Sarah.

Elle était née sous terre, dans la Colonie. Son grand-père avait été trié sur le volet pour venir travailler avec quelques centaines d'autres dans la ville secrète. Ils avaient juré allégeance à sir Gabriel Martineau, qu'ils prenaient pour leur sauveur.

Sir Gabriel avait dit à ses fidèles qu'un jour un dieu de colère assoiffé de vengeance anéantirait ce monde corrompu. Il exterminerait tous les habitants de la Surface, les Surfaciens. Alors ses ouailles, les hommes purs, pourraient retourner chez eux en toute légitimité.

Sarah partageait la crainte de ces gens pour les Styx. Cette police religieuse faisait régner l'ordre dans la Colonie avec une efficacité brutale et résolue. Contre toute attente, Sarah avait réussi à s'échapper de la Colonie, mais elle savait que les Styx ne cesseraient jamais de la pourchasser. Elle devait servir d'exemple.

Elle entra sur une place dont elle fit le tour pour s'assurer que personne ne l'avait suivie, puis plongea derrière une fourgonnette garée là, avant de rejoindre la rue principale.

Quelques instants plus tard, c'est une tout autre femme qui émergeait de derrière le véhicule. Elle avait retourné son manteau, dont les carreaux verts lui servaient à présent de doublure, et s'était noué un foulard noir autour de la tête. Arborant désormais des vêtements gris pâle, tel un caméléon humain, elle se fondait presque dans les façades crasseuses des immeubles de bureau et des boutiques qu'elle longeait pour se rendre à la gare.

Elle leva les yeux en entendant le bruit d'un train qui s'approchait, et sourit : le timing était parfait.

Chapitre Quatre

Will profita du sommeil de Cal et Chester pour évaluer la situation.

Après avoir examiné le wagon, il conclut qu'ils devaient d'abord se cacher. Tant que le train était en marche, il était fort peu probable que l'un des Colons décide de procéder à une inspection. Cependant, si jamais il venait à s'arrêter, il fallait qu'ils soient prêts tous les trois. Mais que pouvait-il faire ? Il n'avait pas grand-chose sous la main, mais il finit par décréter que la meilleure solution consistait encore à changer la disposition des caisses restées intactes. Il les traîna donc sur le sol, contournant Chester et Cal, qui sommeillaient encore, et se mit à les empiler les unes sur les autres. Il cherchait à bâtir une cachette assez large pour qu'ils puissent y tenir à trois.

Will remarqua que le wagon précédent, comme tous ceux qu'il avait franchis lors de la précédente expédition au cours de laquelle il avait retrouvé Chester, comportait des panneaux bien plus hauts que celui dans lequel ils se trouvaient à présent. Par hasard ou à dessein, Imago les avait fait sauter sur un plateau relativement protégé de la suie et des fumées qui s'échappaient de la locomotive.

Will empila la dernière caisse puis recula d'un pas pour admirer son œuvre, déjà préoccupé par un autre problème tout aussi urgent : où allaient-ils trouver de l'eau ?

Ils pouvaient subsister en mangeant des fruits, mais il leur faudrait boire sous peu. Les provisions qu'il avait achetées en Surface avec Cal leur auraient été bien utiles, et il faudrait que l'un d'eux parte récupérer leurs sacs à dos là où Imago les avait laissé choir, à savoir sur les wagons qui se trouvaient devant eux. Or, Will le savait bien : c'est à lui qu'il reviendrait de s'en charger.

Les bras tendus pour garder l'équilibre comme s'il arpentait le pont d'un bateau par temps de houle, il regarda la paroi de fer qu'il allait devoir escalader. L'arête du panneau se découpait nettement dans la lueur orangée des petites cendres incandescentes qui filaient au-dessus de sa tête. La plaque de métal devait mesurer entre quatre et cinq mètres de haut : elle était donc deux fois plus haute que les panneaux qu'il avait franchis jusqu'alors.

— Allez, espèce de mauviette, vas-y! dit-il.

Il s'élança à toute allure, d'un bond, s'accrocha au panneau du wagon dans lequel il se trouvait, et attrapa enfin la paroi du wagon suivant.

L'espace d'un instant, il crut bien qu'il avait mal calculé les distances et se voyait déjà déraper, mais il s'agrippa de toutes ses forces au panneau et parvint à trouver un point d'appui.

Il savoura cet instant de gloire avant de reprendre conscience du danger ; les wagons subissaient de violentes oscillations, menaçant de le déloger d'une position déjà fort précaire. Il n'osait pas regarder les rails qui défilaient sous ses pieds, par crainte de perdre son sang-froid.

— Trop facile! hurla-t-il, puis il se hissa par-dessus bord en tirant de toutes ses forces sur ses bras, et retomba en boule sur le plateau du wagon suivant. Il avait réussi.

Will extirpa un globe lumineux de sa poche pour examiner les lieux et fut déçu de découvrir que, hormis quelques petits tas de charbon, le wagon semblait vide. Il poursuivit son chemin et remercia le destin lorsqu'il aperçut les deux sacs à dos à l'autre bout du wagon. Il les ramassa et les emporta avec lui, puis les lança l'un après l'autre dans le wagon précédent en visant du mieux qu'il pouvait.

Cal et Chester étaient encore profondément endormis lorsqu'il les rejoignit enfin. Ils n'avaient pas même remarqué les deux sacs à dos qui s'étaient matérialisés comme par miracle juste devant leur enclave. Will s'empressa de préparer un sandwich pour Chester, qui était très affaibli.

Will parvint à le tirer de sa torpeur à force de le secouer ; lorsque Chester ouvrit les yeux, il se jeta aussitôt sur le sandwich. Il lui adressa plusieurs sourires entre deux bouchées goulues qu'il accompagna d'une grande rasade d'eau, puis se rendormit sans autre forme de procès.

Au cours des heures qui suivirent, les trois garçons passèrent leur temps à dormir et à manger de drôles de sandwichs : il s'agissait de grosses tranches de pain blanc garnies de chou cru et de bouts de viande de rat séchée. Ils étalèrent aussi des rondelles de champignon fort peu appétissantes sur des gaufres bien beurrées (ces champignons géants constituaient la base du régime alimentaire des Colons, on les appelait aussi « gâteaux à deux sous »). Pour finir, ils engloutirent tant de fruits qu'ils vidèrent les caisses qu'ils avaient brisées dans leur chute et durent en ouvrir d'autres.

Pendant ce temps, le train poursuivait sa course en rugissant. Il les entraînait toujours plus bas dans les entrailles de la Terre. Will comprit bien vite qu'il était inutile d'essayer de communiquer avec les autres et se contenta de s'allonger sur le dos pour contempler la galerie. Le train progressait strate après strate, ce qui ne cessait de le fasciner. Il observait les différentes couches de roches métamorphiques qu'ils traversaient et prenait consciencieusement des notes dans son carnet, d'une écriture tremblée. Voilà un travail de géographe qui dépasserait tous les autres ; tout ça n'avait plus rien à voir avec les fouilles qu'il avait menées à Highfield. C'était à peine s'il avait gratté la surface de la croûte terrestre jusqu'alors.

Le gradient de la galerie variait considérablement. Certaines portions moins pentues qui s'étendaient sur des kilomètres avaient été manifestement creusées par l'homme. Puis, de temps à autre, les rails traversaient des grottes naturelles à la surface plane. Elles étaient bordées par des coulées de calcite formant d'immenses palissades, semblables à de gigantesques cathédrales fondues que cernaient parfois des douves dont les eaux noires venaient lécher les rails. C'était tout bonnement stupéfiant. Leur succédaient ensuite des montagnes russes ; certaines pentes étaient en effet si raides que les garçons se retrouvaient soudain réveillés en sursaut, entassés les uns sur les autres.

Quand ils entendirent tout à coup un fracas assourdissant, comme si le train venait de dévisser d'une corniche, les trois garçons se redressèrent et regardèrent tout autour d'eux sans comprendre ce qui se passait. Une pluie chaude s'abattit sur eux et inonda le wagon. Ils étaient à présent trempés comme s'ils venaient de franchir le rideau d'une cascade. Ils éclatèrent de rire en agitant les bras. Le déluge cessa aussi vite qu'il était venu, et ils retombèrent à nouveau dans le silence.

Une légère vapeur d'eau s'élevait de leurs vêtements tout comme du plateau du wagon, immédiatement emportée par la brise qui soufflait dans le sillage du train. Will avait remarqué que la température avait grimpé considérablement alors que le train filait de plus belle. À peine perceptible au début, cette augmentation commençait à le préoccuper sérieusement.

Après un moment, les trois garçons défirent leurs chemises, puis ils ôtèrent leurs bottes et retirèrent leurs chaussettes. L'air était si brûlant et si sec qu'ils se relayaient au sommet des piles de caisses pour profiter du courant d'air. Will se demandait ce que leur réservaient les Profondeurs. Filaient-ils droit sur une fournaise à la chaleur insoutenable ? Il avait l'impression d'avoir pris un train express pour l'Enfer.

Le crissement des freins interrompit soudain le flot de ses pensées. Le vacarme était tel qu'ils durent se boucher les oreilles. Le train ralentit et s'immobilisa enfin après un dernier soubresaut. Quelques minutes plus tard, ils entendirent le tintement du métal contre la roche, un peu plus loin devant eux. Will enfila bien vite ses bottes et se rendit à l'avant du wagon. Il se hissa en haut du panneau pour voir de quoi il retournait.

En vain : malgré la lueur rouge pâle qui brillait un peu plus loin à l'avant du train, tout était noyé dans des nappes de fumées stagnantes.

Cal et Chester l'imitèrent et passèrent la tête au-dessus des panneaux des wagons en tendant le cou. Maintenant que le battement régulier de la locomotive avait cessé, le niveau sonore était quasi nul, et ils avaient l'impression que le bruit de leur pas ou de leur toux leur parvenait depuis le lointain. Ils pouvaient enfin se parler, mais ils se contentèrent d'échanger des coups d'œil sans trop savoir quoi dire. Chester finit par rompre le silence.

— Tu vois quelque chose ? demanda-t-il.

— T'as l'air d'aller mieux ! rétorqua Will.

Son ami se déplaçait d'un pas plus assuré, et il avait même réussi à se hisser à ses côtés sans le moindre effort.

— J'avais juste faim, marmonna Chester avec dédain, tout en se pressant l'oreille comme pour soulager la pression exercée par cette étrange quiétude.

Ils entendirent un cri – un homme à la voix de stentor se trouvait un peu plus loin au-devant – et s'immobilisèrent aussitôt. Il ne fallait pas oublier qu'ils n'étaient pas seuls à bord. Il y avait forcément un conducteur, peut-être même quelqu'un d'autre pour l'aider, et puis un autre Colon dans la voiture des gardes située à l'arrière du train. Imago les avait prévenus. Même si ces hommes savaient que Chester était à bord, puisqu'ils étaient censés le bannir une fois arrivés à la gare des mineurs, Will et Cal restaient des passagers clandestins. Qui plus est, leurs têtes avaient sans doute été mises à prix. Il ne fallait surtout pas qu'on les retrouve.

Les garçons échangèrent des regards nerveux, puis Cal se hissa par-dessus le panneau du wagon.

— J'y vois rien, dit-il.

— Je vais tenter le coup par ici, suggéra Will en se décalant vers le coin du wagon pour bénéficier d'un meilleur angle de vue.

Il scruta le flanc du train en plissant les yeux, mais les ténèbres et la fumée l'empêchaient de distinguer quoi que ce soit.

— Tu crois qu'ils vont fouiller le train ? demanda-t-il à Cal après avoir rejoint ses compagnons, mais ce dernier se contenta de hausser les épaules, puis de jeter un coup d'œil inquiet par-dessus son épaule.

— Bon Dieu, on étouffe ici, murmura Chester dans un souffle.

Il avait raison. La chaleur était devenue presque insupportable. Maintenant que le train était à l'arrêt, il n'y avait plus l'ombre d'une brise pour les rafraîchir.

— C'est le cadet de nos soucis, murmura Will.

Puis la locomotive s'ébranla à nouveau, et repartit de plus belle après quelques soubresauts erratiques. Les garçons restèrent là où ils étaient, obstinément suspendus au grand panneau du wagon. Ils furent aussitôt assaillis par le vacarme et submergés par les fumées lourdes de suie.

Lorsqu'ils en eurent assez vu, ils sautèrent sur le plateau et rejoignirent leur cachette en gardant un œil sur les piles de caisses.

— Là-bas ! cria soudain Will en montrant quelque chose du doigt tandis que le train poursuivait son chemin.

Il venait de comprendre pourquoi ils s'étaient arrêtés. Les trois garçons se levèrent pour voir les deux immenses portes de fer se rabattre contre les parois du tunnel.

— Des portes tempête, hurla Cal. Elles vont se refermer derrière nous. Regarde bien.

Avant qu'il ait eu le temps de finir sa phrase, les freins crissèrent et le train se mit à décélérer, puis il s'immobilisa dans une ultime secousse qui les envoya valdinguer sur le plateau. Après un bref instant de silence, ils entendirent un bruit provenant de l'arrière du train, et leurs dents se mirent à claquer comme s'ils venaient de subir le choc d'une petite explosion. Il s'agissait en fait du grincement d'une manivelle dont la vibration sonore se répercutait le long des parois du tunnel.

— Qu'est-ce que je t'avais dit ? déclara Cal d'un ton satisfait pendant le court moment de silence. Ce sont des portes tempête.

— Mais ça sert à quoi, au juste ? lui demanda Chester.

— À saper la force du vent du levant avant qu'il n'atteigne la Colonie.

Chester lui lança un regard perplexe.

— Tu sais, les tempêtes qui viennent de l'Intérieur, précisa Cal. C'est pourtant pas si compliqué, non ? ajouta-t-il en roulant des yeux comme s'il trouvait la question de Chester parfaitement absurde.

— Il n'en a probablement encore jamais vu, intervint aussitôt Will. Chester, c'est comme un vent chargé d'une épaisse poussière. Il souffle des Profondeurs, et c'est là que nous allons.

— Ah d'accord, répondit son ami, puis il détourna la tête.

Il était visiblement agacé. À ce moment précis, Will se dit que la vie avec Cal et Chester s'annonçait loin d'être facile. En tout cas, il aurait mieux valu ne pas les réunir.

Le train accéléra peu à peu, et les garçons reprirent leurs positions respectives entre les caisses. Au cours des douze heures suivantes, ils franchirent bien d'autres portes tempête. À chaque nouvel arrêt, ils restaient aux aguets de peur que l'un des Colons n'ait l'idée de venir voir où en était Chester. Mais personne ne parut, et les garçons purent reprendre leurs activités habituelles : manger, et puis dormir. Will commença à se préparer ; ils ne tarderaient pas à arriver au bout de la ligne. En sus des globes lumineux qu'ils avaient remisés dans leurs sacs à dos, Will prit autant de fruits que possible. Dans les Profondeurs, il ne savait ni où ni comment ils se procureraient de la nourriture, et il avait bien l'intention de faire des provisions.

Le tintement d'une cloche arracha soudain Will à un sommeil de plomb. L'esprit encore tout embrumé, il crut tout d'abord qu'il s'agissait de la sonnerie de son réveil, indiquant qu'il était temps de se préparer pour l'école. Il tendit la main comme pour chercher son réveil à tâtons sur sa table de nuit. Il ne rencontra que la poussière jonchant le sol du wagon. La cloche sonnait l'alarme avec insistance, et il finit par se lever en se frottant les yeux. Il vit d'abord Cal qui enfilait frénétiquement ses chaussettes et ses bottes sous le regard amusé de Chester. Le tintement discordant persistait et se réverbérait sur toute la longueur du tunnel.

— Vous deux, suivez-moi! hurla Cal à tue-tête.

— Pourquoi? articula Chester en silence à l'attention de Will. Chester avait l'air paniqué.

— Nous y sommes! Préparez-vous! dit Cal en refermant le rabat de son sac à dos.

Chester lui lança un regard interrogateur.

— Faut qu'on file de là! lui cria le jeune garçon en indiquant la tête du train. Avant d'arriver à la gare.

Chapitre Cinq

L e train à bord duquel voyageait Sarah n'avait rien à voir avec celui dans lequel se trouvaient ses deux fils. Elle était en partance pour Londres. Elle fit semblant de dormir durant la plus grande partie du voyage, gardant les yeux mi-clos pour éviter de croiser le regard des autres passagers, mais elle ne s'accorda pas le moindre repos. Sur la dernière portion du trajet, les arrêts se faisaient de plus en plus fréquents, et les passagers étaient de plus en plus nombreux à monter à bord. Sarah se sentait très mal à l'aise. Un homme à la barbe miteuse venait d'embarquer ; c'était un misérable affublé d'un pardessus écossais qui transportait une série de sacs en plastique dépareillés.

Elle devait se montrer prudente. Ils se faisaient parfois passer pour des clochards ou des marginaux. Il ne fallait guère plus de quelques mois pour qu'un Styx au visage naturellement émacié se laisse pousser la barbe et se barbouille de crasse pour se fondre dans la masse de ces infortunés que l'on rencontre au coin de toutes les villes.

C'était une ruse habile. Déguisés ainsi, les Styx pouvaient s'immiscer à peu près partout sans attirer l'attention des Surfaciens. Mieux encore, ils pouvaient ainsi placer des hommes à des postes de surveillance situés autour des gares les plus fréquentées, des jours durant, et observer les passagers.

Sarah ne savait plus combien de vagabonds elle avait croisés dans les halls d'entrée, ni combien de fois elle avait vu s'illuminer soudain deux yeux vitreux sur son passage, laissant entrevoir deux pupilles d'un noir de jais sous une chevelure crasseuse.

Mais ce clochard était-il l'un d'eux ? Elle observa son reflet dans les vitres tandis qu'il extirpait une canette de bière d'un sac de courses crasseux. Il l'ouvrit et se mit à boire en renversant une bonne partie du liquide sur sa barbe. Elle le surprit à plusieurs reprises en train de la dévisager. Il semblait pourtant l'observer sans la voir, mais elle n'aimait pas ses yeux : ils étaient d'un noir profond, et il les plissait comme s'il n'avait pas vraiment l'habitude de la lumière du jour. Autant de signes de mauvais augure, mais Sarah résista à l'envie de changer de siège. Elle ne voulait surtout pas attirer l'attention.

Elle serra donc les dents et resta tranquille jusqu'à ce que le train entre enfin en gare de Saint-Pancras. Elle fut parmi les premiers passagers à descendre puis, la barrière franchie, elle se dirigea nonchalamment vers les kiosques à journaux. Elle gardait la tête baissée pour éviter les caméras de sécurité disséminées un peu partout dans la gare, et pressait un mouchoir contre son visage dès qu'elle entrait dans leur champ. Elle s'arrêta et traîna un temps devant la vitrine d'un magasin, observant le clochard qui traversait le hall principal.

S'il s'agissait d'un Styx, ou même de l'un de leurs agents, mieux valait rester au milieu de la foule. Sarah évalua les différentes possibilités qui s'offraient à elle. Elle était en train de se demander s'il ne valait pas mieux sauter dans un train au départ, lorsque le clochard s'arrêta à une quinzaine de mètres d'elle pour fouiller dans ses sacs. Puis, d'un pas incertain et trébuchant, les bras tendus devant lui comme s'il poussait un caddie invisible dont une roue serait restée coincée, il prit la direction de l'entrée principale en pestant contre un homme qui venait de le frôler par inadvertance. Sarah le regarda sortir du bâtiment.

Elle était à présent quasi certaine qu'il s'agissait d'un vrai clochard, mais elle n'en restait pas moins impatiente de poursuivre sa route. Elle choisit donc une direction au hasard, fendit la foule et quitta la gare en empruntant une sortie latérale.

À l'extérieur, il faisait beau, et les rues de Londres étaient bondées. Parfait. C'est ainsi qu'elle aimait voir les choses. Mieux valait être entourée d'une foule rassurante : le nombre était garant de sa sécurité. Il était peu probable que les Styx tentent quoi que ce soit en présence de tant de témoins.

Elle se mit en marche d'un pas alerte et prit la direction du nord pour rejoindre Highfield. Le brouhaha de la circulation semblait se confondre en un seul et même battement continu qui faisait tant vibrer le sol qu'elle finit par le ressentir jusqu'au fond de ses entrailles. Chose assez étrange, cette trépidation incessante la rassurait. Elle lui donnait l'impression que la ville était vivante.

Sarah regarda les nouveaux bâtiments, détournant la tête à chaque fois qu'elle repérait une des nombreuses caméras de surveillance qu'on y avait fixées. Elle était stupéfaite de voir à quel point tout avait changé depuis la première fois qu'elle était venue à Londres.

Quand était-ce déjà? Il y avait près de douze ans de cela?

On raconte que les plaies se referment avec le temps, mais tout dépend de ce qui s'est passé par la suite.

Sarah avait mené jusqu'alors une existence des plus mornes; elle n'avait pas vraiment l'impression d'être en vie. Elle s'était échappée de la Colonie des années plus tôt, mais cet épisode restait gravé dans sa mémoire, toujours aussi vivace.

Les souvenirs se bousculèrent soudain dans sa tête. Elle était à nouveau en proie aux doutes qui l'avaient assaillie douze ans plus tôt. Elle avait alors compris qu'elle venait d'entrer dans un nouveau cauchemar en pénétrant sur cette terre étrangère où la lumière du soleil lui blessait les yeux, où tout était si différent, où rien ne lui était familier. Pire encore, elle était rongée par la culpabilité d'avoir abandonné ses deux fils.

Mais elle n'avait pas eu d'autre choix. Il fallait qu'elle parte. Son bébé, âgé d'à peine une semaine, avait contracté une fièvre qui l'avait consumé. Le petit être avait agonisé, secoué de spasmes violents. Sarah entendait encore ses pleurs interminables. Elle se souvenait du sentiment d'impuissance qu'elle avait partagé avec son mari. Ils avaient supplié le docteur de leur donner des médicaments, mais il leur avait répondu qu'il n'avait rien dans sa sacoche noire. Elle était devenue hystérique, mais le médecin s'était contenté de secouer la tête d'un air buté, évitant son regard. Elle connaissait la vérité. Dans la Colonie, les antibiotiques n'étaient disponibles qu'en quantité extrêmement limitée, et les rares stocks de médicaments étaient réservés aux classes dirigeantes, les Styx, et peut-être aussi aux quelques privilégiés qui siégeaient au conseil des Gouverneurs.

Il y avait pourtant une autre solution. Sarah avait suggéré d'acheter de la pénicilline au marché noir. Elle voulait demander à son frère, Tam, de lui en procurer, mais son mari s'était montré inflexible.

— Je ne puis tolérer de tels agissements, lui avait-il signifié en regardant d'un air morne le pauvre nouveau-né qui s'affaiblissait à vue d'œil.

Il s'était ensuite épanché sur sa position au sein de la communauté et sur le devoir qui était le leur, à savoir le maintien des valeurs. Sarah n'en avait que faire. Seule lui importait la guérison de son bébé.

Elle n'avait pas de meilleure solution que de rafraîchir sans cesse le visage écarlate du nouveau-né hurlant, pour faire baisser sa température... et puis il lui restait aussi la prière. Au cours des vingt-quatre heures qui avaient suivi, les pleurs du bébé avaient décru. On n'entendait plus que son souffle court et pathétique, comme s'il peinait à respirer. Il était inutile d'essayer de l'alimenter. Il ne faisait pas le moindre effort pour téter. Le bébé s'éloignait peu à peu, mais Sarah n'y pouvait rien, absolument rien.

Elle crut bien qu'elle allait perdre la raison.

Elle entrait dans des accès de colère à peine contenue, se réfugiant dans un coin pour se labourer frénétiquement les avant-bras de ses ongles, se mordant la langue pour réprimer ses cris. Elle ne voulait pas déranger l'enfant à demi inconscient. À la fin, elle se laissait choir sur le sol, terrassée par un tel désespoir qu'elle priait le ciel qu'on la laisse mourir avec son enfant.

Lorsque la dernière heure du petit fut venue, ses yeux devinrent vitreux et son regard apathique. Dans la chambre plongée dans la pénombre, Sarah était assise à côté du berceau. Un bruit l'avait tirée de sa prostration : c'était un minuscule murmure, comme si quelqu'un cherchait à attirer son attention. Elle se pencha au-dessus du berceau et sut aussitôt qu'elle venait de recueillir le dernier soupir de son enfant s'échappant de ses lèvres desséchées. Il était immobile. C'était fini. Elle souleva son bras minuscule et le laissa retomber sur le matelas. Elle avait l'impression de toucher une poupée d'une extrême délicatesse.

Mais elle ne pleura pas. Elle avait les yeux secs et le regard déterminé. À ce moment précis se dissipa d'un coup sa loyauté envers la Colonie, envers son mari et la société dans laquelle elle avait passé toute sa vie. Tout s'éclaircit soudain dans son esprit, comme si l'on venait d'allumer un projecteur juste au-dessus de sa tête. Elle était tellement convaincue de ce qu'elle devait faire à présent que rien ne pourrait l'arrêter. Il fallait qu'elle épargne cette destinée à ses deux autres enfants, quel que soit le prix à payer.

Le soir même, alors que le cadavre de son bébé refroidissait dans son berceau — ils n'avaient pas même eu le temps de le baptiser —, elle avait jeté quelques affaires dans un sac et entraîné ses deux fils avec elle. Pendant que son mari s'occupait de l'organisation des funérailles, tous trois avaient quitté la maison et filé vers l'une des issues de secours que lui avait décrites autrefois son frère.

Mais les choses avaient rapidement tourné au vinaigre, comme si les Styx anticipaient le moindre de ses gestes. Ils avaient alors joué au chat et à la souris. Elle progressait à grand-peine à travers le dédale des conduits de ventilation, les Styx sur ses talons. Elle se souvenait du moment où elle s'était arrêtée brièvement pour reprendre son souffle. Elle s'était appuyée contre la paroi, et blottie dans un coin de ténèbres avec un enfant sous chaque bras. Elle les sentait s'agiter, et dans son for intérieur elle savait qu'elle n'avait pas le choix : elle devait abandonner l'un d'eux derrière elle. Elle n'y arriverait pas, pas avec ses deux enfants. Elle se souvenait encore des affres du doute qui l'avait alors assaillie.

Elle était tombée peu après sur l'un de ses congénères. Elle avait réussi à le repousser, et l'avait assommé d'un coup rageur dans la mêlée qui avait suivi. Il l'avait grièvement blessée au bras. Il n'y avait donc plus d'hésitation possible : elle savait ce qui lui restait à faire.

C'est ainsi qu'elle avait abandonné Cal. Il avait à peine plus d'un an. Elle l'avait déposé tout emmailloté entre deux roches, sur le sol poussiéreux de la galerie. L'image de ce cocon souillé de son propre sang devait rester à jamais gravée dans sa mémoire. Tout comme les gargouillis de son enfant. Elle savait qu'on ne tarderait pas à le trouver et qu'on le rendrait alors à son mari ; il en prendrait soin. Maigre consolation. Elle avait repris sa fuite avec son autre fils, et par chance avait réussi à échapper aux Styx et à rallier enfin la Surface.

Aux premières heures de l'aube, ils avaient descendu la Grand-Rue de Highfield. Son fils aîné marchait sur le trottoir à ses côtés. C'était un bambin au pas encore mal assuré. Il se prénommait Seth. Il était âgé de deux ans et demi. Il regardait ici et là, bouche bée, ouvrant deux grands yeux effrayés sur ce monde étranger.

Sarah n'avait pas d'argent, nulle part où aller, et elle comprit très vite qu'elle aurait beaucoup de mal à s'occuper ne serait-ce que d'un enfant. Pour couronner le tout, ses vertiges devenaient de plus en plus violents. Sa blessure lui avait fait perdre beaucoup de sang.

Lorsqu'elle entendit des gens au loin, elle entraîna Seth à l'écart de l'artère principale. Ils parcoururent ainsi plusieurs rues secondaires jusqu'à ce qu'elle aperçoive enfin une église. Elle chercha refuge dans le cimetière adjacent, que la végétation avait envahi. Ils s'assirent tous deux sur une tombe recouverte de mousse, humant l'air nocturne pour la première fois de leur vie et regardant le ciel saturé d'iode avec une terreur mêlée de respect. Elle voulait seulement fermer les yeux quelques instants, mais elle craignait de ne pouvoir se relever si jamais elle se reposait trop longtemps. Elle avait le tournis, mais rassembla néanmoins ses dernières forces pour se relever. Il fallait trouver une cachette et, avec un peu de chance, à boire et à manger.

Sarah essaya d'expliquer à son fils ce qu'elle avait en tête, mais il refusait de rester seul. Le pauvre petit Seth n'y comprenait plus rien. Il avait l'air si perdu. Sarah partit à la hâte, le cœur brisé, tandis que son fils s'agrippait aux grilles de l'une des plus imposantes tombes du cimetière dont, chose étrange, la stèle était surmontée de deux petites silhouettes qui tenaient respectivement un pic et une bêche. Seth regarda sa mère s'éloigner en l'appelant de ses cris, mais rongée par la culpabilité, elle ne se retourna pas, de peur de ne pouvoir continuer.

Elle sortit du cimetière et prit une direction au hasard. Elle avait beau lutter contre ses vertiges, il lui semblait qu'elle était en train de danser une farandole au beau milieu d'un champ de foire.

Puis tout devint flou.

Elle avait repris ses esprits en sentant que quelqu'un la secouait. Lorsqu'elle avait ouvert les yeux, la lumière était si intense qu'elle avait à peine pu distinguer la silhouette de la femme se tenant penchée au-dessus d'elle et lui demandant ce qui n'allait pas. Sarah comprit qu'elle s'était évanouie entre deux voitures. Elle mit ses mains en visière pour se protéger les yeux, se releva et prit ses jambes à son cou.

Elle finit par retrouver son chemin, mais plusieurs individus vêtus de noir s'étaient massés autour de son fils. *Des Styx*, pensa-t-elle aussitôt, jusqu'à ce qu'elle parvienne à déchiffrer le mot « POLICE » sur une voiture, malgré les larmes qui lui brouillaient la vue. Elle s'était alors éclipsée.

Depuis ce jour-là, elle s'était répété un bon million de fois que c'était la meilleure chose à faire, qu'elle n'était pas en état de s'occuper de son fils, et encore moins de partir en cavale avec un enfant à charge et les Styx à ses trousses. En vain. Elle revoyait encore les yeux emplis de larmes du petit garçon qui ne cessait de l'appeler en tendant sa toute petite main alors qu'elle s'évanouissait dans la nuit.

Cette toute petite main tendue vers elle qui s'agitait maladroitement à la lumière des réverbères.

Elle se sentait comme un animal blessé qui chercherait un refuge pour mourir.

Elle avait l'impression de revivre la scène, si bien que lorsqu'un passant lui lança un coup d'œil, elle se demanda même si elle ne s'était pas laissé aller à parler toute seule.

— Ressaisis-toi, se dit-elle.

Elle devait rester concentrée. Elle agita la tête pour dissiper l'image de ce petit visage. C'était il y a si longtemps, et puis tout avait irrémédiablement changé, comme les bâtiments qui l'entouraient. Si le message qu'on lui avait laissé disait vrai — ce qu'elle avait beaucoup de mal à admettre —, Seth s'appelait désormais Will, et il n'avait plus rien à voir avec ce petit garçon-là.

Après avoir parcouru plusieurs kilomètres, Sarah s'engagea dans une rue animée dans laquelle se trouvait un supermarché, formant un gros bloc de briques entre les boutiques. Elle grommela entre ses dents lorsqu'elle fut contrainte de s'arrêter à un passage clouté au milieu d'un petit attroupement en attendant que le feu passe au vert pour les piétons. Elle se sentait mal à l'aise et serrait son manteau autour d'elle. Le petit bonhomme vert s'illumina ; elle traversa enfin la rue, devançant les autres passants aux bras chargés de courses.

Les boutiques s'espacèrent peu à peu, et il se mit à pleuvoir. Les gens se réfugièrent à la hâte sous les auvents ou dans leur voiture. Les rues étaient désormais beaucoup plus calmes, et Sarah poursuivit sa route en continuant à scruter les passants indifférents. Elle entendait la voix de Tam aussi clairement que s'il marchait à ses côtés.

Tu dois voir sans être vue.

Tam lui avait appris cela. Encore enfants, bravant l'interdit imposé par leurs parents, ils s'étaient souvent faufilés hors de la maison. Vêtus de haillons, et le visage noirci à l'aide d'un bouchon de liège carbonisé, ils avaient pris leur destin en main et s'étaient aventurés dans l'un des endroits les plus durs et les plus dangereux de toute la Colonie : les Taudis. Sarah revoyait encore Tam à cet âge, le visage souriant barbouillé de noir, les yeux brillant d'excitation, alors même qu'ils détalaient à toutes jambes après avoir évité quelque piège de justesse. Son frère lui manquait tant...

Elle revint soudain à la réalité ; quelque chose clochait, et tous ses sens étaient désormais en alerte. Un jeune garçon maigre affublé d'une veste militaire froissée et maculée de taches se dirigeait droit sur elle. Sarah ne dévia pas de sa trajectoire, mais l'adolescent attendit le dernier moment pour s'écarter et lui donna un coup de coude au passage après lui avoir toussé en pleine face. Elle se figea aussitôt, le regard embrasé par la colère tandis que le garçon marmonnait quelque grossièreté tout en poursuivant son chemin. Le dos de sa veste portait l'inscription « Je te hais » en grosses lettres blanches craquelées. Il fit encore quelques pas puis, comme il avait dû s'apercevoir qu'elle le regardait encore, il se tourna à moitié et lui lança :

— Espèce de truie !

Telle une panthère prête à bondir sur sa proie, Sarah sentit se raidir tous les muscles de son corps.

Espèce de petite ordure, pensa-t-elle.

Il n'avait pas la moindre idée de qui elle était, ni de quoi elle était capable. Il venait de jouer avec sa vie, car sa soif de sang était à son comble et elle mourait d'envie de lui administrer une leçon qu'il n'oublierait pas de sitôt, mais elle ne pouvait se permettre un tel luxe. Non, pas maintenant.

— Si jamais je te recroise... murmura-t-elle, tandis que l'adolescent à la démarche insolente traînait ses baskets miteuses sur le trottoir d'un air avachi.

Il ne se retourna pas cette fois-ci. Il ne savait visiblement pas ce à quoi il venait tout juste d'échapper.

Sarah resta immobile, le temps de reprendre ses esprits.

Elle inspectait la chaussée humide et les voitures qui filaient sur la route. Elle consulta sa montre. Il était encore tôt, elle avait marché trop vite.

Soudain, une conversation animée attira son attention. Elle ne comprenait pas la langue que parlaient les deux ouvriers qui sortaient d'un café situé à quelques boutiques de là. Les néons de la salle illuminaient les vitres embuées. Sans hésiter un instant, Sarah se précipita à l'intérieur de l'établissement.

Elle commanda un café et le paya au comptoir avant de l'emporter à une table à côté de la fenêtre. Tout en sirotant le liquide insipide et sans consistance, elle sortit de sa poche le papier froissé et se mit à relire lentement les mots écrits d'une main malhabile. Elle ne parvenait toujours pas à admettre la réalité. Comment Tam pouvait-il être mort ? Comment était-ce possible ? Aussi pénible que fût sa vie en Surface, elle avait toujours trouvé un petit réconfort dans l'idée que son frère était encore en vie et bien portant au sein de la

Colonie. C'était comme la flamme vacillante d'une bougie qu'on voit briller tout au bout d'un immense tunnel. Mais voilà qu'il était mort à présent. On avait tout pris à Sarah.

Elle retourna le mot, puis le relut.

Non, ce n'était pas possible. Joe Waites devait s'être trompé en l'écrivant. Comment son propre fils, Seth, son premier-né qui avait fait sa joie et sa fierté, aurait-il pu trahir Tam et le livrer aux Styx ? Le fruit de ses entrailles avait-il vraiment assassiné son frère ? *Et si tout cela était bien vrai, comment a-t-il pu se laisser corrompre à ce point ? Qu'est-ce qui a bien pu le pousser à agir ainsi ?* Mais ce n'était pas tout. Elle lut et relut les dernières lignes qui relataient la manière dont Seth avait enlevé son plus jeune fils, Cal, et l'avait forcé à le suivre.

– Non, dit-elle à voix haute.

Seth ne pouvait être responsable. Mais c'était bien là tout le problème. C'était Seth, et non pas Will, son fils. Seth était incapable de commettre de tels actes. Même si ce message provenait d'une source absolument fiable, peut-être quelqu'un l'avait-il falsifié. Peut-être quelqu'un connaissait-il l'existence de la boîte aux lettres secrète. Mais comment ? Et pourquoi ? Quel intérêt auraient-ils eu à lui fournir de fausses informations ? Ça n'avait aucun sens.

Elle respirait fort et ses mains tremblaient. Elle les posa fermement sur la table, le poing posé sur la lettre froissée. Elle s'efforça de reprendre le contrôle de ses émotions en jetant des coups d'œil aux autres clients du café, craignant que quelqu'un ait pu la voir. Mais les autres clients, des ouvriers du bâtiment pour la plupart, à en juger par leurs tenues de travail, étaient bien trop absorbés par leurs énormes fritures pour remarquer quoi que ce soit. Quant au tenancier, il chantonnait derrière le comptoir de verre.

Elle se renfonça dans son siège et parcourut la pièce d'un coup d'œil circulaire comme si elle la découvrait pour la première fois. Elle admirait les lambris imitation bois et le poster défraîchi de Marilyn Monroe encore jeune, allongée sur une grosse voiture américaine. On entendait une discussion à la radio, mais elle n'écoutait pas ce bourdonnement agaçant.

Elle essuya la condensation sur la vitre du café et regarda à travers le petit cercle qu'elle venait de tracer. Il était encore trop tôt, il ne faisait pas assez sombre. Elle décida donc de patienter un peu et, avec le coin d'une serviette en papier, se mit à modifier la forme d'une tache de café répandue sur le Formica rouge et rayé de la table. Une fois le liquide évaporé, elle se contenta de regarder droit devant elle comme si elle venait d'entrer en transe. Quelques instants plus tard, elle revint à elle en sursautant et remarqua que l'un des boutons de son manteau ne tenait plus qu'à un fil. Elle l'arracha et le déposa machinalement dans sa tasse vide, puis se mit à observer les formes vagues des passants pressés derrière les vitres embuées.

Le tenancier fit le tour de la salle, essuya les tables de son torchon crasseux et remit quelques chaises à leur place. Il s'arrêta devant la fenêtre, regarda au-dehors, puis demanda à Sarah si elle désirait autre chose d'un ton fort peu aimable. Sans même lui adresser un regard, elle se leva et fila droit vers la sortie. Furieux, il s'empara de sa tasse vide et vit alors le bouton qu'elle y avait jeté.

C'en était trop. Non seulement cette femme ne comptait pas au nombre de ses clients réguliers, mais il pouvait très bien se dispenser de ces clients de passage qui monopolisaient les tables et ne dépensaient presque rien.

– Radine...! hurla-t-il sans parvenir à bien articuler le mot.

Il venait en effet de poser les yeux sur la table. Il battit des paupières, inclina la tête ; la lumière devait lui jouer des tours. Là, sur le Formica, s'étalait une image d'un réalisme saisissant.

Il s'agissait d'un visage d'une dizaine de centimètres carrés, dessiné à partir de couches de café superposées. On aurait dit une peinture à la détrempe. Mais ce n'était pas tant le talent de l'artiste qui le stupéfiait que l'immense et douloureux rictus qui déformait cette bouche hurlante. Il cligna des yeux. Cette vision était si inattendue et si troublante qu'il fixa l'image pendant plusieurs secondes. Comment cette femme qui venait de quitter son café, du genre tranquille et même plutôt effacé, pouvait-elle avoir dessiné le portrait même de l'angoisse ? Tout ça ne lui disait rien qui vaille et il s'empressa d'effacer ce portrait d'un coup de torchon.

Dans la rue, Sarah s'efforça de ne pas trop presser l'allure. Elle avait encore du temps devant elle. Avant d'entrer dans le quartier de Highfield, elle fit une halte dans une chambre d'hôte. Il y avait plusieurs de ces auberges dans cette rue-là, et elle choisit au hasard une petite demeure mitoyenne, établissement miteux de style victorien. Elle devait assurer sa survie.

Ne fais jamais deux fois la même chose.
Ne fais jamais la même chose deux fois.

Si jamais elle sombrait dans une quelconque routine, les Styx la retrouveraient en un rien de temps.

Elle donna un faux nom et une fausse adresse, paya en liquide pour une nuit et prit la clef que lui tendit le gérant, un vieil homme ridé à l'haleine fétide et à la chevelure grise et clairsemée. Elle se dirigea vers sa chambre, vérifia l'emplacement de la sortie de secours, et nota au passage une seconde porte qui menait sans doute sur le toit. Juste au cas où. Arrivée dans la chambre, elle referma la porte et la bloqua en calant le dossier d'une chaise sous la poignée. Elle ferma les rideaux défraîchis par le soleil et s'assit au pied du lit pour faire le point.

Elle se leva d'un bond en entendant le rire nasillard d'un passant dans la rue. Elle entrouvrit légèrement les rideaux, parcourut du regard les voitures garées en rangs serrés. Elle entendit encore ce même rire et vit deux hommes vêtus d'un jean et d'un tee-shirt qui déambulaient en direction de la Grand-Rue. Ils avaient l'air plutôt inoffensifs.

Elle se rassit, s'allongea et se débarrassa de ses chaussures. Elle bâilla. Elle avait vraiment sommeil, mais elle ne pouvait se permettre de dormir maintenant. Elle ouvrit un exemplaire du *Highfield Bugle* qu'elle avait pris à la réception de l'hôtel pour s'occuper l'esprit. Comme toujours, elle sortit un stylo et consulta aussitôt les petites annonces au dos du journal, entourant les offres d'emplois non qualifiés qui pourraient lui convenir. Après en avoir terminé avec cette section, elle se mit à lire d'autres articles sans grand intérêt.

Cependant, entre les colonnes qui évaluaient les avantages et les inconvénients de la transformation de la vieille place du marché en zone piétonne, celles qui traitaient de l'installation de nouveaux ralentisseurs ou de la construction d'une nouvelle voie de bus, un article retint son attention.

LA BÊTE DE HIGHFIELD?
T. K. Martin, reporter

On rapporte une nouvelle apparition du mystérieux animal res-semblant à un chien sur le champ communal de Highfield, ce week-end. Samedi, en fin de soirée, Mme Croft-Hardinge, du quartier de Clockdown, a aperçu la bête perchée sur les branches inférieures d'un arbre alors qu'elle promenait son basset, Goldy.

« Elle mâchonnait quelque chose. J'ai d'abord pensé qu'il s'agissait d'un jouet en plastique, quand j'ai soudain compris que c'était un lapin en voyant le sang répandu un peu partout », a-t-elle déclaré à notre journal. « Elle était énorme, avec des yeux atroces et de vilaines dents. Lorsqu'elle m'a vue, elle s'est contentée de recracher la tête du lapin. Je jurerais qu'elle m'a regardée droit dans les yeux. »

Les témoignages sont contradictoires. Certains décrivent cet animal comme étant un jaguar ou un puma semblable au félin aperçu sur le site préhistorique de Bodmin Moor dans les années quatre-vingt, tandis que d'autres le comparent plutôt à un chien. M. Kenneth Wood, chargé de l'inspection des parcs de Highfield, a récemment supervisé une battue suite à la plainte d'un habitant. La bête aurait emporté son caniche nain après lui avoir arraché sa laisse des mains. D'autres résidents du quartier de Highfield ont signalé la disparition de leurs chiens au cours des mois passés. Le mystère s'épaissit...

Sarah se mit à griffonner nerveusement dans les marges de l'article et dessina un cimetière au clair de lune d'une étonnante précision. Elle n'avait pourtant qu'un vieux Bic sous la main. Le cimetière ressemblait plus ou moins à celui dans lequel elle avait trouvé refuge à Highfield lorsqu'elle s'était enfuie en Surface. Elle rajouta une grande stèle vierge de toute inscription au premier plan, la contempla pendant un instant, avant d'y ajouter le nom surfacien de Will Burrows suivi d'un point d'interrogation.

Sarah fronça les sourcils. Elle repensa à la mort de son frère et sentit la colère monter en elle telle une lame de fond qui l'entraînait vers un autre rivage. Lorsqu'elle finirait par s'échouer quelque part, il lui faudrait alors un coupable. Évidemment, les Styx étaient à l'origine de tout, mais pour la première fois elle s'autorisa à penser l'impensable : si ce qu'elle avait lu à propos de Seth était bien vrai, il allait le payer, et très cher.

Les yeux encore rivés sur son dessin, elle contracta si fort les muscles de sa main que le stylo vola en éclats. Des bouts de plastique transparent voltigèrent par-dessus le lit.

Chapitre Six

L e visage lugubre, les garçons restèrent agrippés à la paroi latérale du wagon. La galerie défilait sous leurs yeux à une allure
terrifiante, alors même que le train décélérait pour négocier un
virage.

Ils avaient déjà jeté leurs sacs à dos par-dessus bord, et Chester
était le dernier à s'être hissé en haut du panneau auquel il s'était
agrippé de toutes ses forces. Il avait pédalé un instant dans le vide
avant de trouver une corniche où il avait pu enfin poser le pied.
Will s'apprêtait tout juste à annoncer aux deux autres qu'il allait
sauter lorsque Cal se mit en tête de partir le premier.

— Saute! hurla Cal en poussant un long cri tandis qu'il se détachait du panneau.

Will le regarda s'évanouir dans les ténèbres, puis jeta un coup
d'œil en direction de Chester dont la silhouette se découpait dans
l'obscurité. Il savait que son ami redouterait ce moment.

Will n'avait pas le choix. Il devait suivre son frère. Il serra les
dents, se jeta en arrière et exécuta une volte en plein air. Pendant
une fraction de seconde, il eut l'impression d'être porté par le vent ;
mais lorsqu'il retomba brutalement sur ses pieds, il fut soudain
entraîné dans une folle cavalcade par son élan, et étendit les bras
pour garder l'équilibre.

Tout était noyé sous une fumée âcre ; les énormes roues du train
n'étaient qu'à quelques mètres de lui. Mais il allait beaucoup trop
vite et il ne tarda pas à trébucher. Il se réceptionna d'abord sur un
genou, puis bascula vers l'avant et atterrit à plat ventre sur la
couche de crasse qui recouvrait le sol. Lorsque sa glissade prit fin, il
roula lentement sur le dos, puis s'assit, toussant et recrachant de la

poussière. En voyant les énormes roues poursuivre leur marche inexorable, il remercia sa bonne étoile.

Will sortit un globe lumineux de sa poche et se mit en quête des deux autres. Quelques instants plus tard, il entendit un grognement en amont de la voie ferrée. Il vit alors Chester émerger à quatre pattes des ténèbres enfumées. Il leva la tête telle une tortue mal lunée et pressa l'allure dès qu'il aperçut Will.

— Tout va bien ? cria Will.

— Oui, trop génial ! lui répondit Chester en s'affalant bruyamment à ses côtés.

Will haussa les épaules en se frottant la jambe qui avait amorti sa chute.

— Et Cal ? demanda Chester.

— Sais pas. Mieux vaut l'attendre ici.

Will n'aurait su dire si Chester l'avait entendu, mais son ami ne semblait pas très enclin à partir à la recherche du jeune garçon.

Quelques minutes plus tard, le frère de Will émergea à son tour de la pénombre, un sac à dos à chaque épaule. Il marchait d'un pas nonchalant, affichant la plus grande insouciance, tandis que le train poursuivait sa course.

— J'ai récupéré nos affaires. T'es en un seul morceau ? hurla-t-il après s'être accroupi à côté de Will.

Une large égratignure lui barrait le front, et de petites gouttes de sang perlaient sur l'arête de son nez avant de rouler le long de son visage.

Will acquiesça.

— À terre ! La voiture du garde ! hurla soudain Will en entraînant son frère avec lui.

Blottis dans un renfoncement de la galerie et serrés l'un contre l'autre, ils regardèrent se rapprocher la lumière qui brillait aux fenêtres du garde et qui dessinait de grands rectangles sur les murs. Pendant une fraction de seconde, ils se retrouvèrent totalement éclairés.

Will regarda le train qui filait au fond de la galerie jusqu'à ce que la lueur s'évanouisse dans le lointain. Son sort était désormais scellé.

Noyé dans un silence inhabituel, il se leva et s'étira les jambes. Il s'était tant accoutumé au balancement du train qu'il redécouvrait à présent la terre ferme.

Will renifla. Il s'apprêtait à parler lorsque le sifflet de la locomotive retentit deux fois au loin.

— Qu'est-ce que ça veut dire ? demanda-t-il enfin.

— Il entre en gare, répondit Cal, les yeux rivés sur les ténèbres de la galerie dans laquelle il avait vu disparaître le convoi.

— Comment tu sais ça ? demanda Chester.

— Mon... notre oncle me l'a dit.

— Ton oncle ? Il peut nous aider ? Où il est ?

Chester le mitraillait de questions, le regard plein d'espoir à l'idée que quelqu'un puisse venir à leur rescousse.

— Non, répondit sèchement Cal en fronçant les sourcils.

— Pourquoi pas ? Je ne comprends pas...

— Non, Chester, l'interrompit brusquement Will en secouant la tête.

Chester comprit qu'il valait mieux se taire.

— Et on fait quoi maintenant ? Ils vont découvrir que Chester est parti lorsque le train entrera en gare. Et après ? demanda Will en se tournant vers son frère.

— Et après, rien, répondit Cal en haussant les épaules. Mission accomplie. Ils penseront juste qu'il s'est fait la malle. Ils savent qu'il ne survivra pas longtemps tout seul... Après tout, ce n'est qu'un Surfacien, ajouta-t-il avec un rire froid avant de poursuivre comme si Chester n'était pas là. Ils n'enverront aucune équipe de secours.

— Comment peux-tu en être si sûr ? l'interrogea Will. Ne vont-ils pas penser pas qu'il remontera directement vers la Colonie ?

— Bonne idée, mais même s'il y parvenait – à pied –, à peine aurait-il pointé le bout de son nez qu'il se ferait cueillir par les Points noirs.

— Les Points noirs ? demanda Chester.

— Les Styx : c'est comme ça que les appellent les Colons derrière leur dos, expliqua Will.

— Ah, d'accord, répondit Chester. En tout cas, moi, je ne retourne pas dans cet endroit pourri. Jamais de cette fichue vie ! ajouta-t-il avec fermeté à l'attention de Cal.

Cal ne répondit pas, enfila son sac à dos tandis que Will soupesait le sien. Il était lourd. Il l'avait rempli à ras bord de matériel d'équipement, de provisions et de globes lumineux. Il le passa sur ses épaules et grimaça au premier frottement de la lanière contre sa plaie. Le cataplasme que lui avait donné Imago avait fait des merveilles, mais la moindre pression lui valait d'atroces souffrances. Il ajusta son sac au mieux pour reporter le poids sur l'autre épaule, puis ils se mirent en route.

Cal avait rapidement distancé Chester et Will, qui le regardaient avancer dans les épaisses ténèbres s'étendant devant eux. Les deux retardataires marchaient au centre de la voie ferrée, pile entre les énormes poutrelles en fer servant de rails.

Ils avaient tant de choses à se dire, mais à présent qu'ils étaient seuls ils ne savaient par où commencer. Will finit par rompre le silence en s'éclaircissant la voix.

— Faut qu'on rattrape le temps perdu, dit-il maladroitement. Il s'est passé pas mal de choses pendant que tu étais au cachot.

Will lui parla alors de sa famille, de sa vraie famille, qu'il venait de rencontrer dans la Colonie, et de la vie qu'il avait menée en sa compagnie. Puis il lui raconta comment il avait préparé son évasion avec l'oncle Tam.

— C'était horrible quand tout est allé de travers. Je n'en ai pas cru mes yeux lorsque j'ai vu Rebecca avec les St...

— Cette petite garce! éructa Chester. T'as jamais pensé qu'elle avait quelque chose de bizarre? Pendant toutes ces années où vous avez grandi ensemble?

— Eh bien, je la trouvais un peu étrange, mais je me disais que toutes les petites sœurs devaient être comme ça.

— Un peu étrange? répéta Chester. Elle est complètement timbrée. Tu devais bien savoir qu'elle n'était pas ta vraie sœur?

— Non, pourquoi aurais-je pensé ça? Je... Je ne savais même pas qu'on m'avait adopté. Ni d'où je venais.

— Tu ne te souviens donc pas de la première fois que tes parents l'ont amenée chez toi? demanda Chester, quelque peu stupéfait.

— Non, répondit Will, songeur. Je devais avoir quatre ans environ. Tu te souviens de beaucoup de choses de l'époque où tu avais cet âge-là, toi?

Chester lâcha un grognement incrédule, mais Will poursuivit son récit. Chester l'écoutait attentivement en marchant d'un pas lourd à ses côtés. Will en arriva enfin à leur discussion avec Imago, et à ce moment crucial où Cal et lui-même avaient dû choisir entre retourner en Surface ou plonger dans les Profondeurs.

Chester acquiesça.

— Et c'est comme ça que nous avons atterri sur le train des mineurs, conclut Will.

— Eh bien, je suis ravi que vous soyez venus, répondit Chester en souriant.

— Je ne pouvais pas t'abandonner, dit Will. Il fallait que je m'assure que tout allait bien. C'est la moindre des...

Les mots s'étranglaient dans sa gorge. Il tentait d'exprimer ses émotions, ses regrets pour tout ce qu'avait dû endurer Chester.

— Ils m'ont battu, tu sais, dit brusquement Chester.

— Quoi?

— Après m'avoir rattrapé, dit-il d'une voix à peine audible. Ils m'ont jeté au cachot et roué de coups de bâtons... Des tonnes de fois, poursuivit-il. Rebecca venait parfois assister au spectacle.

— Oh non... murmura Will.

Ils gardèrent le silence pendant quelques instants tout en continuant à enjamber les énormes traverses.

— Ils t'ont fait vraiment mal? finit par demander Will qui redoutait la réponse de son ami.

Chester marqua un temps d'arrêt avant de rétorquer :

— Ils étaient très en colère contre nous... Contre toi, surtout. Ils hurlaient souvent ton nom en me frappant. Ils disaient que tu les avais fait passer pour des imbéciles, ajouta Chester en s'éclaircissant la voix, puis il déglutit avant de reprendre le fil de son récit de plus en plus confus. C'était... Je... Ils...

Chester prit une profonde inspiration.

— Et puis ce vieux Styx m'a banni. C'était encore plus terrifiant. J'avais si peur que je me suis effondré.

Chester baissa les yeux, comme s'il avait dû avoir honte de quelque bêtise.

— Tu sais, Will, poursuivit-il avec une fureur froide et résolue dans la voix, je les aurais tués si j'avais pu... Ces Styx. Je voulais le faire. J'en avais tellement envie. Ce sont des ordures malfaisantes... Tous autant qu'ils sont. Je les aurais tués, et Rebecca aussi.

Chester fixa Will avec une telle intensité que celui-ci en frémit. Will découvrait un pan de la personnalité de Chester dont il ne soupçonnait pas l'existence.

— Oh, je suis vraiment désolé, Chester.

Mais une autre idée tout aussi importante venait de lui traverser l'esprit. Chester s'arrêta net, vacillant sur ses pieds, comme s'il venait de recevoir une gifle en plein visage.

— Tu disais quoi, déjà, au sujet des Styx et de leurs... Comment on dit... Leurs hommes à la Surface?

— Leurs agents, compléta Will.

— Oui... leurs agents... répéta Chester en plissant les yeux. Même si je parvenais à remonter à la Surface, je ne pourrais pas rentrer chez moi, n'est-ce pas?

Will resta planté devant lui sans savoir que répondre.

— Si je retournais chez moi, on enlèverait alors mon père et ma mère, comme cette famille dont tu m'as parlé... les Watkins. Ces ordures de Styx puants me pisteraient. Ils captureraient mes parents pour en faire des esclaves ou les tuer, n'est-ce pas ?

Will se contenta de le regarder fixement, mais Chester ne s'arrêta pas là pour autant.

— Qu'est-ce que je pourrais faire ? Si j'essayais d'avertir papa et maman, tu penses qu'ils me croiraient ? Ou même la police ? Ils se diraient que j'ai pris de la drogue ou un truc dans le genre, dit-il en soupirant. La seule chose à laquelle j'ai pensé durant tout ce temps où j'étais enfermé au cachot, c'était de rentrer à la maison avec toi. Rentrer à la maison, rien d'autre. C'est comme ça que j'ai tenu tout au long de ces mois.

Chester se mit à tousser, sans doute pour ravaler un sanglot, mais Will n'aurait su le dire avec certitude. Chester attrapa son ami par le bras et le regarda droit dans les yeux. Il semblait avoir touché le fond du désespoir.

— Je ne reverrai jamais la lumière du jour, n'est-ce pas ?

Will ne dit rien.

— D'une manière ou d'une autre, on est coincés ici pour de bon, pas vrai ? On n'a nulle part où aller, en tout cas pas maintenant. Will, bon sang, qu'est-ce qu'on va bien pouvoir faire ?

— Je suis vraiment désolé, répéta Will d'une voix étranglée, quand ils entendirent soudain les cris de joie de Cal qui se trouvait un peu plus loin devant eux.

— Hé ! Hé ! hurlait-il à l'envi.

— Non ! répondit Will d'un ton exaspéré. C'est pas le moment ! ajouta-t-il en agitant son globe dans un geste d'impatience.

Il avait besoin de passer un peu plus de temps seul avec son ami, et cette intrusion l'avait rendu furieux.

— Tu peux pas attendre un peu, non ?

— J'ai trouvé quelque chose, s'époumona Cal comme s'il n'avait pas entendu la réponse de Will — peut-être avait-il choisi de l'ignorer.

— J'espère bien que c'est pas la gare. Hors de question que je me fasse attraper ce coup-ci ! déclara Chester en jetant un coup d'œil en direction de Cal, puis il fit un pas en avant le long des rails.

— Non, Chester, attends un peu. Je veux te dire quelque chose.

Chester avait encore les yeux rouges de fatigue. Will tripotait le globe lumineux qui éclairait son visage crasseux. Il se sentait à l'agonie.

— Je sais très bien ce que tu vas dire, répondit Chester. Ce n'est pas ta faute.

— Mais si, Chester. C'est ma faute... Je ne voulais pas t'entraîner dans tout ça. Tu as une vraie famille, toi, mais moi... je n'ai... Je n'ai personne chez qui je pourrais revenir. Je n'ai rien à perdre.

Chester tenta de l'interrompre et lui tendit la main, son ami poursuivit néanmoins. Il devenait de plus en plus incohérent à mesure qu'il essayait de donner voix à toutes les émotions et à tous les regrets qui le hantaient depuis des mois.

— Je n'aurais jamais dû t'impliquer dans cette... Tu voulais juste m'aider...

— Écoute, dit Chester en essayant d'apaiser son ami.

— Mon père nous aidera à réparer tout ça, mais si on ne le trouve pas... Je...

— Will! tenta en vain de l'interrompre Chester.

— Je ne sais pas ce qu'on va faire, ni ce qui va nous arriver... Peut-être qu'on ne reverra jamais... Qu'on mourra...

— Oublie ça, lui dit Chester d'une voix douce tandis que celle de Will s'évanouissait dans un murmure. On ne se doutait pas que ça allait tourner comme ça, et puis on peut difficilement faire pire, pas vrai? ajouta Chester avec un grand sourire.

Et il décocha un petit coup de poing amical sur l'épaule de Will, sans se rendre compte qu'il venait de toucher la terrible blessure que lui avait infligée le limier dans la Ville éternelle.

— Merci, Chester, s'étrangla presque Will qui serra les dents pour réprimer un cri de douleur avant d'essuyer du revers de sa manche les larmes qui perlaient à ses yeux.

— Dépêchez-vous, hurla à nouveau Cal. J'ai trouvé un passage. Allez!

— C'est quoi, son problème? demanda Chester.

Will se reprit, puis tourna la tête vers l'endroit d'où l'appelait Cal.

— Il est toujours comme ça. Il faut toujours qu'il file quelque part, répondit Will en levant les yeux au ciel.

— Ah, vraiment? Ça ne te rappelle pas quelqu'un? déclara Chester en haussant le sourcil.

— Ouais, un peu... rétorqua Will, quelque peu abasourdi par cette dernière remarque.

Il parvint malgré tout à rendre son sourire à son ami, même si la situation ne s'y prêtait guère.

Ils rattrapèrent Cal qui frémissait d'impatience. Il parlait d'une lumière, mais c'était tout juste si l'on parvenait à le comprendre.

— Je vous l'avais bien dit! Regardez un peu là-bas! disait-il en sautillant sur place.

Cal pointait du doigt un grand passage qui s'ouvrait dans la paroi de la galerie. Will y jeta un coup d'œil et vit une pâle lueur bleue qui vacillait dans le lointain.

— Suivez-moi, ordonna Cal, puis il détala à toute allure sans leur laisser le temps de réagir.

Will essaya de le rappeler, mais en vain.

— Il se prend pour qui au juste? demanda Chester en regardant Will qui se contenta de hausser les épaules. J'arrive pas à croire qu'une demi-portion à la noix me donne des ordres, lâcha-t-il entre ses dents.

Il leur sembla soudain que la température venait d'augmenter d'un coup, et ils se mirent à haleter. L'air était si sec que les gouttes de sueur perlant sur leur peau s'évaporaient aussitôt.

— Mon Dieu, on étouffe ici. On se croirait en Espagne, déclara Chester d'une voix plaintive, puis il défit plusieurs boutons de sa chemise pour se gratter le torse.

— Eh bien, si l'on en croit les géologues, la température devrait augmenter d'un degré tous les deux kilomètres environ à mesure que l'on se rapproche du noyau terrestre.

— Ça veut dire quoi?

— Ben, qu'on devrait déjà être rôtis.

Will et Chester suivaient toujours Cal, et ils se demandaient dans quel pétrin ils allaient encore se fourrer. À mesure qu'ils s'avançaient, une pulsation lumineuse de plus en plus intense illuminait la surface irrégulière des parois avant de décroître au point de ne plus former qu'une brume bleuâtre perdue dans le lointain.

Ils rattrapèrent enfin Cal au moment même où il émergeait de la galerie pour tomber sur une vaste grotte au centre de laquelle se consumait une unique flamme de près de deux mètres de haut. Tout à coup, elle émit un sifflement sonore; le panache de fumée bleue quadrupla de longueur puis s'engouffra dans l'orifice circulaire que l'on avait percé juste au-dessus du foyer. La chaleur était si intense que les garçons durent reculer en se protégeant le visage de leurs bras.

— Qu'est-ce que c'est? s'enquit Will.

Mais ses camarades gardèrent le silence, comme ensorcelés par cette flamme d'une extrême beauté. Presque transparente lorsqu'elle jaillissait de la roche calcinée, elle passait ensuite par toutes les nuances du spectre lumineux, se parant de jaunes et de rouges chatoyants pour finir sur une touche de mauve foncé. La somme de toutes ces couleurs composait la lumière bleue qui les avait guidés jusque-là. Fascinés par ce spectacle iridescent, les garçons restèrent plantés là jusqu'à ce que cesse le sifflement et que la flamme retrouve enfin sa taille initiale.

Comme si le charme venait de se rompre au même instant, ils se retournèrent pour examiner les lieux et distinguèrent alors plusieurs ouvertures dans les parois de la grotte. Elles étaient toutes plongées dans les ténèbres.

Will et Chester se dirigèrent vers le passage le plus proche et s'y engagèrent avec prudence. Ils distinguèrent des ballots de la taille d'un homme à la lumière de leurs globes qui se mêlait au bleu de la flamme résiduelle. On les avait déposés contre les parois, parfois par groupe de deux ou trois.

Ils étaient enroulés dans un tissu poussiéreux maintenu par plusieurs tours de corde plus ou moins épaisse. Certains ballots devaient être plus récents que d'autres, car le tissu dans lequel ils étaient enveloppés semblait moins souillé. Mais les plus anciens étaient si sales que c'est à peine s'ils pouvaient les distinguer de la paroi rocheuse. Suivi de près par Chester, Will s'approcha d'un ballot et l'éclaira à l'aide de son globe lumineux. Des bandes de tissu décomposé avaient fini par se détacher de l'ensemble, révélant son contenu.

— Oh, mon Dieu, dit Chester d'une seule traite tandis que Will retenait son souffle.

Le visage qui les fixait de ses orbites vides avait la peau tendue et desséchée. Çà et là, l'ivoire terne des os nus affleurait sous les déchirures de la peau sombre. En déplaçant son globe, Will révéla encore d'autres parties du squelette ; on voyait poindre les côtes sous le tissu, ainsi qu'une main légère posée sur une hanche dont la peau était semblable à un morceau de parchemin.

— Ce sont des Coprolithes morts, j'imagine, marmonna Will tout en éclairant les autres ballots rangés le long de la paroi.

— Oh mon Dieu, répéta Chester, plus lentement cette fois. Il y en a des centaines.

— Ça doit être une sorte de cimetière, déclara Will d'une voix étouffée pour marquer son respect devant ces corps entassés. Comme les Indiens d'Amérique. Ils n'enterraient pas leurs morts, mais les déposaient à flanc de colline sur des plates-formes en bois.

– Tu crois qu'il s'agit d'un lieu sacré? On ferait pas mieux de filer, non? Faut surtout pas fâcher ces gens-là, ces Cacahuètes... ou je sais plus quoi, dit Chester avec inquiétude.

– Les Coprolithes, corrigea Will.

– Coprolithes, répéta Chester attentivement. C'est ça.

– Y a autre chose, dit Will.

– Quoi? demanda Chester en se tournant vers lui.

– Ce nom, Coprolithes, poursuivit Will en réprimant à peine un sourire, c'est comme ça que les Colons les surnomment... Tu sais ça, n'est-ce pas? Si jamais tu en rencontres un, évite d'employer ce nom-là.

– Pourquoi?

– C'est pas très flatteur. Ça veut dire « déjection de dinosaure » : en fait, il s'agit de crottes de dinosaure fossilisées, ajouta Will en riant.

Will longeait le mur de corps momifiés lorsqu'il tomba sur un corps au linceul presque entièrement décomposé.

Il examina le cadavre de bas en haut à la lumière de son globe, puis s'intéressa à son crâne. Ce corps était plus grand que Will et Chester, mais tellement rabougri qu'il leur paraissait tout petit. Il ne ressemblait certainement pas au cadavre d'un adulte. Il portait au poignet un épais bracelet en or serti de pierres précieuses rectangulaires. Il y en avait des rouges, des vertes, des bleu foncé, et d'autres translucides. La lumière se reflétait faiblement sur leurs surfaces mates. On aurait dit de vieilles gommes à mâcher.

– Je parie que c'est de l'or et je dirais même que ces pierres-là pourraient bien être des rubis, des émeraudes et des saphirs... voire des diamants dit Will, le souffle court. Tu trouves pas ça incroyable?

– Ouais, répondit Chester sans grande conviction.

– Faut que je prenne ça en photo.

– On peut pas s'en aller, non? pressa Chester alors que Will ôtait son sac à dos pour en tirer son appareil photo.

– Tu fais quoi, là, au juste, Will? demanda Chester en remarquant qu'il s'apprêtait à toucher le poignet du cadavre.

– Faut que je le déplace légèrement pour la photo, rétorqua-t-il.

– Will!

Mais Will ne l'écoutait pas. Il avait déjà saisi le bracelet entre le pouce et l'index, et le faisait tourner.

– Non, Will! Oh, Will, pour l'amour du ciel! Tu ne devrais pas...

Le corps tout entier se mit à trembler avant de s'effondrer sur le sol dans un nuage de poussière.

— oups! s'exclama Will.

— Oh, bien joué! Vraiment trop bien joué! lança Chester en faisant un pas en arrière. Regarde un peu ce que tu as fait!

Will regardait honteusement le tas d'os et de cendres grises émerger du nuage de poussière. On aurait dit une pile de vieilles branches et de brindilles qu'on aurait disposées ainsi pour faire un feu de joie. Le corps s'était tout simplement désintégré.

— Désolé, lui dit-il.

Lorsqu'il se rendit compte qu'il tenait encore le bracelet à la main, Will le laissa tomber sur le tas en frémissant.

Maintenant qu'il avait abandonné tout projet photographique, il s'accroupit sur le sol pour ranger son appareil dans son sac. Il venait de refermer la poche latérale lorsqu'il remarqua qu'il avait les mains couvertes de poussière. Il se mit aussitôt à examiner le sol sur lequel ils se tenaient et s'aperçut qu'ils marchaient sur une couche de poussière et de fragments osseux de plusieurs centimètres d'épaisseur. Ils piétinaient les restes d'innombrables cadavres décomposés...

— Revenons un peu en arrière, suggéra-t-il, car il ne tenait pas à bouleverser son ami pour rien. Éloignons-nous de ces cadavres.

— Ça me va, répondit Chester d'un ton plein de gratitude, sans demander pourquoi. Ça me donne vraiment la chair de poule, ce truc.

Ils reculèrent de plusieurs pas, puis ils marquèrent une pause tandis que Will contemplait en silence les rangées alignées le long des parois.

— On a dû en enterrer des milliers ici. Des générations, dit-il, songeur.

— On devrait vraiment...

Chester s'était arrêté au milieu de sa phrase, mais Will était trop fasciné par la vue de ces cadavres momifiés pour remarquer l'anxiété de son ami.

— T'as vu par où est parti Cal? demanda Chester.

— Non, répondit Will, soudain inquiet.

Ils se précipitèrent dans la grotte principale, dont ils inspectèrent tous les recoins, puis contournèrent la flamme qui recommençait à s'étirer vers le plafond en émettant un sifflement sonore. Ils voulaient voir ce qu'il y avait de l'autre côté du foyer.

— Il est là-bas ! s'exclama Will, soulagé, lorsqu'il vit la silhouette solitaire de son frère qui progressait au loin d'un pas déterminé.

— Il ne s'arrête donc jamais ?

— Tu sais, ça ne fait que... mettons quarante-huit heures que je connais ton frère, et je peux te dire que j'en ai déjà ma claque, déclara Chester en observant attentivement la réaction de Will pour voir s'il l'avait vexé.

Mais Will ne semblait pas affecté le moins du monde.

— On pourrait peut-être l'attacher quelque part ? ajouta Chester avec un sourire ironique.

Will hésita un instant avant de rétorquer :

— Écoute, on ferait mieux de le suivre. Il doit avoir trouvé quelque chose... Peut-être une autre sortie, déclara-t-il avant de se mettre en route.

— Bonne idée, marmonna Chester après avoir jeté un coup d'œil à la chambre funéraire où gisaient les rangées de corps entassés, puis il lui emboîta le pas.

Ils longèrent les parois de la grotte en courant pour contourner la flamme qui venait d'atteindre à nouveau sa hauteur maximale et irradiait une intense chaleur. Ils voyaient à peine Cal tout au bout de la caverne centrale ; il venait de passer sous une grande arche grossièrement taillée dans la pierre. Ils le suivirent et découvrirent qu'il ne s'agissait pas d'une autre chambre mortuaire, mais d'une zone de la taille d'un terrain de football sous un très haut plafond. Cal leur tournait le dos et contemplait visiblement quelque chose.

— Faut que t'arrêtes de filer comme ça tout seul, lui dit Will sur le ton de la réprimande.

— C'est un fleuve, répondit Cal sans prêter attention à l'agacement de son frère.

Un vaste canal s'étendait devant eux. L'eau filait à vive allure et leur éclaboussait le visage de fines gouttelettes tièdes, bien qu'ils soient encore assez loin des berges.

— Hé ! Regardez un peu ça ! s'exclama Cal.

Une jetée d'une vingtaine de mètres de long avançait dans l'eau. On l'avait fabriquée avec des poutres de métal rouillé à la surface irrégulière. Elle semblait avoir été forgée à la main. Même si la jetée n'était pas un chef-d'œuvre, elle paraissait assez solide. Ils s'avancèrent donc sans hésiter jusqu'à la plate-forme circulaire que fermait une barrière de bouts de métal.

Ils voyaient à peine la berge opposée à la lumière de leurs globes ; à force d'observer les moutons d'écume blanche qui se détachaient sur la surface lisse et noire du fleuve, ils finirent par avoir l'impression que le courant les emportait eux aussi dans son sillage. De temps à autre, les eaux vives se brisaient sur les étançons disposés sous la plate-forme, les arrosant au passage.

— Je n'arrive ni à voir la berge, ni... déclara Cal en se penchant par-dessus la barrière.

— Prends garde de ne pas tomber, l'avertit Will.

— ...ni même un endroit où on pourrait traverser.

— Non! déclara aussitôt Chester. Je refuse de m'approcher de ça. Le courant m'a l'air vraiment fort.

Personne ne le contredit, et ils restèrent là tous les trois à profiter de la tiédeur des embruns qui leur mouillaient le visage et le cou.

Will ferma les yeux et écouta le bruit de l'eau. Sous un calme apparent, il était en proie à un tourment intérieur, partagé entre l'envie d'insister pour qu'ils traversent le fleuve, même s'ils n'avaient pas la moindre idée de sa profondeur, et le désir de continuer à avancer le long de cette berge.

Mais pour quoi faire? Ils n'avaient aucune idée de ce qui s'y trouvait et n'avaient nulle part où aller. Il était peu probable qu'un habitant de la Surface se soit jamais aventuré aussi loin. Et pourquoi Will se trouvait-il là? À cause de son père, qui pouvait tout aussi bien être mort. Aussi difficile que cela fût pour lui, Will devait envisager cette éventualité; peut-être leur faisait-il perdre leur temps à poursuivre ainsi un fantôme.

Will sentit une brise légère dans sa chevelure et rouvrit les yeux. Il regarda son ami Chester puis son frère, et vit leurs prunelles brillantes au milieu de leurs visages crasseux. Ils étaient hypnotisés par cette rivière souterraine qui s'étendait devant eux. Jamais il ne les avait vus aussi animés. Malgré les souffrances qu'ils avaient endurées, ils semblaient heureux. Les doutes qui le hantaient se dissipèrent, et il reprit peu à peu le dessus sur ses émotions. Will le savait : tout cela devait quand même valoir le coup.

— On va traverser, annonça-t-il. Retournons d'abord à la voie ferrée.

— Oui, répondirent aussitôt Cal et Chester.

— Très bien. Marché conclu, dans ce cas, dit Will tandis qu'ils rebroussaient chemin, marchant côte à côte jusqu'au départ de la jetée.

Chapitre Sept

Sarah descendait la Grand-Rue d'un pas nonchalant. Elle retournait à l'endroit où elle avait vu la Surface pour la première fois. Sans trop savoir pourquoi, elle trouvait un certain réconfort dans ce pèlerinage.

C'était un peu comme si elle s'assurait à nouveau que la Colonie souterraine dont elle fuyait le spectre depuis si longtemps existait vraiment. Elle s'était souvent demandé si elle n'avait pas tout imaginé. Après tout, sa vie tout entière aurait pu n'être qu'un songe.

Il était 7 heures passées, et l'intérieur austère du bâtiment victorien qui abritait le musée de Highfield se trouvait plongé dans le noir. Un peu plus en contrebas, Sarah remarqua avec surprise que la boutique des frères Clarke semblait fermée. Cela devait faire un bon bout de temps déjà, car une épaisse croûte d'affiches recouvrait le vernis vert acide dont on avait badigeonné les volets. La plus remarquable d'entre elles annonçait qu'un *boys' band* venait de se reformer et qu'il y aurait un vide-grenier à l'occasion du nouvel an.

Sarah s'arrêta pour contempler la boutique. Les habitants de la Colonie dépendaient des fruits et légumes frais que leur envoyaient régulièrement les Clarke depuis des générations. Ils avaient d'autres fournisseurs, mais les deux frères et leurs ancêtres comptaient au nombre de leurs fidèles alliés depuis la nuit des temps. Seule la mort aurait pu les contraindre à fermer boutique.

Sarah jeta un dernier coup d'œil aux volets fermés de la devanture avant de continuer sa route. Voilà qui confirmait ce qu'elle avait lu dans la lettre : on avait bouclé toute la Colonie et interrompu tout commerce avec les fournisseurs de la Surface. La situation avait donc encore empiré.

Après avoir marché plusieurs kilomètres, elle tourna à l'angle de la rue et s'engagea dans Broadlands Avenue. Elle se rapprochait de la maison des Burrows dont les rideaux étaient tirés ; il n'y avait pas le moindre signe de vie. On l'avait laissée à l'abandon depuis des mois, comme en témoignaient le jardin en friche et le vieux carton de déménagement qui gisait sous l'auvent. Elle passa devant l'habitation sans ralentir l'allure, mais remarqua du coin de l'œil la pancarte d'une agence immobilière couchée dans l'herbe haute derrière le grillage. Elle longea une rangée de maisons identiques jusqu'au bout de l'avenue, puis emprunta une allée menant au terrain communal.

Sarah renversa la tête pour humer l'air à pleins poumons. Les odeurs de la campagne se mêlaient à celles de la ville. La puanteur des gaz d'échappement et la senteur légèrement âcre de la foule se combinaient au parfum de l'herbe fraîche et humide qui l'entourait.

Le soleil était encore trop haut au-dessus de l'horizon. Elle se fraya un chemin jusqu'au centre du terrain pour tromper son ennui, mais à peine avait-elle effectué quelques pas que de gros nuages gris se massèrent dans le ciel, précipitant la tombée du crépuscule. Ravie, Sarah fit aussitôt demi-tour pour rejoindre l'allée qui courait le long du terrain communal.

Elle continua ainsi sur plusieurs centaines de mètres, puis se mit à couvert sous les feuillages. Elle se faufila alors entre les arbres et les buissons jusqu'à ce qu'elle voie enfin l'arrière des maisons qui bordaient Broadlands Avenue. Elle se glissait furtivement d'une demeure à l'autre, espionnant au passage les habitants depuis le fond de leurs jardins. Elle aperçut un couple de personnes âgées qui mangeaient leur soupe, bien droites sur leurs chaises, puis un homme obèse, vêtu d'un slip et d'un débardeur, qui fumait en lisant son journal.

Les occupants des deux maisons suivantes restèrent invisibles derrière leurs rideaux tirés. Une jeune femme se tenait à la fenêtre de la cinquième demeure ; elle faisait sauter un bébé dans ses bras. Sarah marqua un temps d'arrêt. Elle ne pouvait s'empêcher de contempler le visage de cette femme. Voilà qu'elle était à nouveau submergée par ce même sentiment de perte, et ce ne fut qu'au prix d'un effort surhumain qu'elle parvint à détourner les yeux et à poursuivre son chemin.

Elle retrouva enfin l'endroit où elle s'était postée tant de fois jadis, là, juste derrière la maison des Burrows. Elle espérait apercevoir ainsi son fils qui grandissait loin d'elle.

Elle l'avait cherché partout à Highfield, après l'avoir abandonné à contrecœur dans le cimetière. Pendant les deux années et demie qui avaient suivi, elle avait porté des lunettes de soleil jusqu'à ce que ses yeux s'habituent enfin à la pénible lumière du jour ; elle avait alors ratissé les rues, rôdant près des écoles locales à l'heure de la sortie des classes. Mais il n'y avait pas le moindre signe de lui. Elle avait élargi le périmètre de ses recherches, s'aventurant de plus en plus loin jusqu'aux arrondissements de Londres les plus proches.

Quand un beau jour, peu après le cinquième anniversaire de son fils, alors qu'elle était de retour à Highfield, elle l'avait aperçu devant le bureau de poste principal. Il se portait bien et courait dans tous les sens, un dinosaure miniature à la main. Il avait déjà beaucoup changé, mais elle l'avait aussitôt reconnu. Comment aurait-elle pu le manquer avec sa chevelure ébouriffée d'un blanc tout aussi éclatant que la sienne, même si elle se voyait désormais contrainte de la teindre pour éviter de se faire repérer.

Elle avait suivi Seth et sa mère adoptive à la trace pour voir où ils habitaient. Elle aurait voulu pouvoir enlever son fils sur-le-champ, mais c'était bien trop risqué, car les Styx étaient toujours à ses trousses. C'est pourquoi, saison après saison, elle était retournée à Highfield sans faillir. Elle se postait au fond du jardin afin d'y apercevoir Seth, ne serait-ce qu'un bref instant, même si cette bande de terre les séparait tel un gouffre infranchissable. Seth avait grandi et pris des joues. Il lui ressemblait tant qu'elle croyait parfois entrevoir son propre reflet dans les fenêtres.

Sarah mourait d'envie de l'appeler. Il était si proche. Mais jamais elle n'avait franchi le pas. Non, c'était impossible. Elle s'était souvent demandé comment il aurait réagi si elle avait soudain traversé le jardin et pénétré dans le salon pour le serrer dans ses bras. Elle imaginait la scène, la gorge serrée. Comme dans un mélodrame télévisé, leurs yeux s'embuaient de larmes au moment où ils se reconnaissaient enfin.

— Mère, mère, répétait-il alors sans fin.

Mais tout cela appartenait au passé maintenant.

À en croire le message de Joe Waites, cet enfant était un meurtrier, et il devait payer pour ses crimes.

Sarah était partagée entre son amour pour son fils et la haine qui la consumait. Des émotions si violentes qu'elle ne savait plus que faire ; elle était comme paralysée.

Arrête ça! Pour l'amour du ciel, réagis! Que lui arrivait-il donc? Qu'était-il advenu de la discipline qui avait régi sa vie durant toutes ces années? Tout basculait dans le chaos. Elle devait se reprendre. Elle se griffa le dos de la main jusqu'à ce que la peau cède enfin sous ses ongles. La douleur l'aidait à retrouver ses esprits.

Dans la Colonie, son fils se prénommait Seth, mais en Surface quelqu'un lui avait donné le nom de Will. Il avait été adopté par un couple du coin, les Burrows. Si sa mère, Mme Burrows, n'était que l'ombre d'une femme qui passait sa vie devant la télévision bien calée dans son fauteuil, Will était manifestement tombé sous le charme de son père adoptif, le conservateur du musée local.

Sarah avait suivi Will à de multiples reprises tandis qu'il filait sur son vélo, une bêche rutilante attachée sur le dos. Elle observait sa silhouette solitaire, une casquette de base-ball vissée sur la tête de laquelle dépassaient des boucles blanches si caractéristiques, alors que le jeune garçon s'affairait tantôt sur le terrain vague aux abords de la ville, tantôt en contrebas de la décharge municipale. Elle l'observait creuser des trous étonnamment profonds, à n'en pas douter avec les encouragements du Dr Burrows qui dirigeait les travaux. *Quelle ironie suprême!* pensait-elle alors. Après avoir échappé à la tyrannie de la Colonie, c'était comme s'il essayait d'y retourner, tel un saumon qui remonte le courant pour retrouver sa frayère.

Mais même s'il avait changé de nom, qu'était-il arrivé à son fils? C'était du sang Macaulay qui coulait dans ses veines, le même que le sien et que celui de son oncle Tam. Il appartenait à l'une des plus vieilles familles de la Colonie. Comment avait-il pu changer pour le pire au cours de ces années passées à la Surface? Qu'est-ce qui avait bien pu lui faire cela? Si le message disait vrai, Will devait avoir perdu la tête, tel un sale cabot indiscipliné qui soudain se rebelle contre son maître.

Sarah s'accroupit soudain en frémissant. Elle venait d'entendre le cri strident d'un oiseau perché sur les branches basses d'un conifère juste au-dessus d'elle. Elle tendit l'oreille, mais ce n'était que le vent soufflant dans les arbres et l'alarme d'une voiture hurlant sporadiquement à quelques rues de là. Elle s'assura une dernière fois que le terrain communal était désert, puis longea prudemment le jardin des Burrows; elle s'arrêta tout à coup, croyant entrevoir une lueur derrière les rideaux du salon. Mais ce n'était qu'un rayon de lune perçant à travers les nuages. Elle leva les yeux et scruta les fenêtres de l'étage où se trouvait la chambre de Will. Elle était à peu près certaine que la maison était vide.

Elle se glissa dans le jardin en empruntant une trouée qui marquait l'ancien emplacement d'un portillon dans la haie, puis elle traversa la pelouse et rejoignit la porte de derrière. Elle se figea de nouveau, dressa l'oreille puis, de la pointe du pied, retourna une brique posée juste à côté du paillasson sous laquelle gisait le double de la clef qui n'avait pas bougé – les Burrows étaient du genre négligent... alors elle entra dans la maison.

Elle referma la porte derrière elle et huma l'air confiné. Non, personne ne vivait plus ici depuis des mois. Par précaution, elle n'alluma pas la lumière, même si elle peinait à distinguer quoi que ce soit dans la pénombre.

Elle s'avança dans le couloir à pas furtifs et entra dans la cuisine située à l'avant de la maison. Elle inspecta les plans de travail et les placards à tâtons ; il n'y avait plus rien dans cette pièce. Elle retourna ensuite dans le couloir. En entrant dans le salon, elle faillit trébucher en butant sur un rouleau de film à bulles d'air. On avait tout déblayé. La maison était complètement vide.

C'était donc vrai. Le message disait que tout était parti en vrille, et cela se confirmait. La famille s'était séparée. Elle avait lu comment le Dr Burrows était tombé par hasard sur la Colonie alors qu'il explorait le sous-sol de Highfield, et comment les Styx l'avaient entraîné dans les Profondeurs. Il était très probablement mort maintenant. Personne ne survivait très longtemps, une fois prisonnier de l'Intérieur. Sarah ne savait pas du tout où avaient bien pu se rendre Mme Burrows et sa fille, Rebecca, mais elle s'en fichait pas mal. Seul Will comptait pour elle.

Quelque chose sur le sol près de la porte d'entrée attira son attention. Elle s'accroupit pour tâter le sol et découvrit une pile de lettres éparpillées sur le paillasson. Elle était en train de les fourrer dans son sac lorsqu'il lui sembla entendre du bruit dehors... La portière d'une voiture qui claque... Des pas étouffés... Quelqu'un qui murmurait...

Submergée par une décharge d'adrénaline, Sarah se figea aussitôt. Les sons étaient trop étouffés pour lui permettre d'évaluer les distances, mais elle ne pouvait prendre le moindre risque. Elle tendit encore l'oreille, en vain. Elle en déduisit qu'il s'agissait sans doute d'un passant, ou peut-être de l'un des voisins, et ramassa le reste des lettres. Il était grand temps qu'elle sorte de là.

Elle traversa rapidement le couloir plongé dans le noir mais, à peine avait-elle franchi le seuil de la porte qu'une voix masculine retentit à quelques centimètres de son oreille. L'homme semblait sûr de lui.

— Je t'ai eue ! lança-t-il d'un ton accusateur.

Elle sentit une grosse main se refermer sur son épaule gauche, et son assaillant la tira en arrière. Elle se retourna et aperçut d'abord une joue maigre et musclée, mais son désarroi fut total lorsqu'elle entrevit le col de sa chemise d'un blanc éclatant et le tissu sombre qui drapait son épaule.

Styx ! pensa-t-elle soudain dans un moment de vertige, tandis que se nouaient ses entrailles.

L'homme était fort et il avait l'avantage de la surprise, mais Sarah réagit presque aussitôt. Elle se dégagea d'un coup d'épaule et maîtrisa son adversaire en lui faisant une méchante clef au bras. L'homme inspira brusquement ; les choses ne se déroulaient pas tout à fait comme il l'avait prévu.

Lorsque Sarah se cambra pour mieux assurer sa prise, l'homme tenta un pas en avant pour relâcher la pression qu'elle exerçait sur son coude mais à peine avait-il ouvert la bouche pour appeler à l'aide que Sarah le réduisit au silence en lui assénant un coup de poing en pleine tempe. Il s'effondra, inconscient, sur la terrasse.

Sarah l'avait mis hors d'état de nuire à une vitesse foudroyante et avec une redoutable précision, mais elle n'avait nullement l'intention de traîner là plus longtemps pour admirer son chef-d'œuvre. Il y avait forcément un autre Styx dans les parages : elle devait filer.

Elle fonça dans le jardin et plongea la main dans son sac. Arrivée à la brèche qui trouait la haie, elle entendit un cri de fureur alors même qu'elle s'apprêtait à fuir par le terrain communal :

— Qu'est-ce que tu lui as fait ?

Elle vit soudain se profiler dans la pénombre la silhouette massive d'un autre homme et sortit aussitôt son couteau de son sac, éparpillant au passage les lettres qu'elle avait récupérées dans la maison. Mais l'homme la désarma d'un coup sur la main.

Un rayon de lune frappa soudain le métal de son insigne, elle vit alors briller les chiffres et les lettres qui ornaient l'uniforme de son assaillant. Il ne s'agissait pas d'un Styx, mais d'un agent de police, d'un Surfacien. Et dire qu'elle venait d'en assommer un... Tant pis pour lui. Il s'était mis en travers de sa route, et seule comptait sa propre survie. Elle n'aurait sans doute pas agi autrement si elle avait su à qui elle avait affaire.

Sarah essaya d'esquiver, mais l'homme se mit aussitôt en opposition, face à elle. Elle réagit en lui décochant un coup de poing, mais il était sur ses gardes.

— Refus d'obtempérer, rugit-il.

Sarah eut tout juste le temps de voir s'abattre sur elle la matraque qu'il tenait à la main. Ce premier assaut l'avait étourdie, mais lorsqu'il lui asséna un deuxième coup à la bouche, elle vacilla puis s'effondra sur le sol.

— T'en as eu assez, espèce d'ordure ? siffla-t-il entre ses dents avec un horrible rictus.

Il se pencha au-dessus d'elle, lui crachant les mots au visage. Elle tenta de lui donner un autre coup de poing pitoyable, si faible qu'il n'eut aucun mal à le parer.

— C'est tout ce que t'as dans le ventre ! s'exclama le policier avec un rire glacial avant de se jeter sur elle pour la plaquer au sol.

Il était déchaîné. Il lui écrasait la poitrine de son genou, mais elle n'avait plus la force de lui opposer la moindre résistance ; il était bien trop lourd pour elle. Elle l'avait l'impression qu'un éléphant énorme l'avait prise pour marchepied.

Elle tenta de se tortiller pour se libérer, mais c'était peine perdue. Elle se sentait peu à peu sombrer dans une inconscience cotonneuse. Tout s'entremêlait comme dans un kaléidoscope : la matraque en métal qui tournoyait sur fond de nuages noirs et de ciel indigo, et le visage de son assaillant qui éclipsait le disque lunaire, les traits figés en un masque effroyable. Elle crut bien qu'elle allait s'évanouir pour de bon. Elle ne trouvait pas cette sensation si désagréable. Elle trouverait enfin un refuge dans l'inconscience, à l'abri de la douleur et de la violence, un endroit sûr où rien n'aurait plus d'importance.

Sarah se ressaisit soudain.

Non, elle ne pouvait pas abandonner. Pas maintenant.

Le policier blessé étendu sur la terrasse poussa un gémissement qui détourna un instant l'attention de son assaillant. Il venait d'armer le bras, prêt à lui asséner un autre coup, lorsqu'il jeta un rapide coup d'œil à son équipier, décalant légèrement son genou. Pendant une fraction de seconde, Sarah sentit s'alléger le poids qui lui comprimait la poitrine. Elle en profita pour avaler une grande goulée d'air, retrouvant ainsi ses esprits.

Elle labourait la terre de ses ongles à la recherche de son couteau, d'une pierre, d'un bâton, ou de toute autre arme de fortune perdue dans les herbes hautes, sans résultat. Elle n'avait rien pour se défendre, et le policier avait à nouveau les yeux rivés sur elle. Il hurlait, l'insultait et brandissait sa matraque d'un air de plus en plus menaçant. Elle rassembla tout son courage, prête à accepter ce qui l'attendait. Sarah savait que tout était fini à présent. C'était inévitable.

Elle avait été défaite.

Soudain, un animal à la silhouette imprécise se rua sur le bras de son adversaire. À peine Sarah avait-elle eu le temps de cligner des yeux que le bras avait déjà disparu de son champ visuel. Le corps du policier semblait déjà plus léger. L'homme avait cessé de hurler, et un silence insolite s'était soudain abattu sur la scène.

On eut dit que le temps venait de s'arrêter.

Elle ne comprenait pas. Elle se demandait même si elle n'était pas en train de rêver... Elle aperçut alors deux yeux énormes au-dessus d'une immense rangée de dents acérées comme des pieux. Elle cligna de nouveau des paupières. *Une hallucination, sans doute,* pensa-t-elle. Elle avait reçu tant de coups à la tête.

Puis le temps reprit son cours. Le policier lâcha un cri perçant, roula sur le côté, et se redressa en vacillant. Il tentait de se défendre de son seul bras valide. Sarah ne voyait pas son visage, car la bête qui l'avait attaqué s'était enroulée autour de sa tête et de ses épaules, et lui labourait le cou et la figure de ses musculeuses pattes arrière. Le policier culbuta sur le dos telle une quille, tandis que l'animal redoublait ses assauts.

Luttant contre le vertige, Sarah se redressa. Elle dégagea la frange trempée de sang qui lui barrait la vue et plissa les yeux pour mieux voir ce qui se passait.

La chape nuageuse se fendit, laissant filtrer la faible lumière de la lune. Sarah distingua alors une silhouette dans le noir.

Non, impossible!

Elle regarda de nouveau. Elle n'en croyait pas ses yeux.

C'était un chasseur, une espèce de gros chat que l'on élevait pour la chasse au sein de la Colonie.

Que diable faisait-il là?

Au prix d'un immense effort, Sarah rampa jusqu'au piquet le plus proche et s'y accrocha pour se hisser sur ses pieds. Elle était tellement sonnée qu'elle resta ainsi quelques instants en essayant de rassembler ses esprits.

T'as pas de temps à perdre, se dit-elle. *Reprends-toi!*

Elle ignora les grognements et les plaintes étouffées du policier qui se débattait sur le sol en proie au chasseur, et s'avança d'un pas chancelant dans le jardin pour y récupérer son couteau ainsi que les lettres qui s'y étaient répandues. Même si elle avait du mal à se concentrer, elle était déterminée à ne laisser aucune trace de son passage. Ayant quelque peu retrouvé l'équilibre, elle se tourna vers le premier policier qui gisait inerte sur la terrasse. Il ne constituait plus aucune menace.

Au fond du jardin, son équipier était couché sur le flanc. Les mains sur le visage, il poussait d'horribles gémissements. Le chasseur l'avait relâché et se tenait à côté de lui. Assis, il léchait l'une de ses pattes. Il cessa sa toilette en voyant Sarah s'approcher, enroula sa queue autour de son corps et l'observa attentivement de ses yeux immenses. Il jeta un coup d'œil indifférent à l'homme qui gémissait.

Sarah devait se décider, et vite. Que les deux policiers soient blessés et qu'ils aient besoin d'aide, là n'était pas son problème. Elle ne ressentait ni pitié ni regret pour leur sort. Il en allait de sa propre survie. Elle s'approcha du policier encore conscient et s'empara de la radio accrochée à sa veste.

Avec une surprenante rapidité, il lui saisit le poignet. Elle se dégagea sans effort et lui arracha sa radio – il n'avait plus la force de se battre et il ne lui restait qu'un bras valide. L'homme ne fit plus aucun geste pour l'arrêter. Elle jeta la radio au sol et la réduisit en miettes à coups de talon.

Sarah s'avança nerveusement vers le chasseur. Il était rare que ces bêtes s'attaquent aux gens, même s'il s'agissait de tueurs nés. D'après la rumeur, il arrivait qu'ils se retournent contre leur maître ou quelque inconnu qui aurait croisé leur chemin, et elle n'avait aucun moyen de savoir si elle pouvait se fier à lui après ce qu'il venait de faire subir à cet homme. L'animal était affamé, et l'on voyait affleurer ses côtes sous sa peau glabre. Il était dans un piteux état. Sarah se demandait depuis combien de temps il luttait ainsi pour survivre à la Surface.

— Tu viens d'où ? lui demanda-t-elle d'une voix douce tout en restant à une distance respectable.

La bête inclina la tête dans sa direction comme si elle cherchait à comprendre, puis cligna des yeux. Sarah se rapprocha un peu plus et tendit timidement la main vers lui tandis qu'il se penchait pour lui renifler les doigts. Sa tête lui arrivait presque au niveau de la taille – elle avait oublié que ces animaux pouvaient être aussi grands. Sarah se raidit d'un coup en le voyant s'avancer vers elle. Elle s'attendait au pire, mais il se contenta de se frotter affectueusement la tête contre sa paume en ronronnant si fort qu'on aurait cru entendre le moteur d'un hors-bord. Un comportement étonnamment amical pour un chasseur. Son séjour en Surface l'avait sans doute quelque peu perturbé, ou bien peut-être l'avait-elle déjà rencontré ? Mais elle n'avait pas le temps de réfléchir à tout cela maintenant. Il lui fallait se décider à agir.

Elle devait fuir le plus loin possible. Elle lui avait une dette d'honneur, pensa-t-elle tout en caressant l'énorme museau à la peau écailleuse et couverte de croûtes du gros chat. On l'aurait arrêtée s'il n'était pas venu à la rescousse. Elle ne pouvait l'abandonner ainsi, il se ferait probablement attraper au cours de la chasse à l'homme qui suivrait sans aucun doute.

– Allez, viens, lui dit-elle en prenant la direction du terrain communal.

Malgré les ecchymoses qu'elle avait à la tête, elle retrouvait peu à peu ses esprits. Le chasseur ouvrit la marche sur le sentier qui se déroulait devant eux, Sarah remarqua alors qu'il boitait légèrement. Elle se demandait ce qui avait bien pu causer cette blessure, lorsqu'elle entendit des éclats de voix et aperçut un groupe de gens au loin. Elle quitta rapidement le sentier pour se cacher derrière deux grands rhododendrons, quand de vives douleurs au cou et aux côtés l'assaillirent soudain. Elle serra les dents. Prise de vertiges, elle se laissa tomber à genoux et posa son front contre l'herbe humide, tout en priant pour ne pas céder à la nausée. Elle ne voyait plus le chasseur, mais il avait certainement eu la bonne idée de se cacher lui aussi.

Plusieurs secondes s'écoulèrent. Le groupe de promeneurs se rapprochait, et Sarah distinguait beaucoup plus nettement leurs voix – des jeunes, des adolescents sans doute. Tout à coup retentit l'écho métallique d'une boîte de conserve, là, sur le sentier, juste devant elle, puis un autre bruit, plus sourd cette fois-ci. La boîte lui frôla le visage dans un souffle avant d'atterrir dans les buissons qui se trouvaient juste derrière elle. Ils venaient de shooter dedans. Sarah n'osait pas faire le moindre geste. Elle priait pour que ne leur prenne pas l'envie de venir la récupérer. Mais le groupe poursuivit son chemin en plaisantant, et le son des voix se fit peu à peu plus lointain.

Elle attendit qu'ils aient disparu et profita de cet instant de répit pour tirer un foulard de son sac et nettoyer les plaies sur son visage. Peine perdue. Elle cessa dès qu'elle sentit du sang frais lui couler le long des joues. Elle examina alors le reste de son corps ; en sus des quelques bosses à la tête, elle ressentait une vive douleur aux côtes lorsqu'elle inspirait profondément. Elle ne s'en inquiéta pas outre mesure, car elle savait d'expérience qu'elle n'avait rien de cassé.

Elle risqua un coup d'œil hors de sa cachette. Elle se demandait si l'un des deux policiers avait réussi à ramper jusqu'au sentier, car elle avait besoin d'un peu plus de temps avant qu'on ne donne l'alerte. Mais tout semblait tranquille, et les adolescents étaient partis.

À peine avait-elle émergé des rhododendrons que le chasseur parut à ses côtés, telle une ombre furtive. De retour sur le sentier, ils se hâtèrent vers l'arche de métal qui marquait l'entrée du terrain communal. Sarah s'apprêtait à traverser la route pour prendre la direction de Highfield lorsqu'elle se retourna pour vérifier que le chat la suivait toujours, mais l'animal était assis à côté du portail, la tête tournée vers la droite comme s'il essayait de lui dire quelque chose.

– Allez ! Viens par là ! fit-elle avec impatience en indiquant la direction du centre-ville où se trouvait son hôtel. On n'a pas de temps à perdre... ajouta-t-elle sans terminer sa phrase.

Il serait très difficile d'arpenter les rues en compagnie d'un tel animal sans se faire repérer, songea-t-elle.

Mais le chat gardait obstinément la tête tournée vers la droite comme il l'aurait fait pour signaler une piste à son maître.

– Qu'est-ce que c'est ? Qu'est-ce qu'il y a là-bas ? demanda-t-elle en retournant vers lui.

Elle se sentait quelque peu ridicule à interroger ainsi un chat.

Elle consulta sa montre et hésita un instant. On ne tarderait pas à découvrir la scène chez les Burrows. Le terrain communal et le reste de Highfield grouilleraient bientôt de policiers. Mais la nuit venait de tomber, et Sarah se trouvait dans son élément naturel ; elle tirerait parti de l'obscurité. Il lui fallait malgré tout s'éloigner aussi vite que possible de cette maison tout en évitant les rues les plus animées. Elle ne se faisait aucune illusion sur son apparence. Comment pourrait-elle passer inaperçue avec le visage ainsi tuméfié ?

Elle tenta de comprendre ce que voulait lui indiquer le chat ; peut-être n'était-ce pas une si mauvaise idée que de laisser une fausse piste. Elle pourrait toujours effectuer un plus grand détour pour rejoindre son hôtel. Alors qu'elle tergiversait encore, le chasseur se mit à gratter le trottoir de ses griffes. Il était impatient de repartir. Peut-être Sarah devrait-elle l'abandonner en cours de route, car il ne ferait qu'attirer l'attention, ce qui réduirait ses chances de réussite, pensa-t-elle en le regardant.

– Très bien, comme tu voudras, dit-elle, se décidant enfin.

Elle aurait juré que le chat lui avait souri avant de déguerpir à toute allure vers les marges de la vieille ville. Il filait si vite qu'elle peinait à le suivre.

Vingt minutes plus tard, ils s'engageaient dans une rue inconnue. Une pancarte indiquait la direction de la décharge municipale. Le chat attendit un instant devant une série de panneaux d'affichage, puis il franchit l'entrée du terrain vague. Sarah lui emboîta le pas. Elle voyait à peine les contours de la zone en friche envahie par les mauvaises herbes et bordée de petits buissons.

Le chat passa devant une épave de voiture, puis fila tout au bout du terrain vague. Il semblait savoir exactement où il allait. Il stoppa enfin, dans un dérapage contrôlé, et se mit à humer l'air ambiant, alors que Sarah tentait tant bien que mal de le rattraper.

Elle n'était plus très loin lorsque la prudence lui dicta une volte-face pour vérifier que personne ne les suivait. Mais quand elle se retourna pour rejoindre le chat, il avait disparu. Aussi bonne sa vision nocturne fût-elle, elle ne savait pas du tout où il était passé. Elle ne distinguait que quelques petites touffes de broussailles parsemant le sol boueux. Elle sortit sa lampe porte-clefs de son sac pour éclairer, lorsque, à quelques mètres de là, elle aperçut la tête du félin affleurant juste au-dessus du sol. La scène était plutôt comique.

L'animal s'esquiva de nouveau et disparut. Sarah découvrit une sorte de tranchée dont l'entrée était presque entièrement masquée par un morceau de contreplaqué. Elle passa la main dans le trou pour voir ce qu'il y avait en dessous – l'ouverture semblait assez large. Elle laissa échapper un gémissement de douleur en déplaçant la plaque pour pouvoir entrer. Ses côtes la faisaient beaucoup souffrir.

Sarah voulut d'abord glisser une jambe dans la brèche, mais elle perdit l'équilibre en dérapant sur le sol meuble. Elle tenta en vain de se raccrocher à quelque chose en battant l'air de ses bras et atterrit huit mètres plus bas. Elle jura entre ses dents, attendit que la douleur s'estompe un peu, puis ralluma sa lampe porte-clefs.

Elle fut très surprise en découvrant qu'elle venait d'atterrir dans une fosse remplie d'os dénudés, d'une blancheur éclatante à la lumière de sa lampe. Elle en ramassa une poignée, puis examina un petit fémur. Elle repéra tout autour d'elle plusieurs petits crânes portant tous des marques de dents. D'après leur taille, il aurait pu s'agir de lapins ou d'écureuils.

— Un chien! s'exclama-t-elle en remarquant un crâne beaucoup plus large aux canines proéminentes.

Il portait encore un gros collier en cuir maculé de sang séché. Elle se trouvait donc dans la tanière du chat!

Elle se souvint soudain de l'article qu'elle avait lu dans le journal à l'hôtel.

— C'est donc toi qui enlèves les chiens! dit-elle. C'est toi la bête du terrain communal de Highfield, ajouta-t-elle avec un gloussement amusé à l'attention du chat dont elle percevait la respiration régulière dans le noir.

Elle se leva, écrasant les squelettes sous ses pieds, et s'avança dans la galerie sur laquelle s'ouvrait l'ossuaire. Elle examina d'un œil expérimenté les poutres avec lesquelles on avait étayé les parois; tout ça ne lui semblait pas très solide. Le bois couvert de moisissures vertes commençait à pourrir sous l'excès d'humidité. Pire encore, il n'y avait pas assez d'étais pour soutenir le plafond. On aurait dit que quelqu'un les avait retirés au hasard sans réfléchir. Elle secoua la tête. Elle avait encore mal au crâne. Ça n'était certainement pas l'endroit le plus sûr qui soit, mais, à ce moment précis, c'était bien le dernier de ses soucis. Il lui fallait un lieu où elle pourrait récupérer et panser ses plaies.

La galerie continuait en pente, puis débouchait sur une zone plus vaste. Elle aperçut un caillebotis sur le sol dont la surface était veinée de moisissures blanches. Le chat était assis sur l'un des deux fauteuils délabrés qui trônaient côte à côte sur les planches, comme s'il l'attendait depuis un bon moment.

Sarah poussa un petit cri de surprise en découvrant le reste de la chambre souterraine à la lumière de sa lampe.

Elle devait faire environ quinze mètres de large, mais la paroi du fond s'était visiblement effondrée, car une coulée de débris s'étendait jusqu'aux fauteuils. Alors qu'elle longeait la paroi, Sarah perdit l'équilibre et plongea le pied dans une profonde flaque d'eau boueuse qui gouttait sans cesse du plafond.

Elle lâcha un juron, car elle avait le pied trempé à présent. Elle se rétablit en s'accrochant à l'un des étais, mais posa la main par mégarde sur des échardes. S'enfonçant encore un peu plus profondément dans la flaque, elle finit par s'effondrer le long de la paroi. Mais elle n'était pas encore au bout de ses peines... Alors qu'elle tentait tant bien que mal de se rétablir, elle se retrouva prise sous une cascade de terre. En attrapant l'étai, elle avait ouvert une brèche dans les planches qui soutenaient le plafond.

— Pour l'amour de Dieu! s'exclama-t-elle, furieuse. Quel est l'abruti qui a bâti cet endroit?

Elle sortit du trou et ôta la terre de ses yeux. Elle avait au moins réussi à ne pas lâcher sa lampe, et examinait à présent les lieux d'un peu plus près. Elle contourna prudemment l'excavation, évaluant la solidité des étais qui semblaient tous dans un état de putréfaction plus ou moins avancée.

Les lèvres pincées, elle se demandait ce qui lui avait pris de descendre ici et se tourna vers le chat qui n'avait pas bronché. Il attendait tranquillement, assis sur un fauteuil, le museau levé. Il étudiait chacun de ses gestes, et elle aurait juré que ses acrobaties l'amusaient.

— La prochaine fois que tu m'emmèneras quelque part, j'y réfléchirai à deux fois! dit-elle avec colère.

Attention! Elle se rappela tout à coup à qui elle avait affaire et se garda bien de poursuivre en ce sens. Si ce chat paraissait plutôt placide, les chasseurs, notamment lorsqu'ils retournaient à l'état sauvage, pouvaient se montrer imprévisibles : il ne fallait surtout pas l'alarmer. Elle se rapprocha du fauteuil vide en prenant soin d'éviter tout geste brusque.

— Tu permets que je m'assoie? lui demanda-t-elle d'une voix douce en lui montrant ses paumes maculées de boue en signe de paix, puis elle s'installa sur l'autre siège.

Une pensée commençait à la turlupiner. Elle observait l'excavation en se demandant ce qui au juste la tracassait ainsi, lorsque le chat se rapprocha d'elle d'un bond. Sarah eut un mouvement de recul, car elle ne savait pas encore si elle pouvait lui faire confiance; mais à son plus grand soulagement, elle vit que l'animal voulait juste se frotter le museau contre le dos du fauteuil.

Sarah remarqua qu'on y avait posé quelque chose et elle tendit le bras pour l'attraper. Ça ressemblait à un bout de tissu humide. Elle se renfonça dans son siège et le déplia ; c'était un maillot de rugby à rayures jaunes et noires, tout couvert de boue. Elle le renifla.

Malgré la pourriture et l'odeur de moisi qui flottaient dans l'air, elle décela une odeur à peine perceptible. Elle renifla à nouveau le maillot pour s'assurer qu'elle ne s'était pas trompée, puis elle regarda le chat avec intensité. Son front se creusa de rides tandis que son idée prenait forme. Telle une bulle qui remonterait des profondeurs, elle explosa soudain à la surface de ses pensées.

— C'était le sien, n'est-ce pas ? dit-elle en mettant le maillot sous le museau scarifié du chat. Mon fils, Seth, a porté ce vêtement... Et, c'est donc... c'est donc lui qui a creusé cet endroit ! Mon Dieu, je ne me serais jamais douté qu'il puisse creuser aussi loin !

Pendant quelques secondes, elle examina l'excavation avec un nouvel intérêt, mais fut bien vite submergée par un torrent d'émotions contradictoires. Si elle n'avait pas lu ce fameux message, elle aurait été ivre de joie à l'idée de se trouver sur le site des fouilles de son propre fils. C'eût été en effet une manière de se rapprocher de lui. Mais comment pouvait-elle se réjouir de cette découverte à présent ? Cet endroit la mettait tout aussi mal à l'aise que celui qui l'avait creusé.

Elle frémit lorsqu'une autre idée lui traversa l'esprit.

— Cal ? Étais-tu le chasseur de Cal ? demanda-t-elle à l'animal qui ne l'avait pas quittée des yeux.

En entendant ce nom, le chat contracta les muscles de ses joues et les gouttelettes qui perlaient sur ses longues moustaches brillèrent à la lumière de sa lampe.

— Mon Dieu, balbutia-t-elle. C'est ça, n'est-ce pas ? ajouta-t-elle en haussant les sourcils.

Elle s'abîma quelques instants dans ses pensées, le front plissé. Si cet animal appartenait bien à Cal, voilà qui confirmait peut-être ce que Joe Waites lui avait écrit. Seth avait forcé Cal à l'accompagner en Surface avant de l'entraîner dans les Profondeurs, ce qui expliquerait la présence de ce chat – il était venu avec Cal lorsqu'il s'était échappé à la Surface.

— Tu es donc sorti de la Colonie avec... avec Seth ? pensa-t-elle à voix haute. Mais tu le connais sous le nom de Will, n'est-ce pas ?

Elle répéta le nom de Will en articulant bien, à l'affût d'une réaction de sa part, mais l'animal ne donna pas le moindre signe de reconnaissance.

Sarah sombra alors dans le silence. S'il était vrai que Cal s'était rendu à la Surface, cela signifiait-il que tout ce qu'elle avait lu à propos de Seth l'était aussi ? Elle ne pouvait supporter ce que tout cela impliquait. C'était comme si ses sentiments les plus puissants, tout l'amour qu'elle portait à son fils aîné, laissaient lentement place à un infâme désir de vengeance.

— Cal... dit-elle pour observer la réaction de l'animal.

Il avança la tête vers elle, puis dirigea son regard vers l'entrée du site.

Elle aurait tant voulu que le chat puisse répondre aux centaines de questions qui se bousculaient confusément dans son esprit. Elle bascula la tête en arrière contre le dossier du fauteuil. C'était plus qu'elle n'en pouvait supporter, et elle finit par céder à l'épuisement. Elle entendait le grincement des étais qui gémissaient tout autour d'elle, et le crépitement des particules de terre qui tombaient parfois sur le sol. Elle observa un temps les diverses racines qui pendaient du toit, mais ses paupières s'alourdirent bien vite. Son doigt glissa sur l'interrupteur de sa lampe, et la chambre se retrouva plongée dans le noir. Sarah s'endormit presque aussitôt.

Chapitre Huit

Les trois garçons rebroussèrent chemin en contournant la flamme bleue qui vacillait, puis rejoignirent la galerie du chemin de fer. Il leur avait fallu un peu plus d'une vingtaine de minutes pour revenir à l'endroit où le train s'était arrêté.

Tapis derrière la voiture du gardien dont les vitres poussiéreuses n'étaient plus éclairées, ils balayèrent du regard la longue file de wagons jusqu'à la locomotive ; il n'y avait personne – on avait apparemment laissé le train sans surveillance.

Ils s'intéressèrent ensuite à la caverne qui s'ouvrait devant eux. À vue d'œil, elle devait faire au moins deux cents mètres de large.

– C'est donc la gare des mineurs, dit Will à mi-voix, les yeux rivés sur la zone constellée de points lumineux qui se trouvait dans la partie gauche de la caverne.

Il n'y avait pas grand-chose, mis à part une rangée de cabanes des plus ordinaires.

– C'est pas vraiment le « quai neuf trois quarts », hein ? marmonna Chester.

– Non... je croyais que ça serait bien plus grand que ça, dit Will, déçu. Rien de très remarquable, ajouta-t-il en reprenant la phrase qu'employait son père lorsqu'il voulait indiquer qu'il n'était guère impressionné.

– Personne ne traîne bien longtemps par ici, intervint Cal.

– Je ne crois pas qu'on devrait rester là non plus, murmura nerveusement Chester qui avait l'air très mal à l'aise. Où sont passés le gardien et le conducteur du train ?

– Ils sont probablement à l'intérieur des bâtiments, répondit Cal.

Ils entendirent soudain un grondement étouffé semblable à un orage lointain, et c'est alors que retentit un fracas métallique.

— Bon Dieu, c'était quoi ce truc? questionna Chester, pris de panique, en reculant de quelques pas dans le tunnel.

— Regarde, ils sont en train de charger le train pour le trajet de retour, répondit Cal.

Ils virent de grandes glissières cylindriques posées contre les parois des plus hauts wagons. Du diamètre d'une poubelle ordinaire, elle se composaient de segments de métal assemblés par des rivets. Elles déversaient avec fracas des matières indéterminées sur le plateau métallique des wagons.

— C'est maintenant ou jamais! lança Cal.

Il se leva, se glissa derrière le wagon du gardien et fonça le long du train avant même que Will ait eu le temps d'objecter quoi que ce soit.

— Et c'est reparti, gémit Chester.

Les deux garçons suivirent néanmoins leur cadet, en s'abritant tout comme lui derrière le train.

Ils longèrent les wagons les moins hauts, dépassèrent celui dans lequel ils avaient séjourné puis continuèrent le long des voitures aux panneaux les plus hauts. Ils durent s'arrêter à plusieurs reprises pour s'essuyer les yeux à cause des poussières et des débris qui se dispersaient dans l'air. Ils arrivèrent au bout du train en une minute. Les glissières vomirent encore quelques particules indéterminées, emplissant l'air d'une poussière lourde. L'opération de chargement venait tout juste de s'achever.

La locomotive à vapeur que l'on avait décrochée du reste du train se trouvait un peu plus avant sur les rails, mais Cal restait tapi derrière le dernier des hauts wagons. Dès que Will et Chester l'eurent rattrapé, Will lui administra une claque sur la tête.

— Aïe! siffla Cal en levant les poings comme pour répondre. Pourquoi t'as fait ça?

— T'es encore parti en courant, espèce de morveux débile! gronda Will, furieux. Si tu continues à faire ça, on va finir par se faire prendre.

— Eh bien, ils ne nous ont pas vus... et comment tu comptais arriver ici, sinon? se défendit Cal avec véhémence.

Will ne répondit pas.

Cal cligna lentement des yeux comme pour lui signifier qu'il l'irritait, et se contenta de détourner la tête en regardant vers le lointain.

— Il faut qu'on descende...

— Hors de question, rétorqua Will. Chester et moi, on va d'abord vérifier tout ça avant de faire quoi que ce soit. Toi, tu restes tranquille.

Cal obéit à contrecœur et s'affala sur le sol en grommelant pour marquer sa mauvaise humeur.

— Ça va? demanda Will à Chester.

Will s'était tourné vers lui en l'entendant renifler bruyamment.

— Ce truc envahit tout, se plaignit Chester en se mouchant avec les doigts pour se débarrasser de toute cette poussière.

— C'est dégoûtant, murmura Will en voyant Chester saisir un écheveau de morve entre ses doigts pour le jeter ensuite sur le sol. T'es vraiment obligé de faire ça?

Chester se fichait pas mal du dégoût qu'il inspirait à son ami. Il regarda son visage en plissant des yeux, puis s'examina les mains et les bras.

— Y'a pas de doute, on est bien camouflés, remarqua-t-il.

Depuis le chargement du train, leurs visages et leurs vêtements étaient encore plus crasseux qu'avant d'avoir connu les fumées de la locomotive.

— Ouais, eh bien, si t'as fini, dit Will, partons inspecter la gare.

Ils contournèrent le wagon de tête en rampant jusqu'à ce que les bâtiments soient bien en vue : pas un signe de vie.

Sans faire le moindre effort pour baisser la tête, Cal désobéit aux ordres de Will et se joignit à eux. Il ne tenait pas en place et frémissait d'impatience.

— Écoutez, les cheminots sont dans la gare, mais ils ne vont pas tarder à ressortir. Il faut qu'on dégage avant, insista-t-il.

Will examina à nouveau les bâtiments de la gare.

— Bon, d'accord, mais on reste groupés et on ne va pas plus loin que la locomotive. T'as compris, Cal?

Ils quittèrent rapidement l'abri du wagon et se mirent à courir à demi accroupis jusqu'à ce qu'ils atteignent l'énorme locomotive. Elle sifflait de temps à autre en crachant des jets de vapeur – on aurait dit un dragon endormi. La chaleur qui émanait de sa gigantesque chaudière était palpable. Chester posa bêtement la main sur l'une des grosses plaques d'acier piqué qui en formaient la base et la retira vivement.

— Aïe! s'exclama-t-il. C'est super chaud!

— Tu m'étonnes, marmonna Cal d'un ton sarcastique en longeant l'avant de cette machine aux proportions gigantesques.

— C'est génial ! On dirait vraiment un tank, dit Chester avec l'émerveillement d'un gamin.

Avec ses blindages emboîtés et son immense chasse-pierres, la locomotive ressemblait en effet à un véhicule militaire, voire à un vieux char d'assaut.

— Chester, on n'a vraiment pas le temps d'admirer le truc qui fait *tchou-tchou !* gronda Will.

— Mais je le regardais pas, marmonna Chester sans quitter la locomotive des yeux.

— On devrait passer par là-bas, dit Cal d'une voix déterminée en indiquant le bout du tunnel.

— Blablabla, grommela Chester dans sa barbe en lui adressant un regard plein de dédain. Et c'est reparti pour un tour.

Will observa la zone que venait de signaler son frère. Une brèche s'ouvrait dans la paroi de la caverne sur une cinquantaine de mètres environ. Des rampes métalliques descendaient de part et d'autre du passage, comme pour relier l'entrée à une structure située en surplomb. Il faisait trop noir pour voir s'il s'agissait d'une sortie.

— Je n'arrive pas à voir ce qu'il y a là-bas, dit-il à Cal. C'est trop sombre.

— C'est justement pour ça qu'il faut qu'on y aille, rétorqua son jeune frère.

— Mais si jamais les Colons sortent avant qu'on y soit ? demanda Will. Ils ne pourront pas nous manquer.

— Ils sont en train de dîner, répondit Cal en secouant la tête. Tout ira bien si on part maintenant.

— On pourrait toujours battre en retraite... dans le tunnel, et puis attendre que le train soit reparti.

— Ça pourrait prendre des heures. Il faut y aller maintenant, dit Cal, très agacé. Pendant qu'il est encore temps.

— Attends un peu, contra Chester aussi sec en se tournant vers lui.

— On y va, insista Cal, toujours aussi grincheux.

— Non, on... rétorqua Chester, mais Cal éleva la voix et ne lui laissa pas le temps de finir sa phrase.

— Qu'est-ce que t'en sais, toi ? ironisa-t-il.

— Depuis quand c'est toi qui commandes ici ? répliqua Chester en se tournant vers Will. Tu ne vas quand même pas le laisser continuer, Will ? C'est qu'un sale gosse.

— Ferme-la ! siffla Will entre ses dents noires de suie, les yeux rivés sur la gare.

— Moi, je dis qu'on devrait... décréta Cal à voix haute.

— Cal, je vous ai dit de la fermer, rétorqua Will en lui plaquant la main sur la bouche. Y'en a deux là-bas, ajouta-t-il en murmurant à l'oreille de son frère avant de retirer lentement sa main.

Cal et Chester cherchèrent des yeux les deux cheminots qui se tenaient sous un portique courant le long de plusieurs bâtiments de la gare. Ils venaient apparemment de sortir de l'une des cabanes. Les garçons entendirent alors quelques bribes d'une drôle de musique qui s'échappait par la porte entrouverte.

Les cheminots portaient de larges uniformes bleus ainsi que des sortes d'appareils respiratoires qu'ils relevèrent pour boire les énormes chopes qu'ils tenaient à la main. De là où ils étaient, les garçons entendaient leurs gargouillis. Les deux hommes s'avancèrent de quelques pas, s'arrêtèrent pour contempler nonchalamment le train, puis se tournèrent et pointèrent du doigt le portique à signaux situé juste au-dessus de la machine.

Après plusieurs minutes, ils retournèrent dans les cabanes en claquant la porte derrière eux.

— Bien! Allons-y! dit Cal à Will en évitant soigneusement de regarder Chester.

— Arrête un peu, grogna Will. On partira quand on se sera tous mis d'accord. On travaille en équipe.

La lèvre supérieure retroussée et le sourire mauvais, Cal s'apprêtait à répliquer, mais Will intervint aussitôt.

— Ce n'est pas un fichu jeu, tu sais! lança-t-il.

Au lieu d'affronter Will, le jeune garçon poussa un profond soupir et se tourna vers Chester en lui lançant un regard furibond.

— Espèce de... de Surfacien! siffla-t-il.

Décontenancé par cette attaque, Chester leva un sourcil dubitatif, regarda Will, puis haussa les épaules.

Ils restèrent donc plantés là. Will et Chester surveillaient attentivement la façade de la gare tandis que Cal dessinait dans la poussière des bonshommes ressemblant étrangement à Chester, avec leurs corps massifs et leurs grosses têtes. Cal émettait parfois un petit gloussement plein de méchanceté avant d'effacer son œuvre pour recommencer encore et encore.

— Bon, je crois qu'ils sont bien installés maintenant, dit Will cinq minutes après que les cheminots furent retournés dans la cabine. Moi, je dis qu'il faut y aller. T'es content, Chester?

Chester hocha légèrement la tête. Il n'avait pas l'air ravi du tout.

— Pas trop tôt, dit Cal qui bondit sur ses pieds en se frottant les mains pour se débarrasser de la poussière.

L'instant d'après, il était déjà à découvert et traversait l'esplanade d'un air impudent.

— C'est quoi, son problème ? demanda Chester. On va tous se faire tuer à cause de lui.

Tapis dans l'ombre de la paroi, ils se glissèrent entre les deux rampes et découvrirent alors un passage : une grande faille se découpait dans la roche. Par chance, Cal avait vu juste et il comptait bien le faire remarquer.

— J'avais rai...

— Ouais, je sais, l'interrompit Will. Pour une fois.

— C'est quoi, ces trucs ? demanda Chester qui venait de remarquer plusieurs bâtiments en entrant dans cette nouvelle galerie.

Les constructions étaient presque entièrement ensevelies sous d'énormes dunes de poussière. Il y avait des cabanes, mais aussi des bâtisses aux formes arrondies entourées par de drôles de morceaux de métal et d'étranges débris. Les garçons s'approchèrent de l'un des bâtiments. Vu de près, il ressemblait à une ruche géante en brique grise. Will pataugeait dans la poussière lorsqu'il buta soudain sur un objet dur, plat, et aux bords ondulés. Il ne dépassait pas la taille de sa main. Il le ramassa et rallia le bâtiment en forme de ruche.

— Il doit y avoir une trappe là-dessous, dit Cal en passant devant son frère.

Du bout du pied, Cal dégagea la poussière accumulée à la base du bâtiment et dévoila en effet une petite porte de cinquante centimètres carrés. Il s'accroupit pour l'entrouvrir, et les gonds desséchés émirent un grincement strident tandis qu'une cendre noire se répandait sur le sol.

— Comment tu savais ça ? demanda Will.

Cal se releva, s'empara de l'objet que son frère tenait à la main et le cogna contre l'arrondi du bâtiment juste à côté de lui : celui-ci rendit un son sourd. Quelques fragments de matière s'en détachèrent et tombèrent sur le sol.

— C'est un fragment de lave. Mais je parie qu'il y a du charbon là-dessous, déclara Cal en donnant un coup de pied dans le tas de crasse.

— Et alors ? demanda Chester.

— Et alors ça veut dire que ce sont des fournaises, répliqua Cal, très sûr de lui.

— Vraiment ? demanda Will en se penchant pour voir à travers la trappe.

— Oui, j'en ai déjà vu dans la Colonie, dans les fonderies de la caverne sud, rétorqua Cal en relevant le menton.

Il lança un regard agressif à Chester, comme s'il venait d'affirmer sa supériorité sur son aîné.

— Les Coprolithes devaient fabriquer de la fonte ici, ajouta-t-il enfin.

— À voir l'état des lieux, c'était il y a des siècles, commenta Will en regardant tout autour de lui.

Cal acquiesça puis, comme il n'y avait rien d'autre à voir, les trois garçons poursuivirent leur chemin dans la galerie sans rien dire.

— Il fait le malin, dit Chester dès que Cal se fut suffisamment éloigné.

— Écoute, Chester, répondit Will à voix basse, il est probablement terrorisé par cet endroit, comme tous les Colons. Et n'oublie pas qu'il est beaucoup plus jeune que nous. Ce n'est qu'un gamin.

— C'est pas une excuse.

— Non, mais il faut que tu sois un peu plus indulgent.

— Ça ne nous mènera à rien ici, et tu le sais très bien, Will ! s'écria Chester.

Cal l'avait visiblement entendu hurler, car il s'était retourné et les regardait d'un drôle d'air. Chester baissa aussitôt la voix.

— On peut pas se permettre la moindre idiotie. Tu crois vraiment que les Styx vont te laisser une deuxième chance, comme dans un jeu vidéo à la noix ? Redescends sur terre, tu veux.

— Cal ne nous laissera pas tomber.

— T'en mettrais ta tête à couper, Will ?

Will se contenta de secouer la tête tout en continuant sa route. Il savait qu'il était inutile d'essayer de le faire changer d'avis. Peut-être Chester avait-il raison, après tout.

Après s'être éloigné des fournaises et des tas de crasse, les garçons découvrirent un sol si compact qu'il semblait avoir été foulé par des centaines de pieds. Ils suivaient la galerie principale d'où partaient d'autres passages plus étroits. Certains étaient assez hauts pour qu'on puisse s'y tenir debout, mais la plupart étaient de simples boyaux. Ils n'avaient nullement l'intention de quitter l'artère principale : ils n'étaient guère enthousiastes à l'idée de devoir se faufiler dans l'une de ces galeries. Qui plus est, ils ne savaient pas du tout où ils allaient, lorsqu'ils arrivèrent à un embranchement.

— Où on va, maintenant ? demanda Chester.

Les deux aînés s'approchèrent de Cal : il venait de s'arrêter parce qu'il avait repéré quelque chose à la base de la paroi. Cal s'avança et poussa l'objet du bout de sa botte renforcée. C'étaient deux pancartes fixées au sommet d'un pieu cassé. Elles étaient découpées en forme de main dont les doigts pointaient dans deux directions opposées. Les inscriptions gravées dans le bois étaient à peine lisibles. Cal ramassa le panneau et le tendit à Will pour qu'il puisse le déchiffrer.

— « Ville Crevasse ». Ça doit être la galerie de droite. Et là ça dit... Je n'arrive pas à distinguer les lettres... Les fins de mots ont été escamotées... Je crois que ça dit « Le Grand Machin »... Je sais pas.

— La Grande Plaine, suggéra aussitôt Cal au plus grand étonnement de Will et de Chester.

— J'ai entendu les amis de mon oncle en parler, expliqua-t-il alors.

— Et t'as entendu quoi d'autre ? Cette ville, elle était comment ? Y'avait des Coprolithes qui y vivaient ? lui demanda Will.

— J'en sais rien.

— Allons... Est-ce qu'on devrait y aller ? le pressa Will.

— Je ne sais vraiment rien de plus, répondit Cal avec indifférence en laissant glisser le panneau sur le sol.

— J'ai bien envie de descendre en ville. Je parie que mon père aurait fait ça. T'en penses quoi, Chester ? On va par là ?

— Comme tu voudras, répondit Chester qui fixait Cal d'un œil suspicieux.

Mais à mesure qu'ils progressaient, ils comprirent que, contrairement à la galerie qu'ils venaient de quitter, le chemin qu'ils avaient emprunté n'était pas une artère principale. Le sol était plus cahoteux et jonché de grosses pierres. Il ne devait pas être très fréquenté. Pire encore, ils durent escalader de gros éboulis tombés du toit à demi effondré.

Alors qu'ils commençaient à se demander s'il ne valait pas mieux faire demi-tour, ils découvrirent à la lumière de leurs globes un bâtiment à l'architecture régulière qui leur barrait la route, manifestement dû à la main de l'homme.

— Il y a donc quelque chose ici finalement, dit Will avec un soupir de soulagement.

À mesure qu'ils s'approchaient de l'obstacle, ils virent que la galerie s'élargissait. Il s'agissait d'une haute grille, encadrée par deux tours d'une dizaine de mètres de haut, qui semblait servir de portail. Lorsqu'ils furent un peu plus près, ils remarquèrent un panneau sur lequel on avait gravé en caractères grossiers le nom de la ville : « Ville Crevasse ».

Ils s'avancèrent vers les tours, tandis que les résidus de lave et le gravier crissaient sous leurs pas. La haute grille courait sur toute la largeur de la caverne, et il ne semblait pas y avoir d'autre voie d'accès. D'un signe de tête, ils s'accordèrent pour entrer et découvrirent alors des bâtiments qui leur semblaient plus ou moins familiers.

— On dirait une ville fantôme, dit Chester en regardant les rangées de cabanes bordant l'avenue principale sur laquelle ils venaient de s'engager. J'espère bien que personne ne vit ici.

Les cabanes étaient dans un tel état de délabrement qu'ils surent immédiatement qu'elles étaient abandonnées. La plupart d'entre elles s'étaient tout simplement effondrées sur elles-mêmes. Quant à celles qui tenaient encore debout, leur porte était ouverte – lorsqu'il y en avait encore une. Pas une seule vitre n'était restée intacte.

— Je vais juste jeter un coup d'œil à l'intérieur de celle-ci, dit Will.

Il se mit à escalader les poutres entassées sur le seuil en s'accrochant au chambranle pour ne pas perdre l'équilibre. Il poussa un cri lorsque la bâtisse se mit soudain à gémir en oscillant dangereusement.

— Attention, Will ! le mit en garde Chester en s'éloignant, de peur qu'elle ne s'effondre. Ça m'a pas l'air très sûr.

— Ouais, marmonna Will qui n'avait pas l'intention de se laisser impressionner.

Il avança dans la maison et se fraya un chemin en éclairant les débris qui jonchaient le sol.

— Y'a plein de couchettes, indiqua-t-il aux autres.

— Des couchettes ? reprit Cal d'un ton interrogatif.

Will continuait à fouiner à l'intérieur lorsque retentit soudain un craquement sonore ; il venait de traverser le plancher en bois.

— Bon sang ! s'exclama-t-il en retirant son pied, puis il fit demi-tour.

Il s'arrêta un instant pour examiner quelque chose qui ressemblait à un poêle rangé dans un coin plongé dans la pénombre, puis, étant donné l'état alarmant du plancher, il conclut qu'il en avait assez vu.

— Y'a rien ici! cria-t-il aux autres avant de ressortir enfin.

Ils continuèrent le long de l'avenue principale jusqu'à ce que Cal rompe le silence.

— T'as senti? demanda-t-il à Will d'un ton pressant. C'est aussi fort que...

— De l'ammoniac. Oui, le coupa Will. On dirait que ça remonte du.. du sol, ajouta-t-il en éclairant une zone qui s'étendait juste devant lui. Ça a l'air humide, remarqua-t-il en broyant un peu de terre sous son talon avant de s'accroupir pour ramasser une pincée de terre qu'il porta à ses narines. Pouh, c'est bien ça. Ça pue! On dirait des crottes d'oiseau séchées. Ça s'appelle bien du guano, non?

— Des oiseaux. Pas de problème, dit Chester d'une voix soulagée en se rappelant la volée inoffensive qu'ils avaient rencontrée dans la Colonie.

— Non, pas des oiseaux. C'est différent, se reprit aussitôt Will. Et puis c'est encore frais, et carrément visqueux.

— Oh non! siffla Chester en regardant de tous côtés.

— Beurk! Y'a des trucs à l'intérieur, observa Will en déportant son poids d'une jambe sur l'autre.

— C'est quoi? demanda Chester qui manqua de faire un bond.

— Des insectes. Vous les voyez?

Chester et Cal éclairèrent le sol à leurs pieds et virent des scarabées, de la taille de cafards dodus, arpentant d'un pas lourd la couche de déjections visqueuses. Ils semblaient battre la mesure de leurs antennes tout aussi blanches que leur carapace couleur crème. Il y avait aussi d'autres insectes plus foncés, ce qui les rendait plus difficiles à observer, apparemment plus sensibles à la lumière, car ils détalèrent rapidement.

Au centre du halo de lumière, un gros scarabée se mit à battre des élytres sous le regard fasciné de Will qui gloussa de joie en l'entendant vrombir. On aurait dit un jouet dont on aurait tout juste remonté le mécanisme. L'insecte finit par prendre son envol, tel un bourdon gorgé de suc. Il décrivit quelques zigzags maladroits avant de se fondre dans l'obscurité.

— Il y a tout un écosystème ici, dit Will fasciné par les variétés d'insectes qu'il découvrait.

Il gratta les déjections et mit au jour un gros asticot à la chair pâle et renflée — il devait faire la taille de son pouce.

— Attrape-le. On pourra peut-être le manger, dit Cal.

— Ahhh! frémit Chester en tapant du pied. Arrête un peu! T'es trop dégueu!

— Non, non, il est tout à fait sérieux, répondit Will d'un ton neutre.

— On peut pas se remettre en route, dis? supplia Chester.

Will s'arracha à contrecœur à la contemplation des insectes, et tous trois repartirent le long de l'avenue principale. Will fit signe aux autres de s'arrêter lorsqu'ils atteignirent la dernière cabane. La puanteur était plus forte encore. Il venait de pointer quelque chose du doigt quand ils sentirent une brise sur leur visage.

— Je crois que ça vient de là-haut, remarqua Will. Il y a une sorte de filet qui recouvre toute cette zone. Regardez un peu les trous.

Ils levèrent les yeux et virent un filet tendu au-dessus des cabanes; ils l'avaient d'abord pris pour la voûte naturelle de la caverne. Il ployait sous les débris et touchait presque le toit des cabanes par endroits. À d'autres, il avait tout simplement disparu. Ils essayèrent d'éclairer l'obscurité menaçante par-delà les déchirures du filet, mais leurs lampes n'étaient pas assez puissantes.

— Est-ce que c'est la crevasse à laquelle cette ville doit son nom? s'interrogea Will à voix haute.

— Hé! s'époumona Cal dont le cri fit tressaillir les deux autres. C'est grand, ajouta-t-il inutilement en entendant l'écho de sa voix.

Un bruit s'éleva alors peu à peu, d'abord semblable au crissement des pages d'un livre que l'on feuillette, puis de plus en plus sonore. Le volume s'amplifiait à une vitesse affolante.

Quelque chose s'éveillait.

— Encore des scarabées? demanda Chester en espérant que c'était bien le cas.

— Euh, non, je ne crois pas... dit Will en parcourant le vide du regard. C'était peut-être pas une très bonne idée, Cal.

Chester s'en prit aussitôt à ce dernier.

— Qu'est-ce que t'as encore fait, espèce d'idiot? lui lança-t-il dans un murmure fébrile.

Cal répondit par une grimace.

On entendait à présent une clameur sourde quand, tout à coup, des formes noires se glissèrent entre les mailles du filet et fondirent sur eux... des volatiles d'une envergure phénoménale, et dont les cris stridents résonnaient contre les parois de la caverne, tel l'écho d'un autre monde. Ils étaient si aigus que c'est à peine s'ils étaient perceptibles.

— Des chauves-souris ! hurla Cal, reconnaissant aussitôt ce son.
Pris de panique, Chester se mit à hurler.

— Fuyez, bande de débiles ! beugla Cal qui prenait déjà ses
jambes à son cou, tandis que Will et Chester restaient plantés là,
fascinés par le spectacle de ces animaux volants filant à toute allure
au-dessus d'eux.

En un instant, l'air fut saturé de chauves-souris. On aurait dit un
essaim de guêpes furieuses et assoiffées de vengeance. Elles filaient
si vite que Will ne parvenait pas à suivre leur trajectoire.

— On est mal ! s'écria-t-il alors que le battement de leurs ailes
parcheminées leur soufflaient un air sec au visage.

Les chauves-souris leur fonçaient dessus, déviant de leur trajectoire à la toute dernière seconde.

Will et Chester détalèrent à leur tour à la suite de Cal qui s'était
engouffré dans l'avenue. Ils ne savaient pas si les chauves-souris
constituaient une menace réelle, mais ils n'avaient qu'un seul désir :
fuir les assauts de ces énormes monstres volants sortis tout droit de
l'enfer.

Comme pour soulager leur calvaire, une maison se profila dans
la pénombre devant eux. Haute de deux étages, sa façade austère
aux volets clos dominait les cabanes. Elle semblait bâtie dans une
pierre de couleur claire. Cal scrutait désespérément les dépendances
de chaque côté de la maison, dans l'espoir d'y trouver un abri.

— Vite ! Par ici ! cria-t-il lorsqu'il remarqua que la porte de la
maison était légèrement entrouverte.

Au milieu du chaos, Will se retourna au moment même où une
énorme chauve-souris percutait la nuque de Chester. Il entendit le
bruit sourd de la collision qui envoya Chester valdinguer sur le sol.
L'animal au corps noir et compact avait la taille d'un ballon de
rugby. Will se précipita pour aider son ami tout en essayant de se
protéger le visage de ses bras.

Il l'entraîna en courant jusqu'à cette étrange maison, encore un
peu sonné et vacillant. Will essayait d'éloigner les bêtes en moulinant l'air de ses bras, quand soudain l'une d'elles fonça droit dans
son sac à dos. Le choc le déséquilibra, mais il évita la chute de justesse en se rattrapant à Chester qui n'avait toujours pas retrouvé
tous ses esprits.

La chauve-souris était tombée à terre et agitait en vain son aile
froissée. L'une de ses congénères avait fondu sur elle, aussitôt suivie
par toute une volée d'autres. L'animal blessé se retrouva bientôt

noyé sous une nuée chauves-souris qui se querellaient en poussant des cris agressifs et stridents. La bête tentait en vain de s'échapper en rampant sous la masse, mais les autres l'attaquaient sans relâche, lui infligeant des morsures au thorax et à l'abdomen. Leurs petites dents acérées ruisselaient déjà de son sang écarlate lorsque la victime se mit à pousser des hurlements atroces.

Will trébuchait dans sa course en tentant d'esquiver les chauves-souris. Quand les deux garçons parvinrent enfin au pied du perron, ils gravirent les marches d'un pas chancelant, franchirent le porche et entrèrent par la porte que Cal tenait entrouverte. À peine s'étaient-ils réfugiés à l'intérieur que Cal la claqua derrière eux, tandis que retentissait le choc sourd des chauves-souris heurtant le bois. Ils entendirent ensuite un froissement d'ailes qui céda bientôt la place à d'étranges appels flûtés, si faibles qu'ils étaient presque inaudibles.

Pendant l'accalmie qui suivit, les garçons essayèrent de reprendre leur souffle. Ils se trouvaient dans un hall imposant où était suspendu un grand lustre dont les branches enchevêtrées étaient recouvertes d'une poussière duveteuse. De part et d'autre du hall, partaient deux escaliers aux courbes élégantes qui menaient à l'étage. L'endroit semblait désert. Il n'y avait aucun meuble, et les murs noirs ne portaient guère plus que la trace de quelques lambeaux de papier peint. L'endroit était inhabité depuis des années, semblait-il.

Will et Cal se frayèrent un chemin à travers la couche de poussière accumulée, aussi épaisse qu'un amas de neige. Adossé à la porte d'entrée, Chester était encore sous le choc et peinait à retrouver son souffle.

— Ça va ? lui demanda Will d'une voix assourdie par le calme de cette étrange maison.

— Je crois, répondit Chester.

Il se leva, bascula la tête en arrière en se massant le cou pour apaiser la douleur.

— J'ai l'impression d'avoir été percuté par une boule de cricket. Hé, Will, tu devrais venir voir ça, dit-il en inclinant la tête.

— Qu'est-ce qu'il y a ?

— On dirait que quelqu'un est entré ici par effraction, répondit Chester d'une voix qui trahissait son inquiétude.

Chapitre Neuf

L es petites flammes dansaient sur les bouts de bois, emplissant la chambre souterraine d'une lumière vacillante. Sarah faisait tourner une broche de fortune sur laquelle elle avait empalé deux petites carcasses. Elle mesura à quel point elle avait faim à force de regarder et de humer le fumet de la viande rôtissant lentement. À en juger par les longs chapelets de bave qui lui coulaient le long du museau, le chat avait le ventre tout aussi creux.

– Bon travail, dit-elle en jetant un regard oblique à l'animal.

Elle n'avait pourtant pas eu besoin de l'encourager pour qu'il parte en quête de nourriture. À dire vrai, le chat lui avait semblé soulagé d'exécuter enfin la tâche pour laquelle on l'avait dressé. Les chasseurs étaient censés attraper les vermines, et plus particulièrement les rats aveugles, mets tenu pour fort délicat au sein de la Colonie.

Sarah avait pu examiner le chat d'un peu plus près à la lueur du feu, tandis qu'ils étaient assis côte à côte dans leurs fauteuils respectifs. Sa peau glabre ressemblait à un vieux ballon à moitié dégonflé, et son corps était zébré de lacérations. Les marques violacées qu'il portait au cou étaient visiblement récentes.

Il avait aussi une vilaine plaie ouverte mouchetée de petits points d'un jaune malsain qui visiblement l'irritait, car il ne cessait de la nettoyer en vain à l'aide de sa patte antérieure. Sarah savait qu'elle devrait s'occuper assez vite de cette blessure salement infectée. Elle n'avait pas encore décidé si elle voulait voir survivre cet animal; mais étant donné qu'il représentait une sorte de lien avec sa famille, elle ne pouvait pas l'abandonner ainsi.

– À qui est-ce que tu appartenais alors? À Cal, ou bien à... À mon... mon mari? demanda-t-elle en peinant à articuler ce mot.

Elle caressa doucement la joue du chat qui avait les yeux rivés sur les carcasses en train de rôtir. Il ne portait aucun collier permettant de l'identifier, mais cela n'avait rien d'étonnant, car les chasseurs devaient se faufiler dans des passages étroits où il fallait ramper. Or un collier aurait pu s'accrocher à une pierre et les empêcher de poursuivre leur chasse.

Sarah toussa, puis se frotta les yeux ; faire du feu sous terre n'avait rien d'une sinécure. Il fallait isoler le petit bois, déjà bien trop humide, des flaques d'eau qui trouaient le sol de la chambre ; à cet effet, elle avait construit une plateforme en empilant des pierres les unes sur les autres. Mais ne pouvant s'échapper, la fumée avait envahi toute la pièce et lui piquait tellement les yeux qu'elle en pleurait sans fin.

Elle espérait surtout qu'ils étaient assez loin sous terre pour que personne ne détecte le fumet. Elle consulta sa montre. Près de vingt-quatre heures s'étaient écoulées depuis l'incident. On n'étendrait probablement pas les recherches jusqu'au terrain vague qui se trouvait au-dessus d'elle, notamment s'ils avaient recours à des chiens.

Non, il était très peu probable qu'on la découvre ici – dans tous les cas, aucun agent de police n'aurait l'odorat aussi fin que la plupart des Colons. Elle se sentait étonnamment en sécurité dans cette grotte et savait que ce sentiment n'était pas étranger au fait qu'elle se trouvait à présent sous terre. Cette cavité souterraine lui rappelait ses origines.

– Très bien, le dîner est prêt, annonça-t-elle au chat après avoir piqué les carcasses de la pointe de son couteau.

Le regard impatient de l'animal allait de Sarah à la viande rôtie avec la régularité d'un métronome. Elle fit glisser la première carcasse de la broche et posa le pigeon sur un journal plié sur ses genoux.

– Attention, c'est chaud, dit-elle en guise d'avertissement tout en balançant l'écureuil encore empalé sous le nez du chat.

Mais elle perdait son temps, car le chat bondit aussitôt et referma ses mâchoires sur la carcasse pour l'emporter dans un coin sombre où elle l'entendit la dévorer en ronronnant furieusement.

Sarah jongla avec le pigeon en soufflant dessus comme s'il s'agissait d'une patate chaude. Lorsqu'il eut suffisamment refroidi, elle s'attaqua à une aile, mordant dans la viande à pleines dents, et finit de se délecter avec le blanc.

Sarah se prit alors à évaluer la situation. Sa règle de survie numéro un était de ne jamais rester au même endroit plus longtemps que nécessaire. Elle se déplaçait sans cesse, surtout lorsque les choses commençaient à se gâter. Elle avait le visage défait après son affrontement avec les policiers, mais elle avait nettoyé le sang et fait de son mieux pour masquer les ecchymoses les plus visibles. Elle s'était servie du kit de maquillage qui ne la quittait jamais, car son manque de pigmentation l'obligeait à employer un mélange de crème solaire et de fond de teint pour se protéger du soleil. Elle était à peu près certaine qu'elle n'attirerait pas l'attention lorsqu'elle remettrait les pieds dehors.

Elle suçotait rêveusement un petit os lorsqu'elle se souvint des papiers qu'elle avait ramassés sur le paillasson des Burrows. Elle s'essuya les mains avec un mouchoir et sortit une poignée de lettres de son sac. Il y avait les publicités habituelles pour les services de plomberie et les décorateurs improvisés. Elle les examina les unes après les autres à la lueur vacillante du feu qui s'éteignait, puis elle les jeta sur les braises. Elle tomba enfin sur quelque chose de bien plus intéressant que le reste : il s'agissait d'une enveloppe kraft à l'étiquette mal imprimée, libellée à l'attention de Mme C. Burrows. L'adresse de l'expéditeur était celle des services sociaux de la localité.

Sarah ne perdit pas une minute pour l'ouvrir et se mit à la lire. Quelque part dans l'obscurité retentit un bruit sec. Le chat venait de briser le crâne de l'écureuil d'un coup de mâchoire et léchait avidement la cervelle de l'animal de sa langue râpeuse.

Sarah releva la tête. Elle savait à présent ce qui lui restait à faire.

Chapitre Dix

Will et Cal se frayèrent un chemin à travers la poussière jusqu'à la porte d'entrée en dirigeant le faisceau de leurs lampes vers l'endroit que venait de leur indiquer Chester. Il avait raison : à en juger par la couleur plus claire du bois récemment mis à nu, on avait brisé le bord de la porte peu de temps avant qu'ils n'arrivent.

— D'après moi, c'est tout frais, remarqua Chester.

— C'est pas nous qui avons fait ça, n'est-ce pas ? demanda Will à Cal.

Ce dernier secoua la tête.

— Dans ce cas, faut qu'on inspecte les lieux, juste par précaution, ajouta-t-il.

Ils traversèrent le hall en restant bien groupés et arrivèrent devant deux grandes portes qu'ils ouvrirent. La poussière tourbillonnait au-dessus de leur tête comme si elle anticipait chacun de leurs gestes. Mais avant même que les particules n'aient eu le temps de retomber sur le sol, ils jaugeaient déjà les dimensions impressionnantes de cette pièce dont la grandeur passée se lisait encore à la hauteur des plinthes et à la présence des moulures compliquées qui s'entrela-çaient au plafond. Il aurait pu s'agir d'une salle de bal ou de récep-tion, vu sa taille et son emplacement. Debout au milieu de la pièce, les garçons ne purent contenir quelques gloussements de joie face à cette découverte aussi inexplicable qu'inattendue.

— J'ai un truc à vous dire, commença Will en reniflant et en s'essuyant le nez après avoir éternué à plusieurs reprises.

— Quoi ? demanda Chester.

— Cet endroit est une véritable honte ! C'est encore pire que ma chambre du temps où j'étais encore à la maison.

— Ouais, la femme de ménage a oublié cette pièce, y'a pas de doute, plaisanta Chester en faisant mine de passer un balai mécanique sur le sol, riant de bon cœur, ce qui déclencha l'hilarité de Will.

Cal les regarda en secouant la tête comme s'ils avaient perdu l'esprit. Puis tous trois reprirent leur exploration, avançant à pas feutrés dans la poussière à mesure qu'ils inspectaient les pièces adjacentes. Il s'agissait essentiellement de petits débarras, tout aussi vides que la grande salle. Ils retournèrent donc dans le hall d'entrée.

— Hé! Des livres, c'est une bibliothèque! s'exclama Will en ouvrant une porte logée au pied de l'une des deux cages d'escalier.

À l'exception de deux grandes fenêtres aux volets fermés, les murs étaient couverts de livres jusqu'au plafond. La pièce devait faire environ trente mètres carrés. Tout au fond, on avait disposé une table sur laquelle trônaient deux chaises renversées.

Ils repérèrent simultanément les empreintes de pas. Comment auraient-ils pu les manquer au beau milieu du tapis de poussière parfaitement lisse qui recouvrait le sol? Cal mit le pied dans une trace pour en mesurer la taille; la semelle de sa botte faisait deux centimètres de moins que l'originale. Il croisa le regard de Will qui hocha la tête, puis se mit à scruter nerveusement les recoins les plus sombres.

— Les empreintes vont jusque-là, chuchota Chester. Jusqu'à la table.

En effet, elles partaient du seuil sur lequel se tenaient les trois garçons et faisaient ensuite plusieurs fois le tour de la table pour s'interrompre dans la plus grand confusion juste derrière le meuble.

— En tout cas, ceux qui sont venus ici sont ressortis ensuite, remarqua Cal en se penchant pour observer une autre série d'empreintes longeant les rayonnages et dont le tracé serpentait ensuite jusqu'à la porte.

Will s'était avancé dans la pièce pour en éclairer les coins à l'aide de sa lampe.

— Ouais, c'est vide, confirma-t-il aux autres qui venaient de le rejoindre juste à côté de la longue table.

Ils se turent, à l'affût des froissements d'ailes et des cris aigus des chauves-souris que l'on entendait de temps à autre derrière les volets.

— Je refuse de retourner dehors tant que ces saletés ne seront pas parties, déclara Chester en s'appuyant sur la table.

L'air abattu, il poussa un profond soupir de lassitude.

— Bon, on part inspecter le reste de la maison, alors? demanda Cal en s'adressant à Will.

— Je ne sais pas ce que vous en dites, mais j'ai besoin de manger un morceau d'abord, intervint Chester.

À cet instant, Will remarqua les gestes lourds et les balbutiements de son ami. Il était épuisé après cette longue marche et la course poursuite qui avait suivi. Chester subissait probablement le contrecoup des mauvais traitements qu'on lui avait infligés au cachot.

— Et si tu surveillais un peu cette pièce pendant que Cal et moi... suggéra Will en se dirigeant vers la porte sans finir sa phrase. Ces reliures sont géniales, dit-il en éclairant les livres qui venaient d'attirer son attention. Elles sont très anciennes.

— Vraiment, répondit Chester avec indifférence, puis il défit le rabat du sac à dos de Will pour attraper une pomme.

— Ouais. En voilà un qui est intéressant. Ça s'intitule *La Naissance et les Progrès de la religion dans l'âme* de... Euh...

Il essuya la poussière, puis se pencha en avant pour déchiffrer la reliure de cuir noir gravée de lettres d'or.

— Du révérend Philip Doddridge [1].

— Ça a l'air passionnant, commenta Chester la bouche pleine.

Will dégagea délicatement le livre, qui se trouvait coincé entre deux autres précieux volumes, et l'ouvrit. Des fragments de pages lui volèrent au visage tandis que le reste du papier s'écoulait sur le sol en une fine poudre résiduelle.

— Zut! dit-il en approchant la couverture du livre de son visage d'un air désabusé. Quel dommage! Ça doit être à cause de la chaleur.

— Tu cherchais un bon bouquin, non? gloussa Chester en lançant son trognon de pomme par-dessus son épaule avant de fouiller à nouveau dans son sac à dos.

— Ah, ah! Trop drôle, répliqua Will.

— Bon, on pourrait peut-être y aller, non? dit Cal avec impatience.

Will s'aventura à l'étage avec son frère pour vérifier que le reste de la maison était bien inoccupé. Cal tomba sur une petite salle de bains parmi les pièces vides. Elle comportait un robinet entartré qui dépassait du mur carrelé juste en dessous duquel on avait placé une

---

1. Pasteur et théologien anglais ayant vécu au XVIIIᵉ siècle. (NDT)

vieille bassine en cuivre encastrée dans une étagère en bois. Cal releva le manche du robinet. On entendit alors un léger sifflement, puis, quelques secondes plus tard, retentirent une série de coups puissants semblant provenir des murs mêmes.

Le tintamarre céda peu à peu la place à une vibration sourde et plaintive. Will bondit soudain hors de la pièce qu'il était en train d'inspecter et fonça dans le couloir menant au palier. Il se pencha par-dessus la balustrade au bois fendu pour jeter un coup d'œil dans l'entrée, puis se rua dans le couloir que venait d'emprunter Cal. Il passa la tête dans l'embrasure de chaque porte en appelant son frère jusqu'à ce qu'il le trouve enfin dans la petite pièce du fond.

– Qu'est-ce qui se passe ? Qu'est-ce que t'as fait ? demanda Will.

Cal ne répondit pas. Il gardait les yeux rivés sur le robinet, duquel se mit à goutter un filet de liquide noirâtre. Le gémissement cessa soudain. Plusieurs secondes s'écoulèrent sans que rien ne se passe, puis de l'eau claire se mit à jaillir avec force, à la surprise des garçons, visiblement ravis.

– Tu crois qu'on peut en boire sans risque ? demanda Will.

Cal inclina aussitôt la tête sous le jet pour la goûter.

– Hummm, magnifique. Tout va bien. Elle doit provenir d'une source.

– Eh bien, on a au moins résolu le problème de l'eau, le félicita Will.

Après s'être bien gavé, Chester dormit plusieurs heures durant, allongé sur la table de la bibliothèque. Lorsqu'il se réveilla enfin, Will lui fit part de ce qu'ils avaient découvert. Il s'éclipsa alors pour voir par lui-même et ne reparut pas avant un bon moment.

Il revint avec la peau du cou et du visage rouge et couverte de marbrures. De toute évidence, il n'avait fait qu'aggraver son eczéma en essayant de récurer la crasse incrustée dans sa chair. Il avait les cheveux mouillés et lissés en arrière. À le voir aussi propre, Will se mit à rêver à leur vie passée. Les souvenirs d'une époque plus paisible se bousculaient dans sa tête. C'était avant qu'ils ne découvrent la Colonie, du temps où ils vivaient encore à Highfield.

– C'est mieux, marmonna timidement Chester en évitant le regard de ses camarades.

Cal, qui venait de piquer un somme à même le sol, s'était relevé en s'appuyant sur ses coudes et contemplait Chester d'un regard trouble et amusé. Il n'était pas encore tout à fait réveillé.

— Pourquoi t'as fait ça? demanda-t-il ironiquement.

— T'as senti ton odeur récemment? rétorqua Chester.

— Non.

— Ben moi si, ajouta Chester en tordant le nez. Eh ben, ça sent pas très bon!

— Eh bien, oui, c'est une très bonne idée, déclara Will pour épargner à Chester tout embarras supplémentaire.

Cependant, les commentaires de Cal ne semblaient pas le déranger le moins du monde. Chester était complètement absorbé dans la contemplation de son petit doigt, dont il venait de se servir pour se curer énergiquement l'oreille.

— Et je vais faire pareil, annonça Will tandis que Chester se fourrait le doigt dans l'autre oreille sous le regard désapprobateur de son ami.

Will se mit à fouiller dans son sac à dos en quête de vêtements propres. Après avoir trié ses habits, il examina son épaule pendant un instant. Il se demandait s'il devait changer son pansement. Il passa les doigts entre les déchirures de sa chemise et tâta prudemment la bordure du bandage qu'il décida d'ôter.

— Mon Dieu, Will, qu'est-ce qui t'est arrivé, demanda Chester, oubliant un instant son oreille.

Il avait le visage livide, car il venait de voir la grande tache brun rouge qui affleurait sous le bandage de Will.

— Ça s'est passé lors de l'attaque du limier, expliqua Will en se mordant la lèvre inférieure alors qu'il soulevait le pansement pour examiner sa blessure. Beurk! s'exclama-t-il. Je crois que j'ai besoin d'un autre cataplasme.

Il fouilla dans les poches latérales de son sac dont il sortit le reste du bandage et les petits paquets de poudre que lui avait donnés Imago.

— Je n'avais pas vu que c'était aussi grave, dit Chester. T'as besoin d'aide?

— Non, vraiment... Ça va mieux maintenant, lui expliqua Will. Toutefois, c'était faux.

— Bon, répondit Chester en grimaçant alors qu'il tentait d'esquisser un sourire pour masquer son dégoût.

Malgré sa première réaction face au souci de propreté dont Chester avait fait preuve, Cal en profita lui aussi pour s'éclipser et se laver à son tour à l'eau tiède, quand Will eut terminé sa toilette.

Les heures semblaient s'écouler plus lentement à l'intérieur de la maison, comme si elle était isolée du reste du monde. À écouter le silence absolu qui y régnait, on avait l'impression qu'elle était en sommeil. Le calme ambiant affectait les trois garçons qui ne faisaient pas le moindre effort pour se parler et qui piquaient de petits sommes, étendus sur la longue table de la bibliothèque, avec leur sac à dos pour oreiller.

Mais Will commençait à s'impatienter. Il ne parvenait pas à dormir et ne tenait plus en place. Pour tuer le temps, il reprit son inspection de la bibliothèque. Il se demandait qui avait bien pu vivre dans cette demeure. Passant de rayon en rayon, il parcourut les titres sur la tranche des livres anciens reliés à la main. Ces ouvrages dataient vraisemblablement de plusieurs siècles et s'intéressaient pour la plupart à des problèmes de spiritualité ésotérique. Will faisait l'expérience de la frustration, car il savait bien que toutes ces pages se réduiraient aussitôt en poussière. Il n'en était pas moins fasciné par les noms obscurs des auteurs et les titres ridiculement longs. Il s'était presque mis au défi de dénicher un livre dont il avait entendu parler auparavant lorsqu'il tomba sur quelque chose de bizarre.

Sur l'étagère la plus basse figuraient deux livres identiques qui ne portaient aucune mention. Après avoir essuyé la crasse dont ils étaient recouverts, Will découvrit que l'on avait marqué leur couverture bordeaux au poinçon de trois minuscules étoiles dorées disposées à égale distance les unes des autres.

Il essaya aussitôt de retirer l'un des volumes, mais contrairement aux autres ouvrages qui l'avaient tant déçu en se désintégrant, ce livre-là lui résista comme s'il était coincé sur son rayon. Plus étrange encore, il lui semblait former un seul bloc. Will effectua une nouvelle et vaine tentative : l'ouvrage refusait de bouger. Il choisit donc un autre volume de la même collection et recommença la même opération, toujours sans succès. Il remarqua cependant que l'ensemble de ces ouvrages qui occupaient une cinquantaine de centimètres sur l'étagère avait légèrement bougé lorsqu'il avait appuyé un peu plus fort. Transporté de joie à l'idée d'avoir enfin trouvé quelque chose à lire, il s'y reprit à deux mains et recommença à tirer sur l'ensemble. Il se demandait bien pourquoi ils semblaient ainsi collés les uns aux autres.

Ils basculèrent tous d'un seul bloc qu'il déposa sur le sol à ses pieds, à sa plus grande joie. Ils avaient l'air lourds, et les pages paraissaient même intactes, mais il ne comprenait toujours pas pourquoi il ne parvenait pas à soustraire un seul livre à l'ensemble. Will palpa le haut des pages en essayant d'y glisser un ongle pour voir s'il pouvait les séparer, quand il comprit soudain qu'il ne s'agissait pas de papier mais de bois. Les pages avaient été sculptées pour ressembler exactement aux feuilles grossièrement massicotées des volumes anciens. Il glissa la main sous le bloc et y découvrit un fermoir qu'il pressa aussitôt. Un couvercle aux gonds jusqu'alors invisibles s'ouvrit en grinçant. Il ne s'agissait pas du tout de livres mais d'une boîte.

Soudain tout excité, Will se hâta d'ôter les lambeaux de tissus qui en tapissaient l'intérieur et se mit à en inspecter le contenu. De curieux objets étaient posés sur le fond en chêne foncé. Il en sortit un et s'empressa de l'examiner d'un peu plus près.

Il s'agissait de toute évidence d'une sorte de lampe. Elle comportait un corps cylindrique d'une longueur de huit centimètres environ, auquel était rattaché un boîtier circulaire doté d'une épaisse lentille en verre. Il y avait une sorte de bras à ressort à l'arrière du cylindre et un genre d'interrupteur derrière la lentille.

Cet objet lui rappelait beaucoup les lampes de vélo, mais il était fait d'un métal bien plus résistant (de l'étain sans doute, à en juger par les taches vertes qui en maculaient la surface). Will essaya d'actionner le levier sans succès, puis tira sur l'extrémité du cylindre : elle comportait deux petites encoches et s'ouvrit avec un bruit sourd, révélant un logement interne. S'il s'agissait bien d'une lampe, elle aurait besoin de piles, mais Will se demandait malgré tout comment une aussi petite pile pourrait bien la faire fonctionner. Et puis, où les fils se trouvaient-ils donc ?

Perplexe, il appela son frère.

— Hé, Cal ! Tu saurais pas ce que c'est que ce machin, non ? C'est sans doute bon à mettre à la poubelle.

Encore à moitié endormi, Cal s'avança jusqu'à lui. Son visage s'illumina soudain en voyant l'objet qu'il lui arracha aussitôt des mains.

— Ces trucs-là sont géniaux ! s'exclama-t-il. T'as pas un globe de rechange sur toi ?

— Tiens, lui dit Chester en lançant ses jambes par-dessus le bord de la table pour sauter sur le sol.

— Merci, répondit Cal en prenant le globe que lui tendait Chester.

Il dépoussiéra ensuite l'objet, le retourna en tapota le fond, puis souffla dans le cylindre pour le dépoussiérer.

— Regardez un peu.

Il déposa le globe dans le logement interne, puis il pressa jusqu'à ce qu'on entende un clic.

— Donne-moi le couvercle, demanda-t-il à Will.

Will le lui tendit, et Cal le remit en place. Puis il essuya la lentille sur son pantalon.

— On actionne ce levier situé juste sous la lentille, expliqua-t-il à Will et Chester, pour ajuster l'ouverture et focaliser le faisceau lumineux.

Il tenta ensuite de leur montrer comment faire.

— C'est un peu grippé, dit-il en appuyant des deux pouces aussi fort qu'il le pouvait jusqu'à ce que le levier cède enfin. Je l'ai eu ! s'exclama-t-il avec un grand sourire.

Un intense faisceau de lumière jaillit de la lentille, et les murs s'illuminèrent. La pièce était déjà bien éclairée grâce aux globes lumineux qu'ils avaient disposés sur différentes étagères, mais le faisceau de la lampe était nettement plus puissant.

— C'est d'enfer, dit Chester.

— Ouais, ça s'appelle des lanternes Styx : des objets plutôt rares, en fait. C'est ce qu'il y a de meilleur chez eux, dit-il en ouvrant le clapet d'étain à ressort à l'extrémité de la lampe pour le fixer à la poche de sa chemise.

Il retira ses mains et dirigea le faisceau de sa lampe sur le visage de Will et Chester, les forçant à cligner des yeux.

— Sans les mains, remarqua Will.

— Absolument. C'est très utile lorsqu'on se déplace, dit-il en se penchant pour regarder le contenu de la boîte. Y'en a d'autres ! Si elles sont toutes dans le même état, je peux en monter une pour chacun d'entre nous.

— Cool, dit Chester.

— Donc... commença Will d'un air pensif. Donc cette maison... si loin de la Colonie... était réservée aux Styx !

— Oui, répondit Cal en grimaçant comme si c'était l'évidence même. Je croyais que tu savais ! Ils vivaient ici. Et on parquait les Coprolithes dans les cabanes qui se trouvent dehors.

Will et Chester échangèrent des regards.

— On les parquait ? Mais pourquoi ? demanda Will.

— Ils leur servaient d'esclaves. Pendant deux siècles, ils les ont forcés à extraire les minerais dont avait besoin la Colonie. Les choses ont changé depuis. Ils le font en échange des vivres et des globes lumineux dont ils ont besoin pour survivre. Les Styx ne les obligent plus à travailler comme par le passé.

— Comme c'est gentil à eux, conclut sèchement Will.

Chapitre Onze

Mme Burrows se trouvait dans la salle commune de la maison de repos d'Humphrey House. Cet établissement se présentait comme un havre de paix pour les convalescents et, à en croire la brochure, il offrait aux patients « un temps de répit loin des soucis et autres tracas quotidiens ». La salle commune lui appartenait. Elle s'était annexé le plus grand et le plus confortable des fauteuils tout comme l'unique repose-pieds. Elle avait posé un sachet de bonbons à côté d'elle pour se nourrir tout au long des après-midi qu'elle passait devant la télévision. Elle avait réussi à convaincre l'un des garçons de salle de lui en rapporter régulièrement de la ville, mais ne les partageait que rarement avec les autres patients.

Le feuilleton du début de l'après-midi venait à peine de se terminer qu'elle zappait déjà frénétiquement, passant les chaînes en revue, mais ne trouvant rien qui suscite chez elle ne serait-ce qu'un vague intérêt. Fort contrariée, elle appuya d'un coup sec sur un bouton pour couper le son de la télévision, bascula la tête en arrière et se cala contre le dossier du fauteuil. Sa vidéothèque bien fournie en émissions et autres films favoris lui manquait autant que si on l'avait amputée d'un membre.

Elle poussa un long soupir de tristesse, et sa colère se dissipa, cédant la place à un vague sentiment d'impuissance.

Elle entonnait le générique d'*Urgences* d'une voix désespérée lorsque la porte s'ouvrit avec un bruit sourd.

— Et c'est reparti pour un tour, marmonna Mme Burrows entre ses dents en voyant la surveillante générale entrer dans la pièce.

C'était une femme maigre comme un clou, aux cheveux gris ramassés en un chignon bien serré.

— Qu'est-ce qu'il y a, ma chère? lui demanda l'infirmière.

— Oh, rien, répondit Mme Burrows d'un air innocent.

— Vous avez de la visite, dit-elle en filant droit vers la fenêtre pour ouvrir grand les rideaux et laisser entrer la lumière du jour dans la pièce.

— De la visite? Pour moi? rétorqua Mme Burrows sans enthousiasme en se protégeant les yeux.

Sans quitter son fauteuil, elle tenta d'enfiler ses chaussons imitation daim — il s'agissait de mocassins bon marché aux talons écrasés et à l'empeigne maculée de taches.

— Ça m'étonnerait que ce soit de la famille, ils ne sont plus très nombreux maintenant, dit-elle, un rien sentimentale. Et je doute que Jeanne se soit agité les jambons pour conduire ma fille jusqu'ici... Les dernières nouvelles que j'ai reçues de ces deux-là datent de bien avant Noël.

— Non, ce n'est pas quelqu'un de votre famille... tenta de répondre l'infirmière, mais Mme Burrows continua son récit sans prêter attention à elle.

— Quant à mon autre sœur, Bessie, eh bien, nous sommes fâchées...

— Ce n'est pas un membre de votre famille. C'est une dame des services sociaux, finit par placer l'infirmière avant d'ouvrir l'une des fenêtres à battants en répétant : « Ah, c'est mieux. »

Mme Burrows ne réagit pas. L'infirmière arrangea les fleurs posées dans un vase sur le rebord de la fenêtre, ramassa quelques pétales tombés, puis se tourna de nouveau vers elle.

— Et comment vous sentez-vous aujourd'hui?

— Oh, pas très bien, répondit Mme Burrows d'un ton exagérément geignard et déprimé pour conclure par un petit grognement.

— Voilà qui ne m'étonne guère. Ce n'est pas sain de rester enfermée ainsi toute la journée. Il faut prendre l'air. Pourquoi n'iriez-vous pas faire un peu d'exercice dans le parc après cette visite?

— Bien sûr, acquiesça vigoureusement cette dernière qui trouvait cette idée des plus répugnantes.

Elle n'avait pas la moindre intention de « faire un peu d'exercice », mais ne manquerait pas de se préparer à sortir en fanfare. Elle ferait ensuite le tour de l'établissement avant de filer se cacher dans les cuisines pendant un moment. Avec un peu de chance, elle parviendrait même à soutirer un thé ou quelque crème anglaise au cuisinier.

— Bien, bien, bien, dit l'infirmière en inspectant une dernière fois la pièce pour vérifier que tout était à sa place.

Mme Burrows lui sourit gentiment. Il ne lui avait pas fallu longtemps pour comprendre qu'en jouant le jeu avec la surveillante générale et le reste du personnel elle ferait le plus souvent ce qu'elle voudrait, d'autant plus facilement que, contrairement aux autres patients, elle ne leur causait guère de tracas.

Humphrey House hébergeait toutes sortes de gens, mais Mme Burrows les méprisait tous autant qu'ils étaient. L'établissement avait son lot de « pleurnicheurs », comme elle les avait surnommés. Lorsqu'ils étaient livrés à eux-mêmes, ces misérables se postaient un peu partout tels des spectres solitaires, avec une préférence marquée pour les coins où ils pleuraient des heures durant. Mais Mme Burrows avait également remarqué l'étonnante transformation que pouvaient subir les membres de cette espèce, le plus souvent après l'extinction des feux. Sans crier gare, telle une chenille qui s'enroule dans un cocon duveteux pour en ressortir métamorphosée, ils se muaient en « hurleurs » au petit matin.

Les représentants de cette mauvaise graine d'ordinaire si pacifique se mettaient alors à hurler, à gémir et à casser des objets dans leur chambre jusqu'à l'intervention du personnel qui les apaisait, ou leur administrait un ou deux calmants. La plupart du temps, ils retournaient comme par miracle à leur état premier le jour suivant, et retrouvaient leur statut de « pleurnicheurs » dès le lever du soleil.

Et puis il y avait les « zombies », qui arpentaient les lieux en traînant les pieds comme des figurants désœuvrés sur un plateau de tournage. Ils ne savaient ni où aller ni ce qu'ils étaient censés faire. Ils ne se souvenaient certainement pas de leurs répliques (ils étaient pour la plupart incapables de quelque conversation raisonnable). Mme Burrows les ignorait superbement tandis qu'ils erraient d'un pas vacillant à l'intérieur de l'établissement.

Mais les pires étaient encore les « clochards », horribles spécimens de quadragénaires qui avaient craqué sous la pression de leur carrière. Ils étaient comptables, banquiers ou autre... Autant de métiers dépourvus d'intérêt pour Mme Burrows.

Elle abhorrait par-dessus tout ces victimes en costume rayé. Peut-être était-ce à cause de leurs manières et de leurs expressions insondables qui lui rappelaient tant son mari, Roger Burrows. Il avait pris le même chemin avant de filer Dieu sait où. Elle avait bien détecté les signes avant-coureurs.

Mme Burrows haïssait en effet tout autant son mari.

Même durant les premières années de leur mariage, les choses ne s'étaient pas très bien passées. Ils ne pouvaient pas avoir d'enfants, et leur relation en avait souffert. Et puis toute la comédie liée à la procédure d'adoption l'empêchait de se concentrer sur son travail, qu'elle avait dû abandonner – encore un autre de ses rêves brisés. Ils avaient réussi à adopter deux enfants, un garçon et une fille, et elle s'était efforcée de leur donner tout ce qu'elle n'avait pas eu pendant sa propre enfance : de jolis vêtements et de bonnes fréquentations.

Mais c'était impossible. Après des années passées à essayer de réformer en vain sa famille, compte tenu du maigre salaire du Dr Burrows, elle avait laissé tomber. Mme Burrows avait fermé les yeux sur cette situation et trouvé du réconfort dans d'autres mondes, derrière l'écran de télévision. Les œillères ainsi relevées, et plongée dans un univers irréel, elle avait abdiqué sa maternité et confié la responsabilité de la maison – le nettoyage, la cuisine et le reste – à sa fille Rebecca. Cette dernière avait tout pris en charge avec une surprenante facilité pour son âge. Elle n'avait alors que sept ans.

Mme Burrows n'éprouvait ni remords ni culpabilité, car son mari n'avait pas honoré sa part du contrat après leur mariage. Pour couronner le tout, le Dr Burrows, cet éternel perdant, avait eu le culot de la planter là, emportant avec lui le peu qui lui restait encore.

Il avait détruit sa vie pourtant déjà en ruine.

Elle l'exécrait à cause de cela, et ce sentiment bouillait en elle, prêt à resurgir à tout moment.

– Votre visite, lui signala de nouveau l'infirmière.

Mme Burrows acquiesça, s'arracha à l'écran, et se leva enfin de sa chaise d'un air las. Elle quitta la pièce en traînant des pieds tandis que l'infirmière rangeait quelques boîtes de puzzle sur le buffet. Mme Burrows ne voulait voir personne, surtout pas une assistante sociale qui pourrait lui rappeler sa famille et la vie qu'elle avait laissée derrière elle.

Fort peu pressée d'arriver à bon port, elle se traînait sur le lino bien ciré à la vitesse d'une limace lorsqu'elle croisa cette bonne vieille Mme L. de la chambre 26 : elle avait dix ans de moins que Mme Burrows, mais étonnamment peu de cheveux sur la tête. Dans sa pose habituelle, profondément endormie dans l'un des fauteuils du couloir, elle restait bouche grande ouverte, exposant son larynx et ses amygdales à qui voulait les voir, si bien que l'on aurait pu croire que quelqu'un avait cherché à lui scier la tête en deux.

La femme laissa échapper un profond soupir, assez semblable au son d'un gros pneu qui se dégonfle.

— Quelle honte! s'exclama Mme Burrows en passant son chemin.

Elle arriva devant une porte dont l'étiquette en plastique noir et blanc annonçait « Salle de la Joie », et entra.

Cette pièce se trouvait au coin du bâtiment et plusieurs de ses fenêtres donnaient sur la roseraie. Un membre du personnel avait eu la brillante idée de demander aux patients de peindre les deux autres murs aveugles, même si le résultat final était quelque peu inattendu.

Mme Burrows se sentait très mal à l'aise dans cette pièce. Elle se demandait bien pourquoi on y recevait les visiteurs.

Elle lança un regard dédaigneux à cette femme aux vêtements ordinaires qui lui rendait une visite inopportune. Cette dernière avait un classeur posé sur les genoux. Elle se leva dès qu'elle la vit et fixa Mme Burrows de ses yeux très clairs.

— Je m'appelle Kate O'Leary, lui dit Sarah.

— C'est ce que je vois, répondit Mme Burrows en regardant le badge épinglé sur son pull.

— Ravie de faire votre connaissance, Mme Burrows, poursuivit Sarah sans ciller en lui tendant la main avec un sourire formel.

Mme Burrows répondit à son salut par un murmure, mais ne fit pas le moindre geste pour lui serrer la main en retour.

— Asseyons-nous, dit Sarah en reprenant sa place.

Mme Burrows jeta un coup d'œil autour d'elle et choisit la chaise qui se trouvait à côté de la porte, assez loin de Sarah, comme si elle prévoyait de prendre la fuite.

— Qui êtes-vous? demanda-t-elle abruptement en dévisageant Sarah. Je ne vous connais pas.

— Non. Je travaille pour les services sociaux, répondit Sarah en lui tendant la lettre qu'elle avait récupérée sur le paillasson.

Mme Burrows s'efforça de la lire en tendant le cou.

— Nous vous avons envoyé une lettre le 15 à propos de ce rendez-vous, ajouta Sarah en posant rapidement la lettre froissée sur son classeur.

— Personne ne m'a parlé d'un rendez-vous. Voyons un peu ça, exigea Mme Burrows en faisant mine de se lever, la main tendue pour attraper la lettre.

— Non... non, ça n'a plus d'importance à présent. J'imagine que la direction a dû omettre de vous en informer. Ça ne sera pas bien long de toute façon. Je voulais juste m'assurer que tout se passait bien pour vous et que...

— Vous ne venez pas au sujet des frais d'hospitalisation, n'est-ce pas ? l'interrompit Mme Burrows en se renfonçant dans son siège, les jambes croisées. Pour autant que je sache, ma mutuelle paie un complément en sus de la contribution de l'État. Lorsque j'aurai épuisé cet argent, la vente de la maison couvrira le reste.

— Je n'en doute pas, mais je crains que cela ne relève pas de mes compétences, répondit Sarah avec un bref sourire.

Puis elle ouvrit son classeur et en sortit un bloc de papier.

— Dites-moi, Célia, quand vous a-t-on admise ici ? Cela ne vous dérange pas que je vous appelle par votre prénom ?

— Non. Comme vous voudrez. C'était en novembre. L'année dernière.

— Et comment vous sentez-vous ici ? demanda Sarah en faisant semblant de prendre des notes.

— Très bien, merci, rétorqua Mme Burrows. Mais j'ai encore pas mal de chemin à faire avant de récupérer de mon... mon trauma-tisme... et je vais avoir besoin de passer beaucoup plus de temps ici, ajouta-t-elle, quelque peu sur la défensive. De plus de repos.

— Oui, acquiesça Sarah d'un ton neutre. Et votre famille ? Vous avez reçu des nouvelles ?

— Non, rien du tout. La police dit qu'ils continuent à enquêter sur leur disparition, mais ils m'ont l'air carrément nuls.

— La police ?

— Ils ont même eu le culot de venir me voir hier. Vous avez sans doute entendu parler de ce qui s'est passé il y a deux jours... l'incident, dans ma maison ? répondit Mme Burrows d'un ton désespéré en adressant un regard morne à Sarah.

— Oui, j'ai lu quelque chose à ce propos, dit Sarah. Sale affaire.

— Je veux. Deux policiers qui faisaient leur ronde ont surpris un gang derrière chez moi. Il s'en est suivi une drôle de bagarre. Les deux agents ont pris une sacrée raclée, et on a même lâché un chien sur l'un d'eux, dit-elle en toussant, puis elle extirpa un mouchoir crasseux de sa manche. Encore ces saletés de gitans. Pires que de la vermine ! conclut Mme Burrows.

Si seulement elle savait, pensa Sarah. Elle hocha la tête en signe d'approbation tandis que l'image du policier qu'elle avait laissé sans connaissance sur la terrasse lui revenait à l'esprit.

Mme Burrows se moucha à grand bruit, puis remit son mouchoir dans sa manche.

— Je me demande bien où va ce pays. En tout cas, ils ont mal choisi leur endroit, ce coup-ci. Y avait plus rien à piquer... J'ai tout placé dans un garde-meubles, le temps que la maison soit vendue.

Sarah opina de nouveau tandis que Mme Burrows poursuivait son récit.

— Mais la police ne vaut guère mieux. Ils ne me laisseront donc jamais en paix. Mon avocat essaie de les empêcher de venir me voir, mais ils insistent pour m'interroger encore et encore. Ils se comportent comme si tout était ma faute... La disparition des membres de ma famille... Même l'attaque contre les policiers... Je vous le demande! comme si j'avais quelque chose à voir avec tout ça, pour l'amour du ciel! déclara-t-elle en décroisant les jambes, puis elle déplaça sa chaise et reprit sa posture initiale. Du repos, tu parles! C'est très perturbant pour moi, tout ça.

— Oui, oui, je comprends très bien, acquiesça rapidement Sarah. Vous en avez déjà assez supporté.

Mme Burrows hocha la tête, puis leva les yeux vers la fenêtre.

— Mais la police n'a pas abandonné. Ils cherchent toujours votre fils et votre mari? s'enquit Sarah d'une voix douce. Vous n'avez reçu aucune nouvelle de l'un d'eux?

— Non, personne ne semble avoir la moindre idée de l'endroit où ils ont bien pu partir. Vous savez que mon mari m'a plantée là, n'est-ce pas, et puis que mon fils s'est volatilisé ensuite? dit-elle d'une voix triste. On l'a vu plusieurs fois, dont une ou deux à Highfield. On a même trouvé quelqu'un qui lui ressemblait vaguement sur un enregistrement vidéo pris par une caméra de surveillance du métro. Il était avec un autre garçon... et un gros chien.

— Un gros chien?

— Oui, un berger alsacien, ou un truc dans le genre, répondit Mme Burrows en secouant la tête. Mais la police dit qu'ils ne peuvent rien confirmer, ajouta-t-elle avec un soupir compassé. Ma fille Rebecca est chez ma sœur, mais je n'ai pas eu la moindre nouvelle depuis des mois. Tous ceux que je connais me quittent... Peut-être ont-ils trouvé mieux ailleurs? dit-elle enfin dans un murmure, l'air insondable.

— Je suis sincèrement désolée pour vous, dit Sarah d'une voix douce et réconfortante. Votre fils... Croyez-vous qu'il soit parti à la recherche de votre mari? J'ai lu que l'inspecteur chargé de l'enquête envisageait cette possibilité.

— Ça ne m'étonnerait pas de Will, dit Mme Burrows, les yeux toujours rivés sur le jardin où l'on avait fait l'effort d'accrocher à côté de la fenêtre des roses grimpantes maladives à une pergola en plastique bon marché. Même pas du tout, à dire vrai.

— Vous n'avez donc pas revu votre fils depuis... Quand était-ce déjà... Le mois de novembre?

— Non, c'était avant ça, et non, je ne l'ai pas revu, soupira Mme Burrows.

— Quel était... quel était son état d'esprit juste avant qu'il ne parte?

— Je ne saurais vous le dire... Je n'allais pas très bien non plus à cette époque, et je ne...

Mme Burrows s'arrêta au milieu de sa phrase et se tourna vers Sarah.

— Écoutez, vous avez dû lire le rapport. Pourquoi est-ce que vous me demandez tout ça?

Tout à coup, elle changea totalement d'attitude et reprit son ton habituel, brusque et impatient. Elle se redressa sur sa chaise, releva les épaules et se mit à dévisager farouchement Sarah.

Ce changement n'avait pas échappé à Sarah qui détourna aussi-tôt les yeux et fit semblant de consulter les notes sans intérêt qu'elle avait prises dans son bloc. Elle attendit quelques secondes avant de reprendre ses questions d'une voix aussi égale et calme que possible.

— C'est pourtant fort simple. Je découvre votre dossier et il m'est très utile d'avoir quelques informations sur l'historique des événe-ments. Je suis navrée que cela vous soit pénible.

Sarah sentait le regard de Mme Burrows qui la passait aux rayons X. Elle se renfonça lentement dans son siège, l'air faussement détendu, car elle se préparait intérieurement à subir une attaque qui d'ailleurs ne tarda pas à venir.

— O'Leary... Irlandaise, hein. Vous n'avez pas beaucoup d'accent.

— Non, ma famille est venue à Londres dans les années soixante. Je retourne là-bas de temps en temps pour les vacances...

Le visage soudain animé et les yeux étincelants, Mme Burrows ne lui laissa pas le temps de finir.

— Ce n'est pas votre couleur naturelle. On voit vos racines, observa-t-elle. Ils ont l'air blancs. Vous vous teignez les cheveux, n'est-ce pas.

— Euh... Oui. Pourquoi?

— Vous avez quelque chose à l'œil, non ? Un cocard, n'est-ce pas ? Et votre lèvre... elle a l'air enflée. Quelqu'un s'en est pris à vous ?

— Non, je suis tombée dans les escaliers, répondit Sarah d'un ton laconique qui traduisait un mélange d'exaspération et d'indignation, pour avoir l'air crédible.

— La bonne blague ! Si je ne m'abuse, vous êtes très maquillée et vous avez en réalité le teint très pâle, n'est-ce pas ?

— Euh... Oui, j'imagine, répondit Sarah troublée par le sens aigu de l'observation dont faisait preuve Mme Burrows.

Lentement mais sûrement, celle-ci perçait à jour son déguisement, comme une fleur dont elle aurait effeuillé un à un les pétales pour arriver jusqu'au cœur.

Sarah se demandait comment détourner cet interrogatoire dont le feu ne semblait pas vouloir s'apaiser. Sarah prit une brève inspiration, puis elle s'éclaircit la voix.

— J'ai besoin de vous poser quelques questions supplémentaires, Célia, dit-elle en toussant pour masquer son malaise. Je crois que cette conversation devient un peu... Euh... Un peu trop intime...

— Un peu **trop** intime ? répondit Mme Burrows avec un rire plein d'ironie. Vous ne trouvez pas que vos questions stupides sont un peu trop intimes ?

— Il faut que...

— Vous **avez un** visage très singulier, Kate, malgré tous vos efforts pour vous déguiser. Et maintenant que j'y songe, votre visage m'est très familier. Je vous ai déjà vue, mais où ? dit Mme Burrows en fronçant les sourcils, la tête inclinée, comme si elle cherchait dans sa mémoire.

Il y avait quelque chose de théâtral dans son attitude : elle était en train de jouer.

— Ça n'a rien à voir avec...

— Qui êtes-vous, Kate ? l'interrompit brusquement Mme Burrows. Vous ne travaillez pas pour les services sociaux. Impossible. Je connais le genre, et vous n'avez pas le profil. Qui êtes-vous vraiment ?

— Je crois qu'il est temps de nous arrêter. Il faut que j'y aille.

Sarah avait décidé de mettre un terme à cet entretien et rassemblait déjà ses papiers pour les ranger dans son classeur. Elle se leva précipitamment, décrocha son manteau du dossier de sa chaise lorsque Mme Burrows bondit avec une vitesse étonnante pour se poster dans l'embrasure de la porte et lui bloquer ainsi le passage.

— Pas si vite ! s'exclama Mme Burrows. Répondez d'abord à mes questions.

— Je vois que j'ai commis une erreur en venant ici, Mme Burrows, rétorqua Sarah d'un ton déterminé en jetant son manteau sur son bras.

Elle s'avança d'un pas en direction de Mme Burrows qui ne bougea pas d'un pouce. Elles restèrent donc ainsi face à face, semblables à deux boxeurs professionnels qui se jaugent avant le combat. Sarah commençait à se lasser de cette comédie, et Mme Burrows n'en savait visiblement pas plus qu'elle quant au sort de Will. De toute façon, elle n'en dirait pas plus.

— Nous pourrons reprendre cet entretien une autre fois, lui dit Sarah avec un sourire amer, puis elle fit mine de vouloir se faufiler entre Mme Burrows et le mur.

— Restez où vous êtes, lui ordonna Mme Burrows. Vous croyez sans doute que je suis gaga. Vous venez ici avec vos vêtements miteux et votre numéro de seconde zone, et vous comptez me faire avaler ça ?

Elle plissa les yeux d'un air mauvais. Elle savait.

— Vous pensiez vraiment que je ne découvrirais pas qui vous êtes ? Vous avez le visage de Will, et vous n'arriverez pas à cacher ça sous une teinture ou derrière une comédie à la noix, lança-t-elle en frappant le classeur de Sarah du dos de la main. Vous êtes sa mère, n'est-ce pas ? conclut-elle en hochant la tête d'un air sournois.

C'était bien la dernière chose à laquelle s'attendait Sarah. Cette femme avait un sens de l'observation effrayant.

— Je ne sais pas de quoi vous parlez, répondit Sarah aussi froidement que possible.

— La mère biologique de Will.

— C'est absurde. Je...

— D'où est-ce que vous sortez ? dit Mme Burrows avec un rire sarcastique.

Sarah secoua la tête.

— Pourquoi avez-vous mis tant de temps à revenir ? Et pourquoi maintenant ? poursuivit Mme Burrows.

Sarah ne dit rien. Elle fusillait du regard cette femme au visage écarlate.

— Vous avez abandonné votre enfant... Vous l'avez laissé à l'orphelinat... Qu'est-ce qui vous donne le droit de venir fourrer votre nez dans mes affaires ?

Sarah laissa échapper un soupir. Elle aurait pu aisément dégager le passage en assommant cette femme paresseuse et mollassonne, mais elle décida de n'en rien faire pour le moment. Elles restèrent donc ainsi dans un silence pesant, unies malgré elles par le même lien, la mère adoptive de Will d'un côté, et sa véritable génitrice de l'autre, sachant l'une comme l'autre à qui elles avaient affaire.

Mme Burrows rompit le silence.

— J'imagine que vous le recherchez, sans quoi vous ne seriez pas venue ici, dit-elle d'une voix pleine de rage. Ou peut-être que c'est vous qui êtes derrière sa disparition... ajouta-t-elle en haussant le sourcil tel un inspecteur qui vient d'effectuer une déduction cruciale.

— Je n'ai rien à voir avec sa disparition. Vous êtes folle.

— Oh... Je suis folle, vous dites... C'est donc pour ça que je suis dans cet horrible endroit ? dit-elle d'un ton exagérément mélodramatique en roulant les yeux comme une héroïne du cinéma muet. Pauvre de moi !

— Laissez-moi passer, je vous prie, lui dit Sarah d'un ton poli mais résolu, en faisant un pas en avant.

— Pas encore. Vous avez peut-être décidé que vous vouliez récupérer Will ?

— Non...

— Peut-être que c'est vous qui l'avez kidnappé ? ajouta Mme Burrows d'un ton accusateur.

— Non, je...

— Eh bien, je suis certaine que vous êtes impliquée d'une façon ou d'une autre. Ne vous avisez pas de fourrer votre sale nez dans mes affaires. C'est ma famille ! gronda Mme Burrows. Regardez-vous un peu. Vous n'êtes pas capable d'être la mère de qui que ce soit !

C'en était trop pour Sarah.

— Ah oui ? répondit-elle entre ses dents. Et vous, qu'avez-vous fait pour lui ?

Mme Burrows prit alors un air triomphant : elle l'avait démasquée.

— Et moi, qu'est-ce que j'ai fait pour lui ? J'ai fait de mon mieux. C'est vous qui l'avez laissé tomber, répondit-elle avec colère sans se douter que Sarah tentait de contenir une irrépressible envie de la tuer. Pourquoi n'êtes-vous pas venue le voir avant ? Où étiez-vous cachée toutes ces années ?

— Bon Dieu ! s'exclama soudain Sarah avec une violence inouïe, sans chercher à masquer tout le mépris et le ressentiment qu'elle éprouvait à l'égard de cette femme.

Mais sa réaction ne troubla pas le moins du monde Mme Burrows qui s'éloigna de la porte, non pas pour battre en retraite mais pour poser la main sur un gros bouton rouge situé sur le mur, à presser en cas d'urgence. La voie était désormais libre, mais à peine Sarah avait-elle tourné la poignée de la porte qu'elle entendit un vacarme infernal dans le couloir : des bruits de chocs métalliques et des cris hystériques. L'horloge biologique d'un « hurleur » avait dû se dérégler, pensa Mme Burrows, ce qui était étrange, car en général ils gardaient leur numéro d'histrion en réserve pour les petites heures de la nuit.

Pendant un bref instant, le bruit détourna l'attention de Sarah, puis elle se retourna vers Mme Burrows qui avait toujours la main posée sur le bouton.

Sarah lui lança un regard furieux en secouant la tête.

— À votre place, j'éviterais de faire ça, dit-elle d'un ton menaçant.

— Ah, vraiment ? répliqua Mme Burrows avec un rire déplaisant. Ce que je veux par-dessus tout, c'est vous voir sortir d'ici...

— Oh, mais je m'en vais... l'interrompit aussitôt Sarah.

— Et ne remettez jamais les pieds ici ! Jamais !

— Ne vous inquiétez pas... J'en ai assez vu, répondit Sarah d'un ton caustique en tirant la porte avec tant de force qu'elle fit vibrer les vitres en cognant contre le mur.

Sarah avança d'un pas, puis se reprit. Maintenant que les masques étaient tombés, elle n'en avait pas encore terminé.

— Dites-moi ce que vous avez fait à Seth...

— Seth ? la coupa brusquement Mme Burrows.

— Appelez-le comme vous voudrez... Seth, Will, quelle importance ? Vous en avez fait quelqu'un de retors, de mauvais ! hurla-t-elle. Un sale assassin !

— Un assassin ? demanda Mme Burrows qui avait soudain l'air beaucoup moins sûre d'elle. Que diable racontez-vous donc ?

— Mon frère est mort ! Will l'a tué ! rugit Sarah, au bord des larmes.

Dans le feu de l'action, Sarah avait fini par admettre que Joe Waites avait peut-être dit vrai dans sa lettre. C'était un peu comme si cet entretien avec Mme Burrows lui avait fourni la pièce manquante d'un puzzle. Une fois tous les éléments réunis, elle découvrirait alors la plus effroyable des scènes imaginables. Sarah semblait si convaincue dans cet accès de colère brute que Mme Burrows ne doutait pas que ce fût la vérité, ou tout au moins que Sarah l'eût cru sincèrement.

Mme Burrows se mit à trembler. Pour la première fois, elle était totalement prise au dépourvu. Pourquoi cette femme accusait-elle Will de meurtre ? Et pourquoi l'appelait-elle donc Seth ? Tout cela était bien plus choquant que l'annulation d'un nouveau feuilleton télévisé particulièrement prometteur après la diffusion de quelques épisodes. *C'était absurde.* Elle avait l'air perdue. Elle lâcha le bouton et tendit la main vers Sarah comme pour l'implorer.

– Will... a tué... votre frère ? Quoi ?... balbutia Mme Burrows qui tentait de comprendre ce que venait de lui dire Sarah.

Mais Sarah se contenta de lui lancer un dernier regard plein de mépris avant de s'enfuir. Elle courait dans le couloir lorsqu'elle croisa deux garçons de salle qui fonçaient vers l'endroit d'où provenaient les gémissements suraigus.

Ils s'arrêtèrent en voyant fuir ainsi Sarah, sans trop savoir s'ils devaient l'intercepter.

Mais Sarah ne leur laissa pas le temps de se décider. Elle tournait déjà à l'angle du couloir en faisant crisser les semelles de ses chaussures qui dérapaient sur le lino trop ciré – rien ni personne ne l'arrêterait. Les garçons de salle haussèrent les épaules et poursuivirent leur route initiale.

Sarah ouvrit la porte en verre qui donnait sur le hall. À peine entrée, elle remarqua une caméra de surveillance accrochée au mur. Zut ! Elle était directement braquée sur elle. Elle baissa la tête, même si elle savait qu'il était déjà trop tard. Elle ne pouvait plus rien y faire à présent.

Derrière le bureau de la réception était assise la même secrétaire qui l'avait reçue. Elle était au téléphone, mais elle interrompit aussitôt sa conversation en la voyant.

– Ça ne va pas, mademoiselle O'Leary ?

Comme Sarah l'ignorait, la réceptionniste comprit que quelque chose ne tournait pas rond et bondit de sa chaise en lui criant de s'arrêter.

Elle hurlait encore lorsque Sarah traversa le parking en courant, avant de s'engager dans l'allée qui rejoignait la route. Elle ne ralentit pas tant qu'elle n'eut pas atteint la rue principale. Elle monta rapidement à bord du bus qui venait de stopper. Elle devait déguerpir au cas où on aurait appelé la police.

Elle prit place tout au fond du véhicule, loin des autres passagers. Elle avait du mal à reprendre son souffle. Elle était en proie à un tourbillon d'émotions et de pensées. Jamais, durant toutes ces années passées en Surface, elle n'avait tant dévoilé d'elle-même à quiconque. Qui plus est, il avait fallu que ça tombe sur Mme Burrows. Elle n'aurait jamais dû abandonner sa couverture, mais garder son calme. Tout était allé de travers. Où avait-elle donc la tête ?

Son cœur battait la chamade après cet incident qu'elle ressassait sans cesse. Elle était à la fois furieuse contre elle-même d'avoir manqué de retenue, et bouleversée par sa conversation avec cette femme incapable et ridicule qui avait joué un si grand rôle dans la vie de son fils... qui avait eu le privilège de le regarder grandir... qui portait la responsabilité de ce qu'il était devenu. Elle lui avait dit des choses qu'elle avait toujours refusé de croire : Will était un traître, un renégat, un tueur.

De retour à Highfield, Sarah ne put s'empêcher de traverser le terrain vague en courant. Elle avait cependant plus ou moins retrouvé son sang-froid lorsqu'elle dégagea la trappe en contreplaqué pour sauter dans la fosse, accueillie par le bruit rassurant des petits ossements qui se brisèrent sous son poids.

Sarah sortit une lampe torche de sa poche, mais décida de ne pas l'allumer. Elle avança ainsi à tâtons dans l'obscurité de la galerie jusqu'à ce qu'elle atteigne enfin la chambre principale.

— Chat, es-tu là ? demanda-t-elle en allumant enfin sa lampe.

— Sarah Jérôme, je suppose, dit une voix tandis que la chambre s'embrasait soudain d'un feu bien plus intense que celui de sa lampe ordinaire.

Sarah tenta désespérément de déterminer d'où venait la voix.

— Qui ?... dit-elle en reculant.

Que se passait-il ?

Une jeune fille d'environ douze ou treize ans se reposait dans l'un des fauteuils, les jambes sagement croisées. Elle avait le visage avenant et arborait un sourire plein de coquetterie. Mais Sarah sentit une terreur effroyable lui vriller les entrailles lorsqu'elle remarqua les vêtements de la jeune fille ; elle portait l'habit des Styx.

Un grand col blanc sur une robe noire.

Un enfant styx ?

Une grosse brute bourrue se tenait à côté d'elle. Il s'agissait d'un Colon. Il tenait le chat en laisse, prisonnier d'un collier d'étranglement qui l'empêchait d'avancer.

Sans plus réfléchir, Sarah ouvrit aussitôt son sac et en sortit instinctivement un couteau dont la lame étincela dans l'intense lumière. Elle laissa choir son sac sur le sol, brandit son arme en reculant à croupetons. Elle jeta des regards paniqués autour d'elle lorsqu'elle comprit enfin d'où provenait toute cette lumière. D'autres Colons répartis tout autour de la pièce portaient des globes lumineux bien haut. Elle n'aurait su dire combien ils étaient. Ces hommes râblés et très musclés étaient alignés le long des parois telles des statues immobiles, gardiennes du lieu.

Sarah jeta un coup d'œil derrière elle lorsqu'elle entendit le son guttural de la langue incompréhensible des Styx. Une troupe de Styx vêtus de leur uniforme — manteau noir et chemise blanche — s'était déployée juste derrière elle et bloquait l'unique voie par laquelle elle aurait pu s'enfuir. On affichait complet! Les Cols d'albâtre étaient venus en force.

Elle était cernée. Elle ne pourrait pas s'en sortir cette fois-ci. C'était une situation inextricable. Elle avait agi trop précipitamment — elle avait l'esprit ailleurs et, contrairement à ses habitudes, avait manqué de prudence en entrant dans la galerie.

Espèce de sombre idiote!

Elle allait devoir payer le prix de son erreur. Cher.

Elle laissa tomber sa lampe et pressa la lame de son couteau sur sa gorge. Ils n'auraient pas le temps de l'arrêter.

La jeune fille s'adressa alors à elle d'une voix douce.

— À votre place, je ne ferais pas ça.

Sarah lâcha quelques mots incompréhensibles qui ressemblaient à un coassement étranglé.

— Vous savez qui je suis. Je m'appelle Rebecca.

Sarah secoua la tête, l'air abasourdie. Elle se demandait pourquoi cette jeune Styx portait un prénom surfacien, car personne ne connaissait leurs véritables noms.

— Vous m'avez vue chez Will.

Sarah secoua de nouveau la tête avant de se figer. Cet enfant avait quelque chose de familier. Elle comprit qu'elle devait se faire passer pour la sœur de Will. Mais comment?

— Le couteau, ordonna Rebecca. Posez-le à terre.

— Non, tenta de répliquer Sarah, mais elle ne parvint qu'à émettre un grognement.

— Nous avons tant de choses en commun. Nous partageons le même but. Vous devriez écouter ce que j'ai à vous dire.

— Il n'y a rien à dire ! cria Sarah qui avait enfin retrouvé sa voix.

— Dis-lui, Joe, déclara la jeune Styx en se tournant de profil.

Un homme se détacha de la paroi. C'était l'auteur du message, Joe Waites. Il appartenait à la bande de son frère Tam et faisait presque partie de la famille. C'était un ami loyal qui aurait suivi Tam jusqu'au bout du monde.

— Continue ! ordonna Rebecca. Dis-le lui.

— Sarah, c'est moi, Joe Waites, dit-il en hâte, car elle ne semblait pas le reconnaître.

Il s'avança, les mains tremblantes et les paumes tournées vers elle.

— Oh Sarah, s'il te plaît... dit-il d'une voix entrecoupée de hoquets. S'il te plaît pose-le... Pose ce couteau... Pour l'amour de ton fils... Pour Cal... Tu as dû lire mon message... C'est vrai, je le jure devant Dieu...

Sarah pressa la lame un peu plus fort contre son cou, juste au-dessus de la jugulaire, et Joe se figea sur-le-champ, les mains en l'air et les doigts écartés. Il tremblait si fort que Sarah crut bien qu'il allait s'évanouir.

— Non, non, ne fais pas ça... Écoute-la... Il le faut. Rebecca peut t'aider.

— Personne ne tentera rien contre vous, Sarah. Vous avez ma parole, dit la jeune fille d'une voix calme. Écoutez-moi au moins, ajouta-t-elle en haussant légèrement les épaules, puis elle inclina la tête. Mais allez-y, si c'est ce que vous voulez... tranchez-vous la gorge... Je ne peux pas vous en empêcher, dit-elle avec un long soupir. Quel gâchis ce serait. Un terrible gâchis. Vous ne voulez donc pas sauver Cal ? Il a besoin de vous.

Sarah tourna la tête d'un côté, puis de l'autre. Elle avait le souffle court d'un animal acculé. Elle fixa Joe Waites de ses grands yeux perplexes, regarda le visage du vieil homme sous sa calotte bien enfoncée et l'unique dent qui sortait de sa mâchoire supérieure.

— Joe... murmura-t-elle d'une voix rauque, avec la résignation tranquille de quelqu'un qui s'apprête à mourir.

Elle vrilla la lame un peu plus profond dans sa gorge. Joe Waites agita les bras avec frénésie en hurlant lorsqu'il vit perler les premières gouttes de sang qui coulaient le long de son cou pâle.

— Sarah ! S'il te plaît ! hurla-t-il. Oh non ! Ne fais pas ça ! Non ! non ! non !

Chapitre Douze

Will s'était porté volontaire pour assurer le premier tour de garde, permettant ainsi aux autres de prendre un peu de repos. Il essayait d'écrire son journal, mais comme il avait du mal à se concentrer, il finit par le reposer à côté de lui. Il fit le tour de la table, accompagné par le ronflement régulier de Chester puis entreprit d'explorer la maison, afin de passer un peu le temps. Il mourait d'envie d'essayer la nouvelle lanterne que Cal venait de monter. Il l'accrocha fièrement à la poche de sa chemise comme le lui avait montré son frère et régla l'intensité du faisceau. Il jeta un dernier coup d'œil à ses camarades endormis, ouvrit doucement la porte et sortit de la bibliothèque.

Il commença par la pièce qui se trouvait de l'autre côté du hall. Il ne l'avait que brièvement explorée avec Cal lors de leur première expédition. Il traversa la poussière sur la pointe des pieds, et entra.

La salle avait les mêmes dimensions que la bibliothèque, mais elle était entièrement dépourvue de meubles ou d'étagères. Will longea les murs, examinant les hautes plinthes sur lesquelles subsistaient quelques lambeaux de papier peint vert acide.

Il s'approcha des fenêtres aux volets clos, mais réfréna son envie de les ouvrir et arpenta la pièce de long en large tandis que le faisceau de sa lampe déchirait les ténèbres devant lui. N'ayant rien vu d'intéressant, il s'apprêtait à ressortir mais quelque chose retint son attention. Will ne l'avait pas remarqué lors de leur brève inspection, car ils n'étaient alors munis que de leurs globes ; mais disposant à présent d'une source lumineuse plus puissante il ne pouvait guère manquer l'inscription gravée dans le mur à hauteur des yeux, juste à côté de la porte :

« Je déclare avoir découvert cette maison
Signé Dr Roger Burrows ».

Le Dr Burrows avait ajouté un jour, suivi d'un nombre qui ne signifiait rien pour Will, ainsi que :

« P.S. : Avertissement – du plomb sur les murs –
Forte radioactivité dehors ? ! »

Émerveillé, Will passa la main sur ces mots qui réfléchissaient la lumière comme si on les avait gravés dans le métal.

— Papa ! Papa est venu ici ! se mit-il à crier.

Sa joie était telle qu'il en avait oublié qu'ils avaient décidé de faire le moins de bruit possible à l'intérieur de la maison.

— Mon papa est venu ici !

Ses cris avaient réveillé Chester et Cal qui se précipitèrent dans l'entrée.

— Will ? Qu'est-ce qu'il y a, Will ? lança Chester d'une voix inquiète depuis l'embrasure de la porte.

— Regarde un peu ça ! Il est venu ici ! bafouilla Will, submergé par l'émotion.

Chester et Cal lurent alors l'inscription, mais ce dernier ne semblait guère impressionné, car il s'affala presque aussitôt contre le mur. Il bâilla en se frottant les yeux.

— Je me demande quand il a fait ça... dit Will.

— Incroyable ! répondit Chester qui finissait de lire le message. C'est d'enfer !

Il adressa un grand sourire à son ami dont il partageait l'euphorie, puis fronça légèrement les sourcils.

— Tu crois que c'est lui qui a laissé ces empreintes de pas dans la librairie, alors ?

— Je te le donne en mille, répondit Will, le souffle court. Mais tu trouves pas ça bizarre ? Tu parles d'une coïncidence... on a suivi exactement le même trajet que lui.

— Tel père, tel fils, dit Chester en lui administrant une petite tape dans le dos.

— Mais c'est pas son père, intervint Cal qui se trouvait dans la pénombre, juste derrière Chester.

Il avait la voix pleine de ressentiment et secouait la tête.

— C'est pas son vrai père, précisa-t-il d'un ton désagréable. En plus, il a même pas eu le cran de te le dire, n'est-ce pas, Will ?

Will ne réagit pas. Il ne voulait pas lui laisser gâcher ce moment.

— Eh bien, on peut pas rester ici trop longtemps, si papa a vu juste à propos de la radioactivité, déclara-t-il en mettant bien l'accent sur « papa » sans regarder Cal. Les murs sont couverts de plomb. Je crois qu'il a raison. Palpez un peu ça, ajouta-t-il en touchant la surface du mur, juste en dessous du message.

— Ouais, c'est froid, comme du plomb. J'imagine que c'est pareil dans le reste de la maison, commenta Chester en scrutant le reste de la pièce.

— C'est évident ! Je vous ai dit que l'air était mauvais dans les Profondeurs, espèces d'idiots, siffla Cal avec mépris avant de les planter là et de rebrousser chemin en tapant des pieds.

— Et dire que je commençais tout juste à penser qu'il n'était pas si crétin, grommela Chester en secouant la tête. Il a fallu qu'il gâche tout.

— Ne fais pas attention à lui.

— Vous vous ressemblez peut-être physiquement, mais ça s'arrête là, déclara Chester, que le comportement du jeune garçon avait rendu furieux. Cette demi-portion ne pense qu'à lui-même ! Et j'ai bien compris son petit jeu à toujours vouloir me provoquer... Il mange la bouche ouverte pour me...

Chester s'interrompit soudain. Il venait de remarquer que son ami avait l'air absent. Will n'écoutait pas, il gardait les yeux rivés sur le mur, complètement absorbé par le souvenir de son père.

Les trois garçons passèrent les vingt-quatre heures suivantes à se reposer, à dormir sur la table de la bibliothèque, ou à arpenter l'immense demeure. L'idée que les Styx aient pu y habiter, même si c'était longtemps auparavant, mettait Will mal à l'aise alors qu'il inspectait les autres pièces. En dépit de ses recherches, il ne trouvait aucune autre trace de son père et commençait à s'impatienter ; il voulait repartir, tout excité à l'idée que le Dr Burrows puisse se trouver encore dans les parages. Il mourait d'envie de le rattraper. Au bout de quelques heures, n'y tenant plus, il appela les deux autres garçons et leur dit de ramasser leurs affaires, puis quitta la bibliothèque pour les attendre dans l'entrée.

— Je ne sais pas ce que c'est, mais il y a quelque chose d'étrange ici, dit Will à Chester qui venait le rejoindre devant la porte d'entrée.

Will l'avait entrebâillée en attendant Cal. Les deux amis éclairaient de leurs lanternes les silhouettes lugubres des cabanes aux formes ramassées. Depuis ses commentaires sur le père de Will, Cal s'était montré maussade et peu bavard, si bien que Will et Chester l'avaient laissé tranquille.

— Ça me met... mal à l'aise, dit Will. Toutes ces petites cabanes. Et dire que les Styx forçaient les Coprolithes à y vivre comme des esclaves. Je parie qu'ils les traitaient vraiment mal.

— Les Styx sont de vraies ordures, dit Chester en sifflant entre ses dents, puis il secoua la tête. Non, Will, j'aime pas cet endroit non plus. C'est étrange que...

— Quoi donc ?

— Eh bien, que cette maison soit restée déserte pendant des années, voire des siècles, jusqu'à ce que ton père en force l'entrée. Claquemurée, comme si personne n'osait y mettre les pieds.

— Oui, c'est vrai, acquiesça Will d'un air songeur.

— Tu crois que personne n'est venu à cause des atrocités qui se sont déroulées ici ? demanda Chester.

— Eh bien, les chauves-souris sont carnivores, pas de doute là-dessus. Je les ai vues attaquer l'une de leurs congénères blessée. Mais je ne crois pas qu'elles constituent un véritable danger pour nous.

— Hein ? demanda Chester, le visage livide et le voix tremblante. Nous aussi, on est faits de chair et de sang.

— Ouais, mais je parie qu'elles préfèrent les insectes. Ou des animaux qui ne peuvent pas se défendre, dit-il en secouant la tête. T'as raison, Chester, ce n'est pas juste à cause des chauves-souris que les gens se sont tenus à l'écart.

Pendant qu'ils discutaient, Cal s'était frayé un chemin dans la poussière d'un air boudeur et avait jeté à terre son sac à dos pour s'asseoir dessus.

. — Ouais, les chauves-souris, intervint-il d'une voix maussade. Comment on va faire pour les éviter ?

— Il n'y a aucune trace de leur présence pour le moment, dit Will.

— Génial, ironisa Cal. Ça veut dire que t'as même pas de plan.

— Très bien, cette fois-ci, on réduit l'intensité de nos lanternes, on fait pas de bruit, et on crie pas. Compris, Cal ? fit Will d'une voix égale, car il ne voulait pas se laisser froisser par les critiques de son frère. Par mesure de sécurité, j'ai aussi des feux d'artifice parés si jamais elles arrivent. Ça devrait effrayer ces saletés.

Will ouvrit la poche latérale de son sac à dos, dans laquelle il avait mis deux des chandelles romaines qui lui restaient depuis l'épisode de la Cité éternelle.

– C'est tout? C'est ça ton plan? rétorqua Cal d'un ton plein d'agressivité.

– Oui, répondit Will qui tentait de garder son calme.

– Infaillible! grogna Cal.

Will lui lança un regard meurtrier puis ouvrit prudemment la porte.

Cal et Chester se faufilèrent au-dehors. Will ferma la marche, une paire de fusées dans une main et un briquet dans l'autre. Ils entendaient de temps à autre les cris aigus des chauves-souris, mais il n'y avait pas lieu de s'inquiéter, car ils étaient assez lointains. Les garçons se déplaçaient rapidement en silence, éclairant juste assez le chemin pour pouvoir se repérer. Les bruits de fuite et de grattement qu'ils entendaient dans la pénombre à leurs pieds éprouvaient les limites de leur détermination tandis que leur imagination se déchaînait.

Ils avaient laissé le portail derrière eux et parcouru un bon bout de chemin dans la galerie lorsque Cal s'arrêta pour leur indiquer un passage latéral. Comme à son habitude, il s'était aventuré seul, en avant des autres, mais il demeurait silencieux, le doigt pointé sur l'ouverture.

– La demi-portion essaie de nous dire quelque chose? demanda Chester à Will d'un ton sarcastique tandis qu'ils se rapprochaient du jeune garçon boudeur.

Chester s'avança à quelques centimètres du visage de Cal et lui dit :

– Pour l'amour du ciel, grandis un peu! On est tous dans le même bateau.

– Un signe, répondit simplement Cal.

– Du ciel? demanda Chester.

Toujours aussi silencieux, Cal se rangea sur le côté pour leur laisser voir une pancarte en bois qui s'élevait à un mètre au-dessus du sol. Le panneau était aussi noir et craquelé que s'il avait été carbonisé. Il était surmonté d'une flèche qui pointait en direction du passage. Ils n'avaient pas remarqué la pancarte la première fois, car elle était plantée à l'intérieur de la galerie.

– Je pense qu'on pourrait passer par là pour parvenir jusqu'à la Grande Plaine, dit Cal à Will en évitant soigneusement le regard belliqueux de Chester.

– Pourquoi est-ce qu'on passerait par là? lui demanda Will. Qu'est-ce qu'il a de particulier, ce passage?

— Ton père est probablement passé par là.

— Dans ce cas, on y va, dit Will en s'engageant dans la galerie sans rien ajouter.

Ils la traversèrent assez facilement. Elle était assez large, et le sol était plat. Cependant, la chaleur s'accroissait à chaque pas. À l'instar de Chester et de Cal, Will avait ôté son blouson ; il avait néanmoins le dos trempé de sueur sous son sac.

— On va bien dans la bonne direction, n'est-ce pas ? demanda-t-il à Cal qui, pour une fois, marchait à leurs côtés.

— C'est ce que j'espère. Pas toi ? rétorqua ce dernier avec insolence avant de conclure par un crachat sur le sol.

La galerie fut aussitôt illuminée par un éclair bien plus intense que la lueur des lanternes qu'ils avaient accrochées à la poche de leur chemise. On aurait dit que chacune des facettes des roches sur les parois comme au sol irradiaient une pure lumière jaune. Le phénomène ne se limitait pas à l'endroit où ils se trouvaient ; la galerie tout entière semblait illuminée comme si quelqu'un, ou quelque chose, venait d'actionner un interrupteur pour leur éclairer le chemin.

Ils étaient abasourdis.

— J'aime pas ça, Will, balbutia Chester.

Will prit la veste qu'il avait posée sur son sac à dos et en sortit une paire de gants, puis en enfila un.

— Qu'est-ce que tu fais ? demanda Cal.

— Juste une intuition, répondit-il en se baissant pour ramasser une pierre phosphorescente de la taille d'une boule de billard.

L'efflorescence jaune crème continuait à briller entre ses doigts. Il rouvrit la main, soupesa la pierre en l'examinant attentivement.

— Regardez un peu. Elle est recouverte d'un tapis végétal, comme du lichen, dit-il avant de cracher dessus.

— Will ? s'exclama Chester.

La lumière émise par la pierre s'intensifia encore un peu plus. Will était fasciné et réfléchissait à toute allure.

— Elle est chaude. L'humidité active cet organisme inconnu, c'est peut-être une bactérie, et il émet de la lumière. À part les bidules qu'on trouve dans les océans, j'ai jamais entendu parler d'un truc pareil.

Will cracha de nouveau, cette fois sur les parois de la galerie, qui brillèrent encore plus intensément, comme si l'on venait d'y jeter de la peinture phosphorescente.

— Pour l'amour du ciel, Will! dit Chester d'une voix basse qui trahissait sa peur. Ça pourrait être dangereux!

— Vous voyez l'effet de l'eau sur ce truc, continua Will en l'ignorant. C'est un peu comme une graine qui n'attendrait qu'un peu d'eau pour germer. Vaut mieux éviter tout contact avec la peau, je n'ose pas imaginer ce qui arriverait. Ça pourrait en absorber toute l'eau...

— Merci, monsieur le professeur à la noix. Et maintenant, on dégage d'ici *fissa*, d'accord? dit Chester avec exaspération.

— Ouais, j'ai fini, acquiesça Will en se débarrassant de la pierre.

Le reste de la traversée se passa sans histoires. Ils ne sortirent de la galerie qu'après plusieurs longues heures pour émerger dans une autre caverne; tout au moins c'est ce que crut Will au premier abord.

Ils s'avancèrent, et il devint très vite apparent que ce vaste endroit n'avait rien à voir avec ce qu'ils avaient rencontré jusqu'alors.

— Attends un peu, Will, je crois que j'aperçois des lumières, dit Cal.

— Où ça? demanda Chester.

— Là-bas... et d'autres encore par ici. Vous voyez?

Will et Chester scrutèrent les ténèbres qui leur avaient semblé jusqu'alors impénétrables.

On ne pouvait les voir que du coin de l'œil, toute tentative d'approche directe était vaine; les petites taches de lumière clignotante se fondaient aussitôt dans l'obscurité.

Ils tournèrent lentement la tête de chaque côté en regardant les minuscules points répartis aléatoirement sur le fil de l'horizon. Ces lumières semblaient si lointaines et si vagues qu'elles scintillaient doucement en parcourant tout un spectre de couleurs, telles des étoiles par une chaude nuit d'été.

— Ça doit être la Grande Plaine, déclara soudain Cal.

Will recula d'un pas malgré lui. Il venait de comprendre à quel point cet endroit était vaste. L'obscurité lui jouait des tours, et il était incapable de jauger la distance à laquelle se trouvaient ces lumières. Cela avait quelque chose d'intimidant.

Les trois garçons s'avancèrent un peu plus. Même Cal, qui avait pourtant passé sa vie dans les immenses cavernes de la Colonie, n'avait jamais rien vu d'aussi vaste. Bien que le toit gardât une hauteur relativement constante, culminant à environ quinze mètres du sol, le reste de ce gouffre béant qui s'étendait à perte de vue demeurait invisible, quand bien même ils auraient réglé leurs lanternes au maximum de leur intensité. La plaine se déroulait devant eux sans que le moindre pilier ni la moindre stalagmite ou stalactite ne vienne interrompre ce champ de ténèbres. Fait plus remarquable encore, de douces bouffées d'air rafraîchissaient l'atmosphère d'un ou deux degrés.

— Ça a l'air carrément gigantesque ! s'exclama Chester qui venait d'exprimer tout haut ce que pensait Will.

— Ouais, ça s'étend à l'infini, commenta Cal d'un ton détaché.

— Qu'est-ce que tu veux dire par là ? À l'infini ? C'est grand comment, au juste ?

— Environ 100 miles de large, répondit Cal d'un ton impassible avant de s'éloigner.

— Cent miles ! répéta Will.

— Ça fait combien de kilomètres ? demanda Chester.

Will ne lui répondit pas. Il était bien trop fasciné par la caverne pour faire attention à sa question.

— C'est bien gentil tout ça, mais pourquoi est-ce que ton frère ne nous dit pas simplement tout ce qu'il sait ? s'exclama Chester dans un accès de colère. Cet endroit ne s'étend pas « à l'infini » ! C'est un crétin ! Soit il ment sans arrêt, soit il ne nous raconte pas tout.

Le visage plein d'amertume, Chester inclina la tête d'un côté puis de l'autre, en imitant Cal.

— Voici la Ville Crevasse... blablabla... et là, c'est la Grande Plaine... et blablabla... éructa-t-il. Tu sais, Will, j'ai toujours l'impression qu'il nous cache des choses juste pour le plaisir de m'humilier.

— Pour pouvoir nous embêter, répondit Will. Mais t'arrives à y croire, toi ? Un endroit pareil. Époustouflant, non ?

Will faisait de son mieux pour détourner la conversation et désamorcer la violente confrontation qu'il voyait poindre entre Chester et son frère.

— Ouais, à vous couper le souffle, y'a pas à dire, répondit Chester d'un ton sarcastique, puis il sonda les ténèbres de sa lanterne comme pour démontrer que Cal avait tort.

Mais la plaine semblait sans fin. Will se mit aussitôt à échafauder des théories sur l'origine du lieu.

— Mettons qu'une pression se soit exercée entre deux strates mal soudées... suite à un mouvement tectonique, dit-il en mimant le tout avec les mains, alors il est possible que l'une des deux strates soit passée par-dessus l'autre, ajouta-t-il en arrondissant la main du dessus. Et là, bingo! on obtiendrait une disposition similaire. Un peu comme du bois qui éclate sous l'effet de l'humidité.

— Ouais, c'est super tout ça, mais qu'est-ce qui se passera si ça se referme? Hein?

— J'imagine que ça pourrait arriver... dans plusieurs milliers d'années.

— Avec ma veine, c'est forcément bon pour aujourd'hui, marmonna Chester d'un ton plaintif. Et je me ferai écraser comme une fourmi.

— Non, arrête un peu. Il y a vraiment très peu de risques que ça se passe maintenant.

Chester émit un grognement dubitatif.

Chapitre Treize

D ans la cave vide d'un vieil hospice de Highfield, situé non loin de la Grand-Rue, Sarah pénétra dans un ascenseur dont on avait astucieusement dérobé l'entrée. Elle déposa son sac à ses pieds et se fit aussi petite que possible après avoir enroulé ses bras autour de sa poitrine. Tapie dans l'un des coins, elle jeta un regard malheureux tout autour d'elle. Elle détestait se retrouver dans un espace confiné sans aucune possibilité de fuite. L'ascenseur devait mesurer environ quatre mètres carrés et se composait de lourds panneaux de fer treillissé. On avait visiblement enduit l'intérieur d'une épaisse couche de graisse dont les dernières traces étaient hérissées de poussière et de saletés.

Elle entendit une brève conversation aux sons étouffés entre les Styx et les Colons qui se tenaient à l'extérieur, dans une pièce aux murs de brique. C'est alors que Rebecca entra seule dans l'ascenseur. La jeune fille ne lui adressa pas même un regard en exécutant un demi-tour élégant, tandis qu'un Styx refermait la porte derrière elle. Rebecca abaissa le levier en étain situé à côté de la porte, et l'ascenseur amorça sa descente après une secousse suivie par un grincement sourd.

La cage treillissée grinçait et cliquetait en heurtant les parois, arrachant parfois un hurlement aigu aux panneaux métalliques.

Ils descendaient lentement vers la Colonie.

Sarah se sentait envahie malgré elle par une sensation nouvelle, par-delà la peur et l'angoisse ; elle éprouvait une sorte d'impatience. Elle retournait à la Colonie ! Là où elle était née ! À chaque mètre franchi, les aiguilles de la grande horloge du temps regagnaient une heure, puis une autre, et ainsi de suite année après année. Jamais, dans ses rêves les plus fous, elle n'avait imaginé pouvoir revoir un jour la Colonie. Elle avait exclu cette éventualité de façon si irrévocable qu'elle peinait à y croire à présent. C'était comme si on lui avait soudain donné la possibilité de remonter le cours du temps.

Elle prit plusieurs inspirations profondes, desserra son étreinte et se redressa.

Elle avait entendu parler de ces ascenseurs, mais c'était la première fois qu'elle en voyait un, et surtout qu'elle en empruntait un.

Sarah reposa sa tête contre le treillage et regarda défiler les parois à mesure que l'ascenseur poursuivait sa descente. La lueur du globe de Rebecca révélait les innombrables petits trous dont elles étaient criblées, témoignant du travail des équipes d'ouvriers qui avaient creusé le sol à l'aide d'outils rudimentaires jusqu'à la Colonie, près de trois siècles auparavant.

En voyant passer les diverses strates rocheuses brunes, rouges et grises, Sarah pensa au sang et à la sueur qu'il avait fallu verser pour établir la Colonie. Tant de personnes, génération après génération, avaient travaillé toute leur vie pour la bâtir. Et elle avait tout rejeté pour fuir en Surface.

Le grincement du treuil situé tout en haut de la cage d'ascenseur, à plusieurs centaines de mètres au-dessus d'elle, se fit plus aigu tandis que l'ascenseur passait à la vitesse supérieure.

Ce moyen de communication entre la Colonie et la Surface se trouvait à des lieues de la voie qu'elle avait empruntée douze ans plus tôt. Elle avait dû faire tout le chemin à pied en empruntant un escalier de pierre qui montait en spirale jusqu'à un immense puits de brique. L'ascension avait été longue et d'autant plus pénible qu'elle tirait Will derrière elle. Avec la plus grande difficulté, elle avait enfin émergé à l'air libre, au sommet d'un toit, après s'être hissée dans un ancien conduit de cheminée. Elle avait jeté ses dernières forces dans cette ultime ascension ; il fallait s'accrocher et tenir bon pour ne pas glisser sur les parois friables et couvertes de suie tout en tirant derrière elle un petit garçon en pleurs qui n'y comprenait rien. Elle risquait à tout moment de retomber au fond de l'abîme qui s'ouvrait sous ses pieds.

C'est pas le moment de penser à ça, se dit Sarah en secouant la tête. Elle était complètement épuisée après tout ce qu'elle venait de vivre, mais il lui fallait se reprendre. La journée était loin d'être finie. *Concentre-toi,* s'ordonna-t-elle en lançant un regard furtif à la jeune Styx qui voyageait avec elle.

Le dos tourné à Sarah, Rebecca n'avait pas bougé d'un pouce. Elle tapait parfois du pied contre la plaque d'acier qui formait le sol de la cabine branlante. De toute évidence, elle était impatiente d'arriver en bas.

Je pourrais lui régler son compte maintenant, pensa soudain Sarah. La jeune Styx était sans escorte ; rien ne pourrait l'arrêter. Cette pensée se précisait dans son esprit. Sarah savait qu'il lui restait peu de temps avant d'arriver tout en bas.

Son couteau était toujours dans son sac à main ; pour une raison qu'elle ignorait, les Styx ne le lui avaient pas confisqué. Elle regarda son sac posé à ses pieds et estima le temps qu'il lui faudrait pour récupérer son arme. *Non, trop risqué. Un coup à la tête serait bien mieux.* Elle serra les poings, puis les rouvrit.

Non !

Sarah se ravisa. En la laissant voyager ainsi seule avec la jeune fille, les Styx lui témoignaient leur confiance. Tout ce qu'on lui avait dit jusqu'alors semblait plausible, et même vrai. Elle décida donc de les suivre pour le moment et respira profondément pour se calmer. Elle leva la main et palpa timidement la blessure qu'elle s'était infligée.

Elle avait frôlé la mort. Au plus profond du désespoir, elle s'était planté un couteau dans la jugulaire avec la ferme intention de l'y plonger jusqu'à la garde. Mais en entendant les cris et les suppliques de Joe Waites qui la haranguait tel un fou, elle avait suspendu son geste. Elle était pourtant prête à aller jusqu'au bout. Elle avait vécu avec la certitude que les Styx finiraient par la rattraper, et combien de fois n'avait-elle pas passé en revue les mille et une manières dont elle se suiciderait.

Sous les regards silencieux des Styx et des Colons postés tout autour d'elle le long des parois de la caverne, elle avait écouté ce que Joe et Rebecca avaient à lui dire. Après tout, quelques secondes de plus ou de moins ne feraient aucune différence.

Car elle s'estimait déjà morte et n'avait donc rien à perdre. Cela semblait inévitable. Mais l'histoire qu'ils lui avaient racontée corroborait ce qui était écrit dans le message. Tout cela sonnait juste. Après tout, les Styx auraient pu l'exécuter à tout moment. Pourquoi se donnaient-ils tant de peine pour l'épargner ?

Rebecca lui avait raconté ce qui s'était passé le jour fatal où Tam avait perdu la vie. Comment la Cité éternelle s'était drapée d'un voile de brouillard, et comment le perfide Will avait tiré des feux d'artifice pour attirer les soldats styx. Dans la confusion générale, Tam s'était retrouvé pris dans une embuscade. On l'avait confondu avec un Surfacien et on l'avait tué. Pire encore, d'après Rebecca, il y avait de fortes chances pour que Will ait lui-même blessé Tam à coups de machette. Le sang de Sarah n'avait fait qu'un tour. Quelle que fût la réalité des événements, une chose était sûre : Will avait sauvé sa peau de vaurien et forcé Cal à le suivre.

Rebecca avait ajouté qu'un ami d'enfance de Sarah et de Tam, Imago Freebone, avait assisté à l'incident. Il était porté disparu depuis, et Will devait sans doute y être aussi pour quelque chose, selon elle. Sarah vit les yeux de Joe Waites s'emplir de larmes à ces mots. Imago appartenait à la petite bande de Tam, et Joe était également son ami.

Sarah ne parvenait pas à comprendre le comportement meurtrier de Will, et encore moins le peu de cas qu'il avait fait de la vie de son frère Tam. Quel genre d'animal pervers et sournois était-il donc devenu ?

Après avoir entendu le récit de Rebecca, Sarah lui avait demandé de lui accorder un moment de solitude avec Joe Waites. À son plus grand étonnement, la jeune Styx avait accepté. Rebecca s'était retirée de la caverne souterraine avec les autres Styx et les autres Colons, et les avaient laissés tous les deux seuls.

À ce moment-là seulement, Sarah avait accepté de baisser sa garde. Elle s'était assise dans le fauteuil à côté de Joe, et ils avaient brièvement parlé pendant que Rebecca et son escorte attendaient dans la galerie conduisant à l'ossuaire. Joe lui avait à nouveau raconté toute l'histoire à toute vitesse en murmurant, et ses dires corroboraient tout ce qu'il avait écrit dans son message et la version des faits que venait de lui donner Rebecca. Sarah avait besoin de l'entendre encore du début à la fin, et de la bouche d'une personne en qui elle pouvait avoir confiance.

Lorsque Rebecca reparut, elle fit à Sarah la proposition suivante : si cette dernière était prête à s'allier avec les Styx, ils lui fourniraient les moyens de traquer Will. On lui donnerait ainsi l'opportunité de faire d'une pierre deux coups ; elle vengerait le meurtre de son frère et sauverait Cal par la même occasion.

Sarah ne pouvait décliner cette offre. Il y avait encore trop de choses à réparer.

Et voilà qu'elle se retrouvait dans cet ascenseur en compagnie de son ennemie jurée, une Styx ! Où avait-elle donc la tête ?

Sarah essaya d'imaginer ce que Tam aurait fait dans pareille situation. Mais cette pensée ne l'aidait pas. Elle s'agitait et grattait la croûte qui s'était formée sur son cou, sans se soucier du fait que la blessure pourrait très bien se rouvrir et recommencer à saigner.

Rebecca tourna la tête de côté sans regarder Sarah — comme si elle percevait l'agitation intérieure à laquelle était en proie cette dernière. Elle s'éclaircit la voix et lui demanda gentiment :

— Sarah, vous allez bien ?

Sarah fixa la nuque de la jeune Styx, ses cheveux noir de jais lâchés sur son col blanc immaculé, et trouva enfin la force de lui répondre avec une pointe d'agressivité.

— À merveille. C'est le genre de choses qui m'arrive tous les jours.

— Je sais à quel point ce doit être difficile pour vous, dit Rebecca d'un ton apaisant. Y a-t-il quelque chose dont vous souhaiteriez parler ?

— Oui, répondit Sarah. Vous avez infiltré la famille Burrows. Vous étiez avec mon fils toutes ces années.

— Avec Will, oui, en effet, répondit Rebecca sans hésiter, mais elle cessa néanmoins de gratter le sol avec sa chaussure.

— Parlez-moi un peu de lui, demanda Sarah.

— On ne peut pas dompter un animal enragé, dit la jeune Styx en laissant planer un silence pesant avant de poursuivre son explication. Il avait toujours été un peu bizarre. Il avait du mal à se faire des amis. Il est devenu plus distant et plus introverti en grandissant.

— C'était un solitaire, ça ne fait pas de doute, acquiesça Sarah qui se rappelait les fois où elle avait observé Will se rendant sur ses sites de fouilles.

— Vous n'avez pas idée... rétorqua Rebecca d'une voix légèrement chevrotante. Il se montrait parfois effrayant.

— Que voulez-vous dire ?

— Eh bien, il s'attendait à ce qu'on s'occupe de tout pour lui ; qu'on lui lave son linge, qu'on prépare ses repas... tout. Il explosait à la moindre contrariété. Vous auriez dû le voir entrer subitement dans une rage terrible, hurlant comme un fou et cassant tout sur son passage. Il était toujours mêlé à des histoires à l'école. L'année dernière, il avait salement tabassé quelques-uns de ses camarades qui ne lui avaient pourtant rien fait. Will avait perdu l'esprit et les avait chargés avec sa bêche. Il avait même fallu en conduire plusieurs à l'hôpital, mais il ne manifestait pas le moindre remords.

Sarah garda le silence, méditant sur ce que Rebecca venait de lui dire.

— Non, vous n'avez pas idée de ce qu'il était capable de faire, dit cette dernière d'une voix douce. Sa mère adoptive savait qu'il avait besoin d'être soigné, mais elle était bien trop paresseuse pour prendre les devants, ajouta-t-elle en s'essuyant le front du revers de la main, comme si ces souvenirs lui étaient douloureux. Peut-être... Peut-être Mme Burrows était-elle à l'origine de ce tempérament. Elle le négligeait.

— Et vous... Pourquoi étiez-vous là ? Pour le surveiller... Ou bien pour m'attraper ?

— Les deux, répondit Rebecca sans passion en se tournant vers Sarah pour la fixer droit dans les yeux. Mais la priorité était de vous faire revenir. Les Gouverneurs voulaient qu'on vous arrête ; on vous avait portée disparue, et c'était très mauvais pour la Colonie. Une affaire en suspens. Ça faisait désordre.

— Mais vous y êtes parvenue, n'est-ce pas ? Vous avez même réussi à m'attraper vivante. Ils seront sacrément contents de vous.

— Vous n'y êtes pas. De toute façon, c'est vous qui avez pris la décision de rentrer.

Rien dans l'attitude de Rebecca n'indiquait qu'elle se délectât de son œuvre. Elle se tourna de nouveau vers la porte. De temps à autre, la lumière vive à l'entrée des autres paliers se reflétait dans ses cheveux noirs et brillants.

— C'est quelque chose que d'avoir survécu aussi longtemps, à garder toujours un temps d'avance sur nous et à partager votre quotidien avec les Impies, dit-elle après une pause, puis elle se tut à nouveau quelques instants. Ça devait être difficile pour vous de vivre loin de tout ce qui vous était familier.

— Oui, parfois, répondit Sarah. On dit que la liberté a un prix.

Sarah le savait, elle ne devait pas se livrer à la jeune Styx, mais elle éprouvait malgré elle un certain respect pour Rebecca. C'était à cause d'elle si on l'avait dépêchée dans le monde étranger de la Surface, et à un âge si tendre qui plus est. Cette jeune fille avait passé presque toute sa vie à la Surface, chez les Burrows. Elles étaient liées l'une à l'autre par un même destin.

— Et vous ? lui demanda Sarah. Comment vous en êtes-vous sortie ?

— Pour moi, c'était différent. Cet exil faisait partie de mon devoir. C'était un peu comme un jeu, mais j'ai toujours su quel était mon camp.

Sarah frémit en entendant ces mots. Même si Rebecca ne semblait lui faire aucun reproche, cette dernière remarque l'avait touchée en plein cœur. Elle se sentait coupable. Elle s'affala dans un coin de l'ascenseur et entoura son corps de ses bras.

Elles restèrent un temps silencieuses tandis que l'ascenseur continuait sa descente parmi des grincements et cliquetis.

— Nous y sommes presque, annonça enfin Rebecca.

— J'ai une dernière question.

— Oui, répondit Rebecca d'un air absent en consultant sa montre.

— Lorsque tout sera fini... Lorsque j'aurai fait ce que... m'épargnerez-vous ?

— Bien sûr, répondit Rebecca en se retournant avec grâce pour la regarder de ses yeux lumineux. Vous rentrerez au bercail, vous retrouverez Cal et votre mère. Vous comptez pour nous, ajouta-t-elle avec un sourire.

— Mais pourquoi ?

— Pourquoi ? Est-ce que ce n'est pourtant pas évident, Sarah ? Vous êtes la fille prodigue, expliqua-t-elle, rayonnante.

Mais Sarah ne lui rendit pas son sourire. Elle avait les idées confuses. Peut-être avait-elle un peu trop envie de croire à ce que lui racontait cette jeune fille. La voix de la prudence ne cessait pourtant de la mettre en garde, et elle n'essayait pas de réprimer cette émotion qui lui mettait les nerfs à vif. Elle avait appris au fil de ses expériences amères que si quelque chose semblait trop beau pour être vrai, c'était très certainement le cas.

L'ascenseur s'arrêta enfin dans un bruit sourd en heurtant les butoirs au fond de la cage, ce qui fit tressaillir les deux occupantes. Sarah aperçut des ombres s'agitant à l'extérieur, puis un bras drapé de noir ouvrit la porte treillissée. Rebecca sortit d'un pas résolu.

Est-ce un piège ? C'est donc ça ? se demandait sans cesse Sarah.

Elle resta dans l'ascenseur. Elle observa le couloir aux parois métalliques où l'attendaient deux Styx tapis dans la pénombre, postés de part et d'autre d'une épaisse porte de métal à une dizaine de mètres de là. Rebecca leva sa lampe et fit signe à Sarah de la suivre en indiquant l'unique porte de sortie couverte d'une couche de peinture brillante sur laquelle on avait peint un gros zéro. Sarah savait qu'ils avaient atteint le dernier niveau : elle trouverait un sas de l'autre côté, puis une autre porte encore, et enfin le Quartier.

Elle allait franchir l'ultime limite ; si elle traversait ce sas, elle serait de retour et retomberait pour de bon entre leurs griffes.

L'un des deux Styx avança dans la lumière en faisant crisser le manteau de cuir qui lui arrivait aux chevilles. De ses longs doigts blancs, il agrippa l'arête de la porte pour l'ouvrir. Elle rendit un son métallique en tapant contre le mur. Ils n'échangèrent pas la moindre parole. Ce Styx aux cheveux noirs et plaqués en arrière avait les tempes grisonnantes, et sa figure jaunâtre était creusée de rides profondes. Il avait les joues si émaciées qu'on aurait dit que son visage allait se replier sur lui-même.

Rebecca attendait que Sarah se décide à entrer dans le sas.

Sarah distinguait moins bien l'autre Styx qui était resté caché dans la pénombre, derrière la jeune fille. Lorsque la lumière frappa enfin son visage, Sarah eut tout d'abord l'impression qu'il était beaucoup plus jeune que l'autre. Il avait la peau claire et les cheveux noir de jais. Mais elle se rendit bientôt compte qu'il était plus âgé qu'elle ne l'avait cru. Il avait le visage maigre et les traits tirés au point qu'il en avait les joues légèrement creuses. Dans l'obscurité, ses yeux ressemblaient à deux cavernes mystérieuses.

Rebecca avait toujours les yeux rivés sur elle.

— Nous partons devant, dit-elle. Vous viendrez lorsque vous vous sentirez prête. D'accord, Sarah ? ajouta-t-elle d'une voix douce.

Le plus âgé des deux Styx échangea un regard avec Rebecca, puis il opina légèrement du chef. Ils entrèrent alors tous trois dans le sas. Sarah entendit le bruit de leurs pas sur le sol creusé de sillons de la pièce cylindrique, suivi par le sifflement de l'air qui s'échappait de la seconde porte. Un souffle chaud lui balaya le visage.

Puis ce fut le silence.

Ils étaient partis dans le Quartier, suite de vastes grottes reliées par des galeries où seuls avaient l'autorisation d'habiter les citoyens jugés les plus dignes de confiance. Une petite poignée d'entre eux avait le droit de commercer avec les Surfaciens sous la supervision des Styx. Ils achetaient ainsi les produits essentiels qu'ils ne pouvaient cultiver dans la Colonie ou extraire de la strate inférieure, les redoutables Profondeurs. Le Quartier ressemblait à une ville frontalière. Les conditions de vie n'étaient pas très saines, et on courait constamment le risque de voir s'effondrer le plafond ou d'être inondé par les eaux usées des Surfaciens.

Sarah inclina la tête pour scruter la pénombre de la cage d'ascenseur au-dessus d'elle. Elle n'avait pas le choix. Il ne fallait pas rêver :

quand bien même elle aurait voulu s'enfuir, elle n'avait nulle part où aller. On lui avait volé son destin pour le placer entre les mains des Styx au moment même où elle avait abaissé son couteau. Au moins, elle était encore vivante. Mais que pouvaient-ils lui faire subir de pire ? La tuer après lui avoir infligé les plus atroces tortures ? Ça ne changerait rien au résultat final. Mourir maintenant ou plus tard. Elle n'avait rien à perdre.

Elle balaya une dernière fois du regard la cage d'ascenseur, puis se dirigea vers le sas oblong qui mesurait environ cinq mètres de longueur et demeurait plongé dans la pénombre. Saisie d'une angoisse grandissante, elle marcha lentement jusqu'à la porte ouverte à l'autre bout du sas en prenant appui sur les parois pour ne pas glisser sur les sillons huileux qui couraient sur le sol et les cloisons.

Elle passa la tête par l'embrasure de la porte et entendit l'abominable langage des Styx qui martelaient chacun de leurs mots d'une voix aiguë. Dès qu'ils la virent, ils cessèrent leur conversation. Les trois Styx l'attendaient un peu plus loin de l'autre côté de la grande galerie. Pour autant qu'elle pût en juger à la lumière de la lampe de Rebecca, elle était vide et s'ouvrait sur une route pavée, puis sur une chaussée de pierre où attendaient Rebecca et les deux autres Styx. Il n'y avait aucune maison. Sarah reconnut immédiatement l'une des galeries principales, menant sans doute à l'une des grottes entrepôts disséminées tout autour du Quartier.

Elle franchit lentement le seuil du sas et posa d'abord un pied, puis l'autre, sur les pavés luisants d'humidité. Elle n'arrivait pas à croire qu'elle était de retour à la Colonie. Elle fit un autre pas en avant, puis hésita. Elle jeta un coup d'œil par-dessus son épaule pour contempler la paroi qui décrivait un arc élégant jusqu'à la paroi opposée. Mais la clef de voûte restait noyée dans la pénombre. Elle tendit la main pour toucher le mur, juste à côté de la porte, et pressa sa paume contre l'un des énormes blocs rectangulaires taillés avec précision dans le grès. Elle perçut alors le vrombissement lointain des immenses ventilateurs qui assuraient l'aération des galeries, ce bruit si différent des vibrations de la ville en Surface. C'était un rythme régulier qui la réconfortait tant, comme les battements du cœur d'une mère.

Sarah prit une profonde inspiration. L'odeur était bien la même — une odeur de renfermé, si singulière, que produisait l'ensemble des habitants du Quartier et de la Colonie qui se trouvaient un peu plus bas. Elle était si caractéristique... et cela faisait si longtemps qu'elle ne l'avait pas sentie.

Elle était chez elle...

— Prête ? lança Rebecca en interrompant ses pensées.

Sarah tourna brusquement la tête vers les trois Styx, puis acquiesça.

Rebecca claqua des doigts et une voiture tirée par quatre chevaux immaculés émergea de la pénombre. Ses roues cliquetaient sur les pavés. Ces véhicules noirs anguleux étaient assez répandus dans la Colonie.

La voiture se rangea à côté de Rebecca, tandis que les chevaux martelaient le sol de leurs sabots et levaient les naseaux, visiblement impatients de repartir.

Les trois Styx grimpèrent à bord en faisant osciller la calèche austère tandis que Sarah les rejoignait. Un Colon occupait le siège du conducteur. C'était un vieil homme vêtu d'un chapeau mou tout abîmé. Il fixa Sarah de ses petits yeux sévères, et la mit mal à l'aise alors qu'elle passait devant ses chevaux. Elle savait intuitivement ce qu'il était en train de penser. Il ignorait probablement qui elle était, mais le fait qu'elle porte des habits de Surfacienne et soit escortée par des Styx suffisait amplement ; elle faisait partie des ennemis haïs.

Il s'éclaircit ostensiblement la voix lorsqu'elle posa le pied sur la chaussée et se pencha pour cracher, ne la manquant que de justesse. Elle s'immobilisa aussitôt, fit exprès de marcher dans son crachat et l'écrasa sous son talon comme s'il s'agissait d'un insecte. Puis elle leva les yeux vers lui d'un air plein de défi. Ils se fixèrent ainsi pendant de longues minutes. Son regard brillait de colère, mais il finit par baisser les yeux.

— Très bien. Que la fête commence... dit-elle à voix haute en montant à bord.

Chapitre Quatorze

— T u veux boire un peu ? demanda Will. Je meurs de soif.
— Bonne idée, répondit Chester d'une humeur plus légère. Rattrapons donc notre boy-scout, ajouta-t-il en souriant.

Ils se rapprochaient de Cal qui marchait d'un bon pas en direction des lointaines lumières ; il se retourna et leur dit :

— Oncle Tam m'a dit que les Coprolithes vivaient dans le sol... comme des rats dans leurs terriers. Il a aussi dit qu'ils creusaient leurs villes et leurs magasins dans...

— Attention ! cria Will.

Cal s'arrêta in extremis au bord du gouffre noir qui s'ouvrait devant lui. Il vacilla avant de retomber sur le sol tandis que quelques particules de terre basculaient dans le trou, suivies de bruits d'eau.

Will et Chester s'approchèrent prudemment du bord pour jeter un coup d'œil pendant que Cal se relevait. À la lumière de leur lanterne, ils virent un précipice de quatre mètres de profondeur environ, au fond duquel ondoyait une eau noire. Elle reflétait les faisceaux de leurs lampes et leur renvoyait des ronds de lumière. L'eau semblait couler tranquillement. Cela n'avait rien de comparable au fleuve souterrain qu'ils avaient rencontré plus tôt.

— Ce sont des hommes qui ont construit ça, observa Will en indiquant la corniche en dalles bien taillées.

Il se pencha aussi loin que possible pour examiner ce qu'il y avait en contrebas. La berge du canal était également formée de dalles au niveau de l'eau, et des deux côtés, semblait-il.

— De fabrication coprolithe, dit Cal d'une voix calme, comme s'il se parlait à lui-même.

— Tu disais quoi ? demanda Will.

— Ce sont les Coprolithes qui ont construit ce truc, répéta Cal à voix haute cette fois. Tam m'avait parlé de leur immense réseau de canaux qui sert à acheminer le minerai extrait de leurs mines.

— Voilà une information qui aurait pu nous être utile... avant, dit Chester entre ses dents. T'as encore d'autres surprises en réserve, Cal ? Quelques conseils avisés ?

Will ne tarda pas à intervenir pour couper court à leur prise de bec, déclarant qu'il valait mieux s'arrêter pour prendre un peu de repos. Cette proposition désamorça la crise, et ils s'installèrent confortablement au bord du canal, calés contre leur sac à dos et sirotant leur gourde. Ils songeaient tous trois à la même chose en observant l'eau qui s'étirait sous leurs pieds ; il semblait n'y avoir aucun pont. Ils longeraient donc les berges et verraient bien où ça les conduirait.

Ils étaient assis un moment déjà lorsqu'un léger grincement les tira de leur torpeur. Ils se relevèrent nerveusement et scrutèrent l'obscurité en dirigeant leurs lanternes vers l'endroit d'où provenait vraisemblablement ce bruit.

Tel un spectre, la proue d'un bateau s'avançait à l'extrême limite du halo de leurs lampes. Mis à part le gargouillis de l'eau, tout était si étrangement calme qu'ils clignèrent des yeux tout en se demandant s'ils ne rêvaient pas. À mesure que l'embarcation se rapprochait, ils virent qu'il s'agissait en fait d'une immense péniche dont la coque rouillée s'enfonçait profondément dans l'eau. Il leur fallut à peine quelques instants pour comprendre : elle transportait un lourd chargement qui formait un tas en son centre.

Will n'en revenait pas. Cette péniche était si longue qu'elle semblait sans fin. Deux mètres à peine séparaient le vaisseau de la berge sur laquelle se tenaient les garçons. Ils auraient pu aisément sauter à bord si l'envie leur en avait pris. Mais pour l'heure ils restaient figés là, tout aussi fascinés qu'apeurés.

La poupe se profila enfin. Ils virent alors une petite cheminée d'où s'échappaient des volutes de fumée et entendirent pour la première fois le vrombissement sourd du moteur. On aurait dit qu'un cœur aux battements rapides mais réguliers résonnait sous la surface.

— Des Coprolithes, murmura Cal.

Trois silhouettes imprécises se tenaient immobiles sur la poupe.

L'une d'elles tenait la barre du gouvernail. Comme hypnotisés, les garçons les regardèrent s'approcher. Lorsqu'ils longèrent la berge, ils distinguèrent leurs corps ronds, leurs jambes et leurs bras globulaires. Véritables caricatures humaines, on aurait dit de gros asticots gonflés. Ils portaient des costumes ivoire qui absorbaient la lumière. Leur tête n'était guère plus grosse qu'un petit ballon de plage mais, fait plus remarquable encore, des lumières brillaient comme des spots à la place de leurs orbites. Il était facile de savoir ce que ces êtres étranges étaient en train de regarder.

Les garçons ne pouvaient s'empêcher de rester là, bouche bée. Les trois Coprolithes ne semblaient pas les remarquer le moins du monde. Pourtant ils pouvaient difficilement passer inaperçus avec leurs lanternes réglées au maximum de leur intensité.

Mais les Coprolithes ne manifestaient pas le moindre signe de reconnaissance. Au lieu de cela, ils se déplaçaient avec la lenteur du bétail aux pâturages, leurs faisceaux oculaires balayant les alentours tels des phares nonchalants sans jamais se poser sur les garçons. Puis deux de ces étranges créatures pivotèrent lentement sur elles-mêmes. Leurs faisceaux oculaires éclairèrent les flancs bâbord et tribord de la péniche avant de s'arrêter sur la proue.

Soudain le troisième Coprolithe se retourna pour leur faire face. Il se déplaçait plus vite que ses compagnons et balaya rapidement les trois compères de ses faisceaux oculaires ; Cal retint son souffle lorsqu'il vit le Coprolithe mettre une main dodue en visière et lever l'autre comme pour les saluer. Cette étrange créature tournait la tête de gauche à droite comme s'il essayait de mieux les apercevoir.

Cette rencontre silencieuse fut brève. La péniche poursuivit sa trajectoire rectiligne, s'enfonçant dans la pénombre. Le Coprolithe leur faisait toujours face, mais les deux points lumineux à l'emplacement de ses yeux s'évanouissaient peu à peu dans le lointain, derrière les volutes de fumée de la cheminée, jusqu'à disparaître complètement dans le noir.

— On devrait pas filer d'ici ? demanda Chester. Ils ne vont pas donner l'alerte ?

— Non, impossible... Ils ne prêtent pas attention aux étrangers. Ils sont débiles... Ils se contentent de travailler à la mine et de troquer ce qu'ils en extraient avec la Colonie contre des trucs comme les fruits et les globes lumineux que transportait le train.

— Mais que va-t-il se passer s'ils parlent de nous aux Styx ? insista Chester.

— Je viens de te le dire... Ils sont débiles. Ils ne parlent pas, rétorqua Cal d'un ton las.

— Mais qui sont-ils au juste ? demanda Will.

— Ce sont des hommes... en quelque sorte... Ils portent ces combinaisons à cause de la chaleur et du mauvais air qui règnent ici.

— La radioactivité, rectifia Will.

— Comme tu voudras. C'est dans la roche, dit Cal avec un grand geste. C'est pour ça qu'aucun des miens ne traîne bien longtemps dans le coin.

— Oh, trop bien ! De mieux en mieux, déclara Chester d'une voix plaintive. Ça veut dire que non seulement on ne peut pas retourner à la Colonie, mais on ne peut pas non plus rester ici. De la radio-activité ! Ton père avait raison, Will, on va finir grillés dans ce trou paumé !

— Je suis sûr que ça va aller pendant un temps, répondit Will sans grande conviction pour alléger les craintes de son ami.

— Super, super, vraiment super ! grommela Chester, puis il retourna à l'endroit où ils avaient laissé leurs sacs à dos en marmon-nant toujours.

— Il y avait quelque chose d'anormal, confia Cal à Will quand ils furent seuls.

— Qu'est-ce que tu veux dire ?

— Eh bien, tu as vu la manière dont ce Coprolithe nous regardait ? dit Cal en secouant la tête d'un air confus.

— Oui, j'ai vu ça. Mais tu viens de nous dire qu'ils ne faisaient pas attention aux étrangers.

— Je confirme... Je les ai vus des centaines de fois dans la caverne Sud, et ils ne regardent jamais personne. Ils ne te regardent jamais droit dans les yeux. Et puis, il se déplaçait bizarrement... trop vite pour un Coprolithe. Il avait un comportement tout à fait anormal.

Cal marqua un temps d'arrêt pour se gratter le front d'un air pensif.

— Peut-être que les choses sont différentes ici. Après tout, nous sommes sur leur territoire. Mais c'est quand même bizarre.

— C'est vrai, répondit Will, songeur.

Il ne se doutait pas qu'il venait de croiser son père.

Chapitre Quinze

Le Dr Burrows s'agita. Il pensait avoir entendu le doux carillon qui sonnait l'heure du réveil chaque matin dans le camp coprolithe. Il écouta attentivement pendant un instant, puis fronça les sourcils. Tout était silencieux.

– J'ai dû dormir trop longtemps, se dit-il en se frottant le menton, surpris de ne plus sentir la longue barbe hirsute qu'il avait si longtemps arborée.

Elle lui manquait depuis qu'il l'avait rasée. Il s'était inconsciemment attaché à l'image qu'il présentait ainsi. Il s'était fait la promesse qu'il la laisserait de nouveau pousser à l'occasion de son retour glorieux à la Surface, un jour ou l'autre. Il aurait ainsi fière allure, avec sa photo à la une de tous les journaux. Il imaginait déjà les gros titres : *Le Robinson Crusoë du monde souterrain, Le Sauvage des profondeurs, Dr Hadès...*

Ça suffit, se dit-il, interrompant cette rêverie narcissique.

Il tira sa couverture de grosse toile et s'assit sur le court matelas rembourré d'un matériau semblable à de la paille. Il était trop court même pour un homme de taille moyenne comme lui, et ses jambes en dépassaient de près de cinquante centimètres.

Il chaussa ses lunettes et se gratta la tête. Il avait essayé de se couper lui-même les cheveux, et ce n'était pas vraiment une réussite. Il les avait taillés presque à ras par endroits, en laissant des touffes de plusieurs centimètres de long à d'autres. Il fit le tour de sa tête en se grattant encore plus vigoureusement le cuir chevelu, puis se mit à se frotter le torse et les aisselles. Fort mécontent, il observa ses doigts d'un air absent.

– Journal ! s'exclama-t-il soudain. Je n'ai rien écrit hier.

Il était rentré si tard qu'il avait complètement oublié de consigner le récit des événements du jour. Il fit claquer sa langue contre ses dents en récupérant le livre qu'il avait placé sous son lit. Il l'ouvrit à la page où figurait l'en-tête suivant :

« JOUR 141 ».

Il se mit alors à écrire juste en dessous en sifflotant tout du long un air quelconque et décousu :

« Je me suis gratté jusqu'au sang durant la nuit. »

Il marqua une pause et lécha le bout de son crayon à papier d'un air songeur avant de poursuivre :

« Ces poux sont tout bonnement insupportables, et ça ne fait qu'empirer. »

Il jeta un coup d'œil dans la petite pièce quasi circulaire qui devait mesurer quatre mètres sur quatre environ, puis leva les yeux vers le plafond concave. Les murs avaient une texture irrégulière comme si on avait appliqué à la main le matériau dans lequel ils avaient été façonnés – plâtre, boue ou autre. Il avait l'impression de se trouver dans un grand bocal. Il savait maintenant ce que devait ressentir un génie piégé dans une bouteille et cette pensée l'amusait beaucoup. La seule issue se trouvait juste sous ses pieds, au centre de la pièce, ce qui accentuait encore cette impression. L'orifice était couvert par une pièce de métal martelé qui ressemblait à un vieux couvercle de poubelle.

Il regarda sa combinaison pendue à une patère en bois rivée dans le mur, tels les restes de la mue d'un lézard. Une lumière jaillissait des orbites dans lesquelles étaient insérés les globes lumineux. Il aurait dû l'enfiler, mais il se sentait le devoir de finir d'abord l'entrée du jour précédent. Il reprit donc sa rédaction.

« J'ai senti que le moment était venu pour moi de continuer ma route. Les Coprolithes... »

Il hésita. Il se demandait s'il devait employer le nom inventé pour désigner ces gens, présumant qu'ils n'appartenaient pas à l'espèce *Homo Sapiens*, hypothèse qu'il n'avait pas encore pu étayer. « *Homo Caves* », dit-il, avant de secouer la tête. Non, ça ne convenait pas. Il ne voulait pas rendre les choses encore plus confuses avant d'avoir bien étudié les faits. Il se remit donc au travail.

« D'après moi, les Coprolithes essaient de me faire comprendre que je devrais m'en aller, même si je ne sais pas pourquoi.

» Je ne crois pas qu'ils me reprochent quoi que ce soit. Il se peut que je me trompe, mais je suis certain qu'ils ont changé d'humeur une fois arrivés au campement. Au cours des dernières vingt-quatre heures, ils se sont montrés bien plus actifs qu'au cours des deux derniers mois. À voir les réserves de nourriture qu'ils constituaient et l'assignation à demeure des femmes et des enfants, on aurait dit qu'ils se comportaient comme s'ils étaient assiégés. Il pouvait bien entendu s'agir de simples mesures de précaution qu'ils mettent en pratique de temps à autre – mais je suis malgré tout persuadé que quelque chose se prépare.

» Il semble donc qu'il soit temps pour moi de reprendre mes voyages. Les Coprolithes me manqueront énormément. Ils m'ont accueilli au sein de leur société pacifique où ils semblent vivre en parfaite harmonie les uns avec les autres, tout comme avec moi, ce qui est plus surprenant encore. Peut-être est-ce parce que je n'appartiens ni au peuple des Colons ni à la caste des Styx, et qu'ils savent que je ne représente aucune menace pour eux ou leurs enfants.

» Leur progéniture ne laisse pas de me fasciner ; leurs enfants se montrent presque toujours téméraires et joueurs, et je dois me rappeler sans cesse que les jeunes appartiennent bien à la même espèce que les adultes. »

Le Dr Burrows cessa de siffloter et se mit à glousser. Il se souvenait des adultes qui refusaient de soutenir son regard lors de ses premières tentatives de contact. Ils détournaient leurs petits yeux gris en adoptant une posture maladroite et soumise. Son propre tempérament différait tant du leur qu'il se voyait parfois dans le rôle d'un héros de western, flingueur solitaire qui aurait traversé les prairies pour rejoindre une ville de paysans ou de mineurs dociles. Pour eux, le Dr Burrows était un héros, un homme, un vrai, puissant et conquérant.

Quelle plaisanterie ! Lui !

Continue, tu veux bien, se dit-il, puis il reprit son ouvrage.

« L'un dans l'autre, c'est un peuple doux, d'une discrétion constante. Je peux difficilement dire que j'ai appris à les connaître. Peut-être qu'après tout les heureux débonnaires avaient vraiment hérité de la terre.

» Je n'oublierai jamais la miséricorde dont ils ont fait preuve en venant à mon secours. J'en ai déjà traité dans mon journal, mais à présent que je m'apprête à partir, j'y songe très souvent. »

Le Dr Burrows s'arrêta, leva les yeux et scruta le lointain quelques instants. Il semblait avoir oublié ce qu'il cherchait dans ses souvenirs.

Il se mit alors à feuilleter son journal jusqu'à ce qu'il trouve enfin l'entrée qui correspondait à son premier jour dans les Profondeurs.

« Les Colons étaient inamicaux et peu communicatifs lorsqu'ils m'ont fait descendre du train des mineurs pour m'amener devant l'entrée d'une conduite de lave – c'est ainsi qu'ils désignaient cette galerie – après moult détours. Ils m'ont dit de la suivre jusqu'à la Grande Plaine, et que je trouverais ce que je cherchais en chemin. Lorsque j'ai tenté de leur poser des questions, ils se sont montrés très hostiles.

» Je n'allais pas me disputer avec eux. J'ai donc fait ce qu'ils m'avaient demandé. Je me suis éloigné d'un pas vif, puis je me suis arrêté une fois hors de vue. Je n'étais pas convaincu d'être dans la bonne direction. Je les soupçonnais de vouloir m'égarer dans un labyrinthe de galeries, je suis donc retourné sur mes pas... »

Le Dr Burrows fit à nouveau claquer sa langue et secoua la tête.

« ... et je me suis complètement perdu. »

Il tourna la page d'un geste vif comme s'il était encore furieux contre lui-même, puis il parcourut la description de la maison vide et des cabanes alentour qu'il avait découvertes.

Il passa cette entrée comme si elle ne l'intéressait guère pour se concentrer sur une page couverte de salissures. Son écriture n'était jamais très lisible, mais là c'était encore pire. Des phrases rédigées à la hâte zébraient la page en tous sens au mépris des lignes du cahier. Il lui était même arrivé d'écrire par-dessus d'autres phrases, si bien qu'on aurait cru voir un jeu de mikado. Il avait écrit au bas de plusieurs pages successives « PERDU », en grosses lettres capitales et d'un trait de moins en moins assuré.

Brouillon, que c'est brouillon. Mais j'étais mal en point.

Puis un passage attira son attention, et il se mit à le lire à voix haute.

« Je ne puis estimer avec certitude depuis combien de temps j'erre dans ce labyrinthe de galeries. Je perds parfois espoir, et j'ai même commencé à me résigner à l'idée que je n'en ressortirai peut-être jamais. Mais tout ça n'aura pas été vain... »

Juste en dessous de ce passage, un intertitre annonçait fièrement la découverte du Cercle de pierre. Les pages suivantes étaient couvertes de dessins. Le Dr Burrows avait croqué les pierres qui composaient le monument souterrain qu'il avait découvert par hasard. Il avait non seulement repéré la position et la forme de chacune des pierres, mais aux coins de chaque page il avait dessiné des cercles dans lesquels il avait consigné avec précision les symboles et les drôles d'inscriptions dont elles étaient ornées, comme s'il les avait observées à la loupe. Il avait repris espoir en trouvant ces inscriptions malgré sa soif et sa faim grandissantes. Il ne savait pas combien de temps il pourrait tenir avec ses réserves, et il s'était efforcé d'en consommer le moins possible au fil des jours.

Il esquissa un sourire satisfait en lisant ces pages, admirant chacun de ses travaux.

– Parfait, parfait.

Il s'arrêta en pinçant les lèvres pour réprimer un cri d'étonnement lorsqu'il lut en haut de la page suivante :

« Les cavernes aux tablettes ».

Il avait rédigé quelques lignes juste en dessous.

« Après avoir découvert le Cercle de pierre, j'ai cru que c'était mon jour de chance. Je n'avais pas compris que j'allais tomber sur quelque chose de tout aussi important, peut-être plus encore. Les cavernes étaient remplies de quantité de tablettes couvertes d'inscriptions assez semblables à celles gravées sur les menhirs. »

Le passage était suivi de dizaines de pages couvertes de dessins de tablettes. Il avait soigneusement recopié les inscriptions gravées dans la pierre. Mais les dessins devenaient au fur et à mesure de plus en plus brouillons, jusqu'à ressembler à l'œuvre d'un jeune enfant.

« Il faut que je continue à travailler », avait-il écrit avec tant de force sous l'une de ses esquisses bâclées qu'il avait gravé ces mots dans le papier et l'avait même transpercé par endroits.

« Il faut que je déchiffre ces écritures ! C'est la clef pour découvrir qui habitait ici ! Il faut que je le sache, il le faut... »

Il passa le doigt sur les sillons qu'il avait ainsi creusés en essayant de se remémorer dans quel état d'esprit il se trouvait à ce moment-là. Tout était flou. Il était à court de vivres, et il avait fébrilement poursuivi ses travaux sans se préoccuper de ses réserves d'eau. Il fut très surpris de s'apercevoir qu'il avait épuisé son stock.

Il continuait à fouiller dans sa mémoire, mais en vain. Il regarda la note qu'il avait gribouillée d'un trait plus net, presque désespéré, au milieu d'une esquisse qu'il n'avait jamais terminée.

« Il faut que je continue à travailler. Mes forces m'abandonnent. Les pierres me semblent de plus en plus lourdes lorsque je les retire des piles pour les examiner. Je frémis à l'idée d'en laisser tomber ne serait-ce qu'une seule. Il faut que je res... »

La phrase s'arrêtait là. Il n'avait pas le moindre souvenir de ce qui s'était passé ensuite, si ce n'est que, pris d'une sorte de délire, il était parti en titubant à la recherche d'une source. Mais n'ayant rien découvert, il avait réussi d'une façon ou d'une autre à retrouver le chemin des Cavernes aux tablettes.

Après une page blanche, on pouvait lire « Jour ? » suivi de : « Des Coprolithes. Je me demande encore si j'aurais pu survivre si les deux enfants qui m'ont découvert par hasard n'étaient partis quérir des adultes. Il est probable que non. Je devais être dans un mauvais jour. J'ai le souvenir d'étranges silhouettes qui se penchaient sur mon journal, des faisceaux de leurs lampes qui s'entrecroisaient tandis qu'ils scrutaient les pages sur lesquelles j'avais tracé mes esquisses, mais je ne sais pas si je l'ai vraiment vu, ou si c'est juste le fruit de mon imagination. »

— Je digresse. Ça ne va pas du tout, dit-il en agitant la tête d'un air grave. L'entrée datée d'hier ! Je dois la terminer !

Il feuilleta les pages jusqu'à ce qu'il trouve celle où il avait commencé à consigner la fameuse entrée et se remit à l'ouvrage.

Il écrivit :

« Le matin, après m'être habillé, j'ai traversé la zone commune où une douzaine d'enfants coprolithes de tous âges jouaient à un jeu assez semblable aux billes. Je me rendais aux magasins pour y prendre mon petit déjeuner. Les enfants accroupis s'amusaient à faire rouler ces grosses billes d'ardoise polie sur une aire dégagée en tentant de renverser une quille en pierre sculptée qui ressemblait vaguement à un homme.

» Tour à tour, ils lançaient leurs billes, mais aucun d'eux ne parvenait à faire chuter la quille. L'un des plus jeunes enfants m'a tendu une bille. Elle était plus légère que je ne l'aurais cru et elle m'a d'abord échappé des mains à plusieurs reprises (je ne m'étais toujours pas habitué aux gants), puis, avec quelque difficulté, je suis parvenu à la placer entre mon pouce et mon index. J'étais en train d'ajuster maladroitement mon tir lorsque, à ma plus grande surprise, la bille grise s'est animée ! Elle s'est déroulée, puis s'est mise à arpenter le creux de ma paume ! C'était un énorme cloporte. Jamais je n'en avais vu d'aussi gros.

» Je dois dire que j'ai eu un tel choc que je l'ai laissé choir sur le sol. Il avait quelques traits en commun avec l'*Amadillidium vulgare*, ou armadille vulgaire, mais ce spécimen devait avoir pris des stéroïdes ! Il avait plusieurs paires de pattes articulées dont il savait fort bien se servir : il détala à la vitesse de plusieurs nœuds avec la troupe d'enfants à ses trousses qui gloussaient sous leurs combinaisons. Ils trouvaient la scène hilarante.

» Un peu plus tard le même jour, j'ai vu deux membres plus âgés qui s'apprêtaient à quitter le campement, vêtus de leurs combinaisons. Ils se tenaient là, tête contre tête — peut-être conversaient-ils ? Je n'ai jamais entendu leur langue. Pour autant que je sache, ils pourraient tout aussi bien parler anglais.

» Je les ai suivis, ce qui n'a pas semblé les déranger. Rien ne semble d'ailleurs jamais les troubler. Nous sommes sortis du campement, et quelqu'un a replacé derrière nous le rocher qui bloquait l'entrée. Étant donné que leurs campements sont creusés à même le sol de la Grande Plaine et que les issues latérales qui permettent d'en sortir sont parfois découpées directement dans le toit, ils sont presque invisibles pour un observateur non averti. J'ai marché derrière les deux Coprolithes plusieurs heures durant, puis nous avons quitté la Grande Plaine et emprunté un passage qui descendait en pente raide jusqu'à une sorte de zone portuaire.

» De taille conséquente, la zone comportait des rails de gros gabarit qui couraient le long d'un bassin (d'après moi, ce sont les Coprolithes qui ont posé les rails du train des mineurs et creusé le réseau de canaux — deux immenses entreprises). Trois péniches étaient amarrées au quai et, à ma plus grande satisfaction, les Coprolithes ont embarqué sur le vaisseau le plus proche. Je n'étais jamais monté à bord de l'un de ces bateaux. Il était chargé de charbon récemment extrait et fonctionnait à la vapeur. Je les ai alors regardés enfourner le charbon, puis l'allumer à l'aide d'un briquet à amadou.

» Une fois la pression suffisante, nous nous sommes mis en route et sommes sortis du bassin pour naviguer sur des kilomètres et des kilomètres de canaux couverts. Nous nous sommes arrêtés plusieurs fois pour actionner les écluses — j'ai parfois débarqué pour les regarder tourner les manivelles.

» Au fil de mon voyage, je me suis mis à songer à la manière dont ce peuple et les Colons dépendaient les uns des autres et vivaient en une symbiose informelle. Je dirais malgré tout que les fruits et les globes lumineux qu'ils reçoivent sont une bien maigre compensation en échange des tonnes de charbon et de minerai de fer qu'ils fournissent à la Colonie. Ces gens sont passés maîtres dans l'art de l'extraction minière et travaillent avec d'imposants engins à vapeur (se reporter à l'appendice 2 pour voir mes croquis).

» Nous avons traversé les zones extrêmement chaudes décrites plus haut. La lave doit couler juste sous la roche. Je n'ose même pas imaginer la température ambiante à l'extérieur de ma combinaison. Nous avons enfin retrouvé la Grande Plaine, filant à vive allure à présent que rugissait la chaudière, et je commençais à sentir le poids de la fatigue (à la longue, ces combinaisons sont sacrément lourdes), lorsque je vis un groupe de Colons sur les berges du Canal.

» Ce n'était certainement pas des Styx, et je crois que je leur ai fait peur. Il étaient trois et formaient une fine équipe. Ils avaient l'air perdus et plutôt nerveux. Je n'ai pas pu voir grand-chose à cause du reflet des globes lumineux placés de part et d'autres des œillères sur le verre de mes lunettes.

» Ils ne ressemblaient pas à des Colons adultes, je n'ai donc pas la moindre idée de ce qu'ils faisaient si loin du train. Ils nous ont regardé passer, bouche bée, mais, comme à leur habitude, les deux Coprolithes qui m'accompagnaient ne les ont même pas remarqués. J'ai tenté de leur faire signe, mais ils n'ont pas réagi. Peut-être avaient-ils eux aussi été bannis de la Colonie, ce qui aurait dû m'arriver si je n'avais pas eu envie de me rendre à l'Intérieur. »

Le Dr Burrows lut à nouveau ce dernier paragraphe, puis il se laissa aller à la rêverie, le regard perdu dans le vague. Il imaginait son journal délabré posé dans une vitrine, ouvert à cette même page, au cœur de la British Library, ou peut-être même à Washington, au musée Smithsonian.

– L'Histoire, se dit-il. Tu es en train d'écrire l'Histoire.

Il finit par enfiler sa combinaison puis, après avoir déplacé la porte en forme de couvercle de poubelle, il descendit les marches creusées dans les murs. Arrivé sur le sol bien ratissé, il regarda tout autour de lui. Le son de sa propre respiration résonnait dans ses oreilles.

Il avait raison. Quelque chose se tramait.

Il s'était bien passé quelque chose.

Le campement était anormalement sombre et complètement désert.

Au centre de la zone commune brûlait une unique lampe à la lumière vacillante. Le Dr. Burrows se dirigea vers la source lumineuse en longeant le mur. Il jeta un coup d'œil aux habitacles qui se trouvaient juste au-dessus de sa tête et constata que toutes les trappes étaient ouvertes. Les Coprolithes ne les laissaient jamais ainsi.

Son intuition se confirmait. On avait évacué le campement pendant son sommeil.

Il s'approcha de la lampe à huile posée au milieu de la zone. On l'avait suspendue au-dessus d'une table en roche encastrée dans une armature en fer rouillé. Tel un miroir, la surface noire et lisse mouchetée de quelques taches blanches renvoyait la lumière. On y avait déposé des paquets rectangulaires soigneusement emballés dans du papier de riz. Il en prit un pour le soupeser dans sa main.

— Ils m'ont laissé des vivres, dit-il.

Pris par une soudaine vague de tendresse pour ces êtres si bons avec lesquels il avait si longtemps vécu, il leva la main pour essuyer les larmes qui perlaient à ses yeux, mais sa main gantée se heurta aux lentilles de verre du casque bulbeux dont il était affublé.

— Vous me manquerez, dit-il, d'une voix chevrotante et à peine audible sous les épaisseurs de sa combinaison.

Il secoua vivement la tête pour mettre fin à cette émotion. Il se méfiait de tels épanchements sentimentaux. Si jamais il y cédait, il savait que la culpabilité d'avoir abandonné sa famille — sa femme, Célia, et ses enfants, Will et Rebecca — ne tarderait pas à le ronger.

Non. De pareilles émotions étaient un luxe qu'il ne pouvait s'accorder. Pas maintenant. Il poursuivait un but, et rien ne pouvait le faire dévier de sa trajectoire.

Il se mit à ramasser les paquets, lorsqu'il aperçut un rouleau de parchemin. Il reposa rapidement ses provisions sur la table pour le dérouler.

Il s'agissait de toute évidence d'une carte tracée à gros traits et dont les marges étaient couvertes de symboles stylisés. Il tourna le parchemin d'un côté puis de l'autre pour essayer de se situer. Il lâcha un « Oui ! » triomphal lorsqu'il reconnut enfin le campement, puis traça du bout du doigt les contours noircis de la Grande Plaine. De fines lignes parallèles partaient de cette limite ; il s'agissait bien entendu de galeries. Juste à côté figuraient des symboles qu'il ne déchiffra pas tout de suite. Il fronça les sourcils, complètement absorbé par la contemplation de la carte.

Ces créatures maladroites et effacées lui avaient donné ce dont il avait besoin. Elles lui avaient montré la voie.

Il leva ses mains jointes à hauteur de son visage et les tordit dans une prière pleine de gratitude.

— Merci, merci, dit-il tandis que les images de son prochain voyage se bousculaient déjà dans sa tête.

Deuxième Partie

Retour au bercail

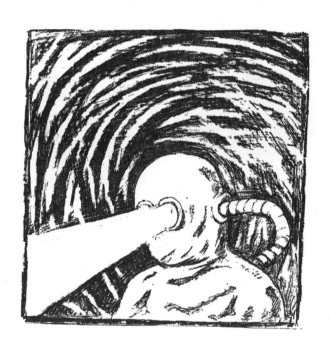

Chapitre Seize

Sarah accrocha le store parcheminé à la patère et jeta un regard par la petite fenêtre de la voiture. Ils traversèrent de nombreuses galeries plongées dans la pénombre, puis, au détour d'un virage, elle aperçut enfin une zone illuminée.

À la lumière des réverbères, elle vit les premières rangées de maisons mitoyennes. Quelques portes étaient ouvertes, mais elle ne distinguait pas âme qui vive. Les petites maisons bordant le fronton étaient couvertes de hauts buissons de lichens noirs et de champignons qui avaient poussé là spontanément. La chaussée était jonchée de ce qui constituait autrefois le mobilier des maisons : des casseroles et des poêles, des meubles en morceaux.

La voiture ralentit pour contourner un gros éboulis. Une partie de la galerie s'était effondrée, et d'énormes blocs de calcaire avaient défoncé le toit d'une demeure, désormais presque entièrement écrasée sous le tas de pierres.

Sarah adressa un regard surpris à Rebecca, assise à ses côtés.

— On doit remblayer cette portion pour limiter les accès à la Surface. Depuis que votre fils est entré dans la Colonie, nous avons dû prendre certaines mesures, déclara Rebecca d'un ton détaché, tandis que la voiture reprenait de la vitesse, bringuebalant les passagers d'un côté à l'autre.

— C'est Will qui est à l'origine de tout ça? demanda Sarah en imaginant avec quelle cruauté on avait forcé les gens à quitter leurs demeures.

— Je vous l'ai dit. Il se fiche pas mal de la souffrance des autres. Vous n'avez pas idée de ce dont il est capable. C'est un sociopathe, et il faut que quelqu'un l'arrête.

Le vieux Styx qui se tenait à côté de Rebecca acquiesça avec conviction.

Ils continuèrent leur chemin à travers les galeries sinueuses et les voies pavées, s'enfonçant toujours plus profond, jusqu'à ce qu'ils dépassent un alignement de boutiques. Les planches clouées aux vitrines indiquaient qu'elles avaient dû fermer.

Ils poursuivirent leur descente vers la Colonie et, comme il n'y avait plus rien à voir, Sarah se renfonça dans son siège. Elle se sentait mal à l'aise et gardait les yeux rivés sur ses genoux. La voiture s'inclina soudain. L'une des roues venait de heurter un obstacle, projetant violemment les passagers vers l'avant. Sarah adressa un regard paniqué à Rebecca. Elle lui répondit par l'un de ses sourires rassurants tandis que la voiture se remettait d'aplomb avec fracas. Les deux autres Styx étaient restés impassibles, comme pendant le reste du voyage. Sarah leur jetait des coups d'œil furtifs, incapable de réprimer sa frayeur.

Imaginez un peu.

Les ennemis qu'elle avait honnis de toutes les fibres de son âme se trouvaient à quelques centimètres d'elle. Ils étaient devenus ses compagnons de voyage. Ils étaient si proches qu'elle sentait leur odeur. Elle se demandait pour la mille et unième fois ce qu'ils lui voulaient vraiment. Peut-être, arrivés à bon port, allaient-ils tout simplement la jeter en prison pour la bannir ensuite, ou encore l'exécuter. Mais pourquoi se donner tant de peine, alors ? Elle avait une irrépressible envie de s'enfuir et se mit à évaluer ses chances. Jusqu'où parviendrait-elle ? Elle contemplait la poignée de la portière en agitant les doigts lorsque Rebecca étendit le bras et posa sa main sur les siennes pour l'apaiser.

– Nous ne sommes plus très loin.

Sarah essaya de sourire, mais remarqua tout à coup que le vieux Styx la dévisageait à la lumière d'un réverbère. Ses pupilles n'étaient pas tout à fait aussi noires que celles des autres Styx, mais comportaient une nuance indéfinissable – quelque chose entre le rouge et le brun – qui, pour elle, était encore plus sombre et plus profonde que le noir même.

Sarah ressentit alors un intense malaise, comme si cet homme lisait dans ses pensées. Mais il détourna la tête pour regarder à nouveau par la fenêtre et resta ainsi pendant tout le reste du voyage, même lorsqu'il prit enfin la parole pour la première et dernière fois. Il avait l'allure de quelqu'un à qui les années ont donné la sagesse.

Il ne se lançait pas dans les diatribes vengeresses auxquelles les autres Styx l'avait habituée et semblait peser soigneusement chacun de ses mots avant d'ouvrir sa bouche aux lèvres fines.

– Nous ne sommes pas si différents, Sarah, dit-il.

Elle avança la tête vers lui. Elle était fascinée par les profondes pattes-d'oie qui s'enroulaient au coin de ses yeux comme s'il s'apprêtait à sourire – ce qui ne lui arrivait jamais.

– On ne peut pas nous reprocher de ne pas admettre qu'une poignée de gens, les quelques élus, ne sont pas si différents de nous, les Styx.

Il cligna lentement des yeux, alors qu'ils dépassaient un très gros réverbère dont la lumière éblouissante illumina chaque recoin de la voiture. Sarah vit alors qu'aucun des deux autres ne les regardait tandis que ce dernier continuait ses explications.

– Nous nous isolons du reste du monde, et de temps à autre survient quelqu'un comme vous. Vous avez une force qui vous distingue des autres. Vous nous résistez avec la même passion et la même ferveur que celle que nous attendons des nôtres. Vous vous battez pour vous faire reconnaître, pour ce en quoi vous croyez – peu importe ce dont il s'agit – et nous ne vous écoutons pas.

Il marqua une pause et prit une longue inspiration d'un souffle mesuré.

– Pourquoi ? Parce que nous dominons le peuple de la Colonie depuis tant d'années – pour le bien commun – et que nous vous traitons de la même façon. Mais vous n'êtes pas tous sortis du même moule. Même si vous faites partie des Colons, Sarah, vous êtes passionnée et déterminée, et très, très différente... Peut-être devrions-nous vous tolérer, ne serait-ce que pour le courage dont vous avez fait preuve.

Longtemps après qu'il eut fini son discours, Sarah ne l'avait toujours pas quitté des yeux. Elle se demandait s'il attendait une réponse de sa part. Elle n'avait pas la moindre idée du message qu'il avait voulu lui transmettre. Essayait-il de lui témoigner quelque compassion ? Était-ce une tentative de séduction à la manière styx ?

Ou bien était-ce une invitation des plus étranges, sans aucun précédent, à rejoindre les Styx ? *Non, c'était impossible.* C'était impensable. Cela n'arrivait jamais. Les Styx et les Colons appartenaient à deux races différentes, les oppresseurs et les opprimés, comme l'avait indiqué le vieux Styx. Les opposés ne devaient jamais se rencontrer... Il en était ainsi depuis toujours, et ce jusqu'à la fin des temps.

Elle n'arrivait pas à chasser cette pensée de son esprit. Elle essayait de comprendre où il avait voulu en venir, c'est alors qu'une autre possibilité émergea. Venait-il tout simplement de reconnaître l'échec des Styx ? Était-ce une façon de lui présenter des excuses tardives pour avoir laissé mourir son bébé ? Elle s'interrogeait encore lorsque la calèche s'arrêta devant le Portail à la tête de mort.

Sarah ne l'avait franchi qu'une dizaine de fois dans sa vie, alors qu'elle accompagnait son mari pour quelque tâche officielle dans le Quartier. Elle l'attendait dehors dans la rue – lorsqu'on admettait sa présence au sein de la réunion, elle était censée garder le silence. Les choses étaient ainsi dans la Colonie. Les femmes n'étaient pas considérées comme les égales des hommes et ne pouvaient occuper aucun poste à responsabilité.

Elle avait entendu des rumeurs selon lesquelles il en allait différemment chez les Styx. À dire vrai, elle en avait la preuve vivante assise en face d'elle : Rebecca. Sarah avait du mal à croire que cette enfant puisse détenir un tel pouvoir. Elle avait également entendu, surtout de la bouche de Tam, qu'il y avait un cercle intérieur, une sorte d'aristocratie au sommet de la hiérarchie styx, mais il ne s'agissait que de pures spéculations de sa part. Les Styx vivaient loin des Colons, et personne ne savait exactement ce qui se passait chez eux. Des rumeurs circulaient à voix basse dans les tavernes au sujet de leurs étranges rituels religieux, et ces histoires s'enrichissaient de nouveaux éléments à chaque nouvelle version.

Sarah se prit à penser que cette fille pouvait très bien appartenir à la famille du vieux Styx. Si l'on en croyait la rumeur, les Styx n'avaient pas de cercles familiaux traditionnels. Dès leur plus jeune âge, les enfants étaient enlevés à leur famille et élevés par des mentors ou des maîtres désignés dans des écoles privées.

Mais Sarah sentait quelque chose de plus entre ces deux-là, assis dans le noir, une forme de lien qui dépassait l'allégeance que se témoignaient les Styx les uns aux autres. Malgré son grand âge et son visage insondable, il y avait quelque chose de paternel ou de familier, dans le comportement du vieux Styx vis-à-vis de la jeune fille.

Quelqu'un toqua à la portière de la calèche, puis l'ouvrit, interrompant la méditation dans laquelle Sarah s'était plongée. La lumière aveuglante de sa lanterne éclaira l'intérieur, et elle dut se protéger les yeux. Puis le jeune Styx assis à côté d'elle échangea quelques clics aigus avec l'homme à la lanterne, qui se retira presque aussitôt. Sarah entendit alors le bruit métallique de la herse du Portail à la tête de mort. Elle ne se pencha pas pour regarder par la fenêtre, mais imagina le portail en fer forgé qui disparaissait sous la gigantesque effigie sculptée dans la pierre.

Le portail servait à prévenir la fuite des habitants des immenses cavernes. Évidemment, Tam avait trouvé d'innombrables façons de contourner cette barrière principale, comme s'il avait joué à cache-cache. Chaque fois que l'on avait découvert l'une de ses routes de contrebande, il avait toujours réussi à trouver un autre itinéraire pour se rendre en Surface.

Sarah avait en effet suivi l'un des itinéraires dont il lui avait parlé pour s'enfuir à travers un conduit de ventilation. Elle sourit tristement en repensant à cet homme imposant qui s'était appliqué pour dessiner de sa grosse main d'ours une carte détaillée à l'encre brune, sur un carré de tissu de la taille d'un petit mouchoir. Elle savait que cette voie était à présent caduque. Avec leur efficacité habituelle, les Styx devaient l'avoir rebouchée au cours des heures qui avaient suivi sa fuite.

La voiture bondit en avant, filant à une allure incroyable vers les profondeurs de la Colonie. L'atmosphère changea soudain : une odeur de brûlé lui emplit les narines et tout se mit à vibrer avec un grondement sourd. Ils passaient devant les principales stations de ventilation. Logés dans une immense zone creusée dans le plafond de la Colonie, d'invisibles ventilateurs géants brassaient l'air jour et nuit, aspirant la fumée et l'air vicié.

Elle renifla, puis inhala profondément. Là-haut, tout était plus concentré ; la fumée et les gaz, les odeurs de cuisine, du mildiou, de la pourriture et des charognes, tout comme la puanteur collective qui émanait des innombrables êtres humains qui séjournaient dans de vastes zones reliées entre elles par des galeries. Le parfum de la Colonie.

La voiture effectua un virage serré. Sarah s'agrippa au rebord de son siège en bois pour éviter de percuter le jeune Styx en glissant sur la surface polie par les ans.

Plus proches.

Ils étaient de plus en plus proches.

Alors qu'ils poursuivaient leur descente, elle se pencha vers la fenêtre avec un mouvement d'impatience.

Elle contemplait le monde de l'ombre qui jadis était le seul qu'elle ait jamais connu.

À cette distance, les maisons de pierre, les ateliers, les boutiques, les temples bas et les larges bâtiments administratifs qui composaient la Caverne Sud ressemblaient énormément à ceux qu'elle avait laissés derrière elle. Elle n'était pas surprise. La vie sous terre était aussi constante que la pâle lumière des globes qui brillaient depuis trois siècles, vingt-quatre heures sur vingt-quatre, et semaine après semaine.

La calèche dévala la pente et s'engagea dans les rues à toute allure, tandis que les gens s'écartaient vivement de sa route et rangeaient bien vite leur charrette à bras le long du trottoir pour éviter de se faire écraser.

Sarah vit l'air affolé des Colons qui regardaient filer la voiture. Les enfants les montraient du doigt, mais les parents les tiraient en arrière dès qu'ils comprenaient que leur véhicule transportait des Styx. On ne fixait pas les membres de la caste dirigeante.

— Nous y voilà, annonça Rebecca en ouvrant la porte avant même qu'ils ne soient à l'arrêt.

Sarah tressaillit lorsqu'elle reconnut la rue familière. Elle était chez elle. Elle n'avait pas encore rassemblé ses idées, elle n'était pas encore prête à affronter cela. Elle se releva en vacillant et suivit Rebecca, qui d'un bond sauta du marchepied sur la chaussée.

Sarah rechignait à quitter la calèche et s'attardait sur le seuil.

— Venez donc avec moi, invita Rebecca d'une voix douce.

Elle prit Sarah par la main et l'entraîna encore tremblante dans la pénombre de la caverne. Tandis qu'elle se laissait conduire ainsi, Sarah leva la tête pour regarder l'immense étendue rocheuse qui surplombait la ville souterraine. De la fumée montait tranquillement des cheminées comme si l'on avait accroché des rubans à la canopée de pierre. Les volutes ondoyaient légèrement tandis que les immenses conduits d'aération placés tout autour de la paroi soufflaient un air frais dans la caverne.

Rebecca tirait Sarah en avant en lui tenant fermement la main. Dans un bruit métallique, une autre calèche se gara juste derrière celle dont elles venaient de descendre. Sarah distingua à peine Joe Waites derrière la vitre du véhicule, puis elle pivota sur elle-même pour se retrouver face à la rangée de maisons identiques. La rue était vide, ce qui était inhabituel à cette heure, et elle sentit aussitôt croître son malaise.

— J'ai pensé que vous aimeriez autant éviter d'affronter une foule de badauds, dit Rebecca comme si elle avait deviné la pensée de

Sarah. C'est pourquoi j'ai fait déployer un cordon de sécurité tout autour de la zone.

— Ah... répondit calmement Sarah. Il n'est pas là, n'est-ce pas?

— Nous avons suivi vos instructions à la lettre.

Dans la pièce souterraine de Highfield, Sarah avait insisté sur un point : elle ne supporterait pas de revoir son mari, même après tout ce temps. Elle ne savait pas si c'était à cause des souvenirs du défunt bébé ou parce qu'elle l'avait trahi avant de l'abandonner.

Elle éprouvait toujours autant de haine à son égard, mais savait au fond d'elle-même qu'elle l'aimait encore.

Elle avança vers sa maison comme dans un rêve. L'extérieur n'avait pas changé, comme si elle avait quitté la demeure la veille et que les douze dernières années n'avaient jamais existé. Sarah était enfin chez elle, après tout ce temps passé à fuir, à vivre au jour le jour, tel un animal.

Elle toucha la profonde entaille qu'elle avait au cou.

— Ne vous inquiétez pas. Ça n'a pas l'air si méchant, dit Rebecca en lui pressant la main.

Et voilà que ça recommençait! Une enfant styx, progéniture de la pire espèce, essayait de la réconforter! Elle lui tenait la main et se comportait comme si elle était son amie. Le monde était-il devenu fou?

— Prête? demanda Rebecca.

Sarah se tourna vers la maison. La dernière fois qu'elle l'avait vue, on venait tout juste de faire la toilette mortuaire de son défunt bébé – *dans cette pièce-là*, pensa-t-elle en levant les yeux vers la chambre à l'étage. Celle qu'elle partageait avec son mari, celle où elle avait veillé tout au long de cette nuit effroyable. Et puis là-bas... Des images de son ancienne vie en compagnie de ses deux fils défilaient dans sa tête tandis qu'elle regardait le salon; elle se revoyait raccommoder leurs vêtements, nettoyer l'âtre le matin, apporter son thé à son mari lisant le journal, et puis il y avait la voix grave de son frère Tam qui semblait venir d'une autre pièce et dont le rire se faisait plus sonore à mesure qu'il trinquait. *Oh, si seulement il était encore en vie. Ce cher, très cher Tam.*

— Prête? demanda de nouveau Rebecca.

— Oui, répondit Sarah avec assurance.

Elles gravirent lentement l'allée, mais Sarah recula sur le seuil.

— Tout va bien, lui dit Rebecca d'une voix apaisante. Votre mère vous attend, ajouta-t-elle avant d'entrer dans le couloir avec

Sarah à sa suite. Elle est là-bas. Allez la voir. Je vous attendrai dehors.

Sarah regarda le papier peint à rayures vertes qui lui était si familier, puis les portraits sévères des ancêtres de son mari, des générations d'hommes et de femmes qui n'avaient jamais vu ce qu'elle avait vu : le soleil. Puis elle posa la main sur l'abat-jour bleu gris d'une lampe posée sur la table du couloir, comme pour s'assurer que tout était bien réel, qu'elle n'était pas en proie à quelque rêve étrange.

— Prenez tout votre temps, conclut Rebecca, puis elle fit volte-face et quitta la maison d'un pas mesuré.

Sarah prit une profonde inspiration et se dirigea vers le salon avec la démarche d'un automate.

On avait fait du feu, et la pièce n'avait presque pas changé. Les murs étaient usés et décolorés par la fumée, mais l'endroit était encore accueillant et chaleureux. Elle approcha doucement du tapis persan, puis contourna le fauteuil en cuir à oreilles pour voir qui y était assis. Elle avait encore l'impression qu'elle allait se réveiller d'un instant à l'autre et que la scène se dissiperait tel un songe lointain.

— Maman ?

La vieille dame leva faiblement la tête, comme si elle sortait de sa torpeur, mais Sarah vit des larmes rouler le long de ses joues ridées. Sa mère portait un chignon mal apprêté et une robe noire ornée d'un col de simple dentelle fixé au plastron par une broche. Submergée par l'émotion, Sarah sentit le sol se dérober sous ses pieds.

— Maman, dit-elle d'une voix étranglée.

— Sarah, dit la vieille dame en se levant avec difficulté. Ils m'ont dit que tu viendrais, mais je n'osais pas l'espérer, dit-elle en tendant les bras vers Sarah, qui se mit à pleurer à son tour.

Sa mère l'étreignait de ses bras qui lui semblait bien frêles à présent. Les deux femmes restèrent ainsi jusqu'à ce que la vieille dame rompe enfin le silence.

— Il faut que je m'assoie, soupira-t-elle.

Sarah s'agenouilla devant son fauteuil sans lui lâcher les mains.

— Tu as l'air bien, mon enfant, dit sa mère.

Sarah ne savait quoi lui répondre. Elle était à bout de nerfs.

— La vie là-haut doit te convenir. Est-elle aussi mauvaise qu'ils le disent ?

Sarah s'apprêtait à répondre, puis elle se ravisa. Elle ne pouvait pas lui expliquer, et, à ce moment précis, les mots n'avaient guère d'importance pour les deux femmes. Une seule chose comptait : qu'elles soient enfin réunies.

— Tant de choses se sont passées, Sarah, hésita la vieille femme. Les Styx ont été bons envers moi. Ils m'envoient quelqu'un qui m'accompagne à l'église chaque jour afin que je puisse prier pour le salut de Tam. Ils m'ont dit que tu allais revenir, mais je n'osais pas les croire, répéta-t-elle en détournant les yeux vers la fenêtre – il lui était trop pénible de regarder Sarah. Je ne pouvais pas espérer te revoir un jour... une dernière fois... avant de mourir.

— Ne dis pas des choses pareilles, Maman, il te reste encore de belles années, rétorqua Sarah d'une voix douce en secouant les mains de sa mère pour la réprimander.

Sa mère tourna la tête vers elle, et Sarah plongea ses yeux dans les siens. Le changement était terrible à voir ; on aurait dit qu'une lumière s'était éteinte. Elle qui avait toujours eu les yeux pétillants avait désormais l'œil terne et le regard vide. Sarah savait que le temps n'en était pas l'unique responsable. Elle se savait en partie fautive, et se sentait obligée de justifier ses actes.

— J'ai causé tant de malheurs, n'est-ce pas ? J'ai divisé la famille. J'ai mis mes fils en danger... dit Sarah d'une voix tremblante qui commençait à la trahir. Et je me demande ce que ressent mon mari... John, ajouta-t-elle après avoir pris plusieurs inspirations.

— Il s'occupe de moi à présent, dit rapidement sa mère. Mais je n'ai personne d'autre.

— Oh, Maman, gémit Sarah d'une voix brisée. Je... je ne voulais pas t'abandonner... lorsque je suis partie... je suis désolée...

— Sarah, l'interrompit la vieille dame qui pleurait à chaudes larmes en serrant les mains de sa fille. Ne te tourmente pas. Tu as agi comme tu as cru bon.

— Mais Tam... Tam est mort... et je n'arrive pas à y croire.

— Non, dit la vieille dame d'une voix à peine audible derrière le crépitement du feu, en inclinant son visage rongé par le chagrin. Moi non plus.

— Est-ce que c'est vrai...

Sarah hésita puis finit par poser la question qu'elle redoutait tant :

— Est-ce que c'est vrai ? Seth y est pour quelque chose ?

— Appelle-le Will, pas Seth ! répondit sèchement sa mère en tournant vivement la tête vers sa fille qui tressaillit de surprise. Seth n'est plus. Ce n'est plus ton fils, ajouta sa mère en plissant les yeux. Pas après tout le mal qu'il a fait.

Les muscles de son cou se contractaient sous l'effet de la colère.

– En es-tu certaine ?

– Joe... les Styx... la police... tout le monde en est certain ! bafouilla-t-elle. Tu ne sais donc pas ce qui s'est passé ?

Sarah était partagée entre le désir d'en savoir plus et celui de ne pas bouleverser plus encore sa mère. Mais elle devait découvrir la vérité.

– Les Styx m'ont dit que Will **avait** conduit Tam dans un piège, dit Sarah en serrant les mains de sa mère pour la consoler.

– Juste pour sauver sa misérable peau, éructa la vieille femme. Mais comment a-t-il pu ?

Elle laissa retomber sa tête, mais elle garda les yeux rivés sur Sarah. Sa colère semblait s'être dissipée à cet instant pour faire place à un sentiment d'incompréhension muette. Elle ressemblait plus à la personne dont se souvenait Sarah, à cette vieille femme pleine de bonté qui avait travaillé si dur pour sa famille sa vie durant.

– Je ne sais pas, murmura Sarah. Ils racontent qu'il a forcé Cal à le suivre.

– C'est vrai !

Sa mère avait à nouveau revêtu un horrible masque vengeur, rentrant les épaules dans une attitude furibonde. Elle s'arracha vivement des mains de Sarah.

– Nous avons accueilli Will à bras ouverts, mais c'est devenu une abominable vermine de Surfacien, asséna-t-elle en tapant sur le bras de son fauteuil. Il nous a trompés... tous autant que nous sommes, et Tam est mort à cause de lui.

– Je ne comprends pas comment... pourquoi a-t-il fait ça à Tam ? Pourquoi l'un de mes fils aurait-il fait cela ?

– Ce n'est pas ton satané fils ! hurla sa mère d'une voix plaintive.

Sarah recula : elle n'avait jamais entendu sa mère blasphémer ainsi auparavant, pas même une seule fois. Elle craignait aussi pour sa santé. Elle était dans un tel état que Sarah avait peur que sa détresse ne finisse par gravement l'affecter.

– Quoi que tu fasses, il faut que tu sauves Cal, plaida la vieille femme qui avait retrouvé son calme. Tu ramèneras Cal, n'est-ce pas, Sarah ? dit sa mère en se penchant en avant, le visage ruisselant de larmes. Tu vas le sauver... promets-le-moi, ajouta-t-elle d'un ton qui laissait transparaître une pointe de dureté.

– Dussé-je en mourir, murmura Sarah qui se tourna pour fixer l'âtre.

La duplicité de Will avait gâché ses retrouvailles avec sa mère dont elle avait rêvé tant de fois. En cet instant, la conviction de sa mère avait balayé toutes ses réserves ; Will était bien responsable. Mais il lui était difficile d'admettre qu'après douze longues années de séparation, elles se trouvaient unies dans une même soif inextinguible de vengeance.

Elles écoutèrent le crépitement du feu. Il n'y avait rien à ajouter, et elles n'avaient pas envie de continuer à parler. Elles étaient entièrement consumées par la colère et la haine absolue qu'elles partageaient à l'encontre de Will.

Devant la maison, Rebecca regardait les chevaux qui rongeaient leur frein en secouant la tête et en faisant cliqueter leur harnais. Elle était adossée à la portière de la seconde voiture dans laquelle Joe Waites attendait nerveusement, escorté par plusieurs Styx. Il fixait Rebecca à travers la petite fenêtre du véhicule. Il avait les traits tirés. Un film de sueur malsaine luisait sur son front.

Un Styx parut à la porte de la maison Jérôme – celui-là même qui était assis à côté de Sarah tout au long de leur retour à la Colonie. À l'insu de cette dernière et de sa mère, il s'était glissé à l'intérieur par la porte de derrière pour pouvoir écouter leur conversation depuis le couloir.

Il leva la tête avec emphase en direction de Rebecca. Elle répondit à son signal par un hochement de tête.

– C'est bon ? demanda rapidement Joe Waites en se rapprochant de la fenêtre.

– Rassieds-toi ! siffla Rebecca avec toute la véhémence d'une vipère dont on aurait troublé le repos.

– Mais... ma femme, mes filles ? dit-il d'une voix rauque, le regard empli de désespoir. Est-ce que vous allez me les rendre à présent ?

– Peut-être. Si tu es un bon petit Colon et que tu continues à faire ce qu'on te demande, répondit Rebecca en ricanant.

Puis elle s'adressa à l'escorte qui se trouvait à l'intérieur de la voiture dans la langue nasale et saccadée des Styx :

– Lorsque nous en aurons fini, mettez-le avec sa famille. Nous nous occuperons d'eux quand nous aurons terminé ce travail.

Joe Waites regarda avec appréhension le Styx qui venait d'acquiescer avec un sourire sardonique.

Rebecca rejoignit la première voiture en balançant les hanches à la manière des adolescentes précoces qu'elle avait croisées en Surface. C'était sa marche triomphale. Elle se délectait de son succès. La victoire était si proche qu'elle en salivait déjà. Son père aurait été si fier d'elle. Elle s'était attaquée à deux problèmes et les avaient confrontés l'un à l'autre. Au mieux, ils se neutraliseraient l'un l'autre, mais même s'il n'en demeurait qu'un seul au bout du compte, il serait facile à régler. Ah, quelle élégance !

Elle longea la première calèche où était assis le vieux Styx.

— Du nouveau ? demanda-t-il.

— Elle a gobé toute l'histoire.

— Excellent. Et que faisons-nous de notre autre petit problème ? dit-il en inclinant la tête vers la voiture qui se trouvait juste derrière eux.

Rebecca lui fit le même sourire plein de douceur qu'elle avait adressé à Sarah avec tant de succès.

— Dès que Sarah sera dans le train des mineurs, nous réduirons Waites et sa famille en bouillie pour en fertiliser les champs de la Caverne Ouest. Du compost pour les cultures de cèpes.

Elle renifla comme si elle venait de sentir quelque odeur nauséabonde.

— Et cette vieille sorcière inutile connaîtra le même sort, dit-elle en pointant la maison Jérôme.

Le vieux Styx approuva d'un signe de la tête, arrachant un gloussement amusé à Rebecca.

Chapitre Dix-sept

– D es vivres... aucun doute là-dessus... c'est de la nourriture, dit Cal en renversant la tête en arrière pour prendre une profonde inspiration.

– À manger ? demanda aussitôt Chester.

– Non, je sens rien.

Will regarda ses pieds. Ils erraient sans vraiment savoir où ils allaient. Ils avaient suivi le canal sur des kilomètres et n'avaient pas encore trouvé la moindre trace d'un chemin.

– J'ai déniché de l'eau potable dans la vieille maison, n'est-ce pas ? Maintenant je vais nous trouver à manger, déclara Cal avec son effronterie habituelle.

– Il nous en reste encore, répondit Will. Est-ce qu'on ne devrait pas plutôt se diriger vers cette lumière, au loin là-bas, ou bien trouver une route qui ne nous ramène pas tout droit vers les Colons ? Moi je dis qu'on devrait essayer de descendre au niveau inférieur. Mon père est sûrement parti là-bas.

– Exactement ! acquiesça Chester. Surtout si à force de rester dans ce trou paumé on finit par briller dans la nuit comme des vers luisants.

– Mais voilà qui serait drôlement pratique, dit Will.

– Ne sois pas stupide, répondit Chester en souriant.

– Désolé, je ne suis pas d'accord, intervint Cal. S'il s'agit d'un magasin, ça veut dire que nous ne sommes pas loin d'un village de Coprolithes.

– Ouais, et donc... lança Will avec défiance.

– Eh bien, ton prétendu père... va aussi chercher de la nourriture, expliqua Cal.

— C'est juste, répondit Will.

Ils avancèrent encore un peu en soulevant la poussière à chaque pas, lorsque Cal annonça d'une voix chantante :

— L'odeur se précise.

— Tu sais quoi, je crois que tu as raison. Il y a bien quelque chose, dit Will en reniflant.

— Hum, un McDo, peut-être, suggéra Chester d'une voix nostalgique. Je donnerais mon petit doigt pour avoir un Big Mac géant tout de suite.

— On dirait quelque chose de... sucré, dit Will qui se concentrait en prenant de profondes inhalations.

— De toute façon, ça vaut pas le coup de s'embêter avec ça, déclara Chester. Je ne veux vraiment pas rencontrer ces machins Coprolithes, ajouta-t-il avec nervosité tout en jetant des regards tout autour de lui comme un petit pigeon se pavanant.

— Écoute, faut que je te le répète combien de fois ? Ils sont totalement inoffensifs. Les Colons disent que tu peux leur prendre ce que tu veux... En tout cas, si t'arrives à les trouver, lui dit Cal en se tournant vers lui.

Chester ne réagit pas, Cal poursuivit donc sur sa lancée.

— Il faut que nous repérions tout ce qui pourrait sembler inhabituel. Si on y arrive, ça veut dire que le père de Will y sera peut-être parvenu lui aussi. C'est pour ça qu'on est venus, non ? conclut-il avec sarcasme. Quoi qu'il en soit, il fallait qu'on reste de ce côté du canal, puisque tu ne voulais pas te mouiller les pieds.

Cal se pencha pour ramasser une pierre et la lança agressivement dans l'eau. Elle tomba bruyamment.

— Bon Dieu ! tu lâches jamais le morceau, hein ? grogna Chester.

— Ben non, répondit Cal.

— Eh bien, c'est marrant, mais je t'ai pas vraiment vu te déshabiller pour piquer une tête non plus, lança Chester en fusillant le jeune garçon du regard. Comment dit-on déjà ? Le chef doit montrer l'exemple ?

— Qu'est-ce que tu racontes ? Le chef ? Y a pas de chef ici. On est tous dans le même bateau.

— Non, mais je finirais presque par y croire.

— Ça suffit, les gars, plaida Will. Arrêtez ça. C'est vraiment pas le moment.

Le trio retomba dans un silence contrarié, et reprit sa route. La dispute entre Cal et Chester connaissait une trêve.

— Ça vient de là, dit Cal en se détachant du groupe pour suivre une route perpendiculaire au canal.

Il s'arrêta lorsque le faisceau de sa lanterne accrocha un affleurement rocheux juste à côté duquel s'ouvrait une fente naturelle dans le sol.

Tandis que les deux autres inspectaient l'ouverture, Will aperçut une croix plantée dans la terre juste à côté de l'affleurement. On l'avait fabriquée à partir de deux morceaux de bois de couleur ivoire attachés ensemble.

— Qu'est-ce que ça veut dire? demanda-t-il en montrant la croix à Cal.

— Je parie que c'est un repère coprolithe, lui répondit son frère en hochant la tête avec enthousiasme. Si c'est notre jour de chance, il pourrait bien y avoir une colonie là-dessous, et ils auront sûrement de quoi manger. On pourra prendre tout ce qu'on voudra.

— Je ne suis pas tellement pour, intervint Will en secouant la tête.

— Will, laissons tomber et continuons notre chemin, pressa Chester en regardant le trou avec appréhension. Cet endroit ne m'inspire pas confiance.

— Rien ne t'inspire jamais confiance! éructa Cal. Pourquoi est-ce que tu ne restes pas là pendant que j'y jette un coup d'œil? dit-il avant de se faufiler dans l'ouverture. Quelques secondes plus tard, il leur cria qu'il avait trouvé un passage.

Will et Chester étaient trop las pour tenter de l'arrêter, car ils savaient bien que cela donnerait lieu à une autre dispute. Ils le suivirent donc à contrecœur, mais Cal ne les avait pas attendus : il avait déjà parcouru une certaine distance lorsque ses compagnons atterrirent dans une galerie horizontale. Ils partirent à sa suite, mais progressaient avec peine car la galerie devenait de plus en plus étroite pour ne plus former qu'un étroit boyau. Will dut même déposer son sac à dos là où Cal avait abandonné le sien.

— Je déteste ça, grogna Chester.

Will et son ami avaient du mal à respirer tandis qu'ils rampaient dans le boyau pour se faufiler sous le bas plafond.

Chester n'avait pas encore récupéré après ces mois d'emprisonnement dans le cachot, malgré les brefs moments de répit à bord du train et dans la vieille demeure.

— Pourquoi ne fais-tu pas demi-tour? On te retrouvera à l'entrée, suggéra Will.

— Nan, ça va aller, souffla Chester qui lâcha un grognement en s'efforçant de franchir un passage particulièrement étroit. Je suis arrivé jusqu'ici, pas vrai ? ajouta-t-il.

— D'accord. Comme tu voudras.

Will aurait voulu avancer plus vite pour rattraper son frère, mais il ralentissait volontairement sa progression pour ne pas laisser Chester en arrière. Après quelques minutes, il fut soulagé en voyant que la hauteur du plafond augmentait. Ils purent enfin se relever.

Cal était là, à une vingtaine de mètres, posté devant ce qui ressemblait à l'entrée d'une autre longue caverne. Il fit un signe de la main à Will et Chester qui s'étiraient, puis disparut en brandissant sa lanterne devant lui. Les deux garçons le regardèrent s'éloigner.

— Il est rapide, je le lui accorde. Il doit tenir du lapin, dit Chester qui reprenait peu à peu son souffle.

— Tu te sens mieux ? lui demanda Will qui avait remarqué la manière dont Chester se massait les bras, le visage en sueur.

— T'inquiète.

— On ferait mieux de le rattraper, alors. Je n'aime pas du tout cette odeur. C'est vraiment écœurant, ajouta-t-il en fronçant le nez.

Ils parvinrent enfin à l'endroit où se tenait Cal quelques instants auparavant et jetèrent un coup d'œil dans la caverne.

L'air était sec, et l'odeur encore plus forte. C'en était déplaisant. Elle semblait immatérielle, et des sonnettes d'alarme commençaient à retentir dans la tête de Will. Il savait d'instinct qu'elle avait quelque chose d'artificiel, un peu comme de la saccharine.

Cal explorait à présent une zone parsemée de nombreux gros rochers ronds, desquels émergeaient des faisceaux de tubes verticaux, dont certains mesuraient deux mètres de haut. Will n'avait pas la moindre idée de ce dont il s'agissait, mais ça ne ressemblait pas à des concrétions dues à la présence de l'eau, comme les stalagmites. Tout était trop bien agencé. Au cœur de chaque faisceau, s'élevaient plusieurs gros tubes d'une dizaine de centimètres de diamètre, cernés par une série de tubes plus petits qui rayonnaient en étoile tout autour du noyau central.

Ces tubes étaient d'une teinte légèrement plus claire que celle de la roche d'où ils émergeaient. Ils comportaient des anneaux tous les deux centimètres : cela signifiait que ces choses sécrétaient leur propre enveloppe au fur et à mesure qu'elles poussaient. Elles étaient ancrées aux rochers par une sorte de substance résineuse – une colle biologique. Il s'agissait de créatures vivantes.

Fasciné, Will s'approcha un peu.

— Tu crois que c'est sûr ? demanda Chester en le retenant par le bras.

Will haussa les épaules. Il venait de se retourner vers la caverne lorsqu'il vit Cal qui manquait de tomber : il se rattrapa à l'extrémité de l'un des tubes et retira vivement sa main tandis que retentissait simultanément un son semblable à un claquement de doigts, mais en plus aigu. Cal retrouva l'équilibre et se remit sur ses jambes.

— Aïe, dit-il calmement en regardant sa main d'un air perplexe.

— Cal ? lança Will.

Pendant une fraction de secondes, Cal resta planté là, le dos tourné, à examiner sa main. Puis il s'effondra sur le sol.

— Cal !

Chester et Will échangèrent des regards affolés, puis ils se tournèrent vers l'endroit où Cal gisait immobile. Will s'apprêtait à s'avancer, mais Chester ne lui lâchait pas le bras.

— Laisse-moi partir ! dit-il en essayant de se libérer.

— Non ! hurla Chester.

— Il le faut ! dit Will en se dégageant de son emprise.

Chester le relâcha, mais Will s'arrêta au bout de quelques mètres. Il se passait quelque chose d'autre.

— Bon sang, qu'est-ce que...? lâcha Chester.

Des clics sourds et de plus en plus rapprochés se faisaient entendre dans la grotte. Ils gagnaient en intensité jusqu'à former une véritable barrière sonore. Les garçons terrifiés avaient beau regarder de part et d'autre pour comprendre d'où provenait cette cacophonie vrombissante, rien ne semblait avoir changé dans la caverne où gisait Cal.

— Il faut qu'on le sorte de là ! hurla Will en s'avançant vers Cal.

Ils se précipitèrent vers lui et l'atteignirent au même moment. Chester gardait un œil sur les colonnes pendant que Will s'accroupissait pour rouler le garçon sur le dos. Les yeux grands ouverts, il gisait là sans réaction. Tous ses muscles étaient relâchés.

— Qu'est-ce qui se passe ? Qu'est-ce qu'il a ? hurla Will d'une voix paniquée.

— Je ne sais pas, répondit Chester d'un air absent.

— Est-ce qu'il s'est cogné la tête contre quelque chose ?

Chester lui palpa aussitôt la tête ; il n'y avait pas la moindre trace de blessure.

– Vérifie sa respiration, marmonna-t-il en essayant de se souvenir des gestes de premiers secours.

Chester approcha son oreille de la bouche de Cal pour écouter le
bruit de sa respiration en inclinant sa tête. Il se redressa, l'air
mécontent, puis se pencha à nouveau sur le jeune garçon et lui
ouvrit les mâchoires pour vérifier que rien n'obstruait ses voies respiratoires. Chester tendit à nouveau l'oreille, puis se rassit, posa la
main sur le torse de Cal et poussa un profond soupir.

– Mon Dieu, Will, je crois qu'il ne respire plus !

Will se mit à secouer le bras flasque de son frère.

– Cal ! Cal ! Allez ! Réveille-toi ! cria-t-il.

Il plaça deux doigts contre son artère jugulaire, cherchant désespérément à trouver son pouls.

– Ici... non... où est-ce que c'est ?... Rien... Bon sang ! Où est-ce
qu'il est ? hurla-t-il. Est-ce que je m'y prends bien ? dit-il en regardant Chester – il ne sentait aucune pulsation.

Son frère était mort.

À cet instant précis, un autre son se substitua aux clics. Un bruit
doux, semblable au bouchon d'une bouteille de champagne qu'on
aurait débouchée dans une pièce adjacente.

L'air fut aussitôt empli d'un véritable déluge de particules
blanches qui saturaient l'atmosphère et enveloppaient les garçons,
envahissant la caverne tels des millions de minuscules pétales. Elles
étaient si nombreuses qu'il était impossible de dire si elles jaillis-
saient des tubes ou non.

– Non ! hurla Will.

Une main plaquée sur la bouche et sur le nez, il se mit à traîner
son frère sur le sol en le tirant par le bras pour l'emmener jusqu'à
l'entrée de la caverne. Mais ces particules agissaient comme du
sable et l'empêchaient de respirer, lui obstruant la bouche et les
narines.

Will se cambra, avala une petite goulée d'air et cria à Chester
par-dessus le bruit incessant :

– Sors-le de là !

Une remarque inutile, car Chester s'était déjà relevé, mais il
vacillait sous l'assaut. Il clignait des yeux et tentait de se protéger le
visage tandis que les particules floconneuses continuaient à jaillir de
toute part. L'air était si dense et impénétrable que Chester déclen-
chait des tourbillons en agitant le bras gauche en direction de Will.

Will dérapa et tomba à terre. Il toussait, au bord de l'asphyxie.

– Je n'arrive pas à respirer, siffla-t-il en expirant le peu d'air qu'il avait encore dans les poumons.

Il se coucha sur le côté et s'efforça de les emplir à nouveau. Il jura en repensant aux masques à gaz dont il s'était servi avec Cal dans la Cité éternelle. Ils les avaient jetés, pensant ne plus en avoir besoin. Quelle erreur !

La main sur le visage, Will pantelait, incapable de réagir. À travers le déluge, il vit Chester qui tirait Cal à l'extérieur. Son corps creusait des sillons dans la nappe blanche qui recouvrait le sol.

Will s'efforça de ramper, les poumons en feu, faute d'oxygène. Il avait des vertiges. Il ne pouvait penser à son frère, car il savait qu'il allait mourir lui aussi s'il ne sortait pas de cette caverne. Sa gorge et ses narines étaient obstruées comme si on l'avait enterré dans de la farine. Au prix d'un suprême effort, il se releva et parvint à faire quelques pas en avant. Il tenta d'appeler Chester pour qu'il sorte lui aussi, mais en vain. Il n'avait pas assez de souffle pour crier, et Chester, le dos tourné, traînait toujours le corps inerte de Cal.

Will s'élança en avant et parvint à parcourir cinq mètres avant de s'effondrer à nouveau sur le sol. C'était suffisant. Il avait franchi le cœur du maelström blanc et pouvait enfin respirer de l'air pur.

Il continua à ramper lentement, mais après quelques centimètres il se mit à tousser si fort qu'il finit par être pris de nausées. Il fut consterné en voyant flotter dans son vomi de minuscules et pâles particules auxquelles se mêlaient des caillots de sang. Sa seule survie en tête, il rampa dans la galerie, progressant aveuglément jusqu'à ce qu'il atteigne la sortie.

Il se hissa hors du trou et retrouva la Grande Plaine. Allongé sur le sol, il toussait et crachotait, vomissant un liquide bigarré. Mais ce n'était pas encore la fin de son calvaire. Les particules blanches qui s'étaient collées sur la peau nue de son visage et de son cou se mirent d'abord à le démanger, puis il ressentit soudain une atroce sensation de brûlure. Il essaya de s'en débarrasser en se grattant, mais cela ne faisait qu'aggraver les choses, car il s'arrachait des lambeaux de peau au passage. Ses doigts étaient couverts de sang.

Ne sachant que faire, il ramassa de la terre par poignées et s'en frotta furieusement le visage, le cou et les mains, ce qui sembla calmer l'intolérable démangeaison et apaiser quelque peu la douleur. Mais il avait encore les yeux en feu et il lui fallut quelques minutes pour les essuyer du revers de sa manche.

Puis Chester apparut. Il sortit péniblement de la brèche, vacillant tel un aveugle. Il tomba à quatre pattes, toussa et vomit. Will vit alors qu'il avait traîné quelque chose derrière lui. Les yeux embués, il crut d'abord qu'il s'agissait de Cal. Mais il fut très déçu lorsqu'il comprit qu'il s'agissait de leurs sacs à dos. Chester les avait récupérés dans le boyau.

Chester hurlait en se griffant le visage et les yeux. Il était entièrement recouvert de particules blanches. Elles s'étaient insinuées dans sa chevelure et formaient une pâte en se mêlant à la sueur de son visage. Il poussa un autre cri et se laboura furieusement le cou comme s'il essayait de s'arracher la peau.

— Quelle saleté ! cria-t-il à l'agonie.

— Prends de la terre. Frotte-toi avec, lui hurla Will.

Chester s'exécuta aussitôt et prit de la terre par poignées pour s'en frotter le visage.

— Assure-toi que tu n'en as pas dans les yeux !

Chester fouilla dans la poche de son pantalon, d'où il sortit un mouchoir avec lequel il se tamponna vivement les yeux. Après quelques instants, il retrouva quelque peu son calme. De la morve lui coulait du nez, ses yeux étaient embués de larmes et cerclés de rouge, et son visage couvert de crasse et de sang, comme s'il portait quelque horrible masque. Il regarda Will d'un air hagard.

— Je n'y tenais plus, dit-il d'une voix étranglée. Je ne pouvais pas rester là-bas... Je n'arrivais plus à respirer, ajouta-t-il soudain secoué d'une toux convulsive, suivie d'un crachat.

— Il faut que je le sorte de là, dit Will en se dirigeant vers la brèche. J'y retourne.

— Non ! lança brutalement Chester.

Il venait de se relever d'un bond et lui saisit le bras.

— Il le faut, dit Will en essayant de se dégager.

— Ne sois pas idiot, Will ! Et si ces machins t'attrapent, et que je n'arrive pas à te sortir de là ? hurla Chester.

Will résista à son étreinte, mais Chester n'avait pas l'intention de le laisser partir. Par pure contrariété, Will fit mine de lui décocher un coup de poing, puis il se mit à sangloter. Il le savait, Chester avait raison. Il sentit se relâcher les muscles de son corps, comme si toutes ses forces l'avaient abandonné.

— D'accord, d'accord, dit Will d'une voix tremblante en levant les mains.

Chester le relâcha. Il toussa, puis inclina la tête comme pour regarder le ciel, même s'il savait que plusieurs kilomètres de manteau terrestre l'en séparaient. Il poussa un profond soupir qui fit frémir son corps tout entier. Il venait d'admettre la vérité.

— Tu as raison. Cal est mort.

— Je suis désolé, Will, vraiment désolé.

— Il essayait juste de nous aider. Il essayait de trouver de la nourriture... et maintenant, regarde un peu ce qui est arrivé, dit Will en laissant retomber ses épaules, la tête penchée.

Will se frotta le cou, la peau encore en feu. Il toucha et saisit inconsciemment le pendentif de jade que lui avait confié Tam avant de se faire massacrer par les Styx.

— J'avais promis à oncle Tam que je prendrais bien soin de Cal. Je lui avais donné ma parole, dit-il d'une voix morne en se détournant de son ami. Qu'est-ce qu'on fait là ? Comment en est-on arrivés là ? dit-il en toussant avant de reprendre d'une petite voix : Papa est probablement mort comme Cal. On est des imbéciles et on va mourir comme Cal. Je suis désolé, Chester... fin de la partie. On est finis.

Il laissa sa lanterne derrière lui et s'éloigna en titubant de Chester en direction d'un rocher sur lequel il s'assit. Puis il fixa le vide obscur qui s'étendait devant lui et emplissait peu à peu son regard.

Chapitre Dix-huit

Le fouet émit un claquement sonore, et la voiture quitta le parvis de la maison Jérôme. Elle franchit le cordon de police tandis que les agents s'empressaient de retirer la barricade. Un petit attroupement s'était formé au bas de la rue, et les gens s'efforçaient en vain de faire comme si de rien n'était. Ils tendaient le cou vers la calèche pour voir qui se trouvait à l'intérieur, tout comme de nombreux policiers d'ailleurs.

Sarah regardait par la fenêtre d'un air absent sans se soucier de tous ces visages aux regards curieux. Ses retrouvailles avec sa mère l'avaient totalement épuisée.

– Vous savez que vous êtes en quelque sorte une célébrité, dit Rebecca, assise à côté du vieux Styx; le plus jeune était resté en arrière à la maison Jérôme.

Sarah adressa un regard vide à Rebecca avant de se tourner à nouveau vers la fenêtre.

La voiture filait dans les rues en direction des confins de la Caverne Sud où se trouvaient les quartiers Styx. Ils étaient encerclés par une barrière en fer forgé de dix mètres de haut, à l'intérieur de laquelle trônait un bâtiment immense et menaçant. Il comptait sept étages creusés à même la pierre, encadrés par deux tours carrées. On l'appelait la Citadelle des Styx. Il s'agissait d'un bâtiment fonctionnel et sans apprêt, dont les murs de pierre brute ne comportaient pas le moindre ornement rompant avec sa simplicité géométrique. Aucun Colon n'y avait jamais mis les pieds, et personne ne savait ce qui s'y passait ni quelle en était la superficie; il s'enfonçait profondément dans le socle de pierre. On racontait que la Citadelle était reliée à la Surface par diverses galeries, afin que les Styx puissent y remonter à leur gré.

À l'intérieur de l'enceinte se trouvait un autre grand bâtiment, beaucoup plus ramassé que la Citadelle. Ses deux étages comportaient des rangées de fenêtres régulièrement espacées. On pensait qu'il s'agissait du centre des opérations militaires styx – même si personne ne pouvait l'affirmer avec certitude –, et en général on le désignait comme la garnison. Contrairement à la Citadelle, on autorisait les colons à entrer dans ce bâtiment où ils travaillaient pour les Styx.

C'est vers ce bâtiment que se dirigeait la voiture. En descendant de la calèche, Sarah suivit Rebecca sans poser la moindre question jusqu'à l'entrée, où un policier posté dans une guérite porta la main à son képi en signe de respect en détournant les yeux. À l'intérieur de la garnison, Rebecca confia Sarah à un Colon et s'en alla aussitôt.

Sarah, qui peinait à garder la tête droite tant elle était fatiguée, parvint à jeter un coup d'œil à cet homme. Ses manches retroussées révélaient des avant-bras incroyablement puissants. Il avait le poitrail large et la silhouette ramassée, comme beaucoup d'hommes dans la Colonie. Il portait un long tablier en caoutchouc noir au centre duquel était dessinée une petite croix blanche. Il avait le crâne presque rasé, mais quelques touffes de cheveux blancs pointaient çà et là. Sous son front énorme, brillaient deux petits yeux bleu pâle. Il avait la même nature de peau que Sarah. Il était donc de « pure souche ». C'est ainsi qu'on désignait les albinos, descendants des fondateurs de la Colonie. Il avait témoigné beaucoup de déférence vis-à-vis de Rebecca, mais il ne cessait de lancer des œillades à Sarah qui se traînait mollement derrière lui.

L'homme la conduisit en haut d'un escalier, puis ils suivirent plusieurs couloirs. Leurs pas résonnaient sur le sol de pierre polie. Les murs étaient vierges et ponctués de nombreuses portes en fer noir. Elles étaient toutes fermées. Il s'arrêta devant l'une de ces portes et l'ouvrit. Le sol de la pièce était pavé de la même pierre, et Sarah vit une natte dans un coin sous une meurtrière placée en haut du mur. Juste à côté de la natte, se trouvait un petit bassin en émail blanc rempli d'eau et une petite tasse du même matériau, ainsi que quelques tranches de cèpes empilées sur une assiette. La simplicité du lieu lui donnait un aspect monacal. On aurait dit une retraite spirituelle.

Sarah resta sur le seuil sans faire mine de vouloir entrer.

Tel un poisson qui aurait manqué d'oxygène, l'homme ouvrit plusieurs fois la bouche comme s'il s'apprêtait à parler, et la referma aussitôt. On aurait dit qu'il tentait de rassembler tout son courage.

— Sarah... dit-il d'une voix douce, en inclinant la tête vers elle.

Elle releva lentement la tête vers lui sans comprendre. Elle était si fatiguée.

Il regarda de part et d'autre du couloir pour vérifier que personne ne pouvait l'entendre.

— Je ne devrais pas te parler ainsi, mais... tu ne me reconnais donc pas?

Elle plissa les yeux en essayant d'accommoder, puis elle tressaillit en le reconnaissant.

— Joseph?... dit-elle d'une voix à peine audible.

Du même âge, ils avaient été proches durant leur adolescence. Elle avait perdu tout contact avec lui lorsque sa famille avait dû déménager dans la Caverne Ouest pour y travailler dans les champs à la suite d'une période difficile.

Il lui adressa un sourire maladroit, aussi étrange que touchant sur son gros visage.

— Il faut que tu saches... Tout le monde comprend pourquoi tu es partie et... nous... il cherchait les mots justes... nous ne t'avons jamais oubliée. Certains parmi nous... moi.

Une porte claqua quelque part dans le bâtiment, et il regarda nerveusement par-dessus son épaule.

— Merci, Joseph, dit-elle en lui touchant le bras, puis elle entra dans la pièce d'un pas traînant.

Joseph murmura quelque chose, puis il referma doucement la porte derrière elle. Mais Sarah n'entendait rien. Elle déposa son sac sur le sol, s'effondra sur la natte et s'y recroquevilla. Elle fixa la pierre polie à la jonction du sol et du mur. Elle distinguait de nombreux fossiles. Des ammonites et d'autres bivalves, pour la plupart, qui semblaient avoir été tracés au crayon gras par quelque créateur divin.

Alors qu'elle cherchait à mettre un peu d'ordre dans ses pensées et à maîtriser ses émotions, elle trouva presque un sens à ces restes fossilisés à jamais inclus dans la roche. C'était comme si elle les comprenait soudain, comme s'il elle pouvait y déchiffrer un motif, une clef secrète qui permettrait de tout expliquer. Mais ce moment de lucidité s'enfuit aussi vite qu'il était venu, et dans le silence qui régnait dans la pièce Sarah sombra dans un profond sommeil.

Chapitre Dix-neuf

Les premiers rayons du soleil pointaient sur le fil de l'horizon, colorant une fine bande d'azur des nuances de l'aube. En quelques minutes, la lumière naissante baignait déjà les toits d'un halo rouge orangé, chassant la nuit pour marquer le début d'un jour nouveau.

À Trafalgar Square, un téméraire cycliste isolé se faufilait entre trois taxis noirs qui se frayaient un chemin à travers la circulation. Tout à coup, il négocia un virage serré, coupa la route au taxi qui se trouvait en tête, obligeant le conducteur à écraser la pédale de frein, ce qui arracha un crissement suraigu aux pneus du véhicule. Le cycliste se contenta d'adresser un geste déplaisant au chauffeur qui hurlait en brandissant son poing par la fenêtre de sa voiture, et poursuivit sa route vers Pall Mall en pédalant de plus belle.

Tout au bout de la place, se profilait un convoi de bus rouges à deux étages qui vinrent se garer devant leurs arrêts respectifs. Il y avait peu de passagers à cette heure matinale. Ce n'était pas encore la période de pointe.

— Le monde appartient à ceux qui se lèvent tôt, dit Rebecca avec un rire sans joie en scrutant le trottoir sur lequel elle aperçut un passant isolé.

— Ce ne sont pas des hommes pour moi, mais plutôt des objets inanimés, proclama le vieux Styx en contemplant la scène, le regard brillant, tout aussi alerte que celui de Rebecca.

À la lumière grandissante, il avait le visage si pâle et si sévère qu'on aurait pu le sculpter dans un bloc d'ivoire ancien. Il ressemblait à un général conquérant, ainsi posté en compagnie de Rebecca au bord du toit de l'Arc de l'Amirauté, vêtu de son manteau de cuir noir qui lui descendait jusqu'aux chevilles, les mains croisées derrière le dos. Les deux Styx ne manifestaient pas la moindre frayeur face au vide qui s'étendait sous leurs pieds.

— Il y a ceux qui voudraient s'opposer à nous, et les mesures qu'il nous faudra prendre, dit le vieux Styx en regardant la place. Tu as commencé à purger les Profondeurs des renégats, mais ta tâche ne s'arrête pas là. Il y a des factions réactionnaires en Surface comme dans la Colonie, dans les Taudis, dont nous avons toléré l'existence depuis beaucoup trop longtemps. Tu as mené à bien les projets de ton défunt père, et maintenant que tout est si parfaitement réglé, nous ne pouvons pas laisser le moindre grain de sable venir gripper la mécanique.

— Je suis d'accord, répondit Rebecca sans révéler que la décision de massacrer plusieurs milliers de personnes avait déjà été prise.

Le vieux Styx ferma les yeux, non pas à cause de la lumière croissante de la Surface, mais car une pensée pénible venait de lui traverser l'esprit.

— Cet enfant Burrows...

Rebecca s'apprêta à parler, mais elle retint sa langue pour laisser poursuivre le vieux Styx.

— ... ta sœur et toi avez bien fait d'attirer la femme de Jérôme pour la neutraliser. Ton père n'aimait pas le travail à moitié achevé non plus. Vous avez toutes deux hérité de son instinct, dit le vieux Styx d'une voix si douce qu'on aurait pu croire à une marque d'affection – mais il reprit bien vite sa dureté habituelle. Quoi qu'il en soit, nous avons certes piégé le serpent, mais il n'est pas encore mort. Nous avons isolé Will Burrows pour l'heure, mais il pourrait bien devenir une fausse idole, une figure de proue pour nos ennemis. Ils pourraient chercher à se servir de lui pour s'opposer à nous et aux mesures que nous avons l'intention de prendre. On ne peut le laisser continuer à errer sans surveillance à l'Intérieur. Il faut le faire sortir de sa cachette et l'arrêter, ajouta-t-il en tournant lentement la tête vers Rebecca qui continuait à observer la scène en contrebas. Qui plus est, ce garçon pourrait très bien rassembler les pièces du puzzle et tenir nos plans en échec. Inutile de te dire qu'il faut impérativement éviter cela... à tout prix, insista-t-il.

— On s'en occupera, l'assura Rebecca sans ciller.

— Assure-t'en bien, répondit le vieux Styx en claquant dans ses mains.

— Oui, il faut partir à présent, enchaîna aussitôt Rebecca.

Les pans de son long manteau noir s'ouvraient dans la brise tandis qu'elle pivotait sur ses talons pour faire face à la troupe de Styx qui attendait tranquillement derrière elle.

— Qu'on m'en montre une! ordonna-t-elle en s'éloignant du vide pour rejoindre d'un pas impérieux les Styx aux silhouettes indistinctes.

Il devait y en avoir une bonne cinquantaine, parfaitement alignées. L'un d'eux s'exécuta et sortit du rang. Il s'agenouilla, passa sa main gantée sous le couvercle d'un des deux paniers en osier disposés devant lui, identique à ceux qui se trouvaient devant ses camarades. Il en sortit une colombe d'un blanc immaculé qui roucoulait doucement, puis referma le couvercle. L'oiseau tenta de s'envoler lorsqu'il le tendit à Rebecca, mais cette dernière le tenait fermement des deux mains.

Elle renversa l'oiseau sur le côté pour examiner ses pattes. On y avait attaché quelque chose qui ressemblait à une bague, mais il ne s'agissait pas d'un simple anneau de métal. La « chose » était en tissu blanc cassé qui étincelait faiblement à la lumière, et chacune contenait de minuscules sphères conçues pour se dégrader après quelques heures d'exposition aux ultraviolets et déverser ainsi leur contenu. C'était donc le soleil même qui servait à la fois de retardateur et de déclencheur.

— Ils sont prêts? demanda le vieux Styx en rejoignant Rebecca.

— Oui, confirma un autre Styx plus loin dans le rang.

— Excellent, dit le vieux Styx en inspectant les hommes qui se tenaient en rang serré.

Dans la faible lumière de l'aube, ils semblaient se confondre les uns avec les autres. Ils portaient tous le même long manteau de cuir noir et le même appareil respiratoire.

— Mes frères, commença le vieux Styx. Nous avons fini de nous cacher. Il est temps de reprendre ce qui nous revient de droit, dit-il avant de marquer un silence pour leur laisser le temps de méditer sur ces paroles. On se souviendra de ce jour comme du début d'une nouvelle époque glorieuse de notre histoire. Ce jour marquera notre retour à la surface.

Il s'arrêta et frappa du poing dans sa paume.

— Au cours des cent dernières années, nous avons fait expier leur péchés aux Surfaciens en dispersant les germes qu'ils nomment *influenza*. La première épidémie a eu lieu en 1918, dit-il avec un rire amer. Les pauvres fous l'ont baptisée « grippe espagnole ». Ce virus les a emportés dans la tombe par millions. Puis nous leur avons fait la démonstration de notre puissance en 1957 et en 1968 avec les variantes asiatiques et hong-kongaises.

Il frappa dans sa paume avec encore plus de force, et le claquement de ses gants de cuir résonna sur le toit.

— Mais ces épidémies ne sont rien d'autre que des rhumes ordinaires, comparées à ce qui se prépare. Les Surfaciens sont pourris jusqu'au tréfonds de leur âme, ils ont la moralité des déments : leur consommation excessive et leur avidité détruisent nos terres promises Leur fin est proche, et les incroyants connaîtront bientôt la purge, rugit-il tel un ours blessé, puis il balaya les rangs du regard avant de reprendre sa marche en faisant claquer ses talons sur le revêtement en plomb du toit. Aujourd'hui, nous allons tester une souche moins virulente du Dominion, notre peste sacrée. Et grâce aux fruits de notre labeur, nous démontrerons qu'on peut la répandre à travers cette ville, ce pays et le reste du monde, dit-il en levant la main vers le ciel, les doigts écartés. Lorsque nos oiseaux auront pris leur envol, le soleil veillera à ce que les courants aériens acheminent notre message jusqu'aux masses maléfiques, et ce message s'écrira dans le sang et le pus sur toute la surface de la Terre.

Parvenu au bout de la rangée, il fit volte-face et reprit sa marche. Il resta silencieux jusqu'à mi-parcours.

— Mes camarades, la prochaine fois que nous nous retrouverons ici, notre chargement sera cette fois bien mortel. Alors nos ennemis, les Surfaciens, seront paralysés ainsi qu'il est écrit dans le *Livre des catastrophes*. Nous, véritables héritiers de la Terre, reprendrons ce qui nous revient de droit.

Il s'arrêta et s'adressa aux Styx sur un ton plus grave et plus intime.

— Au travail.

La troupe fut soudain animée par une activité fébrile.

— À vos marques... prêts... Feu ! ordonna Rebecca en lançant sa colombe dans les airs.

Les Styx ouvrirent aussitôt leurs paniers, les oiseaux s'envolèrent dans un battement d'ailes blanches et s'éloignèrent du toit où étaient attroupés les hommes.

Rebecca suivit sa colombe du regard aussi longtemps qu'elle le put, mais des centaines d'autres la rattrapèrent bientôt, et l'oiseau fut noyé dans la masse. La volée sembla s'attarder quelque temps au-dessus de la colonne Nelson avant de se disperser aux quatre coins de l'horizon tel un pâle nuage de fumée emporté par le vent.

— Volez, volez, volez ! leur lança Rebecca en riant.

Troisième Partie

Drake et Elliott

Chapitre Vingt

’est terrible, répétait sans cesse Chester qui venait d’appré-
hender la gravité des derniers événements. Mais il n’y
avait rien à faire. Cal n’avait plus de pouls.

Chester se sentait en partie responsable de la mort de Cal, et il
était rongé par la culpabilité. Peut-être l’avait-il poussé à agir ainsi à
force de se montrer aussi critique envers lui ? Peut-être l’avait-il
incité à pénétrer dans cette caverne tout seul pour prouver son
courage.

– Nous ne pouvions pas revenir en arrière, bafouilla Chester.

Il était extrêmement choqué. Il n’avait jamais vu quelqu’un
mourir ainsi sous ses yeux. Cette scène lui rappelait le jour où il
avait été témoin d’un terrible accident de moto alors qu’il passait
en voiture avec son père. Il n’avait jamais su si l’homme dont le
corps déformé gisant au bord de la route était mort, mais cette fois
c’était différent. Il s’agissait de quelqu’un qu’il connaissait, et il
était mort devant lui. En quelques secondes, Cal n’était plus qu’un
corps sans vie. *Un cadavre.* Chester n’arrivait pas à s’y faire. C’était
si définitif et si brutal, comme si l’on avait brusquement interrompu une conversation téléphonique en coupant le fil à jamais.

Chester finit par se taire au bout d’un temps. Les deux garçons
marchaient côte à côte en traînant leurs bottes dans la poussière.
Will, la tête baissée, touchait le fond du désespoir. Il avançait
machinalement tel un somnambule, sans prêter attention à ce qui
l’entourait. Le canal s’étirait, monotone, sur des kilomètres et des
kilomètres.

Chester observait Will d’un œil soucieux. Il s’inquiétait pour lui
comme pour lui-même. Si Will ne sortait pas de cet état, il ne

savait s'il pourrait continuer seul. Dans ce genre d'endroit, on n'avait pas beaucoup de marge, et il fallait rester alerte pour survivre, comme le lui avait brutalement rappelé le spectacle sinistre de la mort de Cal. Il n'avait d'autre choix que de poursuivre son chemin le long du canal en entraînant Will à sa suite. Le cours d'eau avait changé de direction et semblait les conduire directement vers l'une des lueurs scintillantes. Heure par heure, l'éclat devenait plus intense. On aurait dit qu'une étoile les guidait. Mais vers où ? Il n'en avait pas la moindre idée. Cependant, Chester n'avait pas l'intention de franchir le canal, pas tant que Will serait dans cet état.

Le deuxième jour, ils arrivèrent assez près de la source lumineuse pour pouvoir distinguer l'enceinte arrondie du mur qu'elle éclairait. Ils se trouvaient de toute évidence à la limite de la Grande Plaine. Chester insista pour s'arrêter et inspecter la zone ; enfin rassuré, il accepta de continuer sa route. Il avançait aussi furtivement que possible, tandis que Will le suivait sans prêter la moindre attention à la lumière, ni à ce qui l'entourait.

Ils arrivèrent enfin devant un mur auquel était accroché un bec de gaz constitué d'un bras de métal d'une cinquantaine de centimètres de long à l'extrémité duquel brûlait une flamme bleutée. De temps à autre, le feu sifflait et crachotait dans la brise comme pour désapprouver leur présence. En contrebas, le canal s'engouffrait nonchalamment sous une arche à l'arrondi si parfait qu'elle ne pouvait avoir été façonnée que par la main de l'homme, ou tout au moins par des Coprolithes. Il n'y avait ni rebord ni corniche d'aucune sorte qui leur aurait permis de longer le canal souterrain.

— Eh bien, nous y voilà, déclara Will avec dépit. Nous sommes coincés.

Il s'éloigna sans voir le filet d'eau qui sourdait d'une fissure située à peu près à hauteur de poitrine. Elle avait creusé un sillon lisse dans la paroi de la caverne et s'écoulait dans un bassin de débordement en pierre polie par l'érosion. L'eau descendait en cascade, ruisselant sur plusieurs plateaux avant de s'écouler dans le canal, laissant une traînée brunâtre sur son passage, ce qui ne dissuada nullement Chester d'y goûter.

— Elle est bonne. Pourquoi n'en prends-tu pas un peu ? lança-t-il à Will.

C'était la première fois qu'il tentait de lui adresser la parole depuis près d'un jour.

— Non, répondit Will d'un ton morne en s'affalant sur le sol avec un soupir qui trahissait son désespoir.

Will ramena ses genoux contre sa poitrine et les encercla de ses bras. Il se mit alors à se balancer doucement d'avant en arrière en baissant la tête pour que son ami ne puisse pas voir son visage.

De plus en plus agacé par son attitude, Chester résolut de lui faire entendre raison : il se rapprocha de lui d'un pas décidé.

— Très bien, Will, dit-il d'une voix parfaitement égale qui sonnait assez faux. Nous allons rester plantés là jusqu'à ce que tu te décides à réagir. Prends ton temps. Je me fiche pas mal de savoir s'il te faut des jours, voire des semaines. Prends tout le temps qu'il te faudra. Moi ça me va, souffla-t-il. En fait, si tu veux moisir ici, ça me va aussi. Je suis vraiment désolé pour Cal, mais ça ne change rien à la raison qui nous a poussés à venir jusqu'ici... Tu m'as demandé de t'aider à retrouver ton père, dit-il avant de marquer une pause, courbé au-dessus de son ami. Ou bien tu l'as peut-être déjà oublié?

Cette dernière phrase fit à Will l'effet d'un coup de poing dans l'estomac, et il agita vivement la tête en prenant une profonde inspiration... il garda néanmoins les yeux baissés.

— Très bien, dans ce cas... lança Chester d'un ton sec avant de s'éloigner un peu pour s'allonger sur le sol.

Il ne savait combien de temps ils avaient passé ainsi lorsqu'il entendit la voix de Will lui parvenir comme dans un rêve. Il avait dû s'assoupir.

— Tu as raison, il faut continuer, lui disait Will.

— Hein?

— Allez, en route.

Will s'empressa de se relever et fonça droit sur la fissure d'où s'écoulait un filet d'eau pour l'examiner de plus près. Puis il se mit à inspecter à la lumière de sa lanterne les recoins obscurs de l'arche sous laquelle s'engouffrait le canal. Il hocha la tête, puis scruta la falaise verticale qui s'élevait juste au-dessus de l'eau.

— Tout va bien, annonça-t-il en revenant là où il avait laissé son sac à dos pour l'enfiler sur ses épaules.

— Hein? Qu'est-ce que tu dis?

— Je crois que la voie est libre, répondit-il, énigmatique.

— Libre comme un fichu condamné, tu veux dire!

— Alors, tu viens ou quoi? demanda-t-il sèchement à Chester qui le regardait d'un air dubitatif.

Chester se demandait bien ce qui avait pu provoquer un tel changement chez son ami. Will avait accroché sa lanterne à la poche de sa chemise et se trouvait déjà au bord du canal. Il contempla la falaise pendant quelques secondes puis commença à escalader la paroi rocheuse en s'accrochant aux prises qu'il avait trouvées pour ses mains et ses pieds. Il décrivit ainsi un arc de cercle plaqué contre la paroi, passa sous le bec à gaz crachotant qui surplombait l'entrée du canal nonchalant, et atterrit enfin sur l'autre berge.

— Quelqu'un a déjà emprunté cette voie avant moi, déclara-t-il. Allons, ne reste pas planté là, lança-t-il à Chester, resté de l'autre côté. Trop fastoche. On a creusé des prises dans la roche.

Chester lui adressa un regard tout aussi fasciné qu'indigné. Il s'apprêtait à dire quelque chose, mais se ravisa au dernier moment.

— Après tout, les affaires sont les affaires, marmonna-t-il entre ses dents.

Will ne suivait aucune piste visible, mais il semblait si convaincu qu'ils allaient dans la bonne direction que Chester lui emboîta le pas sans protester. Ils marchaient à vive allure et s'enfonçaient toujours plus avant sur cette étendue monotone qui ne comportait pas le moindre canal ni le moindre repère discernable. Ils finirent par atteindre une zone au sol labouré et légèrement plus pentu. Au-dessus d'eux, la canopée était de plus en plus haute, et les vents semblaient souffler de plus en plus fort.

— Ouf, ça va mieux! dit Will en glissant le doigt le long de son col trempé de sueur. Il fait un peu plus frais maintenant!

Chester était vraiment soulagé de constater que Will avait apparemment émergé de la mélancolie consternante dans laquelle il avait sombré. Ils bavardaient tout à fait normalement, même si leur conversation était nettement moins animée depuis que Cal n'était plus là pour les aiguillonner. Comme si son imagination lui jouait des tours, Chester avait l'étrange impression que le jeune garçon était encore à leurs côtés : il ne cessait de le chercher du regard.

— Hé, on dirait de la craie, remarqua Will en grimpant le long de la côte, dérapant et trébuchant à mesure que le substrat de couleur claire se dérobait sous ses pieds.

La pente était plus raide à présent, et ils durent terminer leur ascension à quatre pattes.

— Waouh ! Magnifique spécimen de rose des sables ! s'exclama Will qui venait de s'arrêter brusquement pour ramasser une pierre de la taille d'une balle de tennis.

Chester regarda l'étrange roche sphérique dont les pétales rose pâle rayonnaient à partir d'un noyau central. On aurait dit une fleur cubiste.

— Ouais, c'est bien du gypse, déclara Will après avoir soigneusement gratté l'un des pétales du bout de l'ongle. Plutôt pas mal, non ? dit-il à Chester avant de poursuivre sans même lui laisser le temps de répondre. Très joli, ajouta-t-il en regardant autour de lui. Ça signifie que de l'eau s'est évaporée ici au cours du siècle dernier... à moins que, bien sûr, cette pierre ne soit bien plus ancienne et qu'elle n'ait été enterrée là. Quoi qu'il en soit, je crois que je vais la garder, dit-il en ôtant son sac à dos.

— Tu vas faire quoi ? Bon sang, c'est qu'un fichu caillou !

— Non, c'est pas un caillou. C'est une formation minérale. Imagine une sorte de mer ici, dit-il en ouvrant grand les bras. En séchant, le sel s'échappe de la solution et... ce que tu vois là, ce sont des sédiments. Tu connais les roches sédimentaires, n'est-ce pas ?

— Non, admit Chester en scrutant attentivement son ami.

— Eh bien, il y a trois classes de roches : les roches sédimentaires, comme celles que nous voyons ici. Elles contiennent une histoire, et les fossiles qu'on y déniche nous la racontent. Elles se forment...

— Will, dit Chester d'une voix douce.

— ... se forment en général à la surface, la plupart du temps sous l'eau. Pourquoi est-ce qu'on trouverait des roches sédimentaires si loin sous terre, je me le demande bien... dit-il d'un air perplexe. Oui, je suppose qu'il a dû y avoir un lac souterrain ici, ou un truc dans le genre.

— Will ! reprit Chester.

— Quoi qu'il en soit, les roches sédimentaires sont des roches dites froides, contrairement aux roches chaudes, comme la lave. Ce sont les roches ignées, qu'on...

— Will, arrête ça ! hurla Chester, que le comportement étrange de son ami commençait à inquiéter sérieusement.

— ... appelle la première grande classe, car elle sont formées par des laves en fusion...

Will s'interrompit au beau milieu de sa phrase.

— Reprends-toi, Will. Qu'est-ce que tu racontes ? demanda Chester d'une voix éraillée par le désespoir. Qu'est-ce qui ne va pas ?

— Je ne sais pas, répondit Will en secouant la tête.

— Eh bien, tais-toi et concentre-toi sur ce qu'on fait. Je n'ai pas besoin qu'on me fasse un cours.

— Bien.

Will regarda tout autour de lui en clignant des yeux comme s'il venait d'émerger du brouillard et ne savait pas très bien où il se trouvait. Il s'aperçut qu'il tenait toujours la rose des sables à la main et la jeta au loin. Puis il remit son sac sur son dos, et reprit sa marche sous le regard soucieux de son ami.

Le sol commençait à s'aplanir à mesure qu'ils approchaient du sommet de la colline. Chester aperçut un rai de lumière qui zébra soudain le plafond. Ça venait d'assez loin, mais ça ressemblait au faisceau d'un projecteur. Par précaution, il réduisit l'intensité de sa lanterne au minimum et insista pour que Will fasse de même.

Ils franchirent les derniers mètres en rampant. Chester s'assurait que Will était bien derrière lui, car, vu son état, ses réactions restaient imprévisibles. Arrivés tout en haut, ils virent une vaste zone circulaire de la taille d'un stade, désert de poussière semblable à un cratère lunaire.

— Mon Dieu, Will, regarde un peu ça, chuchota Chester en faisant signe à son ami de le rejoindre, puis il éteignit sa lanterne. Tu les vois ? On dirait des Styx, mais ils sont habillés comme des soldats.

Les deux garçons distinguaient environ dix Styx au fond du cratère ; leurs uniformes ne leur étaient certes pas familiers, mais leur corps maigres et leur attitude ne laissaient aucun doute sur leur identité. Ils étaient alignés en file indienne, et deux d'entre eux tenaient en laisse un limier. À l'avant de la ligne de front, l'un des hommes brandissait une grosse lanterne encore plus puissante que les quatre grands globes lumineux montés sur des tripodes qui illuminaient le fond du cratère. Le Styx éclairait quelque chose devant lui.

Chester tressaillit ; il avait l'impression d'être tombé sur un nid de serpents parmi les plus agressifs et les plus venimeux qui soient.

— Oh, ce que je les hais ! rugit-il sans desserrer les dents.

— Hum... répondit vaguement Will en examinant tranquillement un galet dont les stries étincelantes avaient attiré son attention, puis il l'écarta d'un coup de pouce.

Pas besoin d'être psychanalyste pour voir que quelque chose n'allait pas et que la mort de son frère l'avait lui aussi terrassé.

— Tu te comportes vraiment d'une drôle de façon, Will, dit Chester. Il y a des Styx en bas, bon sang!

— Ouais, y'a pas de doute, répondit Will.

Chester était stupéfait de voir son ami manifester aussi peu d'intérêt.

— Eh bien, ils me donnent la chair de poule. Partons d'ici... suggéra Chester en reculant.

— Tu vois les Coprolithes? demanda Will en les pointant du doigt.

— Quoi? Où? demanda Chester en essayant de les localiser.

— Là-bas... en face des Styx... répondit Will en se hissant sur ses bras pour mieux voir. Pile dans la lumière.

— Où exactement? demanda à nouveau Chester en chuchotant. Bon Dieu! Baisse la tête, espèce d'idiot! Ils vont te voir, grogna Chester.

— Bon, bon, répondit Will en s'exécutant.

Chester tourna les yeux vers la scène. En dépit du puissant faisceau de lumière qu'émettait la lanterne du Styx, il n'aurait jamais réussi à apercevoir l'une de ces créatures (Chester avait du mal à considérer ces Coprolithes mal dégrossis comme des gens) si elle n'avait pas bougé. C'était à peine si l'on discernait leurs faisceaux oculaires dans cette zone bien éclairée. Quant à leurs combinaisons, couleur champignon, elles se confondaient si bien avec la pierre du cratère que Chester avait le plus grand mal à les en distinguer. Ils étaient en fait assez nombreux à se tenir face aux Styx en rangs épars.

— Y en a combien? demanda Will.

— Peux pas dire. Une vingtaine peut-être.

Le Styx en chef allait et venait entre les deux groupes. Il marchait de long en large, puis se tournait brusquement vers les Coprolithes en dirigeant sa lanterne vers eux. À cette distance et avec le bruit du vent, les garçons n'entendaient rien de ce qu'il disait, mais d'après ses gestes et ses mouvements de tête saccadés il était manifestement en train de leur crier dessus. Ils observèrent la scène pendant plusieurs minutes, mais Will ne tarda pas à trépigner.

— J'ai faim. T'as encore du chewing-gum?

— Tu rigoles ou quoi? Comment tu peux avoir faim dans un moment pareil? lui demanda Chester.

— Je sais pas... Donne-m'en, tu veux, gémit Will.

— Reprends-toi un peu, Will, pressa Chester sans quitter des yeux les Styx. Tu sais où ils sont.

Dans sa confusion, il fallut une éternité à Will pour défaire la poche latérale du sac à dos de Chester. Puis il se mit à fouiner en marmonnant jusqu'à ce qu'il trouve enfin le paquet vert qu'il déposa devant lui en refermant le rabat.

— T'en veux un ? demanda-t-il à Chester.

— Non.

Après l'avoir fait tomber plusieurs fois comme s'il avait les doigts gourds, Will finit par ouvrir le paquet et en tira une tablette. Il s'apprêtait à retirer maladroitement l'emballage papier qui entourait l'aluminium, lorsque quelque chose lui coupa soudain le souffle.

On lui écrasait le dos, et il sentit la lame d'un couteau contre sa gorge. Chester n'était guère mieux loti.

— Pas un bruit, dit une voix grave et gutturale tout près de son oreille — on aurait dit que cet homme n'avait pas l'habitude de parler.

Chester déglutit bruyamment ; les Styx s'étaient faufilés derrière eux et les avaient pris par surprise.

— Et ne vous avisez pas de bouger d'un pouce !

Will laissa tomber la tablette de chewing-gum.

— Je sens déjà cette puanteur, et dire que tu ne l'as pas encore ouverte.

Will essaya de dire quelque chose.

— J'ai dit « la ferme ! ».

Will sentit la pointe du couteau s'enfoncer un peu plus dans sa chair tandis que l'homme pesait toujours plus sur son dos. Les deux garçons virent une main gantée s'avancer entre eux pour creuser un trou dans le gravier.

Ils regardèrent l'opération du coin de l'œil, n'osant pas bouger la tête ne serait-ce que d'un pouce. C'était presque hypnotique. Une main désincarnée dans un gant noir qui creusait peu à peu un petit trou.

Chester ne put soudain s'empêcher de frémir. Les Styx les avaient-ils interceptés ? Et si ce n'était pas les Styx, alors qui ? Les pensées se bousculaient dans sa tête sous l'effet de la panique, et il se demandait ce qui allait leur arriver ensuite. Ces gens allaient-ils leur trancher la gorge et les enterrer là, dans ce trou ? Il ne pouvait plus détacher les yeux du trou.

L'homme prit délibérément le paquet de chewing-gum entre le pouce et l'index et le laissa choir au fond du trou.

— Ce morceau aussi, ordonna une voix d'homme, et Will s'exécuta ; il jeta la tablette encore emballée dans le trou.

L'homme combla ensuite méthodiquement le trou avec des graviers de gypse jusqu'à ce que le chewing-gum soit complètement enfoui.

— Ça aidera, mais l'odeur est encore forte, reprit-il après cet interlude. Si t'avais déballé ça, le limier le plus proche de nous... hésita-t-il avant de reprendre... Tu le vois, là, en bas... Ce limier l'aurait senti en l'espace de... À ton avis ?

Il y eut un temps de flottement pendant lequel Will se demanda s'il devait répondre. Puis une autre voix légèrement plus douce s'éleva juste derrière Chester.

— Ils sont sous le vent. Deux secondes au maximum, dit-elle.

— Les Limiteurs auraient lâché les chiens et leur auraient aussitôt emboîté le pas. Et vous seriez cuits, ajouta l'homme, comme ces pauvres hères là-bas. Vous devriez regarder ça, dit-il en inspirant.

Malgré la menace des couteaux, Will et Chester firent un effort concerté pour se concentrer sur ce qui se passait en contrebas.

Le Styx en chef pivota brusquement sur lui-même et aboya un ordre à ses troupes. Deux Styx escortèrent trois hommes vêtus d'habits de couleur neutre au centre du cratère. Will et Chester ne les avaient pas repérés auparavant parce qu'ils étaient cachés dans la pénombre, hors de portée des projecteurs. Les deux Styx les poussèrent vers le groupe de Coprolithes, puis ils rejoignirent leurs rangs.

Le Styx en chef aboya un autre ordre, leva la main bien haut : plusieurs de ses hommes firent alors un pas en avant et les mirent en joue. Il poussa un dernier cri, et les fusils de l'escadron crachèrent des éclairs. Deux des trois silhouettes s'effondrèrent aussitôt. Le dernier homme vacilla un instant avant de s'effondrer sur les deux autres. L'écho des détonations résonna au fond du cratère, puis céda la place à un silence irréel. Les trois hommes gisaient à terre, inertes. Tout s'était déroulé si vite que Will et Chester n'arrivaient pas à comprendre ce qu'ils venaient de voir.

— Non, dit Will, qui n'en croyait pas ses yeux. Les Styx... ils n'ont pas...

— Si, tu viens d'assister à une exécution, répondit l'homme qui se tenait tout près de lui. Et ces gens appartiennent à notre peuple. Ce sont nos amis.

Le Styx en chef émit un autre ordre, et les hommes de l'escadron tendirent leurs armes à leurs camarades les plus proches. Ils dégainèrent simultanément l'arme qui pendait à leur côté et firent plusieurs pas en avant. Il y avait quelque chose d'inexorable dans cette scène. Chacun des Styx se dirigeait vers un Coprolithe.

Les garçons regardèrent les Styx frapper les Coprolithes qui s'effondrèrent simplement sur le sol, tels des arbres qu'on aurait abattus. Ils virent l'éclat du métal dans la main du Styx le plus proche alors qu'il rengainait son arme.

Les autres Coprolithes ne bougèrent pas de leurs rangs mal alignés. Ils restèrent tournés vers les quatre coins de l'horizon et ne firent pas le moindre geste pour aider leurs frères. Plus étonnant encore, leur mort ne sembla pas les affecter le moins du monde. C'était un peu comme si on avait tué quelques têtes de bétail au sein d'un troupeau et que les autres bêtes l'avaient tout simplement accepté, comme le feraient des animaux stupides.

— Assez. Vous sentez nos couteaux. Nous nous en servirons si vous ne faites pas très exactement ce qu'on vous dit. Compris ? dit l'homme à la voix éraillée.

Sentant la pression des lames contre leur chair, les deux garçons acquiescèrent en marmonnant.

— Mettez les bras derrière le dos, ordonna la voix la plus douce.

On leur ligota fermement les poignets, puis on leur releva la tête en les tirant par les cheveux. Enfin, on leur posa un bandeau sur les yeux.

Leurs ravisseurs les attrapèrent ensuite par les chevilles, puis ils dévalèrent la colline en les traînant sans pitié sur le ventre. Incapables de résister, ils s'efforçaient de relever la tête pour ne pas se râper le visage sur le sol qui défilait sous eux.

Puis ils furent relevés sans plus de ménagement. On accrocha quelque chose aux cordes qui leur ligotaient les poignets, puis on les tira en avant. Chacun des deux garçons entendait son ami tituber en descendant la pente, forcé de se pencher en arrière pour éviter la chute. D'après ses gémissements, Will savait que Chester se trouvait devant lui. Il avait deviné qu'on les avait attachés l'un à l'autre comme deux animaux qu'on mène à l'abattoir.

Chester perdit l'équilibre au pied de la colline et tomba en avant, entraînant Will dans sa chute.

— Debout, sacs d'ordures ! siffla l'homme. Faites ce qu'on vous dit, ou bien je vous achève tous les deux sur-le-champ.

Les deux garçons se relevèrent en s'appuyant l'un sur l'autre.

— Bouge-toi, rugit l'homme en frappant si fort l'épaule blessée de Will qu'il laissa échapper un gémissement de douleur.

Il entendit son ravisseur qui reculait d'un pas, visiblement surpris.

Sous les effets combinés de la douleur et de la peur auxquels s'ajoutait la perte de Cal, Will réagit soudain.

— T'avise pas de recommencer ça! ou je... lança-t-il d'une voix grave et menaçante en pivotant sur lui-même.

— Ou quoi? répondit une voix plus douce qu'avant. Will remarqua pour la première fois qu'elle avait quelque chose de jeune et de féminin. Tu feras quoi, au juste?

— T'es une fille, pas vrai? demanda Will, incrédule.

Sans attendre sa réponse, il serra les poings et tenta de se rapprocher d'elle sans vraiment savoir où elle se trouvait.

— Je vais appeler les renforts, dit-il brutalement... il citait une réplique tirée des séries télé préférées de sa mère.

— Des renforts? C'est quoi? demanda-t-elle avec hésitation.

— Une équipe dont les hommes ont été triés sur le volet observe actuellement chacun de vos mouvements, ajouta-t-il d'un ton aussi convaincu que possible. Je n'ai qu'à donner le signal et ils vous abattront.

— Il bluffe, intervint l'homme dont la voix avait aussi perdu un peu de sa dureté; on y décelait même une pointe d'amusement. Ils sont seuls. Nous n'avons vu personne d'autre, n'est-ce pas, Elliott? Si tu ne coopères pas, dit-il en se tournant vers Will, j'écharpe ton ami avec la lame de mon couteau.

Cette dernière remarque eut l'effet escompté, et Will redescendit sur terre.

— D'accord, d'accord. Je vous suis sans résister, mais vous avez intérêt à faire attention. Ne vous avisez pas de...

Will ne termina pas sa phrase. Il avait joué tous ses jokers. Il se remit en marche et se cogna contre Chester, lequel restait complètement ahuri par ce qu'il venait d'entendre.

Chapitre Vingt et un

– Et il est écrit dans le *Livre des révélations* que notre peuple retrouvera la terre qui est la sienne en passant sous l'Arche de la Terre lorsque le divin déluge aura pris fin. Et notre peuple labourera de nouveau les champs en friche, reconstruira les villes rasées et fécondera les déserts de pures semences. Ainsi est-il dit, et ainsi il en sera, tonna la voix du prêtre styx.

Dans les confins de la petite pièce en pierre de la garnison, il surplombait la silhouette agenouillée d'une femme. Avec son regard enflammé et sa cape noire, on aurait dit un terrible messager céleste, tandis qu'il lacérait l'air de ses doigts crochus.

Sa cape s'ouvrit dans un claquement sourd, dévoilant son corps maigre, tandis qu'il s'avançait vers Sarah, la main droite tendue vers le plafond, la gauche pointant vers le sol.

– Comme au firmament, de même ici-bas, conclut-il de sa voix crépitante. Amen.

– Amen, répondit Sarah en écho.

– Que Dieu t'accompagne dans tout ce que tu entreprendras pour le bien de la Colonie.

Il lui prit soudain la tête entre ses mains et enfonça ses pouces dans la peau diaphane de son front, y imprimant une marque rouge encore visible après qu'il l'eut relâchée.

Le prêtre se drapa dans sa cape et sortit brusquement de la pièce, laissant la porte ouverte derrière lui.

La tête inclinée, Sarah resta agenouillée jusqu'à ce qu'une toux étouffée dans le couloir lui fasse lever les yeux. C'était Joseph qui tenait une assiette de victuailles entre ses mains gigantesques.

– Une bénédiction, hein ?

Sarah acquiesça.

— Je ne voudrais pas m'imposer, mais ma mère a préparé ça pour toi. Quelques gâteaux.

— Tu ferais mieux de vite me les apporter... je ne crois pas que le Dr Fatalis apprécie vraiment, dit-elle.

— Non, acquiesça Joseph qui s'empressa d'entrer en refermant la porte derrière lui.

Puis il resta planté là dans une posture un peu gauche, comme s'il avait oublié la raison de sa visite.

— Mets-toi donc à l'aise, invita Sarah en traversant la chambre pour rejoindre sa natte.

Assis à ses côtés, Joseph retira la mousseline qui recouvrait l'assiette sur laquelle étaient posés les gâteaux. Un glaçage insipide couleur caramel nappait les fibres de champignons dont on se servait pour la pâtisserie dans la Colonie.

— Ah, des friandises, dit-elle avec un sourire en repensant aux gâteaux informes mais délicieux que sa mère préparait pour le goûter du dimanche.

Sarah en prit un et commença à le grignoter pensivement.

— Ils sont délicieux. Remercie bien ta mère de ma part... je me souviens très bien d'elle.

— Elle t'envoie toute son affection, dit Joseph. Elle a eu quatre-vingts ans cette année et elle...

Joseph s'arrêta soudain comme s'il n'avait fait que tourner autour du pot jusqu'alors.

— Sarah, est-ce que je peux te demander quelque chose? dit-il enfin.

— Oui, bien sûr, répondit-elle.

— Lorsque tu auras terminé la tâche qu'ils t'ont assignée, est-ce que tu reviendras à la maison pour de bon?

— Est-ce que tu sais pourquoi je suis ici? rétorqua-t-elle en l'examinant attentivement.

— Je ne suis pas censé être au courant de ces choses-là... mais je me risquerais à dire que tu es là pour accomplir ce qui se prépare en Surface...

— Non, on m'envoie dans l'autre direction, dit-elle en inclinant la tête vers les Profondeurs.

— Tu n'es donc pas impliquée dans l'opération londonienne? lâcha Joseph avant de refermer promptement la bouche — il regrettait manifestement ce qu'il venait de dire. Je ne voudrais pas tomber en disgrâce auprès de… risqua-t-il à la hâte avant que Sarah ne l'interrompe.

— Non, je n'y participe pas. Et ne t'inquiète pas, rien de ce que tu me diras ne sortira de cette pièce.

— Les choses ne tournent pas rond en ce moment, dit Joseph à voix basse. Des gens disparaissent depuis un certain temps.

Comme cela n'avait rien de vraiment nouveau dans la Colonie, Sarah ne dit rien, et Joseph garda le silence comme s'il était encore gêné par sa précédente indiscrétion.

— Alors, tu reviendras ici ? finit-il par demander. Quand tu auras fini ?

— Oui. Les Cols d'albâtre disent que j'aurai le droit de rester dans la Colonie quand j'aurai accompli la tâche qu'ils m'ont confiée, expliqua-t-elle en se débarrassant d'une miette collée à la commissure de ses lèvres ; puis elle jeta un regard songeur à la porte en soupirant. Même si on leur échappe… qu'on réussit à rejoindre la Surface, on ne parvient jamais à se détacher complètement. Ils te coincent grâce à tous ceux qui te sont chers, tous ceux que tu aimes, ta famille… je l'ai découvert bien trop tard, ajouta-t-elle d'une voix pleine de remords.

— Il n'est jamais trop tard, marmonna Joseph en lui prenant l'assiette des mains avant de se relever pour se diriger vers la porte.

Les jours suivants, Sarah reçut l'ordre de se reposer pour reprendre des forces. Enfin, alors qu'elle croyait bien devenir folle à force de ne rien faire, un homme vint la chercher pour l'emmener dans une autre pièce. Vêtu comme Joseph, il était plus petit, plus âgé, et complètement chauve. Il se déplaçait avec une extrême lenteur le long du couloir.

— Mes articulations. C'est l'humidité qu'est rentrée dedans, expliqua-t-il en levant ses sourcils blancs et cotonneux d'un air contrit.

— Ça arrive aux meilleurs d'entre nous, répondit Sarah.

Une arthrite chronique avait paralysé son père.

L'homme la fit pénétrer dans une vaste pièce au centre de laquelle s'étendait une longue table. Une série de placards bas courait le long des murs. Le vieil homme ressortit en traînant les pieds sans ajouter un mot, alors que Sarah se demandait pourquoi on l'avait conduite là. De l'autre côté de la table, trônaient deux chaises au dossier haut. Elle s'approcha et se posta derrière l'une d'elles. En scrutant la pièce, elle vit un petit autel dans un coin. On y avait placé entre deux chandelles vacillantes une croix en métal martelé d'environ cinquante centimètres de haut. Le *Livre des catastrophes* était ouvert juste devant l'autel.

Quelque chose attira son regard. Une grande feuille de papier était dépliée sur la table, occupant presque toute sa surface. Elle jeta un coup d'œil par-dessus son épaule en direction de la porte, impatiente de savoir ce qu'on attendait d'elle exactement. Puis elle céda à la curiosité et se rapprocha de la feuille pour l'examiner de plus près.

Il s'agissait d'une carte. Elle commença sa lecture en haut à gauche, là où elle avait repéré deux minuscules lignes parallèles méticuleusement hachurées. Au bout de quelques centimètres, elles aboutissaient dans une zone entourée d'infimes petits rectangles à côté desquels figurait l'indication suivante : « Gare des mineurs ». Il y avait aussi d'autres symboles inconnus. Poursuivant sa lecture, elle remarqua une seconde inscription, juste à côté d'une ligne sinueuse de couleur bleu sombre : « Fleuve stygien ».

Sarah continua à parcourir la carte et vit une large zone brun clair maculée de taches plus sombres reliées les unes aux autres. Certaines étaient coloriées en brun sombre, orange, ou dans des nuances de rouge allant du cramoisi au bordeaux. À dire vrai, elle avait l'impression de voir des taches de sang à différents stades de coagulation. Elle chercha alors à comprendre ce qu'elles représentaient au juste.

Elle choisit l'une des zones au hasard et se pencha encore plus près pour pouvoir mieux l'examiner. Elle formait un rectangle grossier de couleur rouge écarlate, dans lequel on pouvait voir une petite tête de mort aux contours noir de jais. Elle cherchait à en déchiffrer la légende, lorsqu'elle entendit un bruit à ses côtés : un souffle à peine audible.

Elle leva aussitôt les yeux.

Elle eut un mouvement de recul et se heurta à la chaise en réprimant un cri.

De l'autre côté de la table, à un peu plus d'un mètre d'elle, se tenait un soldat styx revêtu de l'uniforme de combat gris vert typique de la Division. Il semblait incroyablement grand. Il la dévisageait en silence, les mains jointes devant lui. Elle ne savait pas depuis combien de temps il se trouvait dans la pièce.

Elle leva les yeux et vit qu'une rangée de petits fils de coton dépassaient du revers de son long manteau. Il y en avait de presque toutes les couleurs : des rouges, des violets, des bleus et des verts. Des décorations militaires saluant ses actes de bravoure, un peu comme les médailles que l'on remettait en Surface. Or, cet homme en arborait des myriades.

Il portait les cheveux tirés en arrière en une queue-de-cheval noire, remarqua-t-elle encore. Mais elle dut réprimer un mouvement d'horreur lorsque ses yeux se posèrent enfin sur son visage ; une balafre blanchâtre et boursouflée comme un chou-fleur lui découpait toute une partie du visage. L'immense cicatrice lui barrait près d'un tiers du front et s'élargissait ensuite en un trait plus épais qui courait tout le long de sa joue gauche pour venir mourir à la jointure de ses mâchoires. Ses lèvres étaient fines comme celles des autres Styx, mais tellement retroussées qu'elles découvraient presque toute sa dentition. Quant à son œil gauche, il était si difforme qu'on l'aurait cru révulsé.

Il sortait tout droit d'un cauchemar.

Sarah essayait d'éviter son œil chassieux dont les tissus rouge sang parcourus d'un réseau de capillaires bleus lui faisaient penser au résultat d'une dissection inachevée.

— Je vois que vous ne m'avez pas attendu, dit-il d'un ton calme et autoritaire, avec un souffle dans la voix. Savez-vous de quelle région il s'agit ? demanda-t-il de sa bouche difforme.

Sarah prit une profonde inspiration, ravie de pouvoir poser les yeux sur la carte.

— Les Profondeurs, répondit-elle après un temps d'hésitation.

— J'ai vu que vous aviez repéré la gare des mineurs, acquiesça-t-il. Bien. Dites-moi...

Il avait la main posée sur le tracé du chemin de fer. Il y manquait plusieurs doigts dont il restait parfois quelques moignons.

— ... connaissiez-vous l'existence de tout ceci ? demanda-t-il en agitant la main au-dessus de la carte.

— La gare des mineurs, oui, mais sinon, non, pas tout ça, répondit-elle sans mentir. Mais on raconte des histoires à propos de l'Intérieur... beaucoup d'histoires.

— Ah, les histoires, reprit-il avec un sourire fugace et désarmant.

La bordure luisante de ses gencives ondula mollement telle une courbe sinusoïdale avant de retrouver son aspect rectiligne. Le Styx s'assit sur une chaise, puis l'invita à faire de même.

— Je suis ici pour m'assurer que vous pourrez mener à bien les opérations dans la Grande Plaine et ses environs. Lorsque nous en aurons fini, vous connaîtrez tout votre équipement et vos armes, et vous serez entraînée à opérer selon nos règles. Compris ?

— Oui, mon général, répondit-elle en s'adressant à lui comme le voulait l'usage militaire, ce qui ne sembla pas lui déplaire.

— Nous savons que vous êtes très capable... forcément capable puisque vous **êtes** parvenue à nous échapper aussi longtemps.

Sarah acquiesça.

— Votre unique objectif sera de retrouver et de neutraliser, par n'importe quel moyen, le rebelle.

— Vous voulez dire Will Burrows ? demanda-t-elle, l'estomac noué, tandis qu'elle fixait son visage horriblement défiguré.

— Oui, Seth Jérôme, dit-il brièvement.

Il essuya son œil chassieux du revers de la main, puis fit maladroitement claquer ses doigts avec ce qui lui restait du pouce et de l'index.

— Quoi ?...

Elle entendit un bruit sec sur le sol de pierre, juste derrière elle, et tourna vivement la tête : une ombre se faufilait dans la pièce.

Il s'agissait du chasseur, le chat géant qui lui était venu en aide à la Surface. L'animal s'arrêta pour regarder autour de lui, renifla brièvement l'air ambiant, puis fondit sur Sarah pour se frotter affectueusement contre sa jambe avec tant de force qu'il parvint à déplacer sa chaise.

— Toi ! s'exclama-t-elle.

Elle était tout aussi étonnée que ravie de le revoir. Elle avait présumé que les Styx l'avaient fait abattre sur le site de Highfield, mais bien au contraire l'animal qui se tenait à présent à ses côtés n'avait rien à voir avec le misérable spécimen qu'elle avait rencontré en Surface.

Elle le regarda détaler pour aller renifler quelque chose dans un coin de la pièce ; on l'avait manifestement bien nourri. Il avait l'air bien mieux portant. On avait même pansé la plaie purulente qu'il avait à l'épaule en enroulant plusieurs fois un bandage gris tout autour de son poitrail pour maintenir en place la compresse. Il arborait aussi un collier en cuir flambant neuf — ce qui était rare pour ce genre d'animal. Sarah en déduisit aussitôt que c'étaient les Styx, et non les Colons, qui avaient pris soin de lui.

— Il s'appelle Bartleby. Nous avons pensé qu'il pourrait nous être utile, dit le Styx.

— Bartleby, répéta Sarah en adressant un regard interrogateur au Styx assis de l'autre côté de la table.

— Cet animal sera naturellement impatient de retrouver son ancien maître, votre fils, et se servira donc de son très fin odorat.

— Ah oui, acquiesça-t-elle, c'est tout à fait exact.

La présence d'un chasseur à ses côtés dans les Profondeurs était en effet d'autant plus inestimable qu'il pourrait pister Cal. Elle adressa un sourire au Styx avant de s'exclamer :

— Bartleby, au pied !

Le chat obtempéra aussitôt et vint s'asseoir près de Sarah, les yeux tournés vers elle, attendant qu'elle lui donne un autre ordre.

— Tu t'appelles donc... Bartleby, n'est-ce pas ? dit-elle en malaxant sa grosse tête plate et rugueuse. Toi et moi, on va ramener Cal, pas vrai, Bartleby ? ajouta-t-elle tandis que l'animal clignait de ses yeux immenses et ronronnait en dansant d'une patte sur l'autre. Et on en profitera pour faire sortir un gros rat de sa cachette, conclut-t-elle d'un ton grave.

**

Plusieurs pigeons se posèrent sur la table qui leur était réservée dans la roseraie de Humphrey House. Le cuisinier y déposait régulièrement des tranches de pain rassis et autres restes. Dérangée par les pigeons, Mme Burrows leva les yeux du magazine qu'elle avait étalé devant elle et s'efforça d'accommoder sur les oiseaux. Ses yeux étaient rouges et enflés.

— Bon Dieu ! J'y vois rien, et j'arrive encore moins à lire ! grommela-t-elle en plissant un œil, puis l'autre. Cette saleté de virus à la noix !

On avait diffusé les premiers bulletins d'information une semaine plus tôt. On rapportait une mystérieuse épidémie d'origine virale qui semblait, pour autant que l'on sache, avoir débuté à Londres et s'étendait comme un feu de brousse à travers le reste du pays. Elle avait même touché les États-Unis et l'Extrême-Orient. D'après les experts, même si cette affection, qui se traduisait par une forme de méga conjonctivite, ne durait guère plus de quatre ou cinq jours en général, sa vitesse de propagation était réellement alarmante. Les médias parlaient sans cesse du « supervirus », car il se transmettait par l'air et par l'eau, ce qui le rendait unique en son genre. Il n'y avait pas mieux pour sa diffusion.

Selon ces mêmes experts, même si le gouvernement se décidait à lancer la fabrication d'un vaccin, il faudrait des mois, voire des années, avant d'identifier ce nouveau virus et de produire des quantités suffisantes de sérum pour immuniser toute la population d'Angleterre.

Mais ces subtilités scientifiques importaient fort peu à Mme Burrows ; ce qui la mettait en rage, c'était le désagrément causé. Elle laissa tomber sa cuillère dans son bol de céréales et se frotta de nouveau les yeux.

Tout allait bien quand elle était partie se coucher, mais lorsque la cloche avait retenti à l'extérieur, elle avait connu un réveil des plus atroces. Ses sinus desséchés la faisaient terriblement souffrir, et elle avait la langue et la gorge ulcérées. Mais ce n'était rien, comparé au moment où elle avait découvert que ses paupières étaient scellées. Ce n'est qu'après s'être abondamment rincé les yeux à l'eau chaude dans le bassin de sa chambre qu'elle avait réussi à les entrouvrir, à grand renfort de jurons. Malgré tout, elle avait encore l'impression d'avoir une croûte sur les yeux, dont elle ne parviendrait à se débarrasser qu'à force de frotter.

Assise à la table, elle émit un grognement misérable. Elle ne faisait qu'empirer les choses ainsi. Le visage ruisselant de larmes, elle prit une grosse portion de pétales de maïs, puis tenta de nouveau de lire le programme télé. C'était le dernier numéro, livré le matin même. Elle l'avait subtilisé dans la salle commune avant que quiconque ait eu le temps de mettre la main dessus. Mais à quoi bon ? Elle peinait à distinguer les gros titres en haut des pages, sans parler du descriptif des émissions en petits caractères juste en dessous.

– Quelle saleté, ce virus ! se plaignit-elle encore à voix haute.

La salle à manger était étrangement calme à cette heure. En temps normal, de nombreux patients s'y rendaient dès le premier service du petit déjeuner.

Elle serra les dents et s'essuya soigneusement les yeux avec le coin de la serviette. Après avoir émis une série de beuglements – elle tentait en vain de se libérer les sinus –, elle se moucha bruyamment dans le carré de tissu puis tenta de nouveau de décrypter les pages du magazine en clignant rapidement des yeux.

– Ça ne sert à rien. Je vois que dalle. J'ai l'impression d'avoir de la poussière dans les yeux, dit-elle en repoussant son bol de céréales.

Les yeux fermés, elle se renfonça dans sa chaise et tendit la main vers sa tasse de thé qu'elle porta à ses lèvres avant de recracher bruyamment la première gorgée en une fine pluie de gouttelettes. Le liquide était froid.

– Beurk! Dégoûtant! hurla-t-elle. Le service est déplorable ici, ajouta-t-elle en reposant violemment la tasse sur sa soucoupe. Tout s'est arrêté. On se croirait en guerre, dit-elle d'un ton plaintif sans s'adresser à quiconque en particulier.

Elle savait très bien que la moitié du personnel n'était pas venue travailler.

– Mais c'est le cas.

Cette voix avait quelque chose de singulier.

Mme Burrows releva péniblement l'une de ses paupières gonflées pour voir qui venait de s'exprimer ainsi. Un homme d'une cinquantaine d'années environ, vêtu d'une veste en tweed, trempait une mouillette beurrée dans son œuf mollet. Tout comme elle, il semblait préférer la solitude; il avait choisi la petite table qui se trouvait dans l'autre baie. Ils étaient seuls dans la salle. Les deux derniers jours avaient été particulièrement étranges. Malgré leurs yeux irrités et suppurants, les quelques membres du personnel encore valides s'efforçaient de s'occuper au mieux des patients. Ces derniers restaient pour la plupart confinés dans leur chambre.

– Hum! dit l'homme comme pour acquiescer à sa propre déclaration.

– Pardon?

– J'ai dit que nous étions bien en guerre, répondit-il en mâchonnant sa mouillette.

Pour autant qu'elle puisse voir, il n'avait été que très légèrement affecté par le virus.

– Qu'est-ce qui vous fait penser ça? demanda Mme Burrows d'un ton plein d'agressivité.

Cependant, elle regretta aussitôt d'être intervenue. Cet homme avait vraiment l'air d'un clochard – c'était l'un de ces types qui exerçaient une profession libérale et qui avaient fini par craquer. Il se retapait à présent et, fidèle à sa catégorie, se montrait d'une suprême arrogance et d'une insupportable préciosité. Il était difficile d'ignorer ces gens-là à ce stade de leur convalescence, mais l'effort en valait amplement la peine.

Elle rentra le menton en priant pour qu'il la laisse en paix et se concentre plutôt sur son œuf. Mais ce n'était pas son jour de chance.

– Et nous sommes du côté des perdants, ajouta-t-il, la bouche pleine. Nous subissons sans cesse l'attaque de virus. Nous pourrions tous être contaminés en moins de temps qu'il n'en faut pour le dire.

— Qu'est-ce que vous racontez? grommela Mme Burrows malgré elle. N'importe quoi!

— Bien au contraire, dit-il en fronçant les sourcils. Nous vivons sur une planète si surpeuplée que la situation est idéale pour que la mutation d'un virus nous soit fatale, et ça ne prendrait pas longtemps non plus. C'est le terrain rêvé.

Mme Burrows songeait déjà à prendre la fuite par la porte. Elle n'allait pas rester là à écouter les bavardages de ce vieux gâteux, et puis elle n'avait plus du tout d'appétit. Cette mystérieuse pandémie avait au moins un avantage : il n'y aurait aucune activité ce jour-ci. Elle pourrait donc regarder la télévision sans affronter la moindre opposition quant au choix des programmes. Même si elle ne voyait pas grand-chose, elle pourrait au moins les écouter.

— Nous souffrons tous de cette méchante infection oculaire en ce moment, et il ne faudrait pas grand-chose pour ajouter un ou deux gènes à ce virus et le transformer en tueur, dit l'homme en salant son œuf. Écoutez-moi bien, un de ces jours, un truc vraiment méchant finira par se pointer à l'horizon. Il nous fauchera tous d'un coup, annonça-t-il en se tamponnant délicatement le coin de l'œil avec son mouchoir. Et nous emboîterons le pas aux dinosaures. Et tout ça ne sera qu'un bref chapitre, sans grande importance, de l'histoire du monde, conclut-il en embrassant la pièce d'un grand geste de la main.

— Comme c'est réconfortant. On croirait entendre un mauvais récit de science-fiction, ironisa Mme Burrows avant de se diriger à tâtons vers le couloir.

— Ce scénario vous semble peut-être désagréable, mais il très probable. Nous finirons tous ainsi.

C'en était trop. Elle avait déjà assez mal aux yeux pour ne pas, en plus, subir de telles balivernes.

— Oh oui, nous sommes donc tous condamnés, n'est-ce pas? Et comment le savez-vous? dit-elle avec mépris. Qui êtes-vous au juste? Un écrivain raté ou quoi?

— Non, à dire vrai, je suis médecin. Lorsque je ne suis pas ici, je travaille à l'hôpital Saint-Edmund. Vous en avez peut-être entendu parler?

— Oh... bredouilla Mme Burrows en s'arrêtant pour se retourner vers lui.

— Comme vous semblez être tout aussi experte que moi, j'aimerais pouvoir partager votre foi, et me dire qu'il n'y a rien à craindre.

Complètement humiliée, Mme Burrows resta plantée là.

— Et puis surtout, évitez de vous toucher les mirettes, ma chère. Ça ne ferait qu'empirer les choses, ajouta-t-il sèchement en détournant la tête pour regarder deux pigeons qui se battaient au-dessus d'un morceau de lard tombé au pied de la table qui leur était réservée.

Chapitre Vingt-deux

Ils gardèrent le silence plusieurs kilomètres durant. On entendait seulement le crissement de leurs semelles dans la poussière. Will et Chester peinaient à avancer et trébuchaient souvent, mais leurs ravisseurs les forçaient à se relever en tirant violemment sur leur corde. Ils avaient poussé les deux garçons à plusieurs reprises et les avaient méchamment frappés pour qu'ils pressent un peu l'allure.

Puis ils marquèrent soudain l'arrêt et arrachèrent le bandeau qui leur masquait la vue. Les deux garçons regardèrent tout autour d'eux en clignant des yeux. De toute évidence, ils étaient encore dans la Grande Plaine. Malgré la lumière de la lampe frontale du grand homme qui se tenait devant eux, ils ne distinguaient pas son visage. Il portait cependant une longue veste ainsi qu'une ceinture passée autour de la taille. Il y avait accroché plusieurs sacs dont il sortit un globe lumineux. Il le tint au creux de sa main gantée et éteignit sa lampe.

Il déroula l'écharpe qu'il avait autour du cou, en observant les deux garçons tour à tour. Il avait les épaules larges, mais c'est son visage émacié qui retint leur attention. Il avait un nez imposant et un œil bleu. L'autre était masqué par une sorte de lentille télescopique que maintenait un élastique.

Will se souvint alors son dernier examen oculaire. L'ophtalmologiste portait un appareil du même type. Cependant, celui-ci comportait une lentille au verre laiteux, et Will aurait juré qu'il y avait décelé une imperceptible lueur orangée. Il en déduisit aussitôt que cet homme avait un œil estropié, puis se ravisa en voyant les deux câbles torsadés reliés à l'appareil. Ils couraient le long de l'élastique pour se perdre derrière sa nuque.

L'homme continuait à les dévisager l'un après l'autre en leur lançant de rapides coups d'œil sagaces.

— J'ai une patience très limitée, commença-t-il.

Will cherchait à deviner son âge, mais il pouvait tout aussi bien avoir une trentaine qu'une cinquantaine d'années. Il avait une présence qui commandait le respect.

— Je m'appelle Drake. Je n'ai pas l'habitude de ramasser les parias de la Colonie, dit-il avant de marquer une pause. Il m'arrive de soulager les maux des épaves et des débris, de ceux que l'on a torturés et qui sont trop faibles pour tenir bien longtemps ici. C'est la solution la plus clémente, ajouta-t-il avec un sourire sinistre en caressant le long couteau qui pendait à sa ceinture.

— J'exige des réponses claires, dit-il enfin, puis il retira sa main, voyant qu'il s'était bien fait comprendre. Nous vous suivons depuis un bon moment, et vous n'avez aucun renfort, n'est-ce pas ? demanda-t-il en jetant un regard furieux à Will, mais ce dernier ne répondit pas.

Puis il se tourna vers Chester qui dansait d'un pied sur l'autre.

— Toi, le gros, comment tu t'appelles ?

— Chester Rawls, monsieur, répondit le garçon d'une voix tremblante.

— T'es pas un Colon, n'est-ce pas ?

— Euh... Non, coassa Chester.

— Surfacien ?

— Oui, répondit Chester en baissant les yeux, incapable de soutenir plus longtemps le regard froid de l'homme.

— Et comment tu t'es retrouvé ici ?

— On m'a banni.

— Comme tous les meilleurs d'entre eux, commenta Drake en se tournant vers Will. Toi, le brave, ou l'imbécile, ton nom ?

— Will, répondit-il d'une voix égale.

— Qui es-tu ? Je me demande. Tu es plus difficile à jauger. Tu te déplaces comme un Colon moyen, et tu leur ressembles, mais tu as aussi quelque chose du Surfacien.

Will acquiesça.

— Ça fait de toi un être peu ordinaire. Tu n'es manifestement pas un agent des Limiteurs.

— Qui ça ?

— Tu viens de les voir en pleine action.

— Je ne sais pas du tout qui sont ces fameux Limiteurs, marmonna Will avec insolence.

— Il s'agit d'une faction spéciale des Styx. On les a vus surgir d'un peu partout ces derniers temps. On dirait qu'ils ont pris goût à la fréquentation des Profondeurs. Tu ne travailles donc pas pour eux ?

— Non, bon sang ! rétorqua Will avec tant d'emphase que la pupille de Drake sembla s'élargir, comme s'il était surpris par la violence de sa réaction.

Drake poussa un soupir, croisa les bras, puis se caressa le menton d'un air songeur.

— C'est bien ce que je pensais, dit-il en fixant Will tout en agitant la tête. Mais je n'aime pas ça, quand je ne comprends pas immédiatement les choses. J'ai tendance à agir sans réfléchir... À éliminer tout problème sur-le-champ. Garçon, dis-moi qui tu es et ce que tu fais, et vite !

Will savait qu'il valait mieux obtempérer.

— Je suis né dans la Colonie, et ma mère m'en a fait sortir. Elle m'a emmené à la Surface, dit-il.

— Quand es-tu donc allé en Surface ?

— Lorsque j'avais deux ans, elle...

— Suffit ! interrompit Drake d'un geste de la main. Je ne te demande pas de me raconter ta vie, rugit-il. Mais tu sembles dire vrai. Et ça fait de toi une... une bizarrerie de la nature. Je suggère de les ramener avec nous. Nous déciderons de leur sort plus tard. D'accord, Elliott ?

Une petite femme, pas plus grande que Will, entra dans la lumière avec une grâce toute féline. Malgré le faible éclairage, les deux garçons distinguèrent les courbes de son corps sous sa veste et son pantalon larges. Elle portait des vêtements semblables à ceux de Drake. Un keffieh couleur sable lui couvrait tout le visage à l'exception des yeux. Elle ne jeta pas le moindre coup d'œil aux deux garçons.

Elle portait une sorte de carabine dont elle planta la crosse dans le sol pour s'appuyer dessus. Son arme avait l'air lourde et elle était dotée d'un épais canon semblable à un tuyau. On y avait fixé une masse indistincte qui luisait en son milieu, telle une pièce de laiton brut. Cette arme qui lui arrivait presque à hauteur du visage semblait incroyablement encombrante pour une fille aussi menue.

Les deux garçons retinrent leur souffle en attendant qu'elle prenne enfin la parole, mais elle se contenta d'acquiescer après quelques secondes, puis elle remit son énorme fusil sur son dos comme s'il ne pesait guère plus lourd qu'une tige de bambou.

— Suivez-nous, leur dit Drake.

Il ne leur banda pas les yeux cette fois, mais leur laissa les mains attachées. Ils suivirent sa silhouette aux larges épaules à la faible lueur de sa lampe frontale tandis qu'il les entraînait dans un paysage d'une totale monotonie. Malgré l'absence de repères, il semblait s'orienter sans difficulté. Après plusieurs heures à arpenter ce terrain désertique, ils parvinrent à l'embouchure d'un tube de lave situé à la limite de la Grande Plaine. Ils s'y engouffrèrent en file indienne. Drake semblait voir dans le noir, pensa Will.

Ils s'orientèrent dans l'espace confiné du tube de lave en suivant les contours indistincts de la tête de Drake. Elliott, quant à elle, demeurait invisible derrière eux. Elle ne faisait pas le moindre bruit non plus. Will finit par en conclure qu'elle avait dû emprunter un autre chemin, ou qu'elle était restée en arrière pour une raison ou une autre.

Lorsqu'ils arrivèrent à un carrefour, Drake, Will et Chester tournèrent à gauche et se retrouvèrent bien vite au fond d'un cul-de-sac.

Drake leur fit signe de s'arrêter. Il augmenta l'intensité de sa lampe frontale et se tourna vers eux, dos au mur, tandis que les deux garçons regardaient tout autour avec inquiétude. Ils ne comprenaient pas pourquoi ils s'arrêtaient ainsi. Chester retint son souffle en voyant Drake dégainer son couteau.

— Je vais vous libérer, dit-il avant même qu'ils aient eu le temps d'imaginer le pire. Tenez, ajouta-t-il en les invitant à tendre les mains, puis il trancha leurs liens avec dextérité.

— Y a-t-il quoi que ce soit dans ces sacs à dos qui puisse se gâter au contact de l'eau ? Des vivres ? Ou tout autre chose que vous souhaiteriez garder au sec ?

Will réfléchit un instant.

— Vite ! pressa Drake.

— Oui, il y a mes carnets et mon appareil photo, et puis pas mal de vivres, et... et puis des feux d'artifice, rétorqua Will. Dans mon sac, précisa-t-il. Dans celui de Cal, il y a essentiellement des vivres, ajouta-t-il en regardant le sac de son frère que portait à présent Chester.

Avant qu'il ait eu le temps de finir, Drake leur lança deux paquets qui atterrirent à leurs pieds.

— Servez-vous de ça. Et que ça saute !

Ils s'emparèrent chacun d'un paquet et le secouèrent pour le déplier. Il s'agissait de sacs taillés dans une toile légère et imperméabilisée que l'on refermait en tirant sur deux cordelettes.

Will déversa le contenu de son sac sur le sol et se mit à ranger rapidement les choses qu'il voulait garder au sec. Chester prenait plus de temps, car il connaissait moins bien le contenu de son propre sac.

— Allez, du nerf! grommela Drake dans sa barbe.

— Laisse-moi faire, proposa Will en poussant Chester d'un coup d'épaule.

Il termina l'opération en quelques secondes.

— Bien, aboya Drake. C'est tout?

Les deux garçons acquiescèrent.

— Un conseil. La prochaine fois, je vous suggère de garder au sec au moins une paire de chaussettes.

Ils étaient tellement absorbés par ce qu'ils étaient en train de faire que ni Will ni Chester n'avaient réfléchi à ce qui allait suivre.

— Très bien, Monsieur, dit Will, rassuré par l'idée qu'il y aurait « une prochaine fois », et par le côté presque paternel du conseil que leur prodiguait cet étranger.

— Écoutez-moi bien. Personne ne m'appelle Monsieur, rétorqua Drake d'un ton sec qui mit Will de nouveau mal à l'aise.

Ça lui avait échappé, comme s'il s'adressait à l'un de ses professeurs à l'école.

— Pardon, mons... répondit Will, se reprenant in extremis.

Drake esquissa un sourire ironique puis reprit la parole.

— Vous allez traverser ça à la nage, dit-il en tapant du pied sur le sol tout près de la paroi.

Les garçons virent alors se dessiner des ondes qui se réverbéraient mollement sous une épaisse couche de poussière. Ce qu'ils avaient pris pour de la terre compacte masquait en fait un petit bassin d'environ deux mètres de diamètre.

— À la nage? demanda Chester en déglutissant nerveusement.

— Tu peux retenir ta respiration pendant trente secondes, n'est-ce pas, mon garçon?

— Oui, balbutia Chester.

— Bien. Cette petite fosse communique avec un autre passage. Un peu comme un virage en épingle.

— Comme dans la cuvette des toilettes? suggéra Chester d'une voix tremblante.

— Oh, trop sympa, Chester, commenta Will en grimaçant.

Drake les fusilla du regard, puis leur fit signe de s'avancer vers les eaux crasseuses.

— Allez, hop!

Will enfila son sac à dos sur ses épaules et s'approcha du bassin en serrant le sac hermétique contre lui. Il avança dans l'eau tiède sans hésitation, prit une profonde inspiration et plongea d'un coup.

Des bulles lui caressaient le visage à mesure qu'il progressait en s'aidant d'une seule main. Il gardait les yeux fermés, et le bruit de l'eau retentissait dans ses oreilles. La galerie n'était pas très vaste ; elle devait mesurer environ un mètre de large en son point le plus étroit, mais Will n'avait aucune difficulté à avancer malgré ses deux sacs.

Cependant, il n'en voyait toujours pas le bout. Il ouvrit les yeux, et son cœur se mit soudain à battre la chamade lorsqu'il se retrouva dans le noir complet. Il avait l'impression de nager dans la mélasse. C'était son pire cauchemar.

Est-ce que c'est un piège ? Ne devrais-je pas faire demi-tour ?

Il tenta de se contrôler, mais son corps commençait à se rebeller faute d'oxygène. Il sentit une vague de panique le submerger peu à peu et se mit à agiter bras et jambes en s'agrippant un peu partout pour avancer plus vite. Il devait sortir de cette encre liquide. Il se déplaçait à présent avec l'énergie du désespoir, se propulsant à travers les eaux noires tel un sprinteur filmé au ralenti.

Il se demanda l'espace d'un instant si Drake avait choisi de les tuer ainsi. Il aurait été plus aisé de leur trancher la gorge dans la Grande Plaine, si telle était son intention.

Cela ne dura guère plus d'une trentaine de secondes, mais Will avait l'impression qu'une éternité venait de s'écouler lorsqu'il émergea enfin à l'air libre dans un grand fracas.

Le souffle court, il chercha sa lanterne à tâtons et la régla au minimum. Cette lumière tamisée ne révéla pas grand-chose du lieu dans lequel il se trouvait. Il remarqua malgré tout que le sol et les parois semblaient luire quelque peu, sans doute à cause de l'humidité, se dit-il. Il attendit Chester, ravi de pouvoir enfin respirer.

De l'autre côté de la fosse, Chester enfila à contrecœur son sac à dos sur ses épaules et s'avança lentement vers le plan d'eau en traînant derrière lui son sac hermétique.

— T'attends quoi, mon garçon ? demanda Drake d'une voix dure et sans appel.

Chester se mordit la lèvre en se dandinant devant l'eau qui rendait un léger clapotis suite au passage de Will. Il se tourna vers Drake d'un air penaud, mais ne rencontra qu'un regard réprobateur.

— Euh... dit-il en se demandant comment il allait bien pouvoir éviter de s'immerger dans ce bassin crasseux. Je ne sais pas...

— Écoute, répondit Drake en l'attrapant par le bras sans toutefois serrer très fort, je ne te veux aucun mal. Il faut que tu me fasses confiance, ajouta-t-il en levant le menton, détournant son regard du visage effrayé du garçon. Ce n'est pas facile de faire confiance à un étranger, surtout après ce que vous avez subi. Tu as raison de te montrer prudent, c'est bien. Mais je ne suis pas un Styx, et je ne te ferai aucun mal. D'accord ? conclut-il en fixant à nouveau Chester.

Chester le regarda droit dans les yeux, et son intuition lui dit que cet homme ne mentait pas. Il se sentait soudain en confiance.

— Très bien, acquiesça-t-il, puis, sans plus hésiter, il entra dans l'eau en pataugeant, avant de s'immerger complètement dans la fosse.

Il ne douta pas un seul instant et se propulsa dans la galerie en s'aidant tour à tour des pieds et des mains, tout comme Will avant lui.

Son ami l'attendait de l'autre côté pour l'aider à sortir de l'eau.

— Tout va bien ? demanda Will. Tu as mis tellement longtemps que je me suis demandé si t'étais pas resté coincé.

— Aucun problème, répondit Chester en respirant bruyamment, puis il s'essuya les yeux.

— C'est maintenant ou jamais, dit rapidement Will en essayant de distinguer ce que cachaient les ténèbres derrière lui.

Il se tourna de nouveau vers le bassin. Il n'y avait pas le moindre signe de Drake, mais il n'allait pas tarder.

— Va falloir cavaler.

— Non, Will, dit Chester d'un ton résolu.

— Qu'est-ce que tu veux dire ? demanda Will qui tentait déjà de l'entraîner avec lui.

— Je n'irai nulle part. Je crois que nous sommes en sécurité avec lui, répondit Chester en écartant les jambes pour mieux résister à Will.

Il ne plaisantait pas.

— Trop tard ! s'exclama Will, furieux en voyant la faible lueur qui brillait au fond de l'eau.

C'était la lampe frontale de Drake. Will gratifia Chester d'un grognement au moment même où l'homme émergeait silencieusement de l'eau. On aurait dit une apparition.

La lumière de sa lampe était plus intense que celle des lanternes des deux garçons. Will vit alors que les parois qu'il avait crues couvertes d'humidité étaient en fait striées d'une multitude de fines veines dorées comme si elles étaient drapées de dentelles d'une inestimable valeur. Les veines brillaient de mille feux, baignant la caverne de sublimes et chaudes nuances de jaune.

— Waouh! s'exclama Chester.

— De l'or! marmonna Will qui n'en croyait pas ses yeux.

Il remarqua que ses bras étaient mouchetés de paillettes dorées, tout comme ceux de Chester et Drake. Elles s'étaient en grande partie déposées sur leur peau et sur leurs vêtements lorsqu'ils avaient traversé la poussière brillante qui flottait à la surface de l'eau.

— N'ayez crainte, dit Drake qui se tenait à présent à leurs côtés. Ce n'est que l'or des fous. De la pyrite, un sulfure de fer.

— Bien sûr, dit Will en se rappelant le petit cube brillant que son père lui avait acheté pour sa collection de minéraux. De la pyrite, répéta-t-il, quelque peu honteux de s'être laissé piéger.

— Je peux vous montrer où trouver de l'or. Assez pour en remplir vos bottes, dit Drake en examinant les parois. Mais à quoi bon si vous ne pouvez le dépenser nulle part? Triez vos affaires, dit-il alors en indiquant leurs sacs à dos. Il faut qu'on parte d'ici.

Il avait repris un ton glacial.

Lorsqu'ils furent prêts, il ouvrit la marche en foulant le sol de ses jambes puissantes. Il les guidait de sa silhouette impérieuse à travers la galerie aux sublimes reflets dorés.

Quelques instants plus tard, après avoir traversé un dédale de galeries en pierre, ils parvinrent à une rampe menant à un passage à la voûte grossièrement taillée. Drake passa la main dans l'ouverture, palpa la paroi et dégagea la corde à nœuds qui y était accrochée.

— On monte, dit-il en leur tendant la corde.

Will et Chester se hissèrent au sommet de l'arche qui se trouvait à dix mètres du sol environ et l'attendirent là-haut, essoufflés par l'effort. Drake les suivit avec la même aisance que s'il avait ouvert une simple porte. Les garçons se retrouvèrent dans une sorte d'atrium octogonal d'où partaient d'autres galeries conduisant à des espaces peu éclairés. Will gratta le sol couvert de poussière de la pointe de sa botte, et le bruit se répercuta quelques instants dans les pièces adjacentes. Il en déduisit qu'elles devaient être assez vastes.

— C'est ici que nous logerons pendant un moment, dit Drake en défaisant l'imposante boucle de son ceinturon.

Il ôta sa veste et la jeta sur son épaule, puis il releva la lentille de l'appareil qui lui masquait l'œil gauche, tout à fait normal.

Drake avait un corps d'athlète extraordinairement musclé. Il avait des pommettes saillantes et le visage si maigre que les muscles affleuraient presque sous sa peau, tannée comme du cuir, incrustée de crasse et zébrée de multiples balafres rectilignes et blanches, mais aussi de plus petites cicatrices au visage et au cou, semblables à de pâles filaments.

Sous les arcades sourcilières proéminentes, brillaient deux yeux d'un bleu profond. Son regard était empreint d'une telle férocité que c'est à peine si Will et Chester parvenaient à le soutenir. Ils avaient l'impression d'entrevoir un lieu terrible par la fenêtre de ses yeux, et ne tenaient vraiment pas à en savoir plus.

— Bien. Attendez là-bas.

Les garçons se traînèrent donc jusqu'à la pièce que venait de leur indiquer Drake.

— Mais laissez vos sacs à dos ici, ordonna-t-il. Tout va bien, Elliott ? demanda-t-il soudain, sans les quitter des yeux.

Will et Chester ne purent s'empêcher de jeter un coup d'œil par-dessus son épaule. Au sommet de l'arche se tenait, immobile, la jeune fille menue. Elle les avait manifestement suivis de près tout au long de leur marche, mais pas une seule fois ils n'avaient détecté sa présence.

— Tu vas bien les ligoter, rassure-moi ? demanda-t-elle d'un ton froid et hostile.

— Pas la peine, n'est-ce pas, Chester ? lança Drake.

— Non, répondit-il aussitôt.

Will ne put contenir son étonnement.

— Et toi ?

— Euh... non, marmonna Will avec un moindre enthousiasme.

Parvenus à l'intérieur, ils s'assirent sans un mot sur des lits rudimentaires plongés dans la pénombre. Il n'y avait pas d'autres meubles dans la pièce. Les matelas étaient étroits, juste assez longs pour que les garçons puissent s'y étendre, et si peu rembourrés qu'on aurait cru qu'il s'agissait de deux tables sur lesquelles on avait jeté des couvertures.

Ils patientaient sans savoir ce qui les attendait. Drake et Elliott discutaient à voix basse dans le couloir, et leur conversation résonnait jusque dans leur chambre. Ils entendirent ensuite qu'on déversait le contenu de leurs sacs à dos sur le sol, puis ce furent des bruits de pas qui s'éloignaient, et le silence, enfin.

Will sortit un globe lumineux de sa poche et le fit rouler distraitement sur sa manche. Sa veste était sèche, à présent, et le frottement du globe arrachait des paillettes de pyrite collées au tissu qui s'éparpillaient sur le sol telle une pluie d'étincelles.

— On croirait que je reviens d'une de ces fichues boîtes de nuit, grommela-t-il, avant d'interroger brutalement son ami : tu joues à quoi, Chester ?

— Qu'est-ce que tu veux dire ?

— On dirait que t'as décidé de mettre ton destin entre leurs mains. Pourquoi tu leur fais confiance ? demanda Will. J'espère que t'as saisi qu'ils allaient nous piquer toutes nos vivres et se débarrasser de nous après ? À dire vrai, ils vont probablement nous tuer. C'est bien le genre d'ordures à faire ça.

— Je ne crois pas, rétorqua Chester, le front plissé par l'indignation.

— Dans ce cas, c'était quoi toute cette comédie ? demanda Will en montrant le couloir du pouce.

— Je crois que ce sont des rebelles. Ils sont en guerre contre les Styx, dit Chester sur la défensive. Tu sais... ils combattent pour la liberté.

— T'as raison !

— Mais ça pourrait bien être le cas, insista Chester sans grande conviction. Pourquoi tu leur poses pas la question ?

— Pose-la-leur toi-même, ta question !

Will était de plus en plus furieux. Au traumatisme que lui avait causé l'accident de Cal, s'ajoutait la brutalité de leur capture, et c'était la goutte d'eau qui faisait déborder le vase. Il se replia dans un silence maussade et commença à élaborer un plan d'action : Chester et lui les combattraient et s'enfuiraient ensuite. Il s'apprêtait à en informer Chester lorsque Drake parut sur le seuil. Il s'appuya contre le chambranle, mâchonnant quelque chose. Il s'agissait d'un des bonbons préférés de Will : un Carambar au chocolat ! Il en avait acheté plusieurs avec Cal dans un supermarché en Surface, et ils les avaient gardés pour fêter une occasion particulière.

— Qu'est-ce que c'est ? demanda Drake en indiquant deux cailloux beiges de la taille d'un calot qu'il tenait au creux de sa paume.

Il joua d'abord avec comme s'il s'agissait de dés, puis il referma son poing et se mit à les frotter l'un contre l'autre.

— À votre place, j'éviterais de faire ça.

— Pourquoi ?

— C'est mauvais pour votre vue, dit Will qui esquissa un sourire ironique et revanchard en voyant que l'homme persistait malgré tout.

Il s'agissait des dernières pierres nodales que lui avait données Tam. Drake les avait manifestement trouvées dans le sac à dos de Will. Lorsqu'on les brisait, elles devenaient incandescentes et irradiaient une aveuglante lumière blanche.

— Elles vont vous exploser au visage, avertit Will.

Drake lui lança un coup d'œil dubitatif en prenant un gros morceau de Carambar, mais cessa de jouer avec les pierres pour les examiner.

— Ça va ? C'est à votre goût ? demanda Will d'un ton furibond.

— Oui, répondit Drake sans détour avant d'enfourner le dernier morceau de Carambar dans sa bouche. Considère ça comme un modeste tribut à payer pour être venu à votre secours.

— Et ça vous donne le droit de vous servir dans mes affaires, c'est ça ? s'exclama Will qui s'était relevé, les poings sur les hanches, le visage contracté par la colère. Et puis nous n'avions besoin d'aucun secours ! ajouta-t-il.

— Ah, vraiment, rétorqua Drake avec nonchalance et la bouche encore pleine. Regardez un peu dans quel état vous êtes, tous les deux !

— Tout allait bien jusqu'à ce que vous débarquiez, répliqua Will.

— Ah bon ? Mais dis-moi donc ce qui est arrivé à ce fameux Cal dont tu parlais ? Je ne le vois pas, dit Drake en parcourant la pièce du regard, puis il leva les sourcils d'un air interrogateur. Où se cache-t-il donc, je me le demande ?

— Mon frère... il... il... commença Will d'un ton belliqueux.
Puis sa colère s'évanouit d'un coup et il se laissa retomber sur le lit.

— Il est mort, déclara Chester.

— Comment ? demanda Drake en avalant la dernière bouchée de chocolat.

— On était dans cette grotte... et puis... dit Will d'une voix chevrotante.

— Quel genre de grotte ? demanda aussitôt Drake d'un ton grave.

— Ça sentait plutôt bon et puis il y avait ces drôles de plantes... elles l'ont mordu, ou bien piqué, et puis tous ces machins...

— Un piège à sucre, l'interrompit Drake en s'avançant vers eux. Et qu'est-ce que vous avez fait ? demanda-t-il en les regardant l'un après l'autre. Vous ne l'avez tout de même pas abandonné là-bas ?

— Il ne respirait plus, dit Chester.

— Il était mort, ajouta Will avec tristesse.

Les deux amis échangèrent un regard en silence.

— Continuez, les pressa Drake.

— Il y a deux jours environ... je crois, dit Will.

— Oui, c'était juste à côté du premier canal qu'on a rencontré, confirma Chester.

— Alors il y a peut-être encore une chance, dit Drake en se dirigeant vers la sortie. Une toute petite chance.

— Qu'est-ce que vous voulez dire ?

— Il faut y aller, rétorqua sèchement Drake.

— Hein ? souffla Will qui ne comprenait pas ce qu'il venait d'entendre.

Mais Drake arpentait déjà le couloir d'un air déterminé.

— Suivez-moi. Il nous faudra des rations de nourriture, leur cria-t-il en se retournant. Elliott ! En selle ! Prends les armes.

Il s'arrêta à côté de leurs sacs à dos. Ils avaient rangé leurs affaires en piles bien ordonnées.

— Prenez ça, ça, et puis ça, ordonna Drake en indiquant les différents tas. Ça devrait suffire. Nous emporterons des réserves d'eau supplémentaires. Elliott ! De l'eau ! hurla-t-il.

Les deux garçons restaient plantés là et le regardaient sans trop savoir ce qu'ils devaient faire, ni pourquoi.

— Dépêchez-vous, et emportez ces trucs... enfin, si vous voulez sauver votre frère.

— Je ne comprends pas, dit Will en s'agenouillant pour ranger fébrilement les vivres dans son sac à dos. Cal ne respirait plus. Il est mort.

— Pas le temps de t'expliquer ! aboya Drake tandis qu'Elliott paraissait sur le seuil d'une autre pièce.

Elle portait toujours son keffieh autour de la tête et sa carabine en travers de la poitrine. Elle tendit deux gourdes à Drake.

— Prenez ça, dit-il en les passant aux deux garçons.

— Qu'est-ce qui se passe ? demanda calmement Elliott en tendant d'autres objets à Drake.

— Ils étaient trois. Le troisième s'est aventuré dans un piège à sucre, répondit-il en indiquant les deux garçons d'un signe de tête.

Il prit les cylindres que lui présentait Elliott. Ils devaient mesurer une quinzaine de centimètres de long. Il ouvrit sa veste et les y inséra un par un, puis il accrocha à son ceinturon une poche et l'y

fixa au moyen d'une cordelette qu'il noua sur sa cuisse. Elle contenait des cylindres plus courts du diamètre d'un crayon à papier,
emprisonnés dans leurs boucles respectives.

— C'est quoi, ces trucs ? s'enquit Will.

— Des précautions, répondit Drake d'un ton évasif. Nous irons
tout droit en passant par la plaine. Nous n'avons pas le temps de
faire dans la subtilité.

Drake reboutonna sa veste et replaça l'étrange appareil sur son
œil gauche.

— Prête ? demanda-t-il à Elliott.

— Prête, confirma-t-elle.

Chapitre Vingt-trois

Plus tard ce soir-là, Sarah était assise en tailleur dans sa chambre devant la carte que lui avait confiée le Styx. Elle l'étudiait pour se familiariser avec les multiples noms de lieux.

— Ville Crevasse, répéta-t-elle à plusieurs reprises avant de s'intéresser aux confins nord de la Grande Plaine où l'on avait signalé de récentes activités rebelles.

Elle se demandait si Will était impliqué; compte tenu de ses exactions passées, elle n'aurait pas été surprise d'apprendre qu'il faisait fonction d'agitateur au sein des Profondeurs.

Le bruit de pas lourds et réguliers dans le couloir attira soudain son attention. Elle s'approcha de la porte de sa chambre et l'ouvrit aussi subrepticement que possible : elle distingua alors la silhouette massive et caractéristique de l'homme qui déambulait dans le couloir.

— Joseph, appela-t-elle d'une voix douce.

Il se retourna et revint sur ses pas en serrant sous son bras une pile de serviettes soigneusement pliées.

— Je ne voulais pas te déranger, dit-il en jetant un coup d'œil par l'entrebâillement de la porte.

— Tu aurais dû entrer. Je suis si contente de te revoir, dit-elle en souriant. J'étais... euh... commença-t-elle avant de retomber dans le silence.

— Si je peux faire quelque chose pour toi, n'hésite pas à demander.

— Je ne pense pas rester encore très longtemps ici, lui dit-elle avant de marquer une pause. Mais avant ça, il y a quelque chose que je voulais faire.

– Dis-moi. Tu sais que je suis là pour toi, réitéra-t-il d'un air rayonnant, ravi qu'elle lui accorde ainsi sa confiance.

– Je veux que tu me fasses sortir d'ici, lui dit-elle à voix basse.

Sarah longeait le mur telle une ombre. Elle avait déjà évité plusieurs policiers de la Colonie qui effectuaient des rondes dans les rues avoisinantes et elle ne voulait surtout pas se faire prendre maintenant. Elle se cacha dans un renfoncement derrière une ancienne fontaine au robinet de laiton terni, s'accroupit pour étudier l'entrée plongée dans la pénombre qui se trouvait de l'autre côté de la rue.

Elle leva les yeux pour contempler les hauts murs sans fenêtres des bâtiments de l'enceinte extérieure. Elle s'était postée au même endroit des années auparavant, lorsqu'elle les avait jaugés à l'aune du sort qu'on avait réservé à son enfant. Ils lui avaient alors donné l'impression de n'avoir pas su résister aux ravages du temps, et ils n'avaient changé en rien depuis cette époque. Les murs étaient parcourus de fissures menaçantes. En s'effritant, les pierres extérieures avaient laissé d'innombrables et immenses trous béants. La maçonnerie semblait dans un tel état de délabrement qu'on aurait pu croire que l'ensemble allait s'effondrer d'un moment à l'autre sur quelque infortuné passant.

Mais les apparences sont parfois trompeuses. La zone dans laquelle Sarah s'apprêtait à pénétrer datait de la fondation de la Colonie, et les murs des maisons étaient assez solides pour résister aux assauts des hommes comme à ceux du temps.

Elle inspira, traversa la rue en courant, puis se glissa dans le passage obscur, à peine assez large pour deux personnes. L'odeur la frappa de plein fouet. La puanteur des habitants, les remugles de leur vie insalubre étaient si intenses qu'on aurait cru qu'il s'agissait d'une matière solide – les relents de déchets humains se mêlaient aux effluves des aliments putrescents.

Sarah émergea dans une allée à l'éclairage lugubre. Comme toutes les rues et les rigoles qui traversaient le quartier, elle n'était guère plus large que le passage dont elle émergeait.

Les Taudis, se dit-elle en regardant tout autour d'elle. Rien n'avait changé dans cet endroit où venaient s'échouer ceux qui n'avaient nulle part où aller. Elle commença à marcher, repérant de temps à autre une porte ou un bâtiment familier qui portait encore quelques traces de peinture de la même couleur que dans son souvenir. Elle se rappelait avec délectation le temps où elle s'était aventurée avec Tam sur ce terrain de jeu interdit et dangereux.

La tête emplie de ces souvenirs réconfortants, elle déambulait au milieu de l'allée en prenant soin d'éviter le caniveau dans lequel les eaux usées s'écoulaient tel un morceau de gras en train de fondre. De part et d'autre de la ruelle, s'élevaient de vieux taudis délabrés dont les étages supérieurs penchaient tant qu'ils semblaient presque se toucher.

Sarah s'arrêta pour ajuster son châle sur sa tête tandis qu'une troupe de gamins des rues la dépassait en courant. Ils étaient si sales que c'est à peine si l'on pouvait les distinguer de la couche de crasse qui recouvrait chaque parcelle du quartier.

— Pierres et Styx peuvent toujours me briser les os, mais jamais aucun mot ne me cassera le dos! criaient à tue-tête deux petits garçons en pourchassant le reste de la troupe.

Elle sourit devant leur insolence. S'ils avaient agi ainsi à l'extérieur des Taudis, leur punition aurait été aussi prompte que brutale. L'un des garçons sauta par-dessus le caniveau qui partageait la ruelle en son milieu et passa devant un attroupement de vieilles biques couvertes de châles semblables à celui que portait Sarah. Elles cancanaient en opinant du bonnet. Sans même tourner la tête, l'une d'elles se détacha soudain du groupe et asséna un grand coup au jeune garçon, auquel elle ajouta une sévère réprimande. Son visage était livide, ridé et couvert de furoncles.

Le garçon vacilla légèrement, puis il se frotta la tête, grommela et reprit sa course comme si de rien n'était. Sarah ne put s'empêcher de rire. Elle retrouvait dans ce garçon le portrait du jeune Tam. Il avait la même résistance qu'elle admirait tant chez son frère. Les enfants continuaient à se lancer des injures de leurs voix haut perchées. Ils détalèrent le long d'une ruelle adjacente en poussant des cris de joie suraigus, pour finalement disparaître.

À dix mètres environ, Sarah vit deux hommes au visage de brute discutant sur le perron d'une maison. Ils avaient tous deux des cheveux longs et pendants, la barbe emmêlée, et portaient des redingotes débraillées. Elle les surprit qui l'observaient d'un air sarcastique et mauvais. Le plus massif des deux rentra la tête dans ses épaules comme un bouledogue prêt à attaquer et fit mine d'avancer vers elle. Il tira de son épaisse ceinture une matraque noueuse. Ce n'était pas une vaine menace : à voir l'aisance avec laquelle il la manipulait, il savait s'en servir.

Ces gens-là n'appréciaient guère les étrangers qui s'aventuraient hors des sentiers battus jusque sur leur territoire. Elle lui rendit son regard froid et ralentit le pas. Si elle continuait sur sa trajectoire, elle foncerait droit sur lui – elle n'avait nulle part où aller. Elle pouvait toujours faire volte-face, mais ce geste serait aussitôt pris pour un signe de faiblesse. S'ils soupçonnaient, ne serait-ce qu'un instant, qu'elle avait peur et n'avait rien à faire là, les deux hommes se jetteraient sur elle. Il en allait ainsi dans les Taudis. Quoi qu'il en soit, elle savait que la balle était en jeu et qu'il fallait conclure le match, d'une façon ou d'une autre.

Elle ne doutait pas le moins du monde de sa capacité à combattre, si les choses devaient en arriver là. Elle sentit un frisson, comme un picotement électrique, lui parcourir l'échine. Trente ans plus tôt, son frère et elle ne se lassaient pas de cette sensation qui marquait le début de la partie. Bizarrement, elle trouvait ça plutôt rassurant à présent.

— Hé! Toi! cria soudain quelqu'un derrière elle, l'arrachant brutalement à ses pensées. Jérôme!

— Quoi? souffla Sarah.

Elle pivota sur elle-même et rencontra les yeux cerclés de rouge d'une vieille sorcière au visage constellé d'énormes taches lie-de-vin. Elle pointait Sarah d'un doigt accusateur et perclus d'arthrite.

— Jérôme! répéta-t-elle d'une voix forte et rauque, et d'un ton plus assuré cette fois, en découvrant ses gencives édentées.

Sarah s'aperçut qu'elle avait laissé tomber son châle. Les femmes attroupées avaient donc vu son visage.

Mais comment diable cette femme connaissait-elle son nom?

— Jérôme! Oui! Jérôme! coassa une autre femme d'un ton encore plus convaincu. C'est Sarah Jérôme, pas vrai?

Sarah était au comble de la confusion, mais elle s'efforça de passer en revue ses options. Elle balaya du regard les portes les plus proches. Au pire, elle aurait toujours pu se frayer un chemin dans l'un de ces bâtiments à moitié en ruine et se perdre dans le dédale de passages qui se trouvait juste derrière. Mais toutes les portes étaient verrouillées ou condamnées.

Elle était emmurée. Il ne lui restait que deux possibilités : avancer ou reculer. Elle examinait la ruelle par-delà l'attroupement de vieilles biques et se demandait s'il valait mieux filer là-bas ou bien sortir des Taudis, lorsque l'une d'entre elles poussa un cri de lamentation des plus perçants :

— Sarah !

Sarah frémit, surprise par la puissance de ce hurlement. Un silence sinistre s'abattit sur le quartier.

Sarah pivota sur ses talons et s'éloigna du groupe de femmes en se dirigeant droit sur le barbu. Qu'il en soit ainsi ! Il faudrait qu'elle lui fasse son affaire.

Elle s'approcha de l'homme et vit qu'il levait sa matraque à hauteur d'épaule. Sarah se préparait déjà à combattre, ôtant le châle qui lui couvrait la tête pour l'enrouler autour de son bras. Elle se serait donné des claques pour avoir oublié son couteau.

Elle était presque arrivée à sa hauteur lorsque, à son grand étonnement, l'homme se mit à taper sur le linteau du chambranle juste au-dessus de sa tête en criant son nom de sa voix bourrue. Son compagnon reprit en chœur, aussitôt imité par le groupe de femmes qui se trouvait à présent derrière elle.

— Sarah ! Sarah ! Sarah !

Tout le quartier s'agitait maintenant. On aurait cru que les poutres des bâtiments s'animaient soudain.

— Sarah ! Sarah ! Sarah !

L'homme continuait à battre la mesure à coups de matraque, tandis que des gens sortaient de leurs maisons et affluaient dans les ruelles. Ils étaient bien plus nombreux qu'elle n'aurait pu l'imaginer. Les volets s'ouvraient brusquement, les habitants pointaient leur nez à travers les vitres brisées des fenêtres. Sarah poursuivait son chemin en baissant la tête. Que faire d'autre ?

— Sarah ! Sarah ! Sarah !

Les cris provenaient de partout, et au bruit de la matraque s'ajoutait peu à peu le son des timbales en métal et autres objets avec lesquels on tapait contre les murs, les rebords des fenêtres et les chambranles des portes. On aurait cru entendre un chœur de prisonniers, si puissant que les tuiles des maisons vibraient à l'unisson.

Prise de panique, Sarah ne ralentissait pas l'allure, même si elle avait commencé à remarquer les visages souriants et émerveillés qui l'entouraient : des vieillards ployant sous le poids de la maladie, des femmes décharnées, et tous ces gens usés que la Colonie avait mis au rebut l'acclamaient en scandant son nom avec jubilation.

— Sarah ! Sarah ! Sarah !

Toutes ces bouches innombrables aux chicots noircis et cassés hurlaient ensemble. Toutes ces mines réjouies que l'excitation rendait parfois grotesques lui témoignaient leur admiration, voire leur affection.

Ils formaient à présent une haie d'honneur de part et d'autre de la ruelle, et Sarah s'étonnait de voir autant de gens ainsi rassemblés. Quelqu'un lui jeta un morceau de papier décoloré entre les mains. Elle y jeta un coup d'œil. Il s'agissait d'une gravure grossière reproduite sur du papier de piètre qualité, le genre de tract que distribuait la presse clandestine aux habitants des Taudis. Elle en avait déjà vu de semblables.

Elle fut surprise en voyant son propre portrait au centre de la feuille. Elle était un peu plus jeune, mais portait presque les mêmes vêtements. Elle avait l'air inquiète et tournait la tête d'un air mélodramatique, comme si elle était poursuivie. C'était assez ressemblant, et voilà qui expliquait pourquoi on l'avait reconnue. Et puis il y avait aussi les rumeurs qui avaient dû se répandre comme un feu de forêt dans toute la Colonie depuis que les Styx l'avaient ramenée. Aux quatre coins de la feuille figuraient quatre autres vignettes entourées de semblables cercles stylisés, mais ce n'était pas le moment de les examiner.

Elle replia la feuille et prit une profonde inspiration. Il n'y avait apparemment rien à craindre, pas la moindre menace. Elle releva la tête et jeta son châle sur ses épaules en poursuivant sa route, tandis que la foule se massait tout autour d'elle. Elle ne leur adressait pas un seul regard et continuait sous la clameur toujours grandissante. Les sifflets, les vivats et l'écho de son nom, qu'ils scandaient tous en chœur, s'élevaient dans les airs et se répercutaient contre la canopée rocheuse, contribuant ainsi au brouhaha général.

Sarah atteignit l'étroit passage menant de l'autre côté des Taudis. Elle s'y engagea sans se retourner, laissant derrière elle la foule amassée. Mais leurs cris résonnaient encore à ses oreilles bourdonnantes, emplissant l'espace confiné dans lequel elle se trouvait.

Arrivée dans les larges rues où séjournaient les plus riches Colons, Sarah s'arrêta pour mettre de l'ordre dans ses pensées et fut prise de vertige en songeant à ce qui venait de se passer. Elle n'arrivait pas à croire que tous ces anonymes l'avaient reconnue et l'acclamaient. Après tout, il s'agissait des habitants des Taudis – ils ne respectaient ni n'admiraient personne au-delà des limites de leur territoire. Ce n'était pas leur façon de faire. Jusqu'alors, elle ne se doutait pas le moins du monde de sa propre renommée.

Elle se rappela qu'elle tenait toujours une feuille à la main. Elle la déplia pour l'étudier. Le papier était grossier et les bordures usées, mais cela n'avait guère d'importance ; elle venait de lire son propre nom imprimé en belles lettres moulées à l'intérieur d'une bannière qui semblait flotter au vent tout en haut de la feuille.

C'était bien son visage qui figurait là, en plein milieu de la page, au sein d'un encadré ovale – l'artiste qui avait exécuté son portrait avait fait du bon travail. Il avait auréolé son dessin d'un fin brouillard. Peut-être était-il censé représenter les ténèbres ? Aux quatre coins de la feuille figuraient les quatre autres cercles plus petits qu'elle n'avait pas encore eu le temps de regarder.

Ils étaient tout aussi travaillés que le dessin principal. Sur le premier, elle se penchait au-dessus du berceau de son enfant, le visage luisant de larmes. Une silhouette indistincte – son mari, sans doute – se tenait à l'arrière-plan pendant qu'agonisait leur enfant.

Sur le dessin suivant, Sarah entraînait ses deux fils hors de chez elle. On la voyait ensuite qui luttait vaillamment contre un Colon dans une galerie obscure. Enfin, la quatrième et dernière vignette représentait la silhouette d'une femme en fuite à l'extrémité d'une galerie. Une immense phalange styx était sur ses talons, toutes faucilles dégainées. L'artiste avait pris quelques libertés, car cela ne s'était pas du tout passé ainsi, mais le message était clair. Elle froissa instinctivement la feuille. Il était formellement interdit de représenter les Styx sous quelque forme que ce soit. Il n'y avait que dans les Taudis qu'on osait faire pareille chose.

Elle n'arrivait pas à s'en remettre. Sa vie... en cinq dessins !

Elle secouait encore la tête d'un air incrédule lorsqu'elle entendit le doux crissement du cuir. Elle leva les yeux et se figea aussitôt.

Des Styx. Elle vit leurs cols blancs empesés et leurs longs manteaux noirs aux reflets ondoyants à la lumière des réverbères. La patrouille était conséquente. Il y en avait peut-être deux douzaines. Ils l'observaient, immobiles et silencieux, et formaient une ligne de front relativement bien ordonnée de l'autre côté de la rue. Cette scène rappelait les vieilles photographies du temps de la conquête de l'Ouest : une petite troupe de cavaliers massés autour du shérif avant que ne débute une chasse à l'homme. Mais cette fois, le shérif avait une bien drôle d'allure.

Au centre de la première ligne, Sarah repéra un Styx de plus petite taille et reconnut aussitôt Rebecca, qui s'avança d'un pas. Elle se tenait devant ses hommes, fière et autoritaire, rayonnante de puissance. Mais ce n'était qu'une adolescente !

Qui diable est-elle donc ? se demanda Sarah.

Ce n'était pas la première fois qu'elle se posait cette question. Faisait-elle partie de la caste dirigeante? Aucun Colon ordinaire n'avait pu approcher les Styx d'assez près pour en confirmer l'existence. Mais Sarah en avait désormais la preuve vivante sous ses yeux. Qui que fût Rebecca, elle devait forcément trôner au sommet de la hiérarchie, promise depuis sa naissance aux plus hautes responsabilités.

D'un vague geste de la main, Rebecca ordonna à ses hommes de rester là où ils étaient. On entendait encore le bruit assourdi de la foule qui scandait le nom de Sarah derrière l'enceinte des Taudis. Rebecca esquissa un sourire légèrement amusé. Elle prit la pose et dévisagea Sarah en croisant les bras.

— Des acclamations dignes d'un héros, lança-t-elle en tapant du pied sur les pavés. Alors, ça fait quoi d'être une star? ajouta-t-elle d'un ton plein d'amertume.

Sarah haussa nerveusement les épaules. Les Styx avaient les yeux rivés sur elle.

— Eh bien, j'espère que vous en avez bien profité, car d'ici quelques jours les Taudis et toutes les ordures qui y pourrissent ne seront plus qu'un mauvais souvenir, rugit Rebecca. Du balai!

Sarah ne savait comment réagir à cette dernière remarque. Était-ce une menace en l'air suscitée par la colère? Après tout, n'avait-elle pas osé quitter le complexe des Styx pour s'aventurer dans les Taudis?

Une cloche se mit à sonner quelque part dans le lointain.

— Assez, déclara la jeune fille. Il est grand temps de partir, ajouta-t-elle en claquant des doigts, et la patrouille de Styx s'ébranla à son signal. Nous avons un train à prendre.

Chapitre Vingt-quatre

L ES PIEUX CROISÉS, lut Drake sur le panneau planté juste à côté
de la fissure qui s'ouvrait dans le sol.

Will estima qu'il leur avait fallu dix heures de marche rapide
ponctuées de fréquentes pointes de vitesse pour atteindre l'endroit
où Cal avait trouvé la mort – tout au moins, c'est ce qu'il avait cru
jusqu'alors. Chester et Will étaient totalement épuisés, mais ils
conservaient malgré tout un infime espoir.

Comme l'avait suggéré Drake en chemin, ils s'étaient accordé
deux pauses pendant lesquelles ils avaient néanmoins gardé le
silence. Ils s'étaient contentés de boire de l'eau et de mâchonner les
bâtonnets salés à la saveur indescriptible que cet homme maussade
avait sortis de son sac.

Elliott les avait suivis à la trace, invisible dans la pénombre, tandis qu'ils couraient derrière Drake, éclairés par la seule lumière de
sa lampe frontale. Mais elle les avait rejoints à présent. Will espérait
ne jamais revoir cet endroit marqué par la terreur, porte du
royaume des morts.

Drake défit son ceinturon et le déposa à côté de lui tandis
qu'Elliott lui tendait un masque qu'il ajusta sur son visage.

— C'est un Limiteur mort qui me l'a donné, dit-il en souriant,
avant de s'assurer que l'étrange lentille était bien en place sur son
œil.

— Je veux aider, déclara Will. Je viens avec vous.

— Hors de question.

— Cal est mon frère. C'était ma faute.

— Ça n'a rien à voir. Tu restes avec Elliott et tu montes la garde.
Nous avons enfreint toutes les règles possibles et imaginables en

venant jusqu'ici, et je ne veux pas me faire épingler alors que je suis encore dans le piège à sucre. C'est le plus fort de vous deux qui va m'aider, ajouta-t-il en indiquant Chester.

— D'accord, s'empressa d'acquiescer Chester.

Elliott tapota l'épaule de Will, quelque peu décontenancé de la voir si proche. Elle lui indiqua un affleurement derrière la fissure.

— Tu prends ce côté, murmura-t-elle. Si tu vois quelque chose, ne crie pas. Dis-le moi, c'est tout. Tu as compris?

Elle s'apprêtait à lui donner l'un des petits cylindres de métal que transportait Drake, mais ce dernier intervint aussitôt.

— Non, Elliott. Il ne sait pas encore s'en servir. Si on en arrive là, fiche le camp et emporte-les avec toi. Nous nous retrouverons au point de ralliement prévu en cas d'urgence. D'accord?

— OK. Bonne chance! dit-elle en souriant sous son keffieh.

Elle reprit le cylindre qu'elle avait donné à Will et le replaça dans sa veste.

— Merci, dit Drake en se glissant dans la fissure, suivi de près par Chester.

Après leur départ, Will se plaqua contre les rochers pour scruter l'horizon. Plusieurs minutes s'écoulèrent.

— Pssst!

C'était Elliott.

Will regarda autour de lui. Il ne la voyait pas.

— Pssst! fit-elle encore, plus fort cette fois.

Il s'apprêtait à l'appeler lorsqu'elle apparut juste derrière lui, comme si elle venait de tomber du ciel. Elle était donc au sommet de l'affleurement.

— Il se passe quelque chose là-bas, murmura-t-elle en pointant les ténèbres. C'est très loin. Ne panique pas. Ouvre bien les yeux, c'est tout.

Elle était déjà **repartie**, avant que Will ait eu le temps de lui demander ce qu'elle avait vu. Il regarda dans la direction qu'elle venait d'indiquer, mais pour autant qu'il pût dire il n'y avait rien du tout là-bas.

Après plusieurs minutes, un grondement de tonnerre résonna dans la plaine. Même s'il n'y avait eu aucun éclair, Will aurait juré avoir ressenti une onde de choc, un léger courant d'air chaud sur son visage qui se mêlait aux autres brises continues. Il se leva, Elliott parut aussitôt à ses côtés.

— C'est bien ce que je pensais, lui susurra-t-elle à l'oreille. Ce sont les Limiteurs qui font sauter un autre campement coprolithe.

— Mais pourquoi feraient-ils pareille chose ?

— Drake croyait que tu pourrais peut-être nous le dire.

Will distingua ses yeux perçants à travers son keffieh.

— Non, répondit Will avec hésitation. Pourquoi je le saurais ?

— Ils ont commencé ça... à pourchasser nos amis et tous les Coprolithes qui commercent avec nous, à peu près au moment où t'es arrivé. C'est peut-être toi qui as déclenché tout ça. Qu'est-ce que tu as fait pour déclencher un tel remue-ménage chez les Styx ?

— Je... je... dit Will, sidéré à l'idée qu'on puisse lui reprocher les exactions des Styx.

— Eh bien, peu importe ce que tu as fait, ils n'abandonneront jamais. Mieux vaut que tu le saches, dit-elle en détournant le regard. Reste sur tes gardes, ajouta-t-elle en rejoignant d'un bond le sommet de l'affleurement telle une chatte, sa carabine démesurée toujours dans les mains.

Les pensées se bousculaient dans la tête de Will. *Disait-elle vrai ? Avait-il attiré les foudres des Styx sur les renégats et sur les Coprolithes ? Était-il en partie responsable de tout cela ?*

Rebecca !

Il faillit s'étrangler en repensant à celle qui avait été sa sœur. Rebecca cherchait-elle encore à assouvir sa soif de vengeance ? Son influence maléfique semblait le suivre partout où il allait, tel un serpent venimeux qui se serait faufilé entre ses pas. Était-elle derrière tout ça ? Non, c'était impossible. C'était une idée bien trop farfelue... Tout au moins, il essayait de s'en convaincre.

Il repensa au moment où il avait pénétré pour la première fois dans ce monde souterrain en compagnie de Chester en empruntant l'un des sas de la Colonie pour rejoindre le Quartier. Leur intrusion avait déclenché une réaction en chaîne incontrôlable. Puis il songea avec tristesse à tous ceux dont la vie avait été bouleversée à la suite de son intrusion.

Pour commencer il y avait Chester, qui s'était retrouvé dans un effroyable pétrin pour lui avoir proposé de l'aider à retrouver son père, par pure bonté de cœur. Et puis Tam, qui s'était sacrifié pour le protéger dans la Cité éternelle. Sans oublier ses hommes : Imago, Jack, et tant d'autres dont il avait oublié les noms, probablement en cavale à présent. Tout ça à cause de lui. C'était un fardeau bien trop lourd pour lui. *Non, c'est impossible. Je ne suis pas l'unique responsable*, se répétait-il, essayant toujours de s'en convaincre.

Quelques instants plus tard, Will entendit un bruit provenant de la fissure et vit Drake qui s'en écartait en toute hâte, laissant derrière lui une traînée de particules blanches. On aurait dit qu'il avait la tête et les épaules couvertes de confettis. Il transportait le corps sans vie de Cal. Chester se hissa hors du trou juste après lui.

Drake s'arrêta un instant pour ôter son masque, puis il reprit aussitôt sa course folle en direction du canal.

— Allez, viens, dit Elliott à Will qui regardait la scène bouche bée.

Ils suivirent la haute silhouette de Drake qui portait le corps dans ses bras, filant dans un tourbillon de particules. Au lieu de ralentir à l'approche du canal, il sauta directement dans l'eau noire qui les engloutit tous les deux dans un grand éclaboussement.

Chester et Will restèrent sur la berge sans comprendre ce qui se passait. Les remous cessaient peu à peu, et seules quelques bulles d'air à la surface marquaient l'endroit où Drake avait plongé. Will jeta un regard à Chester.

— Qu'est-ce qu'il fait ?

— Sais pas, répondit Chester en haussant les épaules.

— T'as vu Cal ?

— Pas vraiment.

Ils entendirent un léger clapotis. Quelque chose s'agitait dans l'eau. De petits cercles concentriques se formèrent à la surface du canal, puis tout redevint calme à nouveau. À force d'attendre, Will commençait à se dire que les choses ne tournaient décidément pas rond.

— Il avait pourtant l'air bien mort, mais j'ai pas vraiment pu voir, déclara Chester, le regard vide et l'air découragé.

— T'es pas allé dans la grotte ?

— Drake m'a fait attendre à l'extérieur. Il se déplaçait très lentement... J'imagine qu'il essayait de ne pas déclencher le mécanisme. Puis il est ressorti en cour...

Chester s'interrompit brusquement. Drake venait de sortir la tête de l'eau pour prendre plusieurs grandes inspirations. Le corps de Cal restait invisible, car il le maintenait sous l'eau. Drake rejoignit la berge à la nage en se propulsant à l'aide d'un seul bras, puis il cala son épaule contre la pierre friable de la berge. Il souleva Cal hors de l'eau jusqu'à mi-poitrine et se mit à le secouer si brutalement qu'on aurait dit que la tête du jeune garçon allait se détacher de son torse. Puis il examina à nouveau son visage.

— Braquez vos lanternes sur lui, ordonna-t-il.

Chester et Will s'exécutèrent aussitôt. Cal était horrible à voir. Il avait la peau d'un bleu cadavérique moucheté de boursouflures blanches. Il ne donnait pas le moindre signe de vie. Rien. Will commençait à désespérer et à se dire qu'ils perdaient leur temps. Son frère était mort, et personne n'y pouvait rien changer.

Drake secoua de nouveau le garçon et lui administra une grande gifle.

Will et Chester entendirent alors un soupir.

Cal avait bougé la tête. Il prit une minuscule inspiration, puis toussa faiblement.

— Dieu merci, Dieu merci... répétait Chester.

Il échangea un regard incrédule avec Will qui se contenta d'agiter la tête, stupéfait. Il ne savait à quoi s'attendre jusqu'alors et n'avait rien osé espérer. Mais voilà qui dépassait toutes ses attentes — son frère semblait avoir ressuscité d'entre les morts, là, sous ses yeux.

Cal prit deux autres inspirations sifflantes, puis toussa de nouveau, plus fort cette fois. Il fut soudain pris d'une toux incontrôlable comme s'il était au bord de l'asphyxie. Le corps secoué d'un spasme violent, il tourna soudain la tête et vomit brutalement.

— Vas-y, mon garçon! C'est bien, l'encouragea Drake en le tenant. C'est ça!

Il se retourna et souleva Cal aussi haut qu'il le pouvait.

— Prenez-le, dit-il aux deux autres qui l'attrapèrent par les aisselles et le tirèrent hors de l'eau pour l'étendre sur la berge.

— Non, ne l'allongez pas! intervint Elliott. Mettez-le debout. Enlevez-lui sa chemise et faites-le marcher. Il faut qu'il reste en mouvement. Ça éliminera le poison.

Ils le débarrassèrent de sa chemise et virent alors sa peau bleutée dans toute sa splendeur. Elle était constellée de zébrures blanches et boursouflées. Il avait les yeux injectés de sang et ouvrait la bouche sans pouvoir articuler un mot. Will et Chester le firent tourner en rond en le soutenant de chaque côté, tandis que sa tête pendait mollement sur sa poitrine. Cal n'avait pas la force de faire le moindre pas tout seul.

Pendant ce temps, Drake, sorti du canal, se tenait accroupi sur la berge tandis qu'Elliott scrutait l'horizon à travers la lunette de son fusil.

Will et Chester avaient beau s'acharner, Cal finit par fermer les yeux et perdit à nouveau connaissance. Il avait les lèvres immobiles.

— Arrêtez! ordonna Drake en se relevant.

Il s'approcha des garçons, souleva la tête de Cal d'une main et se mit à le gifler impitoyablement de l'autre. Il sembla à Will que la teinte bleuâtre qui colorait les joues de son frère commençait à s'estomper quelque peu. Les sourcils de Cal tressaillirent légèrement. Drake cessa pour examiner son visage.

— Il était moins une. Si nous étions arrivés plus tard, les narcotiques auraient fait leur effet, et les spores auraient commencé à prendre racine, dit Drake. Ils auraient fini par le digérer tel un sac de compost humain.

— Des spores? demanda Will.

— Oui, ces trucs-là, expliqua Drake en frottant de son pouce l'une des zébrures blanches que Cal avait au cou.

Elle s'effrita légèrement, révélant une portion de peau d'un bleu plus vif d'où suintaient des gouttelettes de sang, comme si on l'avait égratignée.

— Ils germent, comme celui-ci, et plongent leurs vrilles dans la chair de leur victime, absorbant tous les nutriments des tissus vivants.

— Mais est-ce que tout ira bien, maintenant? demanda aussitôt Will.

— Ça fait un moment qu'il est inconscient, répondit Drake en haussant les épaules. Si jamais l'un de vous devait refaire la même erreur en s'aventurant dans un piège à sucre, il faudrait alors réveiller la victime par tous les moyens, souvenez-vous-en bien. Le système nerveux se met en veille, et seul un choc peut l'aider à redémarrer. L'une des façons de réveiller quelqu'un, c'est de l'immerger sous l'eau : il faut presque le noyer pour arriver à le sauver.

Cal semblait sombrer à nouveau dans l'inconscience, et Drake recommença à le frapper avec une telle force que Will en eut mal aux tympans. Soudain, Cal renversa la tête en arrière, prit une profonde inspiration et se mit à pousser un cri si atroce que Will et Chester en frémirent d'horreur. Il avait quelque chose de surnaturel. On aurait dit l'appel d'un animal déchirant le silence du désert de poussière qui les entourait. Mais ce cri redonnait espoir aux deux garçons, un peu comme le premier vagissement d'un nouveau-né. Drake retira sa main.

— C'est bon. Maintenant, faites-le encore marcher.

Ils recommencèrent à tourner en rond, et Cal sembla peu à peu revenir à la vie. Il se mit à marcher avec eux, faiblement tout d'abord – c'est à peine s'il pouvait tenir sur ses jambes –, puis il fit de plus grandes enjambées en titubant, tandis que sa tête roulait sur ses épaules comme s'il était ivre.

— Drake, faut que tu viennes voir ça, intervint Elliott en ajustant la lunette de son fusil.

Drake s'exécuta aussitôt et lui prit son fusil des mains.

— Oui, je vois... Bizarre...

— Qu'est-ce que t'en dis ? demanda-t-elle. Ça fait un sacré nuage de poussière.

— Des Styx... à cheval ! dit-il en baissant le fusil, l'air perplexe.

— Non... rétorqua-t-elle, incrédule.

— Ils ont repéré nos traces, dit Drake en lui rendant son arme. On ne peut pas rester ici. Désolé, les gars, pas le temps de manger ni de se reposer maintenant, ajouta-t-il en s'avançant vers les trois garçons. Je transporterai vos affaires, mais il faut que vous soyez patients.

Il enfila leurs sacs à dos sur ses épaules et se mit en route sans plus attendre. Will prit Cal sous les aisselles, tandis que Chester l'attrapait par les jambes, et ils le transportèrent ainsi en trottinant à la lueur de la lampe frontale de Drake.

— Ils ne pourront pas nous suivre à cheval au fond des tubes de lave, leur dit-il à voix basse. Mais nous ne sommes pas encore sortis du bois. Dépêchez-vous !

— C'est crevant, gémit Will qui avait failli lâcher son frère en trébuchant sur un caillou. Il pèse une tonne, bon sang !

— Débrouillez-vous ! rétorqua sèchement Drake. Pressez le pas !

Will et Chester étaient en nage. Ils souffraient de la faim et de la fatigue. Will avait un mauvais goût dans la bouche, comme si son corps brûlait ses dernières réserves. Il avait le tournis et se demandait si Chester trouvait l'épreuve aussi ardue. Cal ne cessait de se tortiller, ce qui ne leur facilitait pas la tâche. Il ne savait manifestement pas ce qui lui arrivait et cherchait à se dégager de leur étreinte.

Ils finirent par atteindre les limites de la Grande Plaine. Les garçons étaient sur le point de tomber, les membres littéralement plombés par la fatigue. Ils s'engagèrent dans un tube de lave sinueux puis dépassèrent un coude, puis Drake se tourna alors vers eux.

— Attendez un instant, ordonna-il en défaisant l'un des sacs qu'il portait à l'épaule. Prenez un peu d'eau. Nous avons quitté la plaine plus tôt que prévu... C'est plus sûr, mais il nous faudra plus longtemps pour rentrer.

Ravis, les garçons s'affalèrent sur le sol et déposèrent Cal entre eux.

— Elliott, prépare deux trébuchoirs, lança Drake.

Elle apparut à la lueur de la lampe de Drake comme si elle surgissait de nulle part. Elle se pencha et disposa quelque chose à côté de la paroi de pierre. Il s'agissait d'un objet de la taille d'une boîte de haricots blancs, de couleur brun terne. Elle le sangla sur un petit rocher, puis recula en dévidant en travers du tunnel un fil de métal si fin qu'il était presque invisible. Elle l'attacha à un éperon qui saillait de la paroi opposée, puis le pinça légèrement. Le fil rendit un son sourd.

— Parfait, murmura-t-elle en retournant à la boîte.

Elle s'allongea sur le sol et en extirpa une petite épingle avec précaution avant de se relever en déclarant :

— Paré !

— Il faut qu'on descende un peu plus bas pour permettre à Elliott d'installer le second, ordonna Drake en ramassant le sac à dos.

Will et Chester se remirent lentement debout puis relevèrent Cal qui commençait à émettre des bruits étranges et incohérents ; des gémissements et des grognements entrecoupés de quelques mots à peine reconnaissables comme « faim » ou « soif ». Mais ils n'avaient ni le temps ni l'énergie de s'en préoccuper. Ils le transportèrent sur plusieurs centaines de mètres, puis s'arrêtèrent en voyant Drake s'immobiliser.

— Non, ne vous asseyez pas ! leur dit-il.

Ils restèrent donc ainsi à attendre qu'Elliott ait placé un autre « trébuchoir », comme il disait.

— Ils servent à quoi, ces trucs ? demanda Will, essoufflé.

Il s'adossa contre la paroi du tube de lave et observa Elliott recommencer la même opération.

— Ils explosent. Ce sont des bombes.

— Mais pourquoi il vous en faut deux ?

— La première bombe est à retardement. Les Cols d'albâtre atteindront la deuxième charge explosive au moment même où se déclenchera la première, et hop, ils se retrouveront pris au piège entre deux éboulis. En théorie, en tout cas.

— Astucieux, commenta Will, impressionné.

— En fait, ajouta Drake, nous en plaçons souvent au moins deux, car ces ordures ne savent que trop bien les repérer.

— Ah, d'accord, bredouilla Will, nettement moins impressionné cette fois.

D'après les estimations de Will, ils devaient avoir parcouru pas mal de kilomètres lorsqu'ils entendirent les détonations presque simultanées des deux bombes, semblables à un tonnerre d'applaudissements. Quelques secondes plus tard, ils sentirent le souffle de l'explosion sur leur cou en sueur. Drake ne ralentit pas pour autant l'allure. Les garçons peinaient à le suivre, mais lorsqu'ils n'allaient pas assez vite, Drake se mettait à pousser des grognements menaçants. Will ne tenait plus Cal que par un bras. L'autre pendait faiblement, lui fouettant parfois les tibias.

Ils sinuèrent de tube en tube, gravirent des côtes pour redescendre ensuite le long de plans inclinés, se faufilèrent dans d'étroites cavités, et pataugèrent même dans des cavernes à moitié inondées en s'efforçant de porter Cal à hauteur d'épaule pour lui maintenir la tête hors de l'eau.

Cal semblait reprendre des forces, mais il devenait de plus en plus difficile à porter, car il ne cessait de se débattre entre leurs mains, à tel point qu'ils le laissaient parfois choir lourdement sur le sol, trop épuisés pour se soucier de son sort. À l'une de ces occasions, Cal les gratifia d'un chapelet de jurons en hurlant d'une voix étranglée au moment même où ils le soulevaient à nouveau de terre.

— *Palkass truk fol'kratulgra!*
— *Spess' da fichtru brâites!*

Ces drôles d'invectives étaient tout aussi incompréhensibles que son accès de colère était vain. La scène était si comique que Will gloussa malgré lui, entraînant Chester dans un fou rire contagieux. Cal se débattit de plus belle et vomit un nouveau torrent d'injures. Au soulagement d'avoir retrouvé Cal en vie s'ajoutait la fatigue du périple, ce qui leur donnait quelque peu le tournis.

— Hum... Je ne crois pas qu'on m'ait déjà traité de *fichtru brâite* avant ça, dit Chester en détachant bien chaque syllabe.

— Je dois avouer que j'ai toujours pensé que tu étais un peu *fol'kratulgra*, rétorqua Will en ricanant.

Ils partirent tous deux d'un fou rire hystérique. Cal entendait manifestement tout ce qu'ils disaient et se mit à mouliner des bras encore plus furieusement.

– *J'ivon fir lapô ordlures!* beugla-t-il d'une voix rauque, soudain pris d'une quinte de toux.

– La ferme! siffla Drake. Vous allez nous faire repérer!

Cal se calma un peu. Il se fichait pas mal des remontrances de Drake, mais il avait compris que ses injures ne le mèneraient à rien. Il tenta de saisir la jambe de Will pour le faire trébucher.

– Cal, ça suffit! Si tu continues, on t'abandonne aux Styx! s'exclama Will d'un ton sec en secouant son frère.

Ils arrivèrent enfin à la base. Ils n'étaient pas passés par la fosse comme la dernière fois, et Will en conclut qu'ils avaient emprunté un autre chemin. Ils hissèrent Cal en haut de l'arche de pierre après lui avoir passé la corde autour du torse, puis ils l'allongèrent sur un lit dans l'une des pièces du fond. Drake leur conseilla de lui humecter les lèvres avec une éponge. Il toussait et crachotait, mais parvint à boire une bonne rasade, le menton dégoulinant, avant de sombrer à nouveau dans un profond sommeil.

– Chester, tu le surveilles. Will, tu viens avec moi.

Will s'exécuta et suivit Drake dans le couloir. Il sentit l'angoisse monter en lui, comme si le directeur de l'école l'avait convoqué dans son bureau pour lui passer un savon.

Ils entrèrent dans une zone obscure, puis franchirent une porte au chambranle métallique avant de se retrouver dans une grande pièce éclairée par un unique globe lumineux suspendu au centre du plafond. Elle mesurait trente mètres de long et paraissait presque aussi large. Deux couchettes taillées dans d'épaisses plaques de métal se trouvaient dans un coin. Les murs étaient tapissés de matériel d'équipement. On aurait dit un trésor militaire, et Will repéra des myriades d'étranges cylindres, semblables à celui qu'Elliott avait voulu lui confier aux Pieux croisés. Il reconnut également les combinaisons grises et dégonflées que portaient les Coprolithes, et toute une panoplie de sangles, de cordages et de kits suspendus en rangées bien ordonnées.

Will aperçut Elliott entre les deux couchettes. Elle lui tournait le dos. Elle avait ôté sa veste et son pantalon qu'elle rangeait dans un casier fixé au mur. Elle portait un débardeur et un short couleur ivoire, et il ne pouvait détacher ses yeux de ses jambes musculeuses et fuselées. Elles étaient couvertes de crasse et arboraient, tout comme le visage de Drake, un nombre impressionnant de cicatrices qui affleuraient sous la couche de poussière brun rouge. Décontenancé de la trouver ainsi dévêtue, Will se figea aussitôt. Il remarqua que Drake l'observait attentivement.

— Assieds-toi, lui ordonna-t-il en lui indiquant un endroit près du mur au moment même où Elliott s'avançait dans la pièce.

Elle avait des traits étonnamment féminins, les pommettes hautes, le nez fin et des lèvres douces et charnues. Elle lui lança un rapide coup d'œil, bâilla, puis passa la main dans ses cheveux noirs et courts. Ses bras et ses poignets étaient si fins que Will avait du mal à croire qu'il s'agissait bien de la même personne qu'il avait vue manipuler sa carabine comme s'il s'agissait d'une simple tige de bambou.

Will remarqua soudain une cicatrice extrêmement profonde sur le biceps. Tout autour, la surface rugueuse de sa peau était striée de marques roses comme si on y avait versé de la cire brûlante. Un animal avait dû lui arracher de ses crocs une bonne partie du muscle du bras.

Mais tout cela n'était rien à côté d'un autre fait bien plus remarquable à ses yeux : Elliott semblait jeune, à peine plus âgée que lui. C'était bien la dernière chose à laquelle il s'attendait, compte tenu de la façon dont elle l'avait intimidé dans la Grande Plaine.

— Ça va ? demanda Drake à la jeune fille qui bâilla de nouveau en se grattant l'épaule d'un air absent.

— Ouais, je vais prendre une douche, répondit-elle en se dirigeant pieds nus vers la porte sans adresser le moindre regard à Will qui restait là bouche bée.

Lorsque Drake claqua des doigts pour solliciter son attention, Will détourna les yeux avec embarras.

— Par ici, dit Drake d'une voix plus forte.

Ils prirent place devant deux solides malles métalliques rangées à côté du mur.

— Je... euh... voulais vous remercier d'avoir sauvé Cal. Je me suis trompé sur vous et sur Elliott, confia-t-il en jetant un coup d'œil vers la porte, bien qu'elle soit déjà partie depuis longtemps.

— Pas de problème, répondit Drake avec un geste de dédain. Mais j'ai d'autres préoccupations. Quelque chose se prépare, et j'ai besoin que tu me dises ce que tu sais.

Will le regarda d'un air perplexe : il ne s'attendait pas à une telle question.

— Tu as vu par toi-même ce que sont en train de faire les Styx. Ils tuent les renégats par dizaines.

— Ils tuent des renégats, répéta Will en frissonnant, repensant à la scène dont il avait été témoin en compagnie de Chester.

— Oui, et je dois avouer que je ne suis pas mécontent d'en voir partir certains, mais nous perdons aussi des amis à vitesse supersonique. Par le passé, les Styx nous laissaient généralement tranquilles, sauf lorsqu'ils voulaient se venger d'un trappeur qui avait dépassé les bornes en entraînant la disparition d'un Limiteur. Les choses ont changé, à présent. Ils procèdent à une élimination systématique, et je ne pense pas que les Styx comptent s'arrêter avant de nous avoir tous massacrés.

— Mais pourquoi tuer des Coprolithes ?

— Pour leur adresser un message et les inciter à ne pas commercer avec nous, et à ne nous venir en aide d'aucune façon. En tout cas, ça n'a rien de nouveau. Les Cols d'albâtre pratiquent des prélèvements réguliers pour contenir l'accroissement de leur population, dit Drake en se frottant les tempes comme si quelque chose le troublait profondément.

— C'est quoi, des prélèvements ?

— Des massacres de masse, rétorqua brusquement Drake.

— Oh... murmura Will.

— Il ne fait aucun doute que les Styx sont en train de tramer quelque chose. Les Limiteurs sont désormais légion, et d'après ce que nous avons vu de nouveaux Cols d'albâtre de haut rang débarquent presque chaque jour à la gare des mineurs, dit Drake en fronçant les sourcils. Nous savons aussi de source sûre qu'il y a des scientifiques ici qui pratiquent des expériences sur des cobayes humains. On raconte qu'ils ont mis en place une zone de tests, mais je ne l'ai pas encore repérée. Est-ce que ça te dit quelque chose ? demanda-t-il avant de marquer une pause pour observer Will de ses yeux bleus si singuliers. Tu ne sais rien là-dessus, n'est-ce pas ?

Will fit non de la tête.

— Eh bien, dans ce cas, j'ai besoin que tu me dises tout ce que tu sais. Qui es-tu au juste ?

— Euh... D'accord, répondit Will qui ne savait par où commencer, ni ce qu'attendait vraiment Drake.

Will était totalement épuisé. Il avait les muscles douloureux d'avoir porté Cal, mais il était prêt à faire tout ce qu'il pourrait pour aider Drake. Il commença donc à raconter son histoire en détail. Drake l'interrompait parfois pour l'interroger, mais son ton s'adoucissait au fur et à mesure, à tel point qu'il se montrait presque convivial.

Will lui raconta l'histoire de son père adoptif, le Dr Burrows. Il avait observé un groupe de gens à Highfield qui ne semblaient pas à leur place, et s'était lancé dans une enquête qui l'avait conduit à creuser une galerie souterraine. C'est ainsi qu'il était parvenu jusqu'à la Colonie. Il expliqua ensuite, la gorge serrée, comment son père adoptif était volontairement monté à bord du train des mineurs.

— Et mon père est quelque part par ici. Vous ne l'avez pas vu, par hasard ? s'empressa-t-il de demander.

— Non, pas moi, répondit Drake en levant la main. Mais, sans vouloir te donner de faux espoirs, j'ai parlé à un trappeur, dernièrement... hésita Drake.

— Et ? demanda Will avec impatience.

— Il a entendu qu'un étranger traînait à côté d'un des campements. Apparemment, ce n'est ni un Colon ni un Styx... Il porte des lunettes...

— Oui ? demanda Will en se penchant en avant.

— ... et il prend des notes dans un cahier.

— C'est papa ! C'est forcément lui ! déclara Will avec une explosion de joie. Il faut que vous me conduisiez à lui.

— Je ne peux pas, répondit sèchement Drake.

La joie céda aussitôt la place à l'exaspération.

— Comment ça, vous ne pouvez pas ? Il le faut ! implora Will en se levant. C'est mon père ! Il faut que vous me montriez où il est.

— Assieds-toi ! ordonna Drake d'un ton sans appel.

Will ne broncha pas.

— Je t'ai dit de t'asseoir... et de te calmer. Laisse-moi finir.

Will se rassit lentement sur la malle en soupirant.

— Je t'ai dit que je ne voulais pas te donner de faux espoirs. Ce trappeur ne m'a pas indiqué où se trouvait cet homme, et les Profondeurs s'étendent sur des kilomètres. Quoi qu'il en soit, avec tous ces Cols d'albâtre qui s'agitent en ce moment, les Coprolithes déplacent leurs campements. Il est donc très probable qu'il les ait suivis.

Will resta silencieux pendant un moment.

— Mais s'il s'agit bien de papa, il va bien, n'est-ce pas ? interrogea-t-il en scrutant Drake dans l'attente d'une confirmation. Vous croyez que ça va aller ?

— Tant qu'il ne se fera pas coincer par l'un des pelotons d'exécution des Limiteurs.

– Oh, Dieu merci, répondit Will en fermant les yeux un instant.

Même si Drake ne pouvait pas lui dire où se trouvait son père adoptif, le fait qu'il soit en vie avait redonné du courage à Will.

Il commença à raconter sa propre histoire : comment, après la disparition du Dr Burrows, il avait sollicité l'aide de Chester et s'était rendu avec lui dans la Colonie. Il relata leur capture et les interrogatoires éreintants que leur avaient fait subir les Styx. Il parla ensuite de sa première rencontre avec son frère et son véritable père, et comment ils lui avaient révélé qu'il avait été adopté. Ses parents adoptifs n'avaient jamais pensé à l'en informer. Lorsqu'il mentionna sa véritable mère, la seule personne à avoir survécu après s'être échappée de la Colonie, Drake l'interrompit brutalement.

– Son nom ? Comment s'appelle-t-elle ?

– Euh... Jérôme... Sarah Jérôme.

Drake retint son souffle un instant. Dans le silence qui suivit, Will aurait pu jurer qu'il avait remarqué un changement dans les yeux perçants de Drake, un peu comme s'il le considérait d'un regard neuf.

– Tu es donc son fils, demanda Drake, le fils de Sarah Jérôme ?

– Oui, confirma Will, surpris par la réaction de cet homme. Cal aussi, ajouta-t-il en marmonnant.

– Et ta mère a bien un frère.

– Oui, c'était mon oncle Tam, répondit Will sans savoir s'il s'agissait d'une affirmation ou d'une question.

– Tam Macaulay.

– Vous avez entendu parler de lui ? demanda Will en acquies-çant d'un air impressionné.

– Je connais sa réputation. Il n'était pas très apprécié des autorités en place au sein de la Colonie... On le voyait comme un fauteur de troubles. Mais tu as dit que c'était ton oncle. Que lui est-il arrivé ?

– Il est mort en nous arrachant, Cal et moi, aux griffes des Styx, répondit Will d'une voix triste.

Drake fronça les sourcils. Will lui expliqua tout ce qu'il savait de Rebecca, puis comment Tam avait combattu et tué son père.

– T'as gardé le meilleur pour la fin, déclara Drake en sifflant. Ça veut dire, ajouta-t-il en regardant Will pendant quelques instants, que t'as froissé quelqu'un qui trône tout en haut de la hiérarchie... Et maintenant, ajouta-t-il en marquant une courte pause, ils veulent ta tête sur un plateau.

Cette dernière remarque eut l'effet d'un coup de massue sur Will, qui ne sut que répondre.

— Mais... bredouilla-t-il.

— Ils ne te laisseront jamais en liberté. Impossible. Tu es comme Sarah. Elle incarne un symbole. C'est une sorte d'héroïne pour les insurgés de la Colonie.

— Moi ?

— Ouais. Tu devrais te promener avec un écriteau « dangereux pour la santé ».

— Qu'est-ce que vous voulez dire ?

— Je veux dire que tu es quelqu'un d'extrêmement dangereux pour ton entourage, mon ami, expliqua Drake. Ça pourrait expliquer pourquoi la Plaine grouille de Limiteurs. Voilà qui change tout, ajouta-t-il après un temps de réflexion, les coudes posés sur ses cuisses et les yeux rivés au sol.

— Pourquoi ? Non, je ne suis pas responsable de tout ça. C'est impossible, protesta Will avec véhémence. Vous savez à quel point les choses sont tordues dans la Colonie...

— Non, je ne sais pas, rétorqua Drake en levant les yeux vers la voûte. Ça fait un moment que je n'y ai pas mis les pieds.

— Mais pourquoi sont-ils toujours à ma recherche ? Qu'est-ce qu'ils risquent à me laisser en liberté ?

— Ce n'est pas le problème. On ne se frotte pas impunément aux Styx. Ils ne laissent jamais rien passer.

— Mais vous avez dit que les plus importants d'entre eux débarquaient presque chaque jour. Ils ne viendraient quand même pas juste pour moi, n'est-ce pas ?

— Non, c'est vrai, répondit Drake en plissant les yeux. Ils veulent peut-être t'éliminer, mais avec tous ces gradés et ces scientifiques, il est clair qu'ils sont sur un gros coup. Je ne sais pas lequel, mais c'est manifestement très important pour eux.

— De quoi s'agit-il, d'après vous ? demanda Will.

Drake se contenta de secouer la tête et ne lui donna aucune explication.

— Est-ce que je peux vous demander quelque chose ?

Drake acquiesça.

— Euh... Chester pense que vous êtes un guérillero. C'est vrai ?

— Non, pas du tout. Je suis juste un Surfacien, comme toi.

— Vous voulez rire ! s'exclama Will. Comment êtes-vous...

— C'est une longue histoire. Une autre fois, peut-être, répondit Drake. Tu veux savoir autre chose ?

Will se préparait à lui poser une question qui le turlupinait depuis un bon moment déjà.

— Pourquoi? commença-t-il, d'une voix chevrotante, tout en se demandant s'il ne dépassait pas les bornes.

— Continue, dit Drake en pliant le bras.

— Pourquoi... Pourquoi avez-vous sauvé Cal? Pourquoi est-ce que vous nous aidez?

— Cette pierre que tu portes, esquiva Drake.

— Ça? demanda Will en touchant le pendentif en jade qu'il avait autour du cou.

— Oui, où l'as-tu trouvée?

— C'est Tam qui me l'a donnée. C'est important? demanda Will en palpant les trois stries convergentes qui en entaillaient légèrement la surface polie.

— D'après la légende, il y aurait un peuple fabuleux au fond du Pore. On raconte qu'il est presque aussi vieux que la Terre elle-même. J'ai vu ce symbole de nombreuses fois... On le trouve sur les ruines de leurs temples, dit Drake, les yeux rivés sur le pendentif, avant de retomber dans un silence qui accrut encore le malaise de Will.

S'il n'avait pas été aussi épuisé, Will aurait mitraillé Drake de questions sur ce fameux Pore et sur ce peuple antique. Mais pour l'heure, il était préoccupé par des choses beaucoup plus immédiates. Il se décala légèrement sur la malle de métal.

— Vous... euh... ne m'avez pas vraiment répondu... Pourquoi vous nous aidez?

Drake le regarda et esquissa pour la première fois un sourire, ce qui contrastait fortement avec la froideur de ses yeux bleu acier.

— T'es sacrément têtu dans ton genre, n'est-ce pas? Ton copain Chester ne semble pas aussi culotté, dit-il en se reculant un peu avec un air songeur. Certains sont faits pour mener, tandis que d'autres suivent.

— Quoi?

— Pour répondre à ta question, Will, dit-il en se redressant, la vie est dure, ici-bas. Nous vivons comme des animaux, mais cela ne veut pas dire que nous ayons perdu toute humanité. Il y a des renégats qui sont bien moins avenants qu'Elliott ou moi. Ils te tueraient pour te voler tes bottes, ou te garderaient en vie pour... comment dire? Faire diversion. C'est ainsi que j'ai sauvé Elliott, il y a des années, dit-il en palpant la blessure reçue au torse à cette occasion. Je ne voudrais pas que cela arrive à l'un d'entre vous.

– Oh... murmura Will.

– Chester et toi, vous n'êtes pas comme tous ces blessés que l'on bannit de la Colonie : vous n'êtes pas estropiés, vous n'avez subi aucune torture. Vous n'êtes pas rompus par des années d'esclavage, dit-il avec un profond soupir. Je ne comptais pas m'embarrasser de vous trois, j'avoue, ajouta-t-il en se frottant les mains. Mais il faudra juste attendre de voir comment récupère ton frère, conclut-il en le fixant droit dans les yeux.

Malgré sa fatigue, Will comprit le sous-entendu.

– Quant à toi, fiston, ton scalp pourrait se monnayer très cher auprès des Cols d'albâtre, dit Drake en bâillant, avant de reprendre un visage de marbre. Mais je dois d'abord découvrir ce que fabriquent les Styx avant de quitter la Plaine. Ça donnera le temps à ton frère de reprendre des forces. Une fois arrivés là où on va, on ne manquera pas de travail pour vous.

Will acquiesça.

– Le fait que tu sois le fils de Sarah Jérôme et que tu connaisses bien la Surface pourrait constituer un véritable atout.

– Qu'est-ce que vous voulez dire ? demanda Will.

– Eh bien, si je ne m'abuse, ce sur quoi travaillent les Styx pourrait avoir des conséquences désastreuses pour les Surfaciens. Je pense qu'aucun d'entre nous ne se contenterait de les regarder sans rien faire, n'est-ce pas ? demanda-t-il en levant un sourcil interrogateur.

– Sûrement pas ! explosa Will.

– Qu'est-ce que tu en dis, alors ?

– Quoi ?

– T'es partant, oui ou non ? Est-ce que tu veux te joindre à nous ?

Will se mordit la lèvre. Il était complètement désarçonné par l'offre que venait de lui faire cet homme impressionnant, mais aussi par l'idée que Cal puisse ne pas faire partie de l'aventure. Que lui arriverait-il s'il ne récupérait pas toutes ses forces ? Drake se débarrasserait-il tout simplement de lui ? Will se demandait aussi ce qui se passerait si les Limiteurs étaient réellement à ses trousses. S'il se révélait trop dangereux de rester avec lui, que se passerait-il ? Drake le livrerait-il tout simplement aux Styx ? Mais Will aurait fait n'importe quoi pour arrêter les Styx et leur faire payer la mort de Tam.

Il n'avait pas d'autre choix que d'accepter la proposition de Drake. Par ailleurs, Chester, Cal et lui-même n'étaient certainement pas armés pour faire cavaliers seuls avec tous ces Limiteurs dans le coin, sans même parler de l'état dans lequel se trouvait son frère.

Drake l'observait en attendant sa réponse. Will savait qu'il valait mieux ne pas hésiter. Que pouvait-il faire d'autre, si ce n'est accepter ? S'il jouait finement, cet homme pourrait l'aider à retrouver son père.

– Oui, dit-il.

Ils poursuivirent leur conversation, puis Drake renvoya Will dans sa chambre. Chester était profondément endormi sur le sol, à côté du lit sur lequel on avait allongé Cal.

Will aurait voulu dire quelque chose à Chester et s'excuser pour n'avoir pas daigné croire en son intuition quant à la bienveillance de Drake et d'Elliott. Mais Chester ne répondait plus, et il n'allait certainement pas le réveiller. Will céda lui aussi à la fatigue ; après avoir bu un peu d'eau, il se recroquevilla sur l'autre lit et sombra dans un sommeil sans rêves.

Chapitre Vingt-cinq

Les jours suivants, Will et Chester s'occupèrent de Cal et lui servirent la nourriture indéfinissable que leur fournissaient Drake et Elliott. Cal ne pensait qu'à dormir sur son étroite couche, mais les deux garçons l'obligeaient à faire de l'exercice. Il effectuait quelques pas maladroits en leur lançant des regards sombres. En effet, il ne sentait plus vraiment ses pieds.

Il finit par parler de manière plus articulée et perdit peu à peu son teint bleuâtre. Drake venait se renseigner quotidiennement sur son état, puis il emmenait l'un des deux garçons avec lui à l'occasion de missions de reconnaissance destinées à leur « apprendre les ficelles du métier », comme il disait.

Will profita de l'absence de Chester pour avoir une petite discussion avec son frère, allongé sur le lit, le visage tourné contre le mur.

— Je sais que tu ne dors pas, lui dit Will. Qu'est-ce que tu penses de Drake ?

Cal ne réagit pas.

— Je t'ai demandé ce que tu pensais de Drake.

— Il a l'air sympa, marmonna enfin Cal.

— Oh, mais moi je pense qu'il est bien mieux que ça. Il m'a dit que, dans les Profondeurs, il y avait des gens prêts à te trancher la gorge pour te voler tes vêtements ou tes vivres. Encore faut-il qu'ils t'attrapent avant les Limiteurs, bien sûr.

— Hum ! grogna Cal, peu convaincu.

— Il faut que je te dise que si tu n'arrêtes pas de rêvasser et si tu ne te remets pas sur pied au plus vite, Drake pourrait perdre patience.

Cal se tourna vers Will, les yeux emplis d'une colère soudaine.

— C'est une menace, c'est ça ? T'es en train de me menacer ? Qu'est-ce qu'il va faire ? M'envoyer voir ailleurs ? dit-il en se redressant d'un coup.

— Oui, sans doute, répondit Will.

— Comment le sais-tu ? Tu l'as inventé, c'est ça ?

— Non, répondit Will d'un ton résolu avant de se lever pour rejoindre la porte.

— Tu le laisserais donc m'abandonner ? demanda Cal dont les yeux lançaient des éclairs.

— Oh, Cal, grogna Will en se retournant. Que veux-tu que je fasse si tu ne fais aucun effort ? Tu sais que Drake veut partir bientôt. Elliott et lui ne vivent pas ici, et il a dit qu'il allait nous emmener avec lui.

— Nous tous ?

— Ça dépend. Tu crois qu'il veut s'occuper de nous trois, surtout si l'un de nous est une vraie plaie ?

Cal balança ses jambes par-dessus le lit et regarda Will d'un air nerveux.

— T'es sérieux ?

— J'ai juste pensé qu'il fallait que tu le saches, lui répondit Will en acquiesçant avant de quitter la pièce.

Cal changea du tout au tout au cours des jours qui suivirent : il avait pris les paroles de Will très au sérieux. Il se mit à s'exercer clopin-clopant en prenant appui sur la canne en bois sombre que lui avait donnée Drake. Il semblait néanmoins que le côté gauche de son corps fût plus lent à se rétablir.

Un soir, Will décréta qu'il était inutile d'essayer de dormir et se leva de sa couche. Il était dérangé par son frère qui martelait sans cesse le sol de sa canne, ce à quoi s'ajoutaient les ronflements de Chester, et même s'il avait fini par s'acclimater aux Profondeurs, la chaleur et l'étroitesse de la pièce n'aidaient pas non plus

— Bien joué, frérot, dit-il à Cal d'une voix douce, en se grattant la tête à cause des poux.

— Merci, marmonna ce dernier avant de poursuivre son tour de la pièce.

— J'ai soif, déclara Will avant de sortir pour rejoindre la petite remise où l'on conservait les outres.

Il entendit quelque chose et s'arrêta aussitôt, caché dans la pénombre. C'est alors qu'il vit Elliott au bout du couloir. Comme à l'accoutumée, elle était vêtue d'une veste et d'un pantalon de couleur sombre, et tenant sa carabine à la main, mais elle n'avait pas son keffieh enroulé autour de la tête.

— Euh... bonjour, dit-il, un peu gêné d'être en short.

Il replia les bras sur son torse pour masquer sa nudité.

— T'as du mal à dormir ? demanda-t-elle après l'avoir regardé de la tête au pied d'un air indifférent.

— Euh... Oui.

— Impressionnant, commenta-t-elle en examinant la plaie qu'il avait à l'épaule.

De plus en plus mal à l'aise, Will passa la main sur la blessure que lui avait infligée le chien d'attaque styx. La chaleur des Profondeurs lui causait des démangeaisons infernales, et Will ne pouvait s'empêcher de se gratter.

— Un limier, finit par expliquer Will.

— On dirait qu'il avait faim, observa Elliott.

Ne sachant que dire, Will retira sa main pour examiner la tache rouge et acquiesça en silence.

— Tu veux venir patrouiller avec moi ? demanda la jeune fille d'un ton neutre.

À cette heure de la nuit, c'était la dernière chose à laquelle songeait Will. Cependant, il était à la fois intrigué – il en savait si peu sur elle – et ravi par cette offre. Drake évoquait les talents d'Elliott avec beaucoup de respect. Elle avait acquis une telle connaissance du terrain que Will et Chester auraient bien du mal à se mettre à son niveau.

— Ouais... super, répondit-il aussitôt. Je prends quel kit ?

— Pas grand-chose. Je voyage léger, dit-elle. Dépêche-toi, alors, le pressa-t-elle en le voyant rester là sans bouger.

Will retourna dans la chambre où Cal poursuivait ses exercices et s'habilla à toute vitesse. Son frère fit à peine attention à lui. Une minute plus tard, il rejoignit Elliott dans le couloir. Elle lui tendit l'un des étuis à cylindres que Drake transportait toujours sur lui.

— T'es sûre ? demanda Will d'un ton hésitant, car il se souvenait que Drake ne l'y avait pas autorisé aux Pieux croisés.

— Drake semble penser que tu vas rester avec nous. Il va falloir que tu apprennes à t'en servir un jour ou l'autre, dit-elle. Et puis on ne sait jamais, on pourrait tout aussi bien tomber sur des Limiteurs.

— Pour tout t'avouer, je ne sais même pas à quoi servent ces machins, dit-il en attachant l'étui à sa ceinture, puis il laça la cordelette de fixation autour de sa cuisse.

— Ce sont des canons-culasses. Un peu plus rudimentaires que celui-ci, dit-elle en levant sa carabine. Tu devrais aussi essayer ça, dit-elle en tendant quelque chose à Will.

Il s'agissait d'un appareil en laiton dont la surface terne était couverte de petites rayures et de bosses. Il comportait deux tubes de différents diamètres, fermés aux extrémités par un capuchon. On aurait dit qu'on les avait fondus dans le même moule, si bien que le joint de soudure était à peine visible. Will reconnut immédiatement l'objet.

— C'est une lunette, n'est-ce pas? dit-il en jetant un coup d'œil à la carabine dont le canon comportait un appareil identique, à la différence près que la sienne était munie de deux sangles.

— Passe ton bras dans les boucles... c'est plus facile à transporter comme ça. Bien, allons-y, dit-elle.

Elliott se tourna vers la sortie puis disparut en un éclair au fond du couloir plongé dans la pénombre.

Will lui emboîta le pas, descendit le long de la corde pour se retrouver dans le noir le plus complet au pied de l'arche. Il tendit l'oreille, mais n'entendit rien. Il décrocha sa lanterne et en augmenta légèrement l'intensité.

Il tressaillit en voyant Elliott qui se tenait immobile comme une statue à plusieurs mètres de lui.

— À moins que je te dise le contraire, c'est la dernière fois que tu te sers d'un globe au cours d'une de mes patrouilles, dit-elle en lui indiquant la lunette. Sers-toi de ça, et n'oublie pas de la protéger de toute lumière vive, sinon ça ferait cramer le truc qui se trouve à l'intérieur. Et puis manie-la avec soin. C'est encore plus rare qu'une dent de limace.

Will éteignit sa lanterne et détacha l'appareil de son avant-bras. Il ôta les capuchons de métal à chaque extrémité de la lunette et la porta enfin à son œil.

— D'enfer! s'exclama-t-il.

C'était extraordinaire. Comme animée par la pulsation d'une lueur ambrée et légèrement diffuse, la lunette déchira les ténèbres compactes. Il voyait le mur de pierre dans les moindres détails. Il la pointa ensuite sur la galerie et découvrit qu'il pouvait voir au loin. Le sol et les parois luisaient d'une lumière irréelle, ce qui leur donnait un aspect brillant et mouillé, bien que tout fût parfaitement sec dans cette zone.

— Hé, c'est trop cool. On a l'impression de... de tout voir sous une étrange lumière naturelle. Où est-ce qu'on trouve ces trucs?

— Les Styx ont enlevé quelqu'un qui les fabriquait en Surface. Mais il s'est échappé pour se réfugier dans les Profondeurs. Il a emporté tout un stock de lunettes avec lui.

— Oh, d'accord, dit Will. Et comment ça marche ? Avec des piles ?

— Je ne sais pas ce que sont des *piles*, dit-elle en prononçant le mot comme s'il s'agissait d'une langue étrangère. Chaque lunette contient un petit globe lumineux auquel on a ajouté d'autres machins. Mais je n'en sais pas plus.

Pivotant lentement sur lui-même pour voir l'autre extrémité de la galerie de lave, il aperçut le visage d'Elliott.

Sous cette lumière ambrée et éthérée, elle avait la peau lisse et radieuse, comme baignée par un doux rayon de soleil. Elle était belle et semblait si jeune aussi, avec ses pupilles étincelantes. Plus étonnant encore, elle souriait, ce qu'il ne l'avait encore jamais vue faire. À dire vrai, elle lui souriait. Will se sentit soudain envahi par une curieuse sensation de chaleur. Jamais il n'avait ressenti cela auparavant. Il retint son souffle malgré lui, puis, priant pour qu'elle n'ait rien remarqué, il finit par retrouver le contrôle de sa respiration. Il balaya ensuite du regard l'autre extrémité de la galerie, mais il avait la tête ailleurs.

— Très bien, dit-elle d'une voix douce en enroulant le keffieh autour de sa tête. Suis-moi, camarade.

Ils traversèrent le tube de lave, s'arrêtèrent brièvement dans la caverne dorée pour placer leur kit dans le petit sachet hermétique que transportait Elliott et plongèrent enfin dans la fosse. Arrivés de l'autre côté, ils marquèrent une nouvelle pause pour s'organiser.

— Tu veux un conseil ? demanda-t-elle en nouant à nouveau les canons-culasses sur sa cuisse.

— Bien sûr. Quoi ? répondit-il sans savoir ce qu'elle comptait lui dire.

— C'est ta façon de te déplacer. Lorsque tu marches, tu fais comme les autres, Drake compris. Essaie de rester sur la pointe des pieds... un peu plus longtemps, avant de reposer le talon à terre. Regarde-moi à travers ta lunette.

Will s'exécuta, et la regarda se déplacer telle une chatte prête à bondir sur sa proie. Ses bottes et son pantalon trempés chatoyaient dans un halo jaune pâle.

— Ça réduit le volume sonore, et tu laisses un peu moins de traces comme ça, dit-elle en remarquant quelque chose sur la paroi rocheuse juste à côté d'elle. Si tu sais où regarder, tu verras qu'il y a plein de nourriture tout autour de toi. Ça, c'est une « huître des cavernes ».

Will n'avait pas la moindre idée de ce dont elle parlait. Elliott se rapprocha d'un bout de roche qui saillait de la paroi et se mit à le desceller avec la lame de son couteau. Elle le rengaina, puis elle enfila une paire de gants.

— Les bords sont coupants, expliqua-t-elle en glissant les doigts dans la brèche qu'elle venait de creuser.

Elle tira des deux mains sur la roche, qui se détacha lentement de la paroi avec un bruit de succion, avant de céder enfin avec le bruit d'un œuf qui se brise. Elliott recula de plusieurs pas en titubant.

— Ça y est ! dit-elle d'un ton triomphal en lui montrant l'huître qui devait avoir la taille d'un demi-ballon de football.

Will eut un mouvement de dégoût lorsqu'elle la retourna. L'intérieur était coriace et charnu. Une série de petits filaments ondoyaient tout autour de la coquille. C'était une sorte d'animal.

— C'est quoi, bon sang ? demanda-t-il. Une bernique géante ?

— Je viens de te dire que c'était une huître des cavernes. Elle se nourrit d'algues cendrées qui poussent près des trous d'eau. C'est répugnant cru, mais bouilli ça devient mangeable, dit-elle en tâtant de son pouce le cœur de la masse charnue.

L'animal étendit une grosse trompe semblable à un énorme pied d'escargot. Elliott se pencha pour poser la créature sur le dos entre deux pierres.

— Voilà qui devrait l'empêcher de s'en aller avant qu'on ne revienne, dit-elle.

Leur expédition dans la Grande Plaine se déroula sans incidents. Ils durent malgré tout franchir plusieurs canaux en passant par les écluses. Will s'efforçait de suivre Elliott qui se déplaçait à une vitesse époustouflante. Il essayait de marcher comme elle le lui avait indiqué, mais il ne tarda pas à avoir très mal aux pieds.

Elle ralentit lorsqu'elle vit se profiler le fond de la caverne. Elle inspecta soigneusement les alentours au moyen de sa lunette. Elle longea la paroi et entra dans une large galerie à la voûte surbaissée. Elle stoppa après quelques centaines de mètres.

La puanteur était innommable.

Une odeur de viande putréfiée les assaillait par bouffées acides. Will essaya de respirer par la bouche, mais les miasmes étaient si puissants qu'il avait l'impression de goûter l'atroce effluve.

Il aperçut alors à travers sa lunette quelque chose qui lui vrilla les entrailles.

— Oh, non ! souffla-t-il.

De part et d'autre de la galerie, il vit des cadavres entassés de renégats et de Coprolithes encore vêtus de leurs combinaisons boursouflées. Will n'avait pas besoin qu'on lui confirme que les Styx étaient responsables de ce massacre qui datait déjà de plusieurs jours, à en croire l'odeur régnant sur les lieux.

Il y avait cinq renégats et quatre Coprolithes empalés sur d'épais pieux en bois. La tête des victimes pendait sur leur poitrine, tandis que leurs pieds reposaient sur de petites poutres en bois clouées à environ un mètre du sol. La scène était irréelle, comme si ces corps noirs et silencieux flottaient dans l'air.

— Mais pourquoi ont-ils fait cela ? demanda Will en secouant la tête.

— C'est un avertissement et une démonstration de force. Ils font ça car ce sont des Styx, répondit Elliott.

Elle longea la rangée de renégats tandis que Will passait à contre-cœur devant les Coprolithes.

— Je connaissais cet homme, dit Elliott avec tristesse.

Will se tourna vers elle. Elliott se tenait immobile devant les corps.

Puis Will se força à regarder un Coprolithe mort en retenant son souffle. La couleur champignon de sa combinaison était parfaitement visible à travers sa lunette. Il remarqua une tache plus sombre tout autour des orbites : les globes lumineux n'y étaient plus. On avait manifestement tranché le caoutchouc épais de la combinaison pour les récupérer. Il frémit en songeant aux horreurs dont étaient capables les Styx.

— Bouchers, marmonna-t-il.

— Will, dit soudain Elliott, interrompant le flot de ses pensées.

Elle scrutait la galerie comme si tous ses sens étaient désormais en alerte.

— Qu'est-ce que c'est ? demanda Will.

— Cache-toi ! siffla-t-elle dans un murmure étranglé.

Elle n'ajouta rien. Il la regarda, ne sachant pas ce qu'elle voulait dire. Elle se trouvait à côté des dernières carcasses de renégats, de l'autre côté de la galerie. Elle se déplaçait si vite que c'est à peine si Will parvenait à suivre sa trace à travers sa lunette. Elle dénicha une dépression dans le sol et s'y précipita la tête la première, après avoir rangé sa carabine dans sa veste. Will ne la voyait plus. Elle était devenue totalement invisible.

Will regarda tout autour de lui, cherchant désespérément un trou similaire dans le sol de la galerie, mais en vain. Où pouvait-il aller ? Il devait trouver une cachette, mais où ? Il courut d'un côté, puis de l'autre, et se glissa derrière la rangée de cadavres coprolithes. Inutile ! Le sol était lisse et, pire encore, remontait même en pente douce vers la voûte.

Il se figea en entendant un bruit.

C'était un chien qui aboyait.

Un limier !

Il n'aurait su dire d'où il venait.

Mais lui était complètement à découvert.

Chapitre Vingt-six

Cette abomination émettait des grognements atroces qui descendaient dans les graves à mesure qu'il tirait sur sa laisse. Son maître peinait à maîtriser la bête alors qu'il descendait le long de la galerie, accompagné de trois autres Limiteurs.

Les soldats styx portaient des calottes de couleur pâle. On ne voyait pas leurs visages dissimulés sous d'énormes lunettes insectoïdes et des masques à gaz parcheminés. Leurs longs manteaux comportaient un motif camouflage composé de rectangles couleur terre et sable. À chaque pas, on entendait le cliquetis de l'équipement qu'ils transportaient dans leurs sacs à dos et le bruit des instruments pendus à leur ceinture. Ils étaient manifestement en mission et ne s'attendaient pas à rencontrer quiconque dans cette zone.

Ils s'arrêtèrent entre les deux rangées de cadavres. Le maître chien siffla un ordre inintelligible à sa bête qui rugit, puis s'assit aussitôt, sans cesser de grogner de colère en avançant le museau pour humer l'odeur rance des cadavres putrescents. Sa gueule dégoulinait d'une salive gluante comme si cette pestilence le mettait en appétit.

Les Limiteurs débitaient des paroles incompréhensibles et hachées d'une voix nasillarde et flûtée. L'un d'eux partit d'un rire sardonique et strident, et les autres l'imitèrent aussitôt. On aurait dit le chœur dissonant d'une meute de hyènes. La vue de ce massacre les réjouissait manifestement.

Will n'osait pas respirer. Il n'avait certes jamais rencontré puanteur plus atroce, mais il était surtout paralysé par l'idée qu'on puisse l'entendre.

En voyant se rapprocher les Limiteurs, il avait été contraint de se cacher dans le seul endroit qui lui restait, juste derrière un Coprolithe mort.

Pris de panique, il avait bondi en avant et s'était accroché derrière lui en forçant son bras dans l'interstice qui séparait le corps de la victime du bois rugueux. Il avait cherché en vain un appui pour ses pieds jusqu'à ce que la coque de ses bottes rencontre la pointe d'un gros clou qui dépassait fort heureusement de plusieurs centimètres, lui servant ainsi de repose-pieds.

Mais ce n'était pas assez. Les Limiteurs se rapprochaient, et il avait besoin de trouver une prise pour sa main gauche. À force de tâtonner, il finit par trouver une brèche dans la combinaison du Coprolithe, juste à côté de l'omoplate. Il inséra les doigts dans l'épais matériau caoutchouteux sous lequel il rencontra quelque chose de mou et d'humide : c'était la chair putréfiée du Coprolithe qui cédait sous la pression de ses doigts. *N'y pense pas! Surtout n'y pense pas!* se répéta-t-il en lui-même en comprenant ce qui se passait. Il n'avait pas le temps de trouver une autre solution.

Mais l'odeur du cadavre semblait s'intensifier, lui cinglant le visage avec la puissance d'une massue.

Oh, mon Dieu!

La puanteur était tout simplement insoutenable. Il avait élargi la brèche en glissant les doigts dans la combinaison de deux centimètres d'épaisseur, et les gaz les plus pestilentiels s'en échappaient à présent, inondant l'atmosphère. Will aurait voulu pouvoir sauter à terre et s'enfuir en courant. Il n'y tenait plus. Il sentait l'odeur chaude de la viande putride d'un cadavre en décomposition. C'était épouvantable!

Will sentait la nausée monter. Il s'empressa de ravaler le liquide âcre qui refluait jusqu'au fond de son gosier. Il devait se maîtriser et se maintenir ainsi à tout prix. Le sort que lui auraient réservé les Limiteurs aurait sans doute été des plus terribles. Il devait conserver son calme, quoi qu'il arrive. Il gardait un souvenir vif de l'attaque du limier, et pour rien au monde il n'aurait voulu subir à nouveau pareil supplice.

Il gardait les yeux fermés et tentait désespérément de concentrer son attention sur ce que les Limiteurs étaient en train de faire. Il les écoutait, priant de toute son âme pour qu'ils s'en aillent enfin. Ils parlaient la langue des Styx, entrecoupée de quelques phrases en anglais, si bien qu'il parvenait à saisir de temps à autre quelques bribes de paroles. Il lui semblait entendre plusieurs patrouilleurs, mais leurs voix étaient si étranges qu'il était difficile de les distinguer les unes des autres.

— ... prochaine opération...

— ... neutraliser...

Ils reprirent après une courte pause durant laquelle il n'entendit plus que les grognements du limier.

— ... capturer le rebelle...

— ... mère...

— ... nous aidera...

Le corps raide et les bras endoloris, il comprit soudain que le pire était en train d'arriver. À force de porter tout le poids de son corps, sa jambe s'était mise à trembler. Terrorisé à l'idée de glisser du clou, il s'efforça de se contenir.

En vain. Il avait les tempes en sueur et tentait d'oublier l'inconfort de sa posture en se concentrant sur les voix des Limiteurs.

— ... ratisser...

— ... recherches poussées...

Il n'osait toujours pas ouvrir les yeux, espérant qu'il était assez bien caché derrière ce corps rebondi. Il suffisait que l'un des Styx remarque son bras ou sa jambe, et la partie serait finie. Il eut une brève pensée pour Elliott, étendue dans le petit fossé de l'autre côté de la galerie.

Et ce qu'il redoutait arriva. Sa jambe fut soudain secouée de spasmes extrêmement douloureux. Les muscles de sa cuisse et de son mollet étaient déchirés par les crampes. Il avait l'impression qu'on lui broyait les chairs dans un impitoyable étau, mais il ne devait surtout pas perdre appui. Il aurait tant voulu pouvoir se hisser ne serait-ce que de quelques centimètres, mais il n'osait pas agir.

Les tremblements reprirent soudain de plus belle. Il lutta de toutes ses forces, si bien qu'il finit par oublier tout le reste, la puanteur, la conversation laconique des Limiteurs et la proximité du limier. Mais la douleur et les tremblements s'intensifiaient. Il devait agir.

Oh, mon Dieu!

Il contracta les muscles de son bras et se hissa de quelques centimètres, allégeant ainsi le poids que supportait sa jambe. Le soulagement fut immédiat, mais le pieu avait légèrement bougé. C'est alors qu'il s'aperçut que les Limiteurs s'étaient tus.

S'il vous plaît, s'il vous plaît, s'il vous plaît!
Puis les Limiteurs reprirent leur conversation.
– ... Surfacien, disait l'un d'eux. On va le retrouver...
Will ne comprit qu'un seul mot dans la phrase suivante.
– ... Rebecca...
L'intonation était différente, comme si le Styx exprimait un profond respect à son égard.
Rebecca? Non, non, impossible! Il sursauta intérieurement. Il ne pouvait risquer la moindre réaction.

Ils devaient parler de sa sœur, ou tout au moins de cette chienne qu'il avait prise pour telle. Pourquoi donc auraient-ils employé ce nom? Il ne pouvait s'agir d'une simple coïncidence. Il se rendit soudain compte qu'il avait la respiration lourde. L'avaient-ils entendu?

Les Limiteurs étaient silencieux, à présent. Il entendit distinctement les grognements du chien, comme s'il s'était rapproché.

Que se passait-il? Si seulement il avait pu voir!

Il perçut ensuite des bruits de bottes dans la poussière. Il ouvrit un œil à demi et vit des lumières qui glissaient le long des parois et de la voûte de la galerie. Les Styx manœuvraient-ils pour l'encercler? S'était-il fait prendre?

Non.

D'après le bruit de leurs bottes, ils se dirigeaient vers la sortie. Ils se mirent à marcher en cadence.

Il aurait voulu bondir à terre, mais il devait tenir encore. Il serra les dents en remerciant Dieu : les Limiteurs avançaient d'un bon pas. Il ne pensait pas pouvoir supporter cette odeur plus longtemps.

Soudain, il sentit quelque chose qui lui tirait sur la cheville.

– La voie est libre, siffla Elliott dans un murmure. Tu peux descendre.

Will se laissa aussitôt choir sur le sol et s'éloigna à reculons, le plus loin possible du Coprolithe.

– Pour l'amour du ciel, tiens-toi tranquille! Qu'est-ce qu'il y a? demanda-t-elle.

Il contracta les doigts de la main qu'il avait plongée dans la combinaison du Coprolithe. Ils étaient gluants et encore humides des fluides du cadavre putrescent. Il frémit, choqué au plus profond de lui-même. Sans regarder ses doigts ni sa main, il les approcha de ses narines et renifla l'odeur rance de la mort. Il avait le souffle court et sentait à nouveau la nausée monter. Il s'essuya la main sur le sol et se frictionna la peau avec des poignées de sable.

Il porta à nouveau la main à ses narines et eut un nouveau mouvement d'horreur, un peu moins violent cette fois, car la puanteur s'était estompée.

— Dégueu ! s'exclama-t-il. Comment peut-on vivre ainsi ? marmonna-t-il entre ses dents.

— Va falloir t'y habituer, répondit Elliott d'un ton neutre. C'est ce qu'on fait tous les jours, Drake et moi... afin de survivre, conclut-elle froidement en levant sa carabine pour inspecter la galerie.

Elliott conduisit Will plus avant dans la galerie. Il ne se sentait plus capable de poursuivre cette excursion. Il était épuisé et trébuchait sans cesse. Il avait encore la chair de poule en repensant au cadavre qu'il avait touché. Il était non seulement en colère contre lui-même, mais tout aussi furieux d'avoir vu ces hommes empalés sur des pieux, et surtout contre Rebecca qui semblait impliquée dans tous ces événements. Serait-il un jour débarrassé d'elle ?

— Dépêche-toi ! murmura Elliott avec agacement en le voyant traîner les pieds.

— Je... Je... bredouilla-t-il en s'immobilisant sur-le-champ.

C'était sans doute le contrecoup de la terreur dont il venait de faire l'expérience : il entra dans une rage folle qui trouva dans la petite jeune fille un exutoire idéal.

Il saisit sa lunette et chercha à fixer son visage. Ses mains tremblaient.

— Pourquoi nous as-tu emmenés dans un lieu pareil ? On a failli se faire prendre ! lança-t-il en direction de sa silhouette ambrée. On n'aurait jamais dû se faire coincer comme ça... Certainement pas avec tous ces Styx si près de nous. Ce limier aurait pu nous tuer. Je croyais que t'étais bonne. Je croyais que tu savais ce que tu faisais ! Tu... balbutia-t-il en s'étranglant de rage.

Elliott ne broncha pas le moins du monde.

— Je sais ce que je fais. C'était quelque chose d'imprévu. Si j'avais été avec Drake, nous nous serions occupés des Styx, et leurs corps seraient déjà sous un éboulis.

— Mais c'est moi qui suis là, et non Drake !

— On prend des risques tous les jours. Si t'en prends pas, mieux vaut aller te cacher dans un coin pour mourir, ajouta-t-elle froidement.

Elle se retourna avant de reprendre le chemin.

— Et si jamais tu me reparles comme ça, je te plante là. Contrairement à ce que croit Drake, nous pouvons très bien nous passer de vous. En revanche, vous, vous avez sacrément besoin de nous. T'as pigé?

Will se calma aussitôt et resta tout penaud. Il regrettait déjà ses paroles. Elle ne bougea pas, attendant sa réponse.

— Euh... oui... désolé, bredouilla-t-il.

Il se sentait abattu. Il avait soudain compris à quel point leur survie dépendait de Drake et d'Elliott. Il était évident qu'ils n'auraient pas tenu longtemps dans ce désert sans loi si personne n'était venu à leur secours. Lui, Chester, et surtout Cal ne devaient leur survie qu'au savoir chèrement acquis par d'autres. Ils auraient dû se montrer reconnaissants. Elle pivota à nouveau sur elle-même et lui emboîta le pas tandis qu'ils avançaient vers le fond de la galerie.

— Je suis désolé, répéta-t-il dans le noir, mais elle ne lui répondit pas.

Une heure plus tard, après avoir parcouru un dédale de galeries sinueuses, elle s'arrêta et sembla chercher quelque chose au pied d'une paroi. Il y avait des gravats sur le sol, parmi lesquels de grosses plaques de pierre dont Elliott se servait comme d'un marchepied.

— Aide-moi, veux-tu, dit-elle d'un ton revêche, puis elle souleva l'une des plaques.

Will se positionna de l'autre côté et, malgré son poids, ils parvinrent à la déplacer. Il y avait un petit trou dans le sol.

— Reste bien derrière moi... il y a des cavernes de Rouges ardents de part et d'autre du chemin, avertit-elle.

Tam avait dit que les Rouges ardents étaient dangereux, mais ce n'était pas le moment de lui demander de plus amples explications. Quoi qu'il en soit, Elliott s'accroupit aussitôt et se faufila dans le trou. Will la suivit sans protester, tout en se demandant où elle l'emmenait. Il n'y voyait goutte, mais il découvrit en tâtonnant les parois de la galerie qu'il se trouvait dans une grotte ovale d'environ un mètre de large. Il suivit Elliott en se guidant au son de ses pas, mais les amas de graviers et d'éclats de pierre rendaient parfois sa progression difficile, l'obligeant à ramper sur le sol et à donner des coups de pied dans l'argile à mesure qu'il avançait.

La pente devenait de plus en plus raide, et les mouvements d'Elliott déclenchaient des coulées de gravier. Sans oser se plaindre, il s'arrêta plusieurs fois pour se débarrasser des particules qui lui collaient au visage.

Tout à coup, il n'entendit plus Elliott. Will était sur le point de l'appeler lorsqu'il perçut l'écho de ses déplacements dans un espace plus vaste. Il gravit une dernière pente presque verticale et vit à l'aide de sa lunette qu'il se trouvait dans une galerie de dix mètres sur quinze. Elliott était assise à côté d'une fissure dans le sol. Il secoua ses vêtements et se mit à tousser, car il avait inhalé trop de poussière.

– Tais-toi ! rugit-elle.

Will réussit à atténuer le bruit de sa toux dans sa manche, puis se rapprocha et s'allongea à ses côtés.

À travers une fissure aux bords déchiquetés, ils observèrent alors une immense caverne qui avait les dimensions d'une cathédrale. La voûte se situait à une hauteur vertigineuse, et loin en contrebas Will apercevait le halo produit par de petits points lumineux. Il recula légèrement pour mieux voir les drôles de machines qui se trouvaient là. Il y en avait dix, alignées les unes à côté des autres.

On aurait dit de gros cylindres dotés d'une roue dentée à une extrémité. Ils lui rappelaient les images des machines qu'on avait utilisées pour construire le métro londonien. Will en déduisit qu'elles servaient sans doute à percer des trous. Puis il repéra plusieurs groupes de Coprolithes immobiles et une poignée de Styx qui les observaient de loin. Will se demandait si Elliott allait employer sa carabine, car à cette distance elle aurait facilement pu descendre les Styx.

Après quelques minutes, il y eut une agitation soudaine. Certains Coprolithes se mirent à avancer lentement, aiguillonnés par les Styx qui les menaçaient de leurs longues carabines. Dans leur combinaison boursouflée, les Coprolithes semblaient minuscules à côté des étranges machines dans lesquelles ils montaient. Un moteur vrombit, et un nuage noir s'échappa à l'arrière du véhicule, qui se mit à avancer lentement, toujours sous la surveillance des Styx.

Will regarda l'engin qui prenait de la vitesse. Il distinguait des écoutilles à l'arrière, ainsi que toute une série de tuyaux desquels s'échappaient vapeurs et fumées. Le véhicule se propulsait sur de larges rouleaux compresseurs qui laminaient la roche sur leur passage. Il vira vers une galerie et sortit de la caverne principale. Les Coprolithes partaient sans aucun doute à la mine, mais Will ne comprenait pas pourquoi les Styx les surveillaient ainsi.

Elliott marmonna en s'éloignant de la fissure, et il l'entendit se déplacer vers un coin de la galerie. À travers sa lunette, il la vit extirper plusieurs paquets sombres dissimulés derrière un gros rocher.

— C'est quoi? demanda-t-il soudain en se rapprochant d'elle.

— À manger, répondit-elle après plusieurs minutes en les rangeant dans son sac hermétique.

Elle ne semblait pas vouloir lui donner plus d'explications, mais elle avait piqué la curiosité de Will.

— Qui... D'où ça vient? risqua-t-il.

Elliott sortit un plus petit paquet bien ficelé de son sac à dos et le déposa derrière le rocher.

— Si tu veux vraiment savoir, ce sont les Coprolithes qui les ont déposés ici, nous commerçons avec eux. Je viens de leur laisser quelques-uns des globes que tu as fauchés sur le train des mineurs, ajouta-t-elle en indiquant le rocher.

— Oh! répondit Will qui n'allait certainement pas protester.

— Ils dépendent totalement de ces globes. Ces vivres ne sont pas essentiels pour nous, mais on essaie de les aider autant que possible. Après tout ce qui s'est passé ici, je crois qu'ils ont besoin de toute l'aide qu'on pourra leur apporter, dit-elle en lui jetant un regard plein de mépris.

Will acquiesça, présumant qu'il s'agissait d'une pique à son égard. Il avait du mal à croire qu'il était responsable des exactions des Styx vis-à-vis des Coprolithes et il haussa les épaules avec indifférence. Il commençait à penser qu'on lui reprochait tous les malheurs du monde.

Elliott s'éloigna de lui.

— On retourne sur nos pas, dit-elle, et ils rebroussèrent chemin en direction de la galerie ovale.

Le retour se déroula sans incident. Ils s'arrêtèrent pour récupérer l'huître des cavernes qui n'avait pas bougé de là où ils l'avait laissée. L'animal avait manifestement tenté de se remettre à l'endroit en agitant son pied court, sécrétant au passage une répugnante écume blanche qui débordait de sa coquille et formait des amas semblables à de gros crachats. Mais cela n'empêcha pas Elliott d'emmailloter l'huître dans un bout de tissu avant de la fourrer dans son sac hermétique. Pendant ce temps, Will l'observait à travers sa lunette. Elle avait le visage lugubre. Rien à voir avec la face souriante qu'il avait vue quelques heures plus tôt.

Il regrettait son accès de colère. Il savait qu'il n'aurait pas dû lui dire tout cela. Il avait commis une terrible erreur et se demandait comment la réparer. Il se mordit les joues de contrariété, cherchant en vain à lui dire quelque chose. Puis, sans un mot ni même un regard, Elliott entra dans l'eau et disparut dans la fosse. Il regarda les remous et les cercles concentriques qui animaient le film de poussière qui en couvrait la surface, et sentit soudain les larmes lui monter aux yeux. Il prit une profonde inspiration et la suivit, trouvant un certain réconfort au contact de l'eau noire et tiède. Ainsi immergé, il avait l'impression qu'il pourrait oublier ses soucis.

Il s'essuya le visage en sortant de l'eau. Il se sentait un peu plus frais. Mais à peine avait-il posé les yeux sur Elliott qui l'attendait dans la caverne dorée qu'il fut à nouveau en proie à la confusion et à la contrariété.

Les filles étaient incompréhensibles – et même insondables pour Will. Elles ne semblaient jamais dire tout ce qu'elles avaient en tête, et se renfermaient tout à coup dans leur coquille, s'abîmant dans un silence boudeur sans jamais expliquer ce qui n'allait pas. Chaque fois qu'il avait gaffé autrefois à l'école, il avait fait de son mieux pour s'excuser de les avoir ainsi vexées, mais elles n'avaient rien voulu savoir.

Il regarda le dos d'Elliott et poussa un soupir. Eh bien, il avait encore tout gâché. Quel idiot ! Il essayait de se consoler en se disant qu'il n'était pas obligé de rester avec elle, ni avec Drake d'ailleurs. Son seul but dans la vie était de retrouver son père par tous les moyens. Tout cela n'était que temporaire.

Seul le bruit de leurs bottes détrempées déchirait le silence. Ils arrivèrent devant l'entrée de la base et grimpèrent à la corde. Le calme régnait dans toutes les pièces, et Will se dit que Cal avait dû en avoir assez de ses exercices et qu'il s'était endormi.

Dans le couloir, Elliott l'arrêta d'un geste de la main, paume ouverte, sans le regarder. Il s'éclaircit la voix, pris d'un soudain malaise, car il ne savait pas ce qu'elle attendait de lui. Il comprit tout à coup : elle voulait qu'il lui rende sa lunette. Il la détacha de son bras, et elle la lui arracha des mains. Puis elle tendit à nouveau la main. Après un moment de flottement, il se souvint de l'étui de canons-culasses noué sur sa cuisse. Elle le lui arracha également des mains, et s'en alla sans autre forme de procès. Will resta planté là, dégoulinant, seul avec ses remords.

Au cours des semaines qui suivirent, Will n'accompagna plus jamais Elliott en patrouille. Elle semblait inviter Chester à venir avec elle de plus en plus souvent, ce qui rendait les choses plus difficiles encore. Will et Chester n'en parlaient jamais, mais Will les apercevait parfois en train de murmurer dans le couloir ; il avait alors l'impression d'être mis à l'écart. Il avait beau lutter contre ce sentiment, il commençait à en vouloir à son ami. Il se disait que c'est lui qu'Elliott aurait dû instruire, et non cet empoté de Chester. Mais il ne pouvait rien y faire.

Will avait du temps à ne savoir qu'en faire. Il n'avait plus besoin de s'occuper de son frère, qui avait beaucoup progressé à force de s'exercer dans la chambre et dans le couloir. Cal s'était même aventuré jusqu'à la galerie à l'extérieur de la base. Il allait et venait en s'aidant d'une canne. Pour passer le temps, Will s'efforçait d'écrire son journal, ou bien ruminait sur son sort, allongé sur son lit.

Will avait compris un peu trop tard que, même dans un environnement des plus difficiles et des plus hostiles où l'on devait être prêt à accomplir n'importe quelle tâche, aussi répugnante soit-elle, il était fondamental de respecter ses amis. Ces règles de conduite étaient le ciment de l'équipe. On ne remettait pas en cause le jugement de Drake ou d'Elliott. On ne contestait pas leurs ordres. On les exécutait à la lettre, pour son bien et le leur.

Mais il fallait bien l'admettre : Chester était bien plus enclin à obéir aux ordres que lui. Chester avait très tôt fait preuve d'une loyauté sans partage envers Drake, puis envers Elliott.

Cal n'était pas loin de témoigner la même allégeance aux deux renégats. Après avoir frôlé la mort, Cal avait changé, même si de temps à autre il se montrait encore téméraire. Dans l'ensemble, son frère était plus calme, voire stoïque, face à la situation. Will avait employé ce mot-là dans son journal pour décrire la nouvelle personnalité de Cal – c'était son père qui le lui avait enseigné, même si Will avait d'abord cru que ce terme impliquait une certaine faiblesse, une inclinaison à tout accepter, quelle qu'en soit la nature. Mais il comprenait à présent son erreur. Il fallait un certain détachement pour pouvoir garder les idées claires lorsqu'il était question de vie ou de mort, et éviter les mauvais choix effectués sous l'effet de la panique.

Au cours des semaines suivantes, Drake leur donna régulièrement des leçons sur divers sujets, comme la recherche de nourriture et la préparation des mets. Cela avait commencé avec l'huître des cavernes, qui, une fois cuite, avait le goût et la texture d'un poulpe extrêmement caoutchouteux.

Drake les emmenait faire de brèves patrouilles pour leur apprendre l'art du terrain. Un jour, il les réveilla au petit matin, même si le temps n'avait pas grand sens au fond de ces ténèbres éternelles. Il dit aux trois garçons de se préparer et les entraîna dans la galerie située juste en dessous de la base, à l'opposé de la Grande Plaine. Ils savaient que cette excursion ne durerait pas très longtemps, car Drake leur avait dit de ne prendre qu'un bidon d'eau et quelques rations légères, tandis qu'il portait pour sa part un sac plein.

Les garçons bavardaient entre eux pour tuer le temps, en traversant de nombreux passages.

— Quelle bande d'idiots! s'exclama Cal alors que Will et Chester discutaient du cas des Coprolithes, remarque que Drake avait entendue.

— Pourquoi tu penses ça, Cal? lui demanda-t-il alors d'une voix calme.

Chester et Will avaient gardé le silence.

— Eh bien, rétorqua Cal qui semblait avoir retrouvé son effronterie d'antan, ce ne sont que des animaux stupides... à fouir entre les rochers comme des limaces inutiles.

— Tu crois donc vraiment que nous valons mieux qu'eux? insista Drake.

— Évidemment!

Drake avait secoué la tête en continuant à les entraîner au fond de la galerie. Il n'avait pas l'intention de laisser passer cette réflexion.

— Ils récoltent leur nourriture sans jamais l'épuiser, et sans devoir se déplacer constamment. Là où ils pratiquent l'extraction minière, ils rebouchent même les puits. Ils remettent tout à sa place, par respect pour la Terre.

— Mais... ce ne sont que des... bredouilla Cal.

— Non, Cal, c'est nous qui sommes stupides. Nous, les animaux stupides. On épuise tout... On consomme toujours et encore jusqu'à épuisement des ressources... et alors, surprise, on doit lever le camp et tout recommencer, ailleurs. Non, ce sont eux les plus malins. Ils vivent en harmonie avec leur environnement. Toi comme moi, toute notre espèce, nous ne sommes que des inadaptés, des destructeurs. Tu crois pas que ça, c'est stupide?

Ils marchèrent sur plusieurs kilomètres sans rien dire, quand Will accéléra soudain pour rejoindre Drake, laissant Cal et Chester derrière lui.

— Quelque chose te préoccupe? lui demanda Drake en le voyant arriver à ses côtés.

— Euh, oui... hésita Will qui se demandait s'il n'aurait pas dû rester avec ses camarades.

— Vas-y.

— Eh bien, vous avez dit que vous étiez un Surfacien...

— Et tu veux en savoir plus? l'interrompit Drake. Tu es curieux.

— Oui, marmonna Will.

— Will, ce que j'étais dans ce monde n'a aucune importance. Ni aucun de nous d'ailleurs. Ce qui compte, c'est ce qui se passe ici et maintenant.

Drake se tut pendant quelques instants.

— Tu ne soupçonnes pas même la moitié de ce qui se trame ici-bas, reprit-il avant de retomber dans le silence. Écoute, Will, je pourrais échapper aux Styx et revenir en Surface où je serais contraint de mener une vie très semblable à celle de ta mère, à toujours regarder par-dessus mon épaule à peine aurais-je fait un pas hors de l'ombre. Sans vouloir manquer de respect à Sarah, je crois qu'il est plus honnête de vivre ici, dans les Profondeurs. Tu comprends ce que je veux dire?

— Non, pas vraiment, admit Will.

— Eh bien, tu as pu constater par toi-même que la vie était loin d'être une sinécure ici-bas. C'est une existence sacrément difficile qu'on mène ici, au jour le jour, et pleine de dangers, dit Drake avant de grimacer. Si tu échappes aux Cols d'albâtre, il y a toujours des milliers d'autres menaces... les infections, les chutes de pierre, les autres renégats, etc. Ils pourraient tous mettre fin à ta vie en moins de deux. Mais ce que je peux te dire, Will, c'est que je ne me suis jamais senti aussi vivant qu'au cours de ces dernières années. Vraiment vivant. Non, tu peux garder ta vie tranquille et confortable en Surface, Will, je n'en veux pas.

Drake s'interrompit lorsqu'ils parvinrent à l'intersection de deux galeries. Il leur demanda d'attendre pendant qu'il sortait leur équipement. Il opérait avec dextérité, sans regarder les garçons. Cal resta un peu en retrait. Il craignait d'avoir énervé Drake, mais Will fut tout excité en voyant les canons-culasses que Drake et Elliott emportaient partout où ils allaient.

— Bien, dit Drake après avoir disposé les cylindres en deux groupes, par ordre décroissant et en fonction de leur taille, sur le lit sablonneux.

Les garçons le regardaient avec impatience.

— Il est temps que vous appreniez à vous en servir, dit-il en faisant un pas de côté pour qu'ils puissent voir le premier groupe de cylindres.

Le plus gros se présentait sous la forme d'un tube de vingt centimètres de long au diamètre légèrement plus grand que celui d'un tuyau.

— Tous ceux qui comportent une bande rouge ont des charges explosives. Plus il y a de bandes, plus le délai entre l'allumage et l'explosion est long. Si vous vous en souvenez, vous avez vu Elliott placer deux charges reliées à un trébuchoir.

Will s'apprêtait à parler, mais Drake le fit taire d'un geste de la main.

— Pour répondre à ta question, non, je ne vais pas vous montrer comment faire exploser une charge ici. Mais ces tubes, dit Drake en indiquant d'un geste large la série de cylindres de plus petite taille qu'il avait disposés à côté des charges, sont des canons-culasses. Quant à celui-là, c'est de l'artillerie lourde, expliqua-t-il en montrant le plus gros. Il s'agit d'un mortier. Contrairement aux autres, il ne comporte pas de détente, ajouta-t-il en le soulevant pour le leur montrer de plus près. Simple, mais très efficace pour éliminer un grand nombre d'ennemis, c'est-à-dire un grand nombre de Styx. Le canon est en acier et comporte un capuchon aux deux extrémités.

Il tapota l'arme du doigt, et elle émit un son sourd, puis la caressa comme s'il s'agissait d'un bongo allongé.

— On tire en frappant l'extrémité du canon, dit-il en prenant une profonde inspiration. Vous pouvez le charger avec ce que vous voulez : du sel, des crayons en ardoise ou de la fonte. Tous ces projectiles sont très efficaces pour éliminer des cibles multiples. Cette arme plaît aux foules, dit-il avec un sourire ironique. Soupesez-la, mais, quoi que vous fassiez, surtout ne la laissez pas tomber !

Dans un silence respectueux, les garçons firent circuler le mortier-culasse et examinèrent avec précaution la partie la plus lourde où était logé le détonateur. Cal la rendit à Drake qui la reposa sur le sable.

Puis Drake indiqua les autres cylindres d'un geste de la main.

— Ceux-ci sont plus maniables, et l'on s'en sert comme de vrais pistolets. Ils sont dotés d'un détonateur mécanique, un peu comme le percuteur sur un fusil à silex.

Drake semblait hésiter entre plusieurs armes, il opta enfin pour un canon-culasse posé au milieu des autres. Il était presque de la même taille que les feux d'artifice que Will avait allumés dans la Cité éternelle. Il avait un calibre de plusieurs centimètres et mesurait une quinzaine de centimètres de long. Le canon brillait d'un éclat terne à la lumière de leurs lanternes.

Drake se tourna de côté pour leur montrer la bonne position à adopter.

— Comme toutes ces armes, elles ne tirent qu'une seule fois. Et attention au recul : si jamais vous la tenez trop près de vos yeux, vous risquez de le regretter. C'est un levier à ressort situé à l'arrière qui déclenche le tir... Il suffit de tirer sur la corde. Alors... qui veut essayer ? demanda-t-il en s'éclaircissant la voix.

Les garçons trépignèrent d'impatience.

— Très bien, je tirerai le premier pour vous montrer comment faire.

Drake s'avança et chercha une pierre de la taille d'une boîte d'allumettes, puis il s'éloigna d'une vingtaine de pas en direction d'un affleurement au milieu de l'intersection où il déposa la pierre en équilibre. Il revint sur ses pas et tira un canon-culasse de l'étui accroché à sa hanche. Les garçons se rangèrent à ses côtés en jouant des coudes pour mieux voir.

— Reculez un peu plus, vous voulez bien ? Il y a parfois des ratés.

— Ça veut dire quoi ? demanda Will.

— Qu'ils t'explosent à la figure.

Les garçons ne se firent pas prier pour s'éloigner, notamment Chester qui se tenait à présent à deux pas de la paroi de la galerie. Will et Cal se montrèrent moins prudents et restèrent à quelques mètres derrière. Cal s'appuyait des deux mains sur sa canne et se montrait particulièrement attentif. Il ressemblait à un chasseur aux aguets observant une perdrix.

Drake prit le temps d'ajuster son tir, puis il fit feu. Ils tressaillirent tous en entendant l'écho de la détonation. Dix mètres plus loin, ils virent une gerbe de fragments de roche et de poussière que la balle avait arrachés au sommet de l'affleurement. La pierre qu'il avait prise pour cible vacilla légèrement, mais resta en place.

— Presque, dit Drake. Ces armes ne sont pas aussi précises que la carabine d'Elliott. On les utilise généralement pour des tirs de proximité. À toi maintenant, dit-il en se tournant vers Cal.

Cal hésita un peu, et Drake dut intervenir. Il lui fit avancer un pied et lui tourna un peu les épaules pour corriger sa posture. Cal était désavantagé par sa jambe gauche encore un peu faible. Ses traits tendus trahissaient son effort.

— D'accord, dit Drake.

Cal tira sur la corde à l'arrière du tube. Rien ne se passa.

— Tire plus fort, il faut bien armer le percuteur, lui dit Drake.

Cal essaya encore, mais il changea sa visée dans le même temps, et la balle toucha la voûte de la caverne au loin. Ils l'entendirent ensuite ricocher plusieurs fois contre les parois.

— Ne t'inquiète pas, c'est ton premier essai. Tu n'as jamais tiré au pistolet, n'est-ce pas ?

— Non, admit Cal d'un air abattu.

— Nous aurons bien d'autres occasions de nous entraîner quand nous atteindrons les niveaux inférieurs. Rien de tel qu'une petite chasse au gros gibier, dit Drake d'un air énigmatique.

Will tendit aussitôt l'oreille. Il se demandait de quel genre d'animaux il pouvait bien s'agir, mais Drake lui signifia alors que son tour était venu.

Il fit feu du premier coup en tirant sur la corde, et le projectile frappa le monticule juste en dessous de la cible, soulevant au passage un nuage de poussière.

— Pas mal, le félicita Drake. Tu as déjà tiré.

— J'ai un pistolet à air comprimé, dit Will en se rappelant ses séances d'entraînement illicites sur le terrain communal de Highfield.

— Avec un peu plus de pratique, tu jaugeras mieux les distances. À toi maintenant, Chester.

Chester s'avança d'un pas hésitant et prit le canon-culasse que lui tendait Drake. Il ajusta son tir en arrondissant les épaules d'un air fort maladroit.

— Place-le contre la paume de ta main. Non, glisse ta main un peu plus en dessous. Et pour l'amour de Dieu, détends-toi un peu, mon garçon.

Drake lui prit les épaules et tenta de les abaisser.

— Détends-toi, dit-il à nouveau, et prends ton temps.

Chester avait l'air terriblement gauche et relevait sans cesse les épaules. Il sembla mettre une éternité pour tirer sur la corde.

Ils n'en crurent pas leurs yeux.

Pas de gerbe d'éclats ni de ricochets cette fois-ci. La balle frappa la pierre de plein fouet, puis poursuivit sur sa trajectoire à toute allure.

— Bravo, mon gars ! dit Drake en lui tapotant le dos. En plein dans le mille.

— Tu as gagné une noix de coco, dit Will en riant.

Chester restait sans voix. Il regardait l'endroit où se trouvait auparavant la pierre en clignant des yeux. Il n'arrivait pas à y croire. Will et Cal le félicitèrent abondamment, mais il ne savait manifestement pas quoi dire. Sa réussite le rendait perplexe.

Ils comprirent que la séance d'entraînement était finie lorsque Drake se précipita pour remballer les charges et les canons-culasses, puis les fourra dans son sac à dos. Il laissa cependant un cylindre de taille moyenne sur le sable. Will le regardait en se demandant s'il devait le signaler à Drake, lorsqu'il comprit enfin pourquoi Drake l'avait laissé ainsi.

Une pierre vint soudain ricocher sur le sol avant de s'immobiliser enfin aux pieds de Drake sur une plaque d'argile. Il s'agissait de la pierre que Chester avait touchée.

Une voix rauque et zézayante s'éleva de la pénombre et s'insinua dans la galerie comme une mauvaise odeur.

— Toujours partant pour une petite démonstration, pas vrai, Drakey ?

Will regarda aussitôt Drake qui scrutait les ténèbres, en alerte, le fusil prêt à tirer. Même si sa posture n'avait rien de défensif ni de menaçant, il avait l'air déterminé d'un tueur. Puis il abaissa la lentille de son appareil sur son œil droit.

— Qu'est-ce que tu fais ici ? Tu te souviens de la Règle, non, Cox ? Les renégats gardent leurs distances, ou bien ils en subissent les conséquences, tonna Drake.

— T'as suivi la Règle, toi, quand t'as dégommé ce pauvre Lloyd ? Hein ? Et embarqué sa fille.

Une silhouette amorphe émergea des profondeurs de la galerie. À la lumière des lanternes des garçons, on aurait dit un ballot mal ficelé.

— Ah, j'ai entendu que t'avais de nouveaux mignonnets. D'la chair fraîche.

L'homme toussa et continua à avancer vers eux comme s'il flottait au-dessus du sol. Il s'était drapé la tête et les épaules, comme une paysanne, sous un châle marron extrêmement crasseux. Il avait le dos voûté, ce qui donnait l'impression qu'il était gravement difforme. Il s'arrêta devant Drake et les garçons, puis leva la tête. C'était une vision effroyable. Il avait une énorme grosseur de la taille d'un petit melon sur le côté du front. Il en avait gratté la crasse, révélant une peau grisâtre veinée de varices bleues. Il arborait une autre grosseur, un peu moins proéminente à la bouche, si bien que ses lèvres noires et gercées formaient en permanence un O. Un filet de salive laiteuse coulait sur son menton.

Mais ses yeux étaient encore plus horribles à voir. Comparables à deux œufs durs dépourvus de pupille et d'iris, ces deux globes d'une blancheur immaculée contrastaient vivement avec son teint crasseux.

Une main noueuse comme une racine desséchée par le soleil sortit de sous le châle pour décrire un cercle dans l'air.

— T'as quelque chose pour ton vieux pote ? zézaya Cox en postillonnant. Quelque chose pour le vieil homme qui t'a tout appris ? Pourquoi pas l'un de ces petits jeunes ?

— Je ne te dois rien. Va-t'en, avant que je... répondit froidement Drake.

— Est-ce qu'un de ces gars est celui que recherchent les Points noirs ? Où est-ce que tu les planques, hein, Drake ?

Comme un cobra prêt à frapper, il avança la tête en fixant Will, Cal et Chester de ses yeux aveugles. Ce dernier se cachait derrière ses camarades, terrorisé. Les paupières de l'homme étaient zébrées de cicatrices noircies en forme de croix, et ses joues charbonneuses portaient la trace de nombreuses blessures.

— Leur jeune parfum est si doux, si propre, dit l'homme en s'essuyant le nez d'un geste vif de sa main noueuse.

— Tu passes trop de temps par ici... t'es au bout du rouleau, Cox. Tu veux peut-être que je te donne un coup de pouce ? dit sèchement Drake en levant son pistolet.

— Inutile, Drakey, on ne la fait pas à un vieil ami, dit l'homme en se tournant vers lui.

Puis Cox tira sa révérence avec force cérémonie, et s'évanouit aussitôt dans les ténèbres. Chester et Cal avaient encore les yeux rivés sur l'endroit où il se tenait quelques instants auparavant, mais Will fixait Drake. Il avait remarqué qu'il serrait si fort son canon-culasse qu'il en avait les phalanges exsangues.

Drake se tourna vers les trois garçons.

— Cet homme délicieux n'était autre que Tom Cox. J'aime encore mieux la compagnie des Styx que celle de cette abomination. La difformité de son corps reflète parfaitement celle de son âme, dit Drake d'une voix tremblante. Si Elliott et moi-même ne vous avions pas trouvés les premiers, vous auriez facilement pu tomber entre ses griffes.

Drake posa les yeux sur le canon-culasse qu'il tenait à la main, toujours prêt à tirer, puis l'abaissa enfin.

— C'est à cause de Cox et des gens de son espèce qu'on ne reste pas très longtemps dans la Grande Plaine. Vous avez vu ce que les radiations finiront par vous faire.

Il remit le canon-culasse dans sa gaine.

— Il faut qu'on parte.

Il tourna la tête vers là où se trouvait Tom Cox, s'attardant sur des ombres dont Will et les deux autres garçons ne soupçonnaient pas l'existence. Puis il les emmena enfin, vérifiant régulièrement que l'homme ne les suivait pas.

Alors que Will s'apprêtait à sombrer à nouveau dans le sommeil après une nuit d'insomnies entrecoupées de songes profonds, il entendit la voix d'Elliott dans le couloir. Elle était si faible et tellement irréelle qu'il n'était pas certain de ne pas avoir rêvé. Il se redressa et vit Chester qui entrait dans la pièce. Il était trempé. Il émergeait sans doute à peine de la fosse.

— Tout va bien, Will ? demanda-t-il.

— Oui, je crois, lui répondit son ami d'une voix encore ensommeillée. Tu patrouillais ?

— Ouais... les rondes habituelles. Tout est calme dehors. Rien à signaler, déclara Chester d'un ton enjoué en enlevant ses bottes.

Il s'exprimait avec un enthousiasme forcé, un peu à la manière d'un soldat acquiesçant à un ordre, et comme s'il venait d'accomplir l'une des tâches qui lui avaient été assignées.

Leur amitié avait tellement évolué au cours des deux derniers mois, songea Will, soudain frappé par cette transformation. C'était comme si depuis que Cal avait frôlé la mort dans le piège à sucre et qu'ils avaient rencontré Drake et Elliott, surtout Elliott, leurs rapports avaient changé au sein du groupe. En s'allongeant sur son lit étroit, les bras croisés derrière la tête, le souvenir de son amitié avec Chester lui traversa l'esprit. Dans un demi-sommeil, Will était heureux de retrouver cette chaleur passée, et faisait comme si rien n'avait changé. Il écouta Chester qui enlevait ses bottes mouillées et sentit qu'il pouvait lui dire tout ce qui lui passait par la tête.

— C'est amusant, dit Will à voix basse pour ne pas réveiller son frère.

— Quoi? demanda Chester en repliant son pantalon comme s'il préparait son uniforme d'écolier pour le lendemain matin.

— J'ai fait un rêve.

— Ah bon, répondit Chester d'un air distrait en accrochant ses chaussettes mouillées aux deux clous plantés dans le mur pour les y faire sécher.

— C'était vraiment très étrange. J'étais dans un endroit chaud et ensoleillé, expliqua Will lentement en essayant de se souvenir de son rêve, qui déjà se dissipait. Rien n'avait d'importance. Il y avait une fille, aussi. Je ne sais pas qui c'était, mais j'avais l'impression que c'était une amie.

Will se tut pendant quelques instants.

— Elle était vraiment gentille... et même lorsque je fermais les yeux, je voyais encore son visage, ravi et détendu, et en quelque sorte... parfait.

» On était allongés sur l'herbe, comme si on venait de pique-niquer dans la prairie. Je crois qu'on était tous les deux un peu endormis. Mais je savais qu'on était là où nous étions censés nous trouver, à notre place. On ne bougeait pas, mais c'était comme si on flottait sur un lit d'herbe tendre, une sorte de paix verdoyante nous entourait, sous le ciel le plus bleu qui soit. On était heureux, très heureux, dit-il en soupirant. C'était si différent de l'humidité et de la chaleur, et puis de tous ces rochers. Dans mon rêve, tout était doux... et la prairie était si réelle... Je sentais même le parfum de l'herbe. C'était...

Will s'interrompit, se délectant en silence des dernières images et sensations qui s'estompaient peu à peu. Il parlait depuis un bon moment déjà, et comme il n'entendait plus aucun bruit dans la pièce, il tourna la tête pour vérifier ce que faisait son ami.

— Chester? appela-t-il d'une voix calme.

Il fut surpris de découvrir que son ami était déjà allongé sur son lit, le visage tourné vers le mur.

Chester émit un grognement sourd, et roula sur le dos. Il était profondément endormi.

Will poussa un long soupir, puis ferma les yeux, résigné, impatient de revivre ce rêve, même s'il savait qu'il avait très peu de chances de le retrouver.

Chapitre Vingt-sept

Le train des mineurs bringuebalait si violemment et avec un tel vacarme métallique que Sarah était certaine qu'il allait dérailler. S'agrippant de toutes ses forces à la banquette, elle jeta un coup d'œil inquiet à Rebecca qui ne semblait pas le moins du monde troublée. La jeune fille paraissait en transe, le visage parfaitement calme et les yeux grands ouverts, le regard perdu dans le vide.

Puis le train retrouva sa cadence hypnotique. Sarah respira plus aisément et balaya du regard la voiture du garde. Elle ne jeta qu'un bref coup d'œil aux Limiteurs, car elle ne tenait pas à se faire remarquer.

Elle se pinça pour s'assurer que tout cela était bien réel. Non seulement elle était assise à côté d'une patrouille de quatre Styx, mais il s'agissait en plus de véritables Limiteurs, membres de « l'escadron de Hobb ». C'est ainsi qu'on les désignait dans certains cercles.

Lorsqu'elle était encore petite fille, son père lui avait conté des histoires terrifiantes sur ces soldats : ils aimaient dévorer les Colons vivants. Si elle refusait d'obéir et ne filait pas immédiatement dans son lit, ces cannibales viendraient lui rendre visite au cœur de la nuit. D'après son père, ils rôdaient autour du lit des enfants désobéissants. Si jamais ils mettaient le pied dehors, les Limiteurs ne manqueraient pas de leur mordre les chevilles. Ils étaient particulièrement friands de chair fraîche. Toutes ces histoires avaient réussi à l'empêcher de dormir.

Lors qu'elle fut un peu plus âgée, Tam lui avait appris que ces hommes mystérieux existaient vraiment. Tous les Colons connaissaient la Division – ces équipes qui patrouillaient à la frontière du Quartier et de la Cité éternelle, les deux zones les plus proches de la

Surface. À dire vrai, ils étaient partout où les Colons auraient pu tenter de s'enfuir en Surface...

Mais les Limiteurs n'appartenaient pas à la même engeance, et on ne les croisait que rarement, voire jamais, dans la rue. C'est pourquoi ils étaient devenus mythiques dans la Colonie. On vantait leurs prouesses au combat. Certaines des légendes les plus délirantes étaient vraies ; Tam tenait de source sûre qu'ils avaient réellement dévoré un Colon banni au fin fond des Profondeurs du Nord lorsqu'ils étaient venus à manquer de vivres. Tam lui avait aussi expliqué que « Hobb » était l'autre nom du diable, terme parfaitement adéquat pour désigner ces soldats démoniaques.

Malgré toutes ces anecdotes peu crédibles, racontées en privé et en baissant la voix, on ne savait pas grand-chose des Limiteurs. On présumait cependant qu'ils étaient impliqués dans des opérations secrètes à la surface. On disait qu'ils étaient entraînés pour survivre au sein des Profondeurs sans renforts extérieurs pendant des périodes prolongées. Ils avaient en effet l'air féroce, et jamais Sarah n'avait vu regards aussi froids. Leurs yeux vitreux ressemblaient à ceux des poissons morts.

La voiture était rudimentaire, mais spacieuse. On l'avait construite sur le même châssis que les wagons de marchandises qui la précédaient. Les parois et le plafond étaient composés de planches que la chaleur et les averses rencontrées en chemin avaient largement gauchies. De larges fissures s'étaient ouvertes entre les planches, laissant entrer la fumée et le vent puissant, tandis que le train filait sur les rails. Le voyage n'était guère plus confortable que ce qu'avaient connu Will et ses camarades sur le plateau du wagon à ciel ouvert.

Des bancs en bois grossier couraient sur toute la largeur de la voiture. On avait rivé au plancher deux petites tables basses de part et d'autre du wagon. La plus éloignée était occupée par les quatre Limiteurs.

Les soldats portaient leurs treillis caractéristiques. Ils étaient aussi revêtus d'un long manteau marron et d'un pantalon large doté d'épaisses genouillères. Ce costume différait grandement de l'uniforme habituel des Styx. Sarah portait les mêmes vêtements qu'eux et se sentait particulièrement mal à l'aise ainsi vêtue. Elle imaginait sans peine ce que Tam lui aurait dit en la voyant affublée de l'uniforme de leurs pires ennemis. Elle palpa le revers de son manteau et vit soudain le visage mortifié de son frère. Elle entendait presque sa voix.

Oh Sarah, comment t'es-tu retrouvée là-dedans ? As-tu au moins conscience de ce que tu fais ?

Incapable de dissiper son malaise, elle peinait à rester immobile, et lorsqu'elle changeait de position sur son inconfortable banquette de bois, son treillis n'émettait pas le moindre bruit. Il s'agissait d'un cuir d'une extraordinaire souplesse, de l'agneau sans doute. Voilà qui démentait la rumeur selon laquelle on les aurait taillés dans de la peau de Coprolithe. Les Limiteurs pouvaient ainsi se déplacer plus furtivement, contrairement aux autres Styx de la Colonie dont les manteaux noirs crissaient de façon caractéristique.

Les Limiteurs semblaient se reposer tour à tour. Deux d'entre eux dormaient les pieds posés sur la table, tandis que les deux autres restaient éveillés, figés comme des statues bien droites, regardant droit devant eux. Ils affichaient tous une vigilance féroce, même dans leur sommeil, comme s'ils étaient prêts à bondir.

Sarah et Rebecca n'essayèrent pas de discuter, à cause du vacarme incessant. Le volume sonore était plus élevé que d'ordinaire, car le train roulait à deux fois sa vitesse habituelle.

Sarah scrutait un vieux cartable marron tout usé posé sur la table, devant Rebecca, et dont dépassaient plusieurs journaux surfaciens. Sarah parvint à lire les gros titres à sensation de celui qui se trouvait au sommet de la pile : « L'attaque du supervirus ». Sarah ne suivait plus l'actualité de la Surface depuis plusieurs semaines, elle n'avait donc aucune idée de ce que cela signifiait. Elle passa néanmoins une bonne partie du voyage à se demander en quoi cela pouvait intéresser Rebecca et les autres Styx. Elle mourait d'envie de s'emparer des journaux, afin d'en apprendre un peu plus.

Mais Rebecca n'avait pas fermé les yeux de tout le trajet. Appuyée contre la cloison de la voiture, les bras croisés sur ses genoux, elle semblait plongée dans une profonde méditation, attitude ô combien déconcertante pour Sarah.

Le train ralentit, puis s'arrêta enfin. Comme si elle sortait d'un étrange état de veille, Rebecca se pencha tout à coup et s'adressa à Sarah.

— Des portes tempête, expliqua-t-elle simplement tandis qu'on entendait un bruit sourd et métallique à l'avant du train.

Les Limiteurs s'animèrent, et l'un d'eux fit circuler des gamelles remplies de bandes de viande séchée et des timbales en émail blanc remplies d'eau. Sarah prit la sienne, remercia l'homme, puis ils mangèrent tous en silence tandis que le train redémarrait. Il avait à peine parcouru quelques mètres qu'il s'arrêta de nouveau. On refermait le portail.

Rebecca lisait attentivement son journal.

— C'est quoi toute cette agitation ? demanda Sarah en déchiffrant un gros titre : « Une pandémie – c'est officiel ». Ces journaux sont récents ?

— Oui, je les ai achetés ce matin en Surface, dit Rebecca en levant les yeux vers le plafond et en refermant son journal. Quelle idiote je fais ! J'oublie sans cesse que vous savez vous repérer dans Londres. Je les ai achetés à un jet de pierre de Saint-Edmund. Vous connaissez, sans doute ?

— L'hôpital... à Hampstead, confirma Sarah.

— Précisément, répondit Rebecca. Et vous auriez dû voir le spectacle devant les urgences. C'est le chaos le plus total. Il y a des queues de plus d'un kilomètre.

Elle hocha la tête d'un air théâtral, puis sourit tel un chat qui vient d'engloutir un pot de crème.

— Vraiment ? dit Sarah.

— Toute la ville est paralysée, ajouta Rebecca en gloussant.

Sarah la regarda de travers alors qu'elle rouvrait son journal.

Mais c'est impossible !

Rebecca avait passé toute la matinée dans la garnison. Elle se préparait pour le voyage en train. Sarah l'avait aperçue plusieurs fois et avait entendu retentir sa voix dans les couloirs à plusieurs autres occasions. Elle ne pouvait s'être absentée plus d'une heure. Comment aurait-elle eu le temps de remonter à Highfield, et qui plus est de se rendre à Hampstead ? Rebecca mentait forcément. *Mais pourquoi ?* Cette jeune fille s'amusait-elle à étudier ses réactions ? Ou peut-être faisait-elle une démonstration de sa puissance et de sa domination ? Sarah était tellement déconcertée qu'elle ne posa aucune autre question sur ces articles.

Avant que le train ne redémarre, Rebecca mit les journaux de côté, but une dernière gorgée d'eau, puis se pencha pour tirer de sous son siège un ballot de forme oblongue enveloppé dans de la toile de jute. Elle le tendit à Sarah qui défit l'emballage et découvrit une carabine dotée d'une lunette de visée semblable à celle des Limiteurs. Le soldat styx couvert de cicatrices lui avait prêté une arme semblable dans la garnison en lui montrant comment s'en servir.

– Vraiment ? C'est pour moi ? demanda-t-elle.

Rebecca acquiesça lentement et lui adressa un sourire.

Sarah savait qu'elle ne devait pas retirer les capuchons de cuir à l'extrémité de la visée en cuivre, car la lumière aurait pu endommager ce qu'elle contenait. Elle le mit néanmoins en joue pour en tester le poids en visant un coin vide de la voiture. La carabine était lourde, mais elle s'en sortirait.

Sarah en aurait presque ronronné de plaisir. Elle voyait dans cette arme une marque de confiance de la part de Rebecca, même si elle était encore un peu troublée par son mensonge. Elle ne pouvait pas s'être rendue à Hampstead le matin même. Sarah essaya de se convaincre que Rebecca avait confondu les jours et faisait allusion à une autre matinée. Elle chassa donc cette pensée pour se concentrer sur la tâche qui l'attendait.

Elle laissa courir ses doigts le long du canon mat de la carabine. On ne lui avait fourni cette arme que pour une seule raison : elle disposait à présent des instruments nécessaires pour venger la mort de Tam. Elle était prête à tout. Elle le lui devait, à lui comme à sa mère.

Alors que le train gagnait de la vitesse, elle passa le reste du trajet à manipuler son arme. Elle l'armait parfois d'un coup en ôtant le cran de sûreté, appuyait sur la détente à ressort en faisant mine de tirer, puis reposait sa carabine sur ses genoux, et ainsi de suite jusqu'à ce qu'elle lui soit parfaitement familière, même dans la lumière tamisée de la voiture.

Chapitre Vingt-huit

Drake les avait emmenés patrouiller dans la Grande Plaine, et ils se frayaient un chemin à travers une zone qu'il désignait comme « les Périmètres », où d'après lui il ne devait y avoir qu'un nombre restreint de Limiteurs.

C'était un grand jour. Cal traversait pour la première fois la fosse remplie d'eau pour rejoindre l'immense zone de la Grande Plaine depuis que Will et Chester l'avaient ramené à la base quelques semaines plus tôt, alors qu'il n'était qu'une épave délirante. Drake avait pris la décision de le laisser sortir à point nommé. Cal était mûr pour changer d'horizon. Il commençait à tourner en rond dans l'espace confiné de la base. Même s'il boitait encore un peu, il avait retrouvé presque toutes ses sensations dans sa jambe et mourait d'envie de s'aventurer plus loin.

Lorsqu'ils traversèrent la fosse et se mirent en route avec Drake et Elliott, Will fut ravi de les retrouver tous réunis pour la première fois. Après plusieurs heures de marche, Elliott en tête, Drake leur indiqua qu'ils n'allaient pas tarder à sortir de la plaine pour entrer dans un tube de lave. Il proposa de s'arrêter pour manger d'abord. Il les brieferait ensuite. Il plaça une faible lumière au creux d'une dépression dans le sol, et ils se rassemblèrent autour de lui pour prendre chacun leur part, puis ils s'installèrent pour se sustenter.

Will avait bien remarqué que Chester et Elliott s'étaient assis l'un à côté de l'autre et échangeaient des messes basses. Ils se partageaient même un bidon d'eau. Sa bonne humeur se dissipa. Il se sentait exclu une fois de plus. Il avait le cœur gros, et il avait perdu tout appétit.

Comme il avait besoin de se soulager, il se releva avec un mouvement de colère et s'éloigna du groupe en tapant du pied. Il était content de ne plus avoir à supporter le spectacle du tête-à-tête de Chester et d'Elliott pendant un moment. Il jeta un coup d'œil par-dessus son épaule, et regarda l'ensemble du groupe assis autour de la lanterne. Drake et Cal semblaient totalement absorbés par leur discussion et ne le remarquaient même pas.

Will n'avait pas l'intention d'aller très loin au départ, mais, préoccupé comme il l'était, il poursuivit son chemin. Il devenait de plus en plus évident qu'on l'avait mis à l'écart du groupe parce qu'il devait faire quelque chose. Drake, Elliott, Chester et Cal semblaient complètement absorbés par leur propre survie au jour le jour, comme si leur unique raison d'être n'était autre que l'existence primitive qu'ils menaient au sein de cet enfer.

Mais Will avait un objectif qui primait sur tous les autres. Il avait autre chose à faire. Par n'importe quel moyen, il allait localiser son père, et quand ils seraient réunis, ils travailleraient en équipe et étudieraient les Profondeurs. Comme au bon vieux temps, lorsqu'ils vivaient encore à Highfield. Puis ils remonteraient à la Surface avec toutes leurs découvertes. Il faillit trébucher lorsqu'il comprit soudain qu'aucun des autres, mis à part Chester, ne poursuivait le même but que lui. Ils n'avaient pas l'intention ni même le désir de remonter en Surface. Il avait de plus grandes aspirations pour sa part, et il n'allait certainement pas consacrer le restant de ses jours à ce pénible exil souterrain, à détaler tel un lapin aux abois dès qu'un Styx pointait le bout de son nez.

Arrivé devant la paroi périphérique de la Grande Plaine, il découvrit plusieurs tubes de lave et s'engagea dans l'une des galeries. Il se délectait du sentiment de détachement que lui procuraient les ténèbres compactes. Il était toujours perdu dans ses méditations sur l'avenir lorsqu'il émergea de nouveau du tube, mais à peine avait-il effectué quelques pas qu'il remarqua une chose anormale.

Il se figea aussitôt. Il n'y avait plus personne à l'endroit où il avait laissé les autres. Pas un mouvement, pas une voix, ni même une lueur. Il était complètement décontenancé. Ils étaient partis. Le groupe n'était plus là.

Will ne paniqua pas immédiatement, se disant qu'il s'était trompé d'endroit. Mais non, il était à peu près sûr que non. Et puis il n'était pas parti si loin non plus.

Il scruta les ténèbres pendant quelques secondes, puis il leva sa torche au-dessus de sa tête pour balayer la zone en espérant leur signaler ainsi sa position.

— Vous voilà! s'exclama-t-il en apercevant un bref flash lumineux qui répondait à son signal.

Ils se trouvaient à une distance incroyable.

L'image du groupe en train de détaler tel un troupeau de gazelles effrayées persista quelque temps sur sa rétine. Le bref éclair lumineux lui avait permis de voir Drake qui pointait du doigt vers le lointain, comme s'il essayait de dire quelque chose à Will. Mais Will ne comprenait pas ce qu'il voulait lui faire comprendre. Puis il l'avait perdu de vue, comme le reste du groupe, d'ailleurs.

Will jeta un coup d'œil à l'endroit où il s'était assis. Il avait laissé sa veste et son sac à dos, et n'avait pris qu'une petite lampe torche. Il n'avait rien!

Ses entrailles se nouèrent comme s'il tombait en chute libre du haut d'un gratte-ciel. Il aurait dû leur dire où il allait, et il était certain que seule l'imminence du danger les poussait à fuir avec une telle détresse. Il aurait dû prendre ses jambes à son cou lui aussi. Mais vers où? Devait-il tenter de les rattraper? Essayer de récupérer sa veste et son sac à dos? *Que faire?* Il était rongé par le doute.

Will essaya d'apercevoir Drake et les autres pour déterminer dans quelle direction ils filaient. Aucun doute : ils allaient se cacher dans l'un des tubes de lave. Il secoua la tête. Voilà qui lui était bien utile! Il y en avait tant. Il y avait très peu de chances qu'il tombe sur le bon en les suivant.

Qu'est-ce que je fais maintenant? se répéta-t-il à plusieurs reprises.

Will regarda l'horizon dans la direction que lui avait indiquée Drake. Les ténèbres semblaient inoffensives. Il priait pour qu'il n'y ait rien là-bas, sachant tout au fond de lui-même que c'était impossible. *Qu'est-ce que c'est? Qu'est-ce qui les a poussés à fuir ainsi?* Il entendit alors un aboiement lointain, et tous ses poils se dressèrent.

Des limiers!

Il frémit. Il n'y avait qu'une seule explication. Les Styx se rapprochaient. Il regarda rapidement l'endroit où il avait laissé son kit, mais il ne le voyait pas dans la pénombre. Aurait-il le temps de le récupérer? Oserait-il le faire? Il n'avait rien d'autre qu'une petite torche sur lui. Pas de lanterne, pas de vivres, pas d'eau. Saisi d'une terreur grandissante, il resta planté là à regarder se rapprocher les petits points lumineux, apparemment encore lointains, néanmoins assez proches pour le plonger dans une panique absolue.

À peine avait-il fait quelques pas hésitants vers l'endroit où il pensait avoir laissé sa veste et son sac à dos qu'il entendit un grand bruit, semblable à une gifle, puis un autre. Des éclats de roche s'éparpillèrent à quelques mètres de sa tête. La détonation des coups de fusil ne tarda pas à suivre, grondant dans la plaine comme l'écho d'un orage lointain.

Ces ordures lui tiraient dessus !

Il se recroquevilla lorsqu'une autre volée de balles souleva la terre de part et d'autre de lui. Puis d'autres volées encore. Elles se rapprochaient dangereusement. L'air vibrait au passage de chaque balle et semblait doué d'une vie propre.

Will couvrit sa lampe de sa paume, se jeta sur le sol, et roula derrière un petit rocher au moment même où l'atteignait une autre salve. Il sentait l'odeur du plomb chaud et de la cordite. C'était inutile : ils fonçaient droit sur lui. Ils semblaient connaître sa position exacte.

Il se redressa un peu, puis courut maladroitement, plié en deux, vers le tube de lave qui se trouvait derrière lui.

Il contourna un coude dans la galerie mais ne s'arrêta pas pour autant. Il parvint enfin à un carrefour et tourna à gauche. Mais il tomba sur une crevasse immense qui lui barrait la route. Il rebroussa chemin en toute hâte, sachant qu'il devait distancer les Styx à tout prix.

Mais il ne pouvait négliger le fait qu'il devrait repartir en sens inverse s'il voulait rejoindre Drake et les autres. Il savait que ce serait presque impossible s'il continuait à marcher ainsi. Le réseau de tubes de lave était complexe, et les galeries quasiment identiques les unes aux autres. Il ne savait pas du tout comment retrouver son chemin sans aucun repère.

Partagé entre la nécessité de fuir et la perspective de se perdre, il s'attarda quelques instants devant l'embranchement en se demandant si les Styx étaient bien sur ses traces. Il repartit dès qu'il entendit se réverbérer dans la galerie l'aboiement sourd d'un limier. Il n'avait pas le choix, il fallait courir. Il fila à toute allure, maintenant ses distances avec les Styx.

Il couvrit un intervalle raisonnable en l'espace de quelques heures. Il n'avait pas pensé à limiter l'usage de sa torche, lorsque, horreur, il remarqua qu'elle commençait à faiblir. Il se mit à économiser les piles en l'éteignant lorsque le chemin semblait rectiligne. Mais elle ne projeta bientôt plus qu'un pâle faisceau de lumière jaune.

Puis elle s'éteignit complètement.

Will n'oublierait jamais son désarroi à l'instant précis où il se retrouva plongé dans le noir absolu. Il secoua frénétiquement la torche, tentant en vain de la ranimer. Il sortit les piles et se mit à les frotter entre ses mains pour les réchauffer avant de les replacer dans leur logement, en vain. Elles étaient mortes !

Il fit la seule chose qu'il lui restait à faire : poursuivre son chemin en s'orientant à tâtons dans les galeries. Il ne savait pas du tout où il allait, mais il entendait de temps à autre un son derrière lui. Il aurait voulu s'arrêter pour écouter, mais l'idée qu'un limier puisse surgir des ténèbres et bondir sur lui le poussait à avancer. Il craignait bien plus ses poursuivants que les ténèbres dans lesquelles il s'enfonçait toujours plus profond. Il se sentait perdu dans un océan de solitude.

Idiot ! Idiot ! Idiot ! Pourquoi n'ai-je pas suivi les autres ? Je suis sûr que j'avais assez de temps ! Quel débile je fais !

Will ne cessait de s'adresser des reproches, à mesure que les ténèbres se refermaient sur lui comme une soupe noire et visqueuse.

Il était désespéré, mais il parvenait à continuer grâce à une pensée unique qui le guidait telle une lueur d'espoir. Il imaginait l'instant où il retrouverait son père. Tout rentrerait dans l'ordre, comme dans son rêve.

Il trouvait un certain réconfort à l'appeler de temps à autre, même s'il savait que c'était inutile.

— Papa, criait-il. T'es là, papa ?

***

Le Dr Burrows était assis sur un petit rocher, les coudes posés sur un roc plus imposant, et grignotait d'un air songeur un bout de la nourriture séchée que lui avaient fournie les Coprolithes. Il ne savait pas s'il s'agissait de chair animale ou végétale, mais ça avait surtout un goût de sel, et il en était ravi. Il avait sué toute l'eau de son corps en suivant le trajet tracé sur la carte et sentait des crampes se former dans ses mollets. Il savait qu'il aurait de gros ennuis s'il ne consommait pas rapidement du sel.

Il se tourna pour observer le flanc de la crevasse. Le minuscule sentier par lequel il était descendu était perdu dans les ténèbres. Il s'agissait d'une corniche si étroite qu'il avait été contraint de se plaquer contre la paroi en faisant glisser lentement ses pieds pour avancer. Il soupira. Il ne voulait surtout pas recommencer ça à la hâte.

Il ôta ses lunettes et les essuya soigneusement sur la manche de sa chemise élimée. Il s'était débarrassé de la combinaison coprolithe plusieurs kilomètres en amont. Elle était encombrante et restreignait trop ses mouvements malgré ses réserves quant à la radio-activité à laquelle il s'exposait dès lors. Rétrospectivement, il se disait qu'il s'était peut-être un peu trop préoccupé des risques qu'il encourait. Il s'agissait sans doute d'une zone localisée quelque part sur la Grande Plaine, et de toute façon, il n'y avait pas séjourné très longtemps. Par ailleurs, ce n'était pas le moment de s'en inquiéter. Il y avait d'autres choses plus importantes auxquelles il devait penser. Il ramassa la carte et se mit à étudier les lignes entrelacées pour la énième fois.

Puis, la bande de nourriture fichée au coin de la bouche comme un cigare éteint, il rangea la carte, et posa ensuite son journal sur le gros rocher pour vérifier quelque chose qui le turlupinait depuis un moment déjà. Il feuilleta les pages sur lesquelles il avait dessiné les tablettes de pierre dénichées par hasard juste après son arrivée à la gare des mineurs. Il finit par trouver ce qu'il cherchait et s'arrêta sur l'un des derniers croquis de la série. Le dessin était quelque peu sommaire, du fait de l'état dans lequel il se trouvait à l'époque, mais il ne doutait pas d'avoir réussi à reproduire l'essentiel du détail. Il continua de l'observer pendant un temps, puis il se pencha de nouveau en arrière d'un air songeur.

La tablette qu'il avait reproduite sur cette page était différente des autres. Pour commencer, elle était plus grande, et puis certaines des inscriptions qui y figuraient ne ressemblaient à rien d'autre de ce qu'il avait pu trouver sur ce site.

On avait gravé trois zones clairement différenciées. Dans la partie supérieure de la tablette, on pouvait voir une écriture cunéiforme aux étranges lettres carrées qu'il ne savait pas déchiffrer. Malheureusement, on avait employé la même écriture sur toutes les autres tablettes de la caverne. Il n'y comprenait rien du tout.

Dans le cartouche inférieur, on avait tracé des lettres cunéiformes angulaires, très différentes de celles figurant dans la première section. Tout au long de ses études, il n'avait jamais rien rencontré de semblable. Le troisième cartouche était tout aussi peu lisible, mais il comportait une étrange succession de symboles hiéroglyphiques méconnaissables. Tout cela n'avait aucun sens pour lui.

Il tourna les pages où il avait commencé à jeter quelques notes en tentant de traduire jusqu'à la plus petite portion d'écriture. En étudiant les symboles qui se répétaient dans les cartouches figurant au milieu et au bas de la tablette, il pensait pouvoir comprendre ces écritures cunéiformes. Même si elles étaient semblables au système logographique du chinois qui comptait un nombre prodigieux de caractères, il espérait pouvoir y déceler au moins quelque motif rudimentaire.

— Allons, allons, réfléchis un peu, mon vieux, grommelait-il en se tapant le front avec la paume.

Après avoir déplacé la bande de nourriture de l'autre côté de sa bouche, il se remit à l'ouvrage en essayant d'avancer.

— Je... ne... comprends... pas, dit-il en marmonnant.

Par pure frustration, il déchira une page, la froissa et la jeta par-dessus son épaule.

Il se pencha en arrière, les mains jointes, plongé dans une profonde réflexion. Mais c'est alors que son journal glissa du rocher.

— Zut! s'exclama-t-il en se penchant pour le ramasser.

Il s'était ouvert à la page où figurait le croquis qui lui donnait tant de fil à retordre. Il le replaça sur le rocher.

Il entendit un craquement suivi d'une série de petits bruits secs qui cessèrent aussitôt. Il leva son globe lumineux pour regarder tout autour de lui. Comme il ne voyait rien, il se mit à siffler entre ses dents pour se réconforter.

Il abaissa son globe, illuminant au passage la page qui lui posait tant de problèmes.

Il s'approcha plus près, et encore un peu, avant de s'exclamer en riant :

— Espèce de niais! Oui, oui, oui, mais oui! dit-il en parcourant du regard les lettres jusqu'alors dépourvues de sens.

Il examinait la section du milieu.

Il était dans un tel état lorsqu'il avait esquissé le croquis de la tablette qu'il n'avait tout simplement pas reconnu l'alphabet. *Pas à l'envers en tout cas!*

— C'est du phénicien, espèce de vieil âne bâté. Tu l'avais mis à l'envers! Comment as-tu pu faire une chose pareille?

Il se mit à écrire sur la page avant de s'apercevoir qu'il se servait du bout de nourriture à moitié mâchonné, et non de son crayon. Il s'en débarrassa, puis griffonna rapidement dans les marges, au crayon cette fois. Il devinait parfois certains symboles, car son croquis était un peu brouillon par endroits et la tablette elle-même était parfois usée ou abîmée.

— Aleph... Lamedh... Lamedh... marmonna-t-il dans sa barbe en travaillant lettre après lettre, hésitant parfois, car il ne se souvenait plus très bien de quoi il s'agissait, ou bien quand la lettre n'était pas assez claire.

Mais il ne lui fallut guère de temps pour les retrouver, dans la mesure où il maîtrisait parfaitement le grec ancien, langue directement dérivée de l'alphabet phénicien.

— J'ai trouvé! hurla-t-il, tandis que l'écho de sa voix résonnait tout autour de lui.

Le cartouche central comportait une prière. Rien de très excitant en soi, mais il savait la lire. Il se mit à examiner à nouveau le cartouche supérieur qui consistait en une série de hiéroglyphes dont les symboles prirent soudain sens maintenant qu'il les lisait à l'endroit.

Ils ne ressemblaient en rien aux symboles mésopotamiens qu'il avait étudiés au cours de son doctorat. Il savait que ces pictogrammes étaient les formes d'écriture les plus anciennes connues. Ils remontaient à 3 000 avant J.-C. Le Dr Burrows ne savait que trop bien que la tendance était à la simplification des pictogrammes au fil des siècles. Au départ, on comprenait aisément les images – comme celle d'un bateau ou d'un boisseau de blé –, mais avec le temps elles devenaient plus stylisées et plus proches des lettres cunéiformes des deux autres sections de la tablette. La naissance d'un alphabet.

— Oui! Oui! dit-il en voyant que la section supérieure répétait la prière centrale.

Cependant, cette écriture ne semblait pas dériver des symboles pictographiques. Le Dr Burrows comprit tout à coup les implications de sa découverte.

— Mon Dieu! Il y a des millénaires, un scribe phénicien est descendu de la Surface... il a gravé ça... il a traduit les anciens hiéroglyphes.

Mais comment est-il venu jusque-là? s'interrogea-t-il en gonflant ses joues avant d'expirer. *Et cette ancienne race inconnue... qui étaient-ils?... Mon Dieu, mais qui étaient-ils donc?*

Les hypothèses fusaient dans son esprit, mais il semblait qu'une idée se détachât plus particulièrement des autres.

Les Atlantes... la cité perdue d'Atlantis!

Il retint son souffle. Son cœur battait la chamade.

Il prononça quelques paroles confuses et s'intéressa aussitôt au dernier cartouche pour le comparer à la section rédigée en phénicien.

— Par Zeus! Je crois que j'y suis parvenu. C'est... c'est la même prière! se mit-il à hurler.

Il repéra immédiatement les similarités entre les hiéroglyphes figurant en haut de la tablette et la forme des lettres du dernier cartouche. Ces deux écritures étaient apparentées : les pictogrammes avaient donné naissance à ces lettres.

Il n'aurait aucun mal à traduire la dernière inscription en s'aidant de la traduction phénicienne. Il détenait à présent la clef qui lui permettrait de traduire toutes les autres tablettes qu'il avait trouvées dans la caverne et croquées dans son journal.

— Je peux le faire, bon sang! annonça-t-il d'un ton jubilatoire en feuilletant ses croquis. Je peux lire leur langue! Ma propre pierre de Rosette. Non... attends un peu... dit-il en levant un doigt en l'air. *La pierre de Burrows!*

Il se remit debout d'un bond, exultant de joie, et se tourna vers les ténèbres en tenant son journal au-dessus de sa tête.

La pierre du Dr Burrows.

Ces pauvres débiles du British Museum, à Oxford et à Cambridge... et puis ce vieux croûton de Pr White et ses copains de l'université de Londres qui ont volé mes ruines romaines...

— Victoire... On se souviendra de moi! hurla-t-il, tandis que ses cris se réverbéraient dans la crevasse. J'ai peut-être même le secret de l'Atlantide à portée de main... Et il est à moi, pauvres andouilles!

Il entendit à nouveau le même bruit sec et attrapa sa lanterne.

— Qu'est-ce que?...

Pile à l'endroit où était tombé le morceau de nourriture se déplaçait quelque chose de gros. D'une main tremblante, le Dr Burrows braqua sa lampe sur la créature.

— Non! souffla-t-il.

Elle avait la taille d'une voiture familiale et possédait six pattes articulées qui rayonnaient en étoile autour d'une énorme carapace arrondie de couleur jaune crème. Elle se déplaçait lourdement. Le Dr Burrows voyait ses mandibules poussiéreuses qui grinçaient l'une contre l'autre en broyant le morceau de nourriture qu'il avait jeté. Elle s'avança très lentement vers lui en agitant ses antennes pour explorer les alentours. Il recula d'un pas.

— Je... n'y... crois... pas! s'exclama le Dr Burrows dans un souffle. Pour l'amour du ciel, qu'est-ce que c'est?... Un insecte géant? dit-il en corrigeant presque aussitôt son erreur mentalement.

Il ne le savait que trop bien : les acariens n'étaient pas des insectes, mais des arachnides, tout comme les araignées.

Quoi qu'il en soit, l'animal s'était arrêté. Le Dr Burrows se montrait manifestement circonspect face à lui, tandis que ses antennes s'agitaient en cadence. Il ne voyait pas la moindre trace d'un œil sur sa tête, et sa carapace semblait aussi épaisse que la cuirasse d'un blindé. Mais en l'examinant de plus près, il vit aussi qu'elle était cabossée et comportait de multiples coupures, ainsi que de méchantes perforations sur les bords où elle semblait avoir été brisée.

En dépit de sa taille et de son apparence, le Dr Burrows savait que la créature ne constituait pas une menace pour lui. Elle n'essayait pas de s'approcher plus près, et restait prudemment là où elle était, peut-être plus effrayée qu'il ne l'était lui-même.

— T'as fait la guerre, pas vrai? déclara le Dr Burrows en l'éclairant de son globe lumineux.

La bête fit claquer ses mandibules comme pour acquiescer. Pendant un instant, le Dr Burrows quitta cette créature gargantuesque pour regarder autour de lui.

— Cet endroit est si... riche... C'est une vraie mine d'or! soupira-t-il avant de plonger la main dans son sac. Tiens, mon vieux, dit-il en lançant un autre bout de nourriture à l'étrange créature qui recula de quelques pas comme si elle était effrayée.

Puis elle se rapprocha un peu avec une extrême lenteur, localisant la nourriture avant de l'examiner avec prudence. Elle décréta manifestement qu'elle pouvait la manger sans risque, car elle la prit dans ses mandibules et se mit à la dévorer en émettant une suite de grincements divers.

Le Dr Burrows se rassit sur le rocher et fouilla dans la poche de son pantalon pour en extirper son taille-crayon. Il y inséra alors son petit bout de crayon. Pendant ce temps, la créature géante s'accroupit sur ses pattes tout en mâchonnant comme si elle attendait un autre morceau.

Le Dr Burrows se mit à rire face à l'étrangeté de la situation, en prenant une nouvelle page de son journal pour y consigner sa rencontre avec « l'acarien » qui se trouvait devant lui. Il hésita un instant, le regard de plus en plus indécis. Les claquements émis par la créature le ramenèrent brutalement à la réalité. Il savait à présent ce qui lui restait à faire. Il reprit le croquis de la tablette : la traduction du reste de la pierre de Burrows était sa priorité première.

— Pas assez de temps, marmonna-t-il. Pas assez de temps...

Chapitre Vingt-neuf

— À l'aide ! Quelqu'un ! Aidez-moi ! Y a quelqu'un, ici ?
Oh, réveille-toi un peu... Quelles sont tes chances de trouver quelqu'un par ici ? lui dit une voix intérieure d'un ton bourru.

Will avait beau tenter de la réprimer, elle refusait de se taire. *Il n'y a personne ici. T'es tout seul, mon pote,* poursuivait-elle.

— À l'aide ! Au secours ! Au secours ! criait Will malgré tout.

T'espères quoi au juste... Que papa surgisse tout à coup à l'angle de la prochaine galerie pour te montrer le chemin de la maison ? Dr Burrows, dit Superpapa, lui qui a réussi à se perdre dans le métro londonien ? Ouais, t'as raison !

— Va au diable ! rugit Will d'une voix rauque, et son cri retentit dans les galeries alentour.

Au diable, hein ? C'est marrant, ça ! persistait la voix d'un ton suffisant, comme si elle savait déjà comment les choses allaient tourner. *De toute façon, on peut difficilement faire pire comme situation. T'es fini.*

Will se figea et secoua la tête, refusant d'accepter ce que lui disait la voix. Il devait y avoir un moyen de s'en sortir.

Il cligna des yeux en essayant de distinguer quelque chose, mais il ne voyait rien. Même la nuit la plus noire gardait une trace de lumière à la surface, mais pas ici — c'était le noir absolu. Et ça vous jouait des tours en vous donnant de faux espoirs.

Il longea la paroi, palpa sa surface rugueuse qui ne lui était que trop familière, et avança pas à pas jusqu'à ce qu'il s'impatiente et tente de se déplacer trop vite. Il buta sur un obstacle, perdit l'équilibre et roula au bas d'une pente pour se retrouver enfin face contre terre, le souffle court.

Il ne devait pas réfléchir trop longtemps à la situation s'il ne voulait pas sombrer. Il se trouvait à plus de huit kilomètres sous terre, si ce que Tam lui avait dit était exact, seul, effrayé et perdu à jamais.

Chaque seconde qui s'écoulait dans cet oubli était aussi vitale et terrifiante que la précédente. Or, il avait l'impression que le temps n'était plus qu'un océan s'étirant sans fin devant lui. À dire vrai, il ne savait pas combien d'heures il avait passées dans ces galeries interminables, mais à en juger par l'état de sa gorge desséchée cela devait faire au moins une journée. La seule chose dont il était certain, c'était de n'avoir jamais connu pareille soif auparavant.

Il se leva et se rapprocha de là où il pensait trouver la paroi, mais ne rencontra que du vide. Il s'imagina aussitôt au bord d'un immense précipice et ressentit un vertige soudain. Il avança encore d'un pas à contrecœur. Le sol ne lui semblait pas horizontal, mais comment en être certain? Il avait atteint un stade où il était incapable de dire s'il se trouvait sur un plan incliné ou bien si c'était lui qui penchait vers l'avant. Il ne pouvait plus se fier à ses autres sens.

Son vertige empira, et il fut pris de nausée. Il essaya de retrouver l'équilibre en étendant les bras. Après quelques instants dans cette posture, semblable à un épouvantail tout de travers, il reprit peu à peu confiance. Il fit quelques pas incertains sans toutefois rencontrer la paroi. Il cria, à l'affût de l'écho de sa voix.

D'après la réverbération sonore, il était tombé sur un espace plus vaste, peut-être à la jonction de plusieurs galeries. Il essaya désespérément de contenir la panique qui montait en lui. Il entendait le bruit de sa respiration haletante et le rythme de son pouls qui battait contre ses tympans en suivant un tout autre tempo. Il se sentait submergé par des vagues de terreur et ne pouvait contenir ses frissons. Il ne savait plus s'il avait chaud ou froid.

Comment en suis-je arrivé là? Cette question résonnait dans sa tête comme une mouche se cognant contre les parois d'un bocal.

Il rassembla tout son courage et fit encore un pas. Toujours rien. Il tapa dans ses mains et écouta l'écho. Il se trouvait bien en un lieu dont les dimensions excédaient celles d'une simple galerie. Il espérait simplement qu'un gouffre ne l'attendait pas dans le noir. Il fut à nouveau pris d'un vertige. *Où sont les parois? J'ai perdu ces satanées parois!*

Il sentit la fureur monter en lui et il contracta si fort les mâchoires qu'il en grinça des dents. Il serra les poings et émit un son à mi-chemin entre le grognement et le hurlement strident. Il se rendit compte qu'il était incapable de maîtriser sa colère et le mépris qu'il éprouvait pour lui-même.

Idiot! Idiot! Idiot!

C'était comme si la voix bourrue qu'il entendait dans sa tête avait gagné et anéanti tout espoir pour lui de s'en sortir. Il n'était qu'un imbécile et méritait de mourir. Il se mit à adresser des reproches, en particulier à Chester et à Elliott, criant des obscénités aux parois silencieuses. Il se mit à taper du poing sur ses cuisses puis sur le côté de sa tête, et la douleur aiguë lui éclaircit les idées.

Non, je vaux mieux que ça! Il faut que je continue.

Il tomba à genoux et se mit à ramper à la recherche du moindre trou, du moindre vide, s'assurant à maintes reprises qu'il n'allait pas sombrer au fond d'une crevasse. Il toucha enfin quelque chose. La paroi! Avec un soupir de soulagement, il se releva lentement et reprit sa progression fastidieuse, plaqué contre la roche.

***

Au cours des heures qui suivirent, le train des mineurs traversa plusieurs autres portes tempête.

Sarah sut qu'ils arrivaient à destination lorsqu'elle entendit une cloche, suivie du sifflet du train qui freina dans un crissement strident. On fit glisser les portes latérales de la voiture sur leurs roulettes. Sarah vit alors la gare des mineurs, dont les lumières pâles se reflétaient dans les vitres du wagon.

– Tout le monde descend, annonça Rebecca, esquissant un sourire.

Sarah bondit de la voiture et se dégourdit les jambes. Elle vit qu'une délégation de Styx se précipitait à leur rencontre. Il y en avait au moins une douzaine. Ils marchaient si vite qu'ils soulevaient un nuage de poussière dans leur sillage. Sarah reconnut l'un d'eux : c'était le vieux Styx qui l'avait accompagnée dans le cab le jour de son retour à la Colonie.

Sarah reprit aussitôt ses vieilles habitudes et profita de cet instant pour noter mentalement le nombre et la localisation du personnel à terre. Il lui fallait connaître le terrain si jamais se présentait l'occasion de s'échapper.

Mis à part les Limiteurs éparpillés un peu partout autour de la gare, il y avait une troupe de soldats de la Division styx, immédiatement reconnaissables à leurs uniformes au camouflage vert. *Mais pourquoi se trouvent-ils donc là?* se demanda-t-elle. Ils étaient bien loin de leur caserne. Elle estima leur nombre à quarante. La moitié d'entre eux s'occupaient de leurs armes, parmi lesquelles figuraient des mortiers et plusieurs fusils à gros calibre. Le reste des soldats étaient à cheval et semblaient prêts à partir. *Des chevaux! Mais que diable se passe-t-il ici?*

Elle s'intéressa ensuite à la disposition de la caverne, examinant les portiques à signaux et les passerelles au-dessus de sa tête. Elle essayait de repérer des voies d'accès ou de sortie, mais abandonna assez vite. Elle ne voyait pas grand-chose, car le périmètre de la caverne était noyé dans une obscurité lugubre.

Sarah commençait à suer à grosses gouttes dans son treillis de Limiteur. Il faisait nettement plus chaud ici. Tout sentait le brûlé, se dit-elle en inspirant de l'air sec. C'était un environnement tellement nouveau et si peu familier... mais elle se savait capable de s'y acclimater comme elle l'avait fait lorsqu'elle était arrivée en Surface.

Elle perçut quelque chose qui bougeait à droite des bâtiments de la gare. Elle distingua juste six ou sept hommes qui se tenaient là en rangs désordonnés. Elle ne les avait pas vus auparavant, car ils étaient parfaitement immobiles et partiellement cachés derrière des piles de caisses. Elle supposa en voyant leurs habits civils qu'il s'agissait de Colons. Qui plus est, ils baissaient tous la tête, tandis qu'un Limiteur montait la garde en pointant son fusil sur eux – ce qui semblait inutile, car ils avaient les mains et les pieds entravés par de lourdes chaînes. Ils n'iraient nulle part.

Sarah songea qu'ils devaient s'agir de bannis. Néanmoins, il était très inhabituel qu'on exile un groupe aussi important en même temps, à moins que les Styx n'aient réprimé quelque soulèvement ou quelque révolte organisée. Elle commençait à se demander dans quel guêpier elle s'était fourrée et si on n'allait pas la jeter elle aussi avec les autres prisonniers, lorsqu'elle entendit la voix de Rebecca.

La jeune fille montrait les journaux surfaciens au vieux Styx, qui acquiesçait d'un air impérieux pendant que la délégation attendait ses ordres. Sarah commençait à se dire qu'un tel intérêt pour les gros titres dépassait le simple travail de surveillance des Styx en Surface. Notamment à la lumière du lapsus de Joseph au sujet d'une opération d'envergure à Londres. Oui, il se tramait quelque chose de bien plus important qu'elle ne l'imaginait.

On fit circuler les journaux entre les différents membres du groupe. Le vieux Styx semblait être le seul à prendre la parole.

Sarah était bien trop loin pour entendre quoi que ce soit. De toute façon, il employait fréquemment la langue rauque et indéchiffrable des Styx. Tout à coup, Sarah entendit la voix de Rebecca.

— Oui! s'exclama la jeune fille d'un ton empli d'une joie toute juvénile.

Rebecca fit un geste victorieux en avançant le bras, comme si ce que venait de lui dire le vieux Styx l'avait ravie. Puis ce dernier se tourna vers un autre homme, qui ouvrit une petite valise dont il sortit quelque chose. Rebecca prit l'objet et l'éleva devant elle sous le regard des autres.

Ils ne dirent plus rien. Sarah ne voyait pas précisément de quoi il s'agissait, mais d'après le bref éclat qu'elle avait perçu, cela ressemblait à deux petits objets taillés dans du verre, ou tout autre matériau similaire.

Rebecca et le vieux Styx échangèrent un regard prolongé. Quelque chose d'important venait manifestement d'avoir lieu. La réunion prit brusquement fin lorsque le vieux Styx donna un ordre et partit en direction des bâtiments de la gare, entraînant avec lui le reste de la délégation.

Rebecca fit face au Styx solitaire qui montait la garde devant les prisonniers enchaînés. Elle lui adressa un signe de la main semblant indiquer qu'il devait s'éloigner. Le garde aboya aussitôt à l'attention des prisonniers, et ils partirent en traînant les pieds vers un coin reculé de la caverne.

Sarah regarda Rebecca revenir vers elle d'un pas nonchalant en tenant les deux objets devant elle.

— Qu'est-ce qui se passe avec ces gens-là? demanda Sarah en montrant les prisonniers désormais à peine visibles dans la pénombre.

— Oh, rien... répondit Rebecca avant d'ajouter d'un air vague, comme si elle pensait à autre chose : nous n'avons plus besoin de cobayes, en tout cas pas pour le moment.

— Je vois que la Division a apporté l'artillerie lourde, risqua Sarah en voyant deux soldats montés emporter plusieurs fusils avec eux.

Mais Rebecca n'avait que faire des questions de Sarah. Elle rejeta ses cheveux en arrière et porta les deux objets qu'elle tenait à hauteur de ses yeux.

— Car voici le Dominion, psalmodia Rebecca d'une voix grave. Et grâce au Dominion, le jugement sera conforme à la justice, et tous ceux qui ont le cœur droit suivront.

Sarah vit alors qu'il s'agissait de deux petites fioles remplies d'un liquide clair et scellées par un bouchon de cire. Elles comportaient de fines cordelettes, ce qui permettait à Rebecca de les laisser pendre au bout de ses doigts.

— Quelque chose d'important? demanda Sarah.

Rebecca restait distante, le regard euphorique, entièrement absorbée par la contemplation des fioles.

— Est-ce que ça a quelque chose à voir avec le supervirus dont parlent les journaux? risqua encore Sarah.

— Possible, répondit la jeune Styx en esquissant un sourire. Nos prières vont bientôt être entendues.

— Vous allez donc employer un autre virus contre les Surfaciens?

— Non, ce n'est pas juste un autre virus. Le fameux Supervirus n'était qu'une mise en bouche. Mais ça, c'est pas du chiqué, comme on dit, déclara Rebecca qui rayonnait de joie. Le Seigneur donne... et donne encore.

Avant que Sarah ait eu le temps de dire quoi que ce soit, la jeune Styx avait fait volte-face et s'éloignait déjà.

Sarah ne savait que penser. Elle n'avait aucun attachement pour les Surfaciens, mais il ne fallait pas beaucoup d'imagination pour comprendre que les Styx préparaient quelque chose de terrible. Elle le savait, les Styx n'hésiteraient pas un seul instant à semer le chaos pour atteindre leurs objectifs. Mais elle n'allait pas se laisser distraire pour autant — il lui restait une chose à faire : rattraper Will. Elle voulait déterminer s'il était impliqué dans la mort de Tam. C'était une affaire de famille, et rien ne pourrait l'arrêter.

— Nous sommes prêts. Bouge-toi, lança l'un des Limiteurs qui se trouvaient derrière Sarah, ce qui la fit tressaillir.

C'était la première fois que l'un d'eux s'adressait directement à elle.

— Euh... vous... vous avez dit nous? balbutia-t-elle en s'écartant des quatre Limiteurs.

Elle entendit alors un grattement à ses pieds et y vit Bartleby.

— Bartleby! s'exclama-t-elle.

Le chat avait surgi de nulle part. Il poussa un miaulement grave et incertain en agitant ses moustaches, puis il posa le museau sur le sol et se mit à le flairer plusieurs fois avec attention. Il releva vivement la tête, la truffe enrobée des fines particules noires qui semblaient avoir tout envahi. Il n'appréciait manifestement pas la poussière et se frottait le museau d'une patte en reniflant bruyamment. Tout à coup, il lâcha un éternuement tonitruant.

– À tes souhaits, lui dit Sarah par réflexe.

Elle était ravie de le revoir. C'était un peu comme si un vieil ami l'accompagnait dans sa quête – quelqu'un en qui elle pouvait avoir confiance.

– Avance! gronda un autre Limiteur en pointant son doigt maigre vers la partie la plus distante de la caverne, par-delà la locomotive à l'arrêt qui émettait de gros nuages de vapeur. Maintenant! rugit-il.

Sarah hésita un instant, tandis que les quatre soldats gardaient les yeux rivés sur elle. Puis elle acquiesça à contrecœur et s'engagea dans la direction qu'il venait d'indiquer.

Eh bien... si tu vends ton âme au diable... pensa-t-elle avec un sourire ironique. Elle avait choisi sa voie, et devait désormais la suivre.

Sarah se résigna à son sort et se mit à marcher plus rapidement, le chat et les quatre silhouettes enténébrées à sa suite.

Elle n'avait guère le choix, avec ces déterreurs de cadavres sur ses talons.

Chapitre Trente

À mesure que passaient les heures, Will avait le front et le creux des reins trempés par une sueur collante sous l'effet de la chaleur ambiante ; il subissait aussi des crises de panique qu'il s'efforçait de contenir. Il avait la gorge desséchée et sentait la poussière sur sa langue, mais il n'avait plus assez de salive pour l'humecter.

Ses vertiges le reprirent, et il dut s'arrêter, sentant le sol se dérober sous ses pieds. Il s'affala contre la paroi en ouvrant et refermant la bouche tel un homme qui se noie. Au prix d'un immense effort, il se redressa et se frotta les yeux en appuyant si fort que les vagues éclats de lumière qu'il apercevait contribuèrent à le détendre un peu. Mais ce répit ne fut que de courte durée, car les ténèbres l'enveloppèrent aussitôt.

Il s'accroupit et vérifia une fois encore les poches de son pantalon. Ce rituel était parfaitement inutile, il en connaissait déjà le contenu par cœur. Mais il espérait malgré tout avoir omis quelque objet, aussi futile soit-il.

Il sortit d'abord son mouchoir et l'étala à plat sur le sol devant lui. Puis il sortit les autres éléments et les disposa à tâtons sur le bout de tissu : un couteau de poche, un bout de crayon, un bouton, un bout de ficelle, d'autres objets inutiles, et enfin la lampe dont les piles étaient à plat. Là, dans le noir, il manipulait chaque objet en le palpant comme si, par quelque miracle, il avait pu soudain y trouver son salut. Il émit un petit rire déçu.

Ridicule !

Que faisait-il donc ?

Il vérifia néanmoins ses poches une dernière fois, au cas où il aurait oublié quelque chose. Elles étaient toujours aussi vides, mis à part quelques grains de poussière. Il soupira, puis se prépara à accomplir la dernière partie du rituel. Il ramassa la lampe et la tint à deux mains.

S'il te plaît, s'il te plaît, s'il te plaît!

Il poussa l'interrupteur.

Absolument rien. Pas la moindre petite lueur.

Non! Saleté de lampe!

Elle lui faisait encore une fois défaut. Il voulait la blesser, la faire souffrir comme il souffrait lui-même. Il voulait qu'elle connaisse la douleur.

Dans un accès de colère, il arma son bras comme s'il s'apprêtait à jeter cet objet inutile, puis il l'abaissa en soupirant. Il ne parvenait pas à s'y résoudre. Il émit un grognement contrarié et rangea la lampe dans sa poche. Puis il emmaillota les autres objets dans son mouchoir, et les y fourra à leur tour.

Pourquoi, mais pourquoi n'ai-je pas pris un globe lumineux? Ç'aurait été si facile!

Cet acte minuscule aurait changé sa vie. Si seulement il avait eu la présence d'esprit de le garder sur lui! Il revoyait l'endroit où il l'avait laissé, sous un tissu, par-dessus son sac à dos. Il y avait accroché sa lanterne, et il contenait aussi une autre lampe torche, une boîte d'allumettes, sans parler des autres globes.

Si seulement... si seulement...

Ces objets si simples revêtaient à présent une importance vitale. Il n'avait rien sur lui qu'il puisse utiliser.

— Espèce de sombre idiot! se mit-il à hurler d'une voix rauque semblable à un coassement.

Puis il se tut. Il croyait avoir vu quelque chose s'avancer lentement devant lui. Était-ce une lueur vacillante, là, sur sa droite?

Quoi? Non, là-bas, oui, dans le lointain, un rougeoiement, une lumière, une issue? Oui!

Le cœur battant à tout rompre, il partit dans cette direction, mais trébucha sur le sol irrégulier et tomba de nouveau. Il se releva aussitôt, scrutant frénétiquement l'obscurité en quête de lumière.

Elle n'est plus là! Où était-elle, déjà?

La lumière, si tant est qu'elle ait existé, avait disparu.

Combien de temps puis-je continuer ainsi? Combien de temps me reste-t-il avant de...

Will avait les jambes flageolantes et le souffle court.

— Je suis trop jeune pour mourir, dit-il à voix haute. Il comprit alors pour la première fois de sa vie ce que signifiaient vraiment ces mots.

Il peinait à respirer, et se mit à sangloter. Il lui fallait du repos, et il se laissa choir à genoux. Puis il se pencha en avant pour palper la poussière de ses paumes.

Ce n'est pas juste. Je ne mérite pas ça.

Il essaya de déglutir, mais il avait la gorge trop sèche et trop enflée. Il se pencha encore en avant et posa le front sur le gravier. Avait-il les yeux ouverts ou fermés ? Il n'y avait aucune différence, il était perturbé par les petits points lumineux, fragments de couleur tourbillonnants qui s'aggloméraient en taches informes dansant devant lui. Mais il savait que cela n'avait rien de réel.

Il resta dans cette position, haletant, la tête posée sur le sol, et il vit tout à coup sa mère adoptive. L'image était si claire qu'il crut un instant qu'on l'avait transporté ailleurs. Madame Burrows se reposait devant la télévision, dans une pièce inondée de soleil. L'image vacilla, puis céda la place à une autre, celle de son père adoptif cette fois, quelque part dans les entrailles de la terre. Il se promenait avec insouciance en sifflotant dans les aigus comme à son habitude.

Puis il vit Rebecca, telle qu'il l'avait vue des milliers de fois auparavant. Elle se trouvait dans la cuisine et préparait le dîner pour tout le monde, comme chaque soir. Elle représentait une sorte de constante dans sa vie. Il la retrouvait dans ses souvenirs les plus lointains.

Tout à coup, comme si le film venait de sauter, il la vit parader avec un sourire sardonique dans l'uniforme noir et blanc des Styx.

Chienne ! Traîtresse ! Menteuse !

Elle les avait trahis, lui et sa famille. Tout était sa faute.

Chienne, chienne, chienne, chienne, chienne !

Elle appartenait aux félons de la pire engeance. Elle était aussi noire, maléfique et retorse qu'un coucou sorti tout droit de l'enfer pour semer le chaos dans un nid. C'était une collabo !

Lève-toi ! La haine qu'il ressentait à l'égard de Rebecca le galvanisait. Il prit une douloureuse inspiration et se mit à genoux. Il criait pour s'encourager à se remettre debout.

— Lève-toi, tu veux ! Ne la laisse pas gagner !

Une fois debout sur ses jambes vacillantes, il se mit à fouetter l'air de ses bras, s'agitant dans le vide de ce paysage de nuit sans fin qui dévorait les âmes.

— Vas-y! Vas-y! Sors de là! hurlait-il de sa voix éraillée. Sors de là!

Il avança peu à peu en trébuchant, appelant à l'aide Drake, puis son père adoptif, et quiconque pourrait lui porter secours, mais il n'entendait que l'écho de sa propre voix. Puis il perçut le bruit de petites pierres qui tombaient derrière lui, ce qui lui fit penser qu'il était peut-être trop risqué de continuer à crier ainsi. Alors il se tut. Il poursuivit son chemin en comptant en cadence dans sa tête.

Un deux, un deux, un deux, un deux.

Il ne tarda pas à imaginer des monstres horribles surgissant des parois invisibles.

Il était en train de perdre l'esprit. Il allait sans doute sombrer dans la folie s'il ne mourait pas de faim ou de soif avant ça.

Un deux, un deux...

Il essayait de s'occuper l'esprit en comptant et continuait à marcher d'un pas lourd et déterminé, mais les visions ne cessaient pas. Elles étaient si vives qu'il en sentait presque l'odeur. Il se concentra encore pour les chasser, et elles finirent par s'évanouir.

Il regrettait amèrement le jour où il avait pris la décision d'embarquer sur le train des mineurs pour se rendre dans les Profondeurs. Qu'avait-il donc en tête... pour venir s'égarer ainsi, alors qu'il aurait pu se rendre en Surface. Après tout, quelle était la pire chose qui puisse arriver? L'idée de passer le restant de ses jours à fuir les Styx ne lui semblait pas si terrible, à présent. Il aurait au moins évité cette situation.

Il tomba de nouveau, faisant cette fois une mauvaise chute. Il avait atterri sur des roches dentées et s'était cogné la tête. Il roula lentement sur le dos et s'étendit, les bras en croix. Puis il leva les bras vers la voûte. À l'endroit où il aurait dû voir la blancheur de ses mains, il n'y avait rien d'autre que le noir omniprésent. Will avait cessé d'exister.

Il se retourna et tâtonna le sol, terrifié à l'idée qu'il puisse y avoir quelque précipice devant lui, mais le sol de la galerie s'étendait, ininterrompu. Il savait qu'il devrait se remettre debout car il n'avançait pas d'un pouce.

Puisqu'il n'avait rien d'autre à quoi se fier, il s'était habitué au bruit familier de ses bottes sur le gravier et la poussière. Il avait appris à interpréter l'infime écho que renvoyaient les parois à chacun de ses pas – c'était presque comme s'il possédait son propre radar. À plusieurs reprises, il avait détecté à l'oreille la présence de gouffres béants ou quelque changement dans l'inclinaison du sol.

Il se mit debout et fit quelques pas.

Le son avait changé radicalement. Il était plus sourd, comme si le tube de lave s'était soudain élargi. Il avança à la vitesse d'un escargot, frémissant à l'idée de perdre l'équilibre au bord d'un puits vertical.

L'espace qui se trouvait devant lui ne lui renvoyait plus du tout d'échos, rien de discernable en tout cas. Il sentait sous ses pieds autre chose que les débris habituels qui jonchaient le sol des galeries. Des galets! Ils s'entrechoquaient et crissaient tout en rendant un léger son creux caractéristique. Ils glissaient sous ses pas et rendaient sa progression encore plus difficile.

Il renifla soudain en sentant l'humidité sur son visage. Il renifla encore. Qu'était-ce?

De l'ozone!

C'était bien de l'ozone, une odeur qui évoquait les bords de mer et les voyages sur la côte avec son père.

Sur quoi était-il tombé?

Chapitre Trente et un

Mme Burrows se tenait à côté de la porte de sa chambre et observait la scène qui se déroulait au fond du couloir. Des éclats de voix suivis par des bruits de pas rapides sur le lino. Voilà qui était très étrange. Il ne s'était presque rien passé dans le courant de la semaine dernière. Un silence inquiétant s'était abattu sur Humphrey House, car les patients restaient pour la plupart cloués au lit. Le mystérieux virus qui affectait tout le pays les avait terrassés les uns après les autres.

Mme Burrows avait d'abord cru qu'il s'agissait simplement d'un patient en pleine crise et n'avait pas fait l'effort de se lever. Mais quelques minutes plus tard, on entendit un énorme fracas du côté de l'ascenseur de service. Il se passait quelque chose, comme semblait l'indiquer la voix d'une femme qui parlait à toute allure. Elle était bouleversée mais tentait de réprimer ses cris, parvenant à peine à contrôler sa rage.

Vaincue par la curiosité, Mme Burrows avait fini par se décider à jeter un coup d'œil. Elle avait nettement moins mal aux yeux qu'avant, même si elle était encore obligée de les plisser à cause de la douleur.

— Qu'est-ce que c'est que ça? marmonna-t-elle en bâillant, lorsqu'elle franchit le seuil de sa chambre.

Elle se figea en distinguant soudain quelque chose à côté de la porte de cette bonne vieille Mme L.

Elle regarda plus attentivement et finit par écarquiller les yeux de surprise. Mme Burrows avait suivi suffisamment de séries hospitalières pour décrypter la scène.

Il s'agissait d'un chariot pour le paradis, horrible euphémisme pour désigner un lit à roulettes doté d'un couvercle en acier... il servait à transporter les cadavres sans alerter personne quant à la nature de ce qu'il contenait. On ne pouvait pas savoir non plus s'il y avait vraiment quelqu'un dedans. En gros, c'était un cercueil rutilant monté sur roulettes.

L'infirmière en chef sortit avec deux porteurs de la chambre pour emporter le chariot. Elle aperçut Mme Burrows et s'approcha d'elle lentement.

— Non ! ce n'est pas ce que je crois ?... interrogea Mme Burrows.

D'un lent mouvement de la tête, l'infirmière lui dit tout ce qu'elle avait besoin de savoir.

— Mais cette bonne vieille Mme L. était si... jeune, s'exclama Mme Burrows en oubliant dans sa détresse qu'elle employait le surnom de la patiente. Qu'est-ce qui s'est passé ?

L'infirmière secoua de nouveau la tête.

— Qu'est-ce qui s'est passé ? répéta Mme Burrows.

L'infirmière parlait à voix basse, comme si elle ne voulait pas que les autres patients l'entendent.

— Le virus, dit-elle.

— Pas ce machin ? demanda Mme Burrows en indiquant ses yeux encore rouges et gonflés, tout comme ceux de l'infirmière.

— J'en ai bien peur. Ça a atteint le nerf optique, puis infecté le cerveau. Le docteur a dit que c'est déjà arrivé plusieurs fois. Notamment chez ceux dont le système immunitaire était affaibli, ajouta-t-elle en soupirant.

— Je n'y crois pas, mon Dieu ! Pauvre Mme L., dit-elle sincèrement dans l'un des rares moments où quelque chose la touchait réellement.

Elle éprouvait pour une fois de la compassion pour quelqu'un qui existait dans la réalité, et non pour quelque acteur de feuilleton télévisé.

— Au moins ça n'a pas duré longtemps, dit l'infirmière.

— Rapide ? marmonna Mme Burrows en fronçant les sourcils d'un air perplexe.

— Oui, très rapide. Elle s'est plainte de malaises juste avant le déjeuner, puis elle a peu à peu perdu l'esprit avant de sombrer dans le coma. Nous n'avons rien pu faire pour la ranimer.

L'infirmière pinça les lèvres d'un air triste en baissant les yeux. Elle sortit un mouchoir et se tamponna un œil puis l'autre.

Mme Burrows n'aurait su dire si elle était bouleversée, ou bien s'il s'agissait d'une irritation due à son infection oculaire.

— Cette épidémie est sacrément grave, vous savez. Et si ce virus venait à muter... ajouta l'infirmière à voix basse.

Elle ne finissait jamais ses phrases. Les porteurs poussèrent le chariot pour le paradis dans le couloir, et elle se hâta de les rejoindre.

— Si vite, répéta Mme Burrows en essayant de se résigner à ce décès.

Plus tard dans l'après-midi, Mme Burrows se trouvait assise devant la télévision dans la salle commune, mais elle n'y prêtait guère attention, trop préoccupée par la mort prématurée de cette bonne vieille Mme L. Elle était très agitée et n'avait pas envie de rester dans sa chambre. Elle avait donc décidé de chercher un peu de réconfort auprès de son fauteuil préféré – le seul endroit qui lui procurait un peu de joie et de satisfaction. Mais en arrivant dans la pièce, elle vit que plusieurs patients se reposaient déjà devant la télévision. Leur routine journalière était encore perturbée par le manque de personnel, ils étaient donc presque entièrement livrés à eux-mêmes.

Mme Burrows s'était montrée d'un calme peu ordinaire, laissant le choix des émissions aux autres, mais elle prit soudain la parole en entendant les nouvelles du jour.

— Hé, s'exclama-t-elle en pointant l'écran. C'est lui ! Je le reconnais !

— Qui ça ? demanda une femme en relevant la tête ; elle avait étalé les pièces de son puzzle devant elle, sur le bureau, juste à côté de la fenêtre.

— Vous ne le reconnaissez pas ? Il était ici ! dit Mme Burrows, les yeux rivés sur le reportage.

— C'est quoi, son nom ? demanda la femme au puzzle, une pièce à la main.

Comme Mme Burrows n'en avait pas la moindre idée, elle fit semblant de ne pas avoir entendu la question, trop absorbée par le reportage qui passait à la télévision.

— Et on avait chargé le Pr Eastwood de travailler sur ce virus ? demanda le journaliste hors champ.

L'homme qu'il interrogeait acquiesça. C'était bien le même homme à la voix distinguée qui lui avait parlé avec mépris lors du petit déjeuner quelques jours auparavant. Il portait la même veste en tweed que ce jour-là.

— C'est un docteur important, vous savez, dit Mme Burrows aux quelques patients qui se trouvaient derrière elle, se rengorgeant comme si elle parlait d'un ami proche sur le ton de la confidence. Il aime les œufs à la coque au petit déjeuner.

Quelqu'un répéta « les œufs à la coque » comme s'il était vraiment impressionné par cette information.

— C'est ça, confirma Mme Burrows.

— Chuuut! Écoutez! siffla une femme vêtue d'une robe de chambre jaune citron assise à l'arrière.

Mme Burrows renversa la tête pour lui lancer un regard furibond, mais elle était trop intriguée par le reportage pour se lancer dans une dispute.

— Oui, répondit l'homme qui aimait les mouillettes au journaliste. Le Pr Eastwood et son équipe de chercheurs à Saint-Edmund travaillaient jour et nuit à l'identification de cette souche virale. Aux dires de tous, ils progressaient rapidement, même si leurs recherches sont à présent perdues.

— Pouvez-vous me dire exactement quand le feu s'est déclaré? demanda le journaliste.

— On a donné l'alarme à 9 h 15 ce matin, répondit le docteur.

— Vous confirmez également que quatre membres de l'équipe de chercheurs ont péri avec lui dans l'incendie?

L'homme fronça les sourcils en hochant la tête d'un air sombre.

— Oui, je le crains. Il s'agissait de scientifiques exceptionnels et très estimés. J'adresse toutes mes condoléances à leurs familles.

— Je sais qu'il est encore trop tôt pour pouvoir dire ce qui a causé cet incendie, mais vous avez peut-être une idée sur la question?

— Le laboratoire possédait de nombreux solvants en réserve. J'imagine donc que l'enquête scientifique commencera par là.

— Au cours des dernières semaines, on a spéculé sur l'origine potentiellement humaine de cette pandémie. Pensez-vous que la mort du Pr Eastwood pourrait avoir...

— Je refuse de corroborer de telles conjectures, aboya d'un ton désapprobateur le docteur. Cela relève de théories conspirationnistes. Le Pr Eastwood était un ami proche. Je le connaissais depuis plus de vingt ans, et je ne laisserai pas...

— Le Pr Eastwood devait être un peu trop proche du but – voilà ce qui est arrivé! Quelqu'un lui a réglé son compte! tonna

Mme Burrows, couvrant le son du téléviseur. Évidemment que c'est une conspiration. Ce sont ces saletés de Russkofs, ou bien ces gauchistes qui n'ont rien d'autre à faire que de se plaindre de notre impact sur l'environnement. Vous avez vu comme ils essaient déjà de mettre cette épidémie sur le compte des gaz à effet de serre et des pets de vache.

— Moi, je pense que le virus s'est échappé d'un de nos labos, comme ce matériel ultrasecret à Portishead, intervint la femme au puzzle en acquiesçant vigoureusement comme si elle venait de résoudre l'énigme.

— Sans vouloir vous contredire, c'était à Porton Down, corrigea Mme Burrows.

La pièce retomba dans le silence, tandis qu'un autre « correspondant scientifique » révélait une funeste prophétie : le virus pouvait muter d'un instant à l'autre et se révéler fatal pour l'espèce humaine.

Un pan de mur coincé entre deux boutiques au nord de Londres envahit soudain l'écran de télévision. On y avait dessiné une silhouette de taille humaine qui portait un masque à gaz et une encombrante combinaison protectrice destinée aux risques biologiques. Si l'on faisait abstraction des deux grandes oreilles de Mickey qui dépassaient du casque militaire, le dessin était très réaliste. On avait même l'impression que quelqu'un se tenait vraiment là et brandissait une pancarte disant :

« La fin est proche
ça crève les yeux ! »

— Sacrément bien vu ! beugla Mme Burrows, soudain hantée par la mort horriblement précoce de Mme L.

— Oh, vous pouvez pas la fermer un peu ? intervint la femme à la robe de chambre jaune citron. Vous êtes vraiment obligée d'être aussi vulgaire et de beugler comme ça ?

— Oui ! L'heure est grave ! rugit Mme Burrows. Et puis, je suis loin d'être aussi vulgaire que votre monstrueuse robe de chambre, vieille bique ! rétorqua Mme Burrows en s'humectant les lèvres comme si elle se préparait au combat.

Quand bien même la fin du monde serait proche, elle ne laisserait personne lui parler sur ce ton.

Chapitre Trente-deux

Il fallait bien l'admettre, Drake n'avait pas la moindre idée de l'endroit où se trouvait Will.

Il s'en voulait terriblement de ne pas avoir remarqué que le jeune garçon s'était éloigné. C'était Chester qui avait repéré son signal alors qu'ils couraient se réfugier dans un tube de lave. Sous une volée de balles tirées au hasard, Drake avait juste eu le temps de répondre au jeune garçon égaré. Son seul souci était de mettre les autres en sécurité, à l'abri des Limiteurs.

Will ne savait pas encore se repérer, et Drake ne le connaissait pas encore assez pour deviner où il avait bien pu aller, comme il aurait pu le faire pour Elliott. Non, Drake ne savait pas par où commencer ses recherches.

Alors qu'ils cheminaient le long d'une galerie sinueuse, Cal traînant en arrière tandis qu'Elliott ouvrait la marche, Drake essaya une fois encore de réfléchir comme l'aurait fait Will. Il essaya d'effacer tout ce qu'il avait appris au cours de ces années pour se mettre dans la peau d'un novice.

Raisonne comme quelqu'un qui ignorerait tout.

Il cherchait à retrouver la logique de Will. Pris par surprise et saisi d'une peur panique, son premier réflexe avait sans doute été d'essayer de les rattraper. Mais lorsqu'il s'était rendu compte que c'était impossible, il avait probablement opté pour la solution la plus évidente et quitté la plaine afin de s'engouffrer dans le tube de lave le plus proche.

Drake savait que Will n'avait rien sur lui, ni vivres ni eau, et qu'il avait peut-être essayé de braver les tirs pour récupérer ses affaires. Cela ne lui aurait servi à rien, car Drake avait décidé de prendre sa veste et son sac à dos pour éviter qu'ils ne tombent aux mains des Styx.

Avait-il foncé droit dans un tube de lave ? Si c'était le cas, cela n'augurait rien de bon, car il aurait pu choisir n'importe lequel. Qui plus est, une fois dans ce labyrinthe de galeries innombrables, les choses devenaient encore plus complexes. Drake ne pouvait absolument pas envisager une mission de secours dans une zone aussi vaste. Cela prendrait des semaines, voire des mois, et de toute façon c'était hors de question tant que les Limiteurs continueraient à patrouiller dans les environs.

Drake serra les poings de contrariété.

Tout ça n'était pas bon. Il ne parvenait pas à dresser le moindre plan.

Allez, se dit Drake à lui-même, *qu'aurait-il fait ensuite ? Peut-être...*

... peut-être, comme il l'espérait, Will n'était-il pas entré dans le tube le plus proche. Peut-être était-il resté dans la plaine et peut-être avait-il longé la courbe de la paroi extérieure – ce qui l'aurait au moins quelque peu protégé des tirs.

Mais il était possible qu'il se montrât trop optimiste. Drake avait parié sur ce trajet malgré tout, c'est pourquoi il entraînait à présent Cal et Elliott dans la plaine. Il espérait que Will avait pris la direction du dernier endroit où il les avait aperçus, puis continué sa route avec les Limiteurs à ses trousses. Si c'était le cas, et si les Styx ne l'avaient pas rattrapé, il restait encore une petite chance pour qu'il soit toujours en vie. Cela faisait beaucoup trop de si... Drake savait qu'il se raccrochait à un semblant d'espoir.

Peut-être les Limiteurs avaient-ils déjà piégé Will et le torturaient-ils à cet instant même pour lui arracher autant d'informations que possible. Cette idée lui avait déjà effleuré l'esprit. Ils parviendraient peut-être à se faire une vague idée de l'emplacement de la base, mais il était temps de lever le camp, de toute façon. Il était désolé à l'idée que Will puisse subir un tel sort. Les Limiteurs procéderaient comme d'habitude et lui infligeraient les pires supplices jusqu'à ce qu'il leur ait tout dit. Même les plus durs finissaient par céder tôt ou tard. Mieux valait mourir que de connaître un tel destin.

Cal trébucha derrière lui, entraînant une chute de pierres dont l'écho se réverbéra tout autour de la caverne. *Trop de bruit.* Drake s'apprêtait à le réprimander, lorsqu'une idée lui passa par la tête, manquant de le faire trébucher. *Trois nouvelles recrues dans l'équipe, trois fois plus de responsabilités... et tout ça en même temps!* Avec en plus des Limiteurs qui surgissaient d'un peu partout comme des diables malveillants de leur boîte... Où Dieu avait-il donc la tête?

Il n'était pas un saint itinérant dont la mission consistait à sauver les âmes perdues rejetées par la Colonie. Alors pourquoi? Quelque illusion de grandeur tordue? Qu'imaginait-il, au juste? Que les trois garçons formeraient sa milice privée en cas de bataille rangée avec les Limiteurs? Non, c'était ridicule. Il aurait dû se débarrasser de deux des trois garçons et n'en garder qu'un seul, Will, car la célébrité de sa mère et sa connaissance du terrain en Surface auraient pu jouer un rôle dans ses projets. Et voilà qu'il l'avait perdu.

Cal trébucha de nouveau derrière lui et tomba à genoux en réprimant un grognement. Drake s'arrêta et se retourna vers lui.

— C'est ma jambe, informa Cal sans lui laisser le temps de dire quoi que ce soit. Je vais y arriver, ajouta-t-il aussitôt en se relevant pour reprendre sa marche en s'appuyant lourdement sur sa canne.

Drake réfléchit un instant.

— Non, tu n'y arriveras pas. Il faut que je te cache quelque part, dit-il d'un ton froid et détaché. J'ai commis une erreur en t'emmenant avec moi... j'en attendais trop de toi.

Au départ, il voulait placer Chester et Cal à des points stratégiques où ils pourraient attendre Will, si jamais il venait à passer par là. Mais rétrospectivement, il aurait dû laisser Cal en arrière et emmener Chester avec lui. Ou peut-être aurait-il dû les abandonner tous les deux...

Cal progressait avec peine, de plus en plus troublé par le ton de Drake et ce qu'il impliquait. Il se souvenait de ce que lui avait dit Will. Son frère l'avait mis en garde : Drake ne prenait pas de passagers. Cal sentait la terreur monter en lui, alors qu'il prenait conscience de ce qui allait lui arriver.

Drake fonça droit devant puis, après avoir contourné un dernier coude dans la galerie, ils se retrouvèrent à nouveau dans la Grande Plaine.

— Reste près de moi et mets ta lanterne en veilleuse, lui dit-il.

**

Will s'arrêta au bout de quelques pas en se demandant s'il n'était pas en train de rêver. Tout semblait pourtant si réel. Afin de se rassurer, il ramassa un galet pour en palper la surface polie, lorsqu'une légère brise lui caressa le visage. Il se redressa aussitôt. Il y avait du vent !

Il suivit l'inclinaison de la pente et entendit alors un clapotis. Malgré l'air chaud qui lui soufflait au visage, il eut soudain la chair de poule. Il reconnaissait ce son. C'était de l'eau. Il y avait de grandes étendues d'eau devant lui… là-bas dans le noir, invisibles et terrifiantes, elles ravivaient ses peurs les plus intimes.

Will avança à petits pas jusqu'à ce qu'il sente glisser sous ses pieds un sable doux. Quelques mètres plus loin, il plongea le pied dans l'eau. Il s'accroupit et tâtonna tout autour de lui. Il rencontra alors une eau tiède qui le fit frissonner. Il imaginait déjà une immense étendue noire devant lui. Il aurait voulu s'enfuir à toutes jambes, mais il avait une telle soif qu'il réprima son instinct. Il recueillit un peu d'eau au creux de sa main et la porta à son visage. Il huma et huma encore. Elle était plate et sans vie. Elle ne comportait aucune odeur. Il y trempa les lèvres et but une petite gorgée.

Il la recracha aussitôt, tombant à la renverse sur le sable humide. Il avait la gorge en feu. Il se mit à tousser, soudain pris d'un haut-le-cœur. S'il n'avait pas eu l'estomac vide, il aurait été pris d'une violente nausée. Non, cette eau n'était pas potable, c'était de l'eau de mer ! Même s'il se forçait à en boire, il en mourrait comme ces survivants à la dérive sur un bateau de sauvetage dont il avait lu l'histoire. Ils étaient morts de soif au milieu de l'Atlantique.

Il écouta le clapotis léthargique de l'eau, puis se releva en vacillant. Il se demandait s'il devait retourner dans les tubes de lave ou non. Mais il ne parvenait pas à s'y résoudre. Pas après les heures qu'il venait d'y passer. Par ailleurs, il n'avait pas la moindre chance de retrouver son chemin jusqu'à la Grande Plaine ; et même si par miracle il survivait à ce périple, que trouverait-il là-bas ? Une petite sauterie organisée par les Styx en son honneur ? Non, il ne lui restait plus qu'à longer le rivage tandis que le bruit de l'eau le mettait au supplice en lui rappelant sans cesse combien il avait soif.

Le sol était plat, mais le sable glissait sous ses pieds, épuisant ses dernières forces à chacun de ses pas laborieux. À mesure qu'il progressait, ses pensées devenaient de plus en plus confuses du fait de la fatigue et de la faim. Il essayait de se concentrer. Quelle était l'étendue de ce plan d'eau ? En longeait-il le rivage ou bien tournait-il en rond ? Il essayait de se convaincre qu'il suivait bien une ligne droite.

Mais à chaque nouveau pas, il sombrait toujours plus avant dans un découragement résigné. Il poussa un long soupir, puis se laissa choir sur le sable. Il en saisit une poignée, pensant ne jamais pouvoir se relever. Un jour, dans le futur, quelqu'un découvrirait les restes d'un cadavre desséché dans les ténèbres solitaires. Quelle ironie ! Il allait mourir de soif, recroquevillé sur lui-même sur les rivages d'une mer souterraine. Peut-être les charognards nettoieraient-ils ses os ? On verrait alors ses côtes affleurer au-dessus du sable comme le squelette d'un chameau dans le désert. Cette pensée le fit frémir.

Will ne savait pas depuis combien de temps il se trouvait là, éreinté, émergeant sporadiquement d'un sommeil troublé. Il essaya à plusieurs reprises de se relever, mais il était trop épuisé pour continuer à errer sans but.

Il pensa se laisser sombrer dans un sommeil sans fin. Il cala sa tête dans le sable et se tourna dans la direction qu'il aurait dû prendre. Il cligna plusieurs fois des yeux. Il sentait le frottement de ses paupières contre la cornée de ses globes desséchés. Il tourna un peu plus la tête et jeta un coup d'œil en arrière.

Il aurait juré voir une infime lueur, mais se dit aussitôt que ses yeux lui jouaient des tours. Il continua à fixer l'endroit où il l'avait aperçue et la vit alors à nouveau ; un minuscule éclair indistinct. Il se releva péniblement et se mit à courir dans cette direction, laissant le rivage de sable derrière lui, et traversa la plage de galets qui tintaient sous ses pas. Il trébucha et tomba à plat ventre. Il se releva en pestant. Il était tellement désorienté qu'il ne savait pas d'où provenait cette lumière. Il se tourna et aperçut à nouveau une lueur fugitive.

Non, ce n'était pas le fruit de son imagination fatiguée. Il était convaincu que c'était bien réel, et qu'il n'en était pas très loin. Il se dit qu'il s'agissait peut-être des Styx, mais qu'importait, à ce stade. Il avait un besoin vital de lumière. Il se sentait comme un homme au bord de l'asphyxie.

Il se montra plus prudent que la première fois en gravissant le talus de graviers. Les éclairs irréguliers provenaient d'un tube de lave dont l'orifice se découpait nettement dans le noir. L'intensité lumineuse semblait varier de temps à autre, mais il vit en s'approchant à pas de loup que l'intérieur du passage était illuminé d'une clarté constante.

Il vit des silhouettes informes, des ombres sans couleur. Il dut faire d'immenses efforts pour retrouver l'usage de ses yeux. Il se répétait sans cesse que ce qu'il voyait était bien réel, et qu'il ne s'agissait pas de quelque mirage sans substance, simple fruit de son imagination.

Il lui fallut plusieurs secondes pour accommoder sur la scène, clignant rapidement des yeux pour stabiliser les images qui dansaient devant lui. Elles finirent par fusionner, lui permettant ainsi de jauger les distances de façon fiable.

— Mon cochon! s'exclama-t-il d'une voix éraillée. Espèce de cochon!

— Quoi?... cria Chester surpris.

Il se redressa d'un coup et cracha ce qu'il avait dans la bouche, puis il bondit sur ses pieds.

— Qui?...

Will avait recouvré la vue. Ses yeux se délectaient de cette lumière, de toutes ces formes et de toutes ces couleurs. À moins de dix mètres devant lui, Chester se tenait assis là, une lanterne à la main, et son sac à dos ouvert entre ses jambes. Il était en train de s'empiffrer, visiblement trop absorbé par son repas pour l'entendre approcher.

Will se précipita vers son ami, submergé par une joie indescriptible. Il s'assit en manquant de tomber au côté de Chester, qui le regardait bouche bée comme s'il s'agissait d'un revenant. Chester s'apprêtait à parler, lorsque Will lui arracha la lanterne des mains pour la serrer entre les siennes.

— Dieu merci, répéta Will à plusieurs reprises d'une voix cassée qui ne ressemblait en rien à son timbre naturel, les yeux rivés sur la lueur vacillante.

Elle lui semblait si vive qu'il en plissait les paupières, mais en cet instant il ne songeait qu'à se prélasser à la lumière de ces rayons verts et irréels.

— Will... dit enfin Chester, encore stupéfait.

— De l'eau, coassa Will. Donne-moi de l'eau, dit-il encore, essayant en vain de crier, constatant que Chester ne réagissait pas.

Sa voix était si faible qu'elle en était à peine audible, tout juste un souffle guttural. Will pointait frénétiquement le bidon du doigt. Chester finit par comprendre ce qu'il voulait et se hâta de lui passer l'eau.

Will s'escrima maladroitement sur le bouchon qui sauta enfin dans un bruit sourd. Il fourra aussitôt le goulot dans sa bouche et se mit à boire avidement tout en essayant de respirer simultanément. Il en mettait partout : l'eau lui dégoulinait sur le menton et sur la chemise.

— Bon sang, Will, on croyait qu'on t'avait perdu ! dit Chester.

— Typique ! dit Will dans un souffle entre deux gorgées. Je meurs de soif...

Il déglutit. L'eau réhydratait peu à peu ses cordes vocales.

— ... pendant que tu t'empiffres, conclut Will.

Will était un autre homme et il exultait. Les longues heures qu'il avait passées dans le noir prenaient fin. Il était à nouveau en sécurité. Il était sauvé.

— Tellement typique ! ajouta-t-il encore.

— Tu fais vraiment peur à voir, déclara calmement Chester.

Will, qui avait d'ordinaire le visage assez pâle du fait de son albinisme, semblait encore plus blanc, à présent qu'il avait les lèvres, les joues et le front couverts d'une croûte de cristaux de sel.

— Merci, marmonna enfin Will, non sans avoir pris une autre gorgée d'abord.

— Tu vas bien ?

— Au top ! répondit Will d'un ton sarcastique.

— Mais comment t'es arrivé là ? demanda Chester. Où t'étais passé tout ce temps ?

— Je crois qu'il vaut mieux pas que je te raconte, répondit Will, la voix encore éraillée et presque inintelligible, en jetant un coup d'œil dans le tube de lave derrière Chester. Drake et les autres... où sont-ils ? Où est Cal ?

— Ils sont partis à ta recherche, dit Chester en secouant la tête d'un air incrédule. Bon Dieu, Will, ça fait plaisir de te revoir. On pensait qu'ils t'avaient attrapé, ou tué...

— Pas ce coup-ci, répondit Will.

Après avoir repris un peu son souffle, il s'attaqua à nouveau au bidon, qu'il vida jusqu'à la dernière goutte. Enfin rassasié, il lâcha un rot et jeta le récipient sur le sol. Alors seulement il lut l'inquiétude sur le visage de son ami. Chester tenait encore de la nourriture à la main. *Ce bon vieux Chester.* Will ne put s'empêcher d'en rire, doucement tout d'abord, puis de plus en plus fort tandis que son ami reculait légèrement face à lui. Will avait encore la gorge desséchée, et son rire rauque était assez perturbant.

— Will, qu'est-ce qu'il y a ? Ça ne va pas ?

— Ne te dérange pas pour moi, lança Will avant de repartir dans un fou rire dont le son étranglé ne faisait qu'accroître les craintes de Chester.

— C'est pas drôle, dit-il en abaissant la main. J'ai bien cru que je ne te reverrais jamais, s'indigna Chester en voyant que Will continuait à s'esclaffer. C'est vrai, ajouta-t-il d'un ton plein de sincérité.

Puis ses lèvres couvertes de miettes se fendirent d'un large sourire qui vint illuminer son visage crasseux.

— C'est bon, j'abandonne. Tu es totalement frappé du ciboulot, tu sais, dit-il en secouant la tête. Je parie que tu meurs de faim. Tu en veux ? lui demanda-t-il en lui indiquant le petit sachet posé sur son sac à dos.

— Merci, mon pote. En effet, je mangerais bien un morceau, répondit Will d'un ton plein de gratitude.

— Pas de problème. De toute façon, ces vivres t'appartiennent. C'est ton sac à dos. Drake a embarqué tes affaires lorsqu'on a pris la fuite.

— Eh bien, je suis content de voir que tu n'allais pas les laisser se gâter ! dit Will en lui donnant un petit coup de poing sur le bras.

Will se sentait à nouveau proche de son ami, et c'était réconfortant.

— Tu sais... les piles de ma lampe torche ont rendu l'âme. Je n'avais pas du tout de lumière. J'ai cru que j'étais fini.

— Quoi ? Comment t'as fait pour arriver jusqu'ici ?

— En auto-stop, rétorqua Will. Et comment tu crois que je me suis débrouillé ? J'ai marché, tiens !

— Ben ça ! s'exclama Chester en secouant la tête... il était tout ébouriffé.

Will regarda le sourire bête de son ami qui lui évoquait tant le moment où ils s'étaient retrouvés à bord du train des mineurs, deux mois plus tôt. Il lui semblait pourtant qu'une éternité s'était écoulée depuis. Tant de choses avaient changé. Ils avaient tant vécu.

— Tu sais, dit-il à Chester, je crois bien que j'aimerais autant retourner à l'école plutôt que de revivre ça !

— À ce point-là, vraiment ? demanda son ami en riant à demi.

Will acquiesça en passant sa langue enflée sur ses lèvres. Il était heureux d'avoir à nouveau de la salive dans la bouche. Il sentait presque se diffuser dans son corps l'eau qui rafraîchissait ses membres fatigués.

Il tenait toujours la lanterne à la main et se prélassait dans la clarté de sa lumière, qu'il percevait à travers ses yeux mi-clos.

Will était trop épuisé pour saisir les jacassements enjoués de son ami, qui lui semblaient si lointains. À mesure qu'il sombrait dans une douce langueur, il laissa rouler sa tête contre la roche qui se trouvait derrière lui. Ses jambes se contractèrent légèrement, comme si elles voulaient encore avancer, incapables de rompre avec la cadence de la marche forcée qu'elles venaient de subir.

Puis elles s'immobilisèrent peu à peu, et Will sombra dans un sommeil bien mérité, inconscient des horreurs qui se tramaient au même instant dans la Grande Plaine.

Chapitre Trente-trois

Cal était tellement concentré sur sa marche qu'il mit quelques secondes à comprendre ce qu'il y avait devant lui lorsqu'il releva la tête.

Il longeait le périmètre extérieur de la Grande Plaine avec Drake, mais la paroi dentée qu'il s'attendait à trouver là n'y était plus.

Au lieu de cela se dressait jusqu'à la voûte un mur vertical, lisse et ininterrompu. C'était comme si l'on avait scellé la Grande Plaine. Cette barrière était bien trop parfaite pour être d'origine naturelle. Elle s'étirait dans les ténèbres aussi loin que lui permettait de voir la lumière de sa lanterne en veilleuse. Il s'était tellement habitué à voir ce roc irrégulier et escarpé tout autour de lui que cette vision lui causa un véritable choc.

Il se rapprocha pour en toucher la surface compacte et grise, et s'aperçut qu'elle était moins lisse qu'il ne l'avait cru au premier abord. À dire vrai, elle était criblée de trous parfois fort larges, desquels dégoulinaient des coulures brun rouge.

C'était du béton. Un immense mur de béton – la dernière chose qu'il aurait cru trouver dans un endroit aussi rudimentaire. Ils continuèrent à longer le mur pendant une vingtaine de minutes jusqu'à ce que Drake lui fasse signe de s'arrêter et lui indique une ouverture rectangulaire située à un mètre et demi au-dessus du sol.

— C'est une voie d'accès, murmura-t-il à l'oreille de Cal.

Cal leva sa lanterne pour l'examiner, mais Drake lui saisit aussitôt le bras.

— Baisse ça, espèce d'idiot! Tu veux donner notre position?

— Désolé, s'excusa Cal en regardant Drake glisser la main dans l'orifice noyé dans le noir.

Puis il entendit un grincement sourd, tandis que Drake tirait quelque chose, déclenchant l'ouverture d'une écoutille en fer rouillé.

— Passe le premier, ordonna Drake.

— Vous voulez vraiment que j'entre là-dedans? demanda Cal en scrutant les ténèbres, la gorge serrée.

— Oui, rugit Drake. C'est le bunker. Il est vide depuis des années. Tu y seras en sécurité.

— En sécurité! Je ne veux pas y aller, je ne veux pas y aller, grommela-t-il avant de se hisser à contrecœur dans le conduit, tandis que Drake le soutenait.

La lumière de sa lanterne éclairait faiblement le passage aux contours réguliers, alors qu'il rampait lentement sur une couche de poussière de plusieurs centimètres. Il entendait le bruit de sa propre respiration, si proche, et se sentait pris au piège. Horreur! Il se sentait comme un rat coincé dans un tuyau. De temps à autre, il marquait une pause pour sonder les parois à coups de canne avant de poursuivre, ce qui lui donnait l'occasion de reposer sa jambe qui commençait à le faire terriblement souffrir. Il avait l'impression qu'il allait finir bloqué dans le passage, la jambe complètement paralysée.

Il s'efforçait néanmoins de continuer après chaque pause. Le conduit semblait sans fin.

— Quelle est l'épaisseur de ces murs? demanda-t-il à voix haute.

Puis il s'arrêta de nouveau pour sonder le conduit, mais il ne rencontra que du vide. Il s'avança de quelques centimètres et renouvela l'opération. Toujours rien. Il était arrivé au bout du passage. Il l'avait su d'instinct. La qualité de l'air était en effet différente. Ça sentait le vieux, l'humide et le moisi.

Il palpa le tour du conduit puis descendit prudemment. Une fois les pieds à terre, il augmenta l'intensité de sa lanterne et éclaira les lieux. Il faillit hurler en voyant une silhouette à ses côtés et leva sa canne dans un geste défensif.

— Du calme! lui dit Elliott.

Cal se sentit aussitôt ridicule. Il avait complètement oublié qu'elle était partie en éclaireur, comme d'habitude.

Drake émergea du conduit sans un bruit et apparut devant lui. Il le poussa en avant, et ils poursuivirent leur chemin.

Ils se trouvaient dans une petite pièce lugubre constellée de flaques d'eau stagnante et se dirigeaient prudemment vers un endroit plus vaste. Le bruit de leur pas se réverbérait brièvement sur le sol apparemment revêtu de lino, ou d'un matériau similaire de couleur claire. Autrefois blanc, il était à présent couvert de crasse et parsemé de petits tas de débris putrides.

Cal et Drake marquèrent une pause pour laisser à Elliott le temps d'explorer le terrain. Ils se trouvaient dans une pièce assez longue. Il y avait un bureau adossé à l'une des parois mouchetées de taches brunes et grises sur lesquelles affleuraient ici et là quelques champignons en forme de corniches arrondies. À côté de Cal s'étendaient des étagères remplies de dossiers et de papiers pourrissants. L'eau les avait réduits en une pulpe informe qui dégoulinait sur le sol pour former de petits monticules compacts en papier mâché.

Au signal d'Elliott, Drake murmura à l'oreille de Cal qu'il était temps de poursuivre. Ils franchirent une porte et pénétrèrent dans un étroit couloir. Cal pensa tout d'abord que les parois devaient leur lustre à l'humidité ambiante, mais il comprit bien vite qu'il s'agissait de conteneurs en verre. Le faisceau de sa lanterne ne parvenait guère à percer la surface incrustée d'algues noires, mais il distinguait malgré tout des formes grotesques suspendues dans l'eau. Il crut un instant voir le reflet de son propre visage. Il fut effrayé lorsqu'il s'approcha pour mieux voir. Non! Ce n'était pas du tout ça! C'était un visage humain au teint livide, collé contre la vitre, les orbites creuses et les traits mangés par quelque créature. Il détourna les yeux avec un frisson d'horreur et pressa aussitôt le pas.

Ils tournèrent au bout d'une allée, dépassèrent un dernier conteneur et découvrirent alors d'énormes blocs de béton qui bloquaient le passage. Le plafond et les parois s'étaient effondrés. Cal commençait à se dire qu'ils allaient devoir rebrousser chemin, mais Drake l'entraîna vers une cage d'escalier plongée dans la pénombre et gardée par une rampe déformée. Ils se glissèrent sous un bloc de béton et descendirent des marches en ruine. Elliott les attendaient en bas.

Une puanteur des plus nauséabondes leur frappa les narines. Cal en déduisit qu'ils avaient atteint le fond, lorsque Elliott avança de quelques pas dans l'eau noire qui avait inondé le sous-sol. Il hésita, mais Drake l'aiguillonna sans ménagement jusqu'à ce qu'il y entre à son tour. L'eau chaude l'enveloppa jusqu'à la poitrine, formant des tourbillons de poussière et des arcs-en-ciel huileux à la surface que venaient troubler leurs mouvements. La voûte était couverte de champignons qui rayonnaient en étoile, si épais et si nombreux qu'ils devaient forcément pousser les uns sur les autres, un peu à la manière d'un récif corallien.

De minuscules filaments pendaient des champignons. Ils étincelaient à la lumière de la lanterne de Cal, telles des toiles d'araignée. La puanteur devenait si intense qu'il ne put s'empêcher de tousser, quitte à devoir subir les foudres de Drake. Il essayait de retenir son souffle, mais il ne pouvait pas tenir indéfiniment. Il finit par emplir ses poumons de ces miasmes et faillit bien s'étrangler, pris d'une violente quinte de toux.

Alors qu'il s'efforçait en vain de contenir ses spasmes, Cal jeta un coup d'œil vers l'eau ; il fut horrifié lorsqu'il crut apercevoir quelque créature bougeant sous la surface, et qu'il sentit la chose s'enrouler autour de son mollet puis resserrer son emprise.

— Oh, mon Dieu ! s'exclama-t-il en manquant de s'étouffer, tandis qu'il essayait de prendre la fuite dans un mouvement de panique.

— Arrête, tonna Drake, mais Cal n'en avait cure.

— Non ! hurla-t-il. Je sors de là.

Cal se précipita en avant et vit Elliott qui gravissait une volée de marches devant lui. Il la rattrapa et s'agrippa à la rampe en fer branlante, qui céda aussitôt sous son poids. Il parvint à se hisser hors des eaux fétides, trébuchant sur les marches. Il frappait les parois de sa canne, cherchant désespérément un air pur, lorsqu'il sentit une main sur son épaule. Il s'arrêta net ; la pression qu'elle exerçait sur sa clavicule était intolérable, le forçant à se retourner.

— Ne recommence jamais ça, dit Drake avec un grognement sourd, le visage à quelques centimètres du sien, l'œil plein de colère.

Il plaqua le jeune garçon terrifié contre la paroi sans lui lâcher l'épaule.

— Mais il y avait... tenta d'expliquer Cal, le souffle coupé sous l'effet de la terreur et de l'air fétide.

— Je m'en fiche. Ici, la moindre idiotie peut faire la différence... c'est aussi simple que ça, dit Drake. Me suis-je bien fait comprendre ?

Cal acquiesça en essayant de réprimer sa toux alors que Drake l'aiguillonnait à nouveau. Ils arrivèrent dans un autre couloir au plafond nettement plus haut que celui du passage étriqué qu'ils venaient de traverser. Les parois s'élevaient à la verticale, puis formaient un angle ouvert avant de se refermer à nouveau à la jointure du plafond. On aurait dit un ancien tombeau. Le sol était humide, et Cal broyait parfois des débris qui semblaient se briser comme du verre sous la semelle de ses bottes.

Ils franchirent bientôt une suite d'ouvertures latérales creusées dans les parois de cette galerie à la forme étrange. Ils marchèrent encore un peu avant de déboucher dans un lieu nettement plus large. Même si Cal ne voyait pas grand-chose dans le noir, la pièce semblait se subdiviser en zones plus petites, démarquées par d'épaisses cloisons de béton qui s'élevaient à mi-hauteur, formant un dédale d'enclos. Devant chaque entrée, le sol était jonché de gravats et d'un amas de métal rouillé.

— C'est quoi, cet endroit ? demanda Cal, osant enfin rompre le silence.

— La Zone de reproduction.

— De reproduction... pour quoi ? Pour les animaux ? demanda Cal.

— Non, pas pour les animaux. Pour les Coprolithes. Les Styx les élevaient pour en faire des esclaves, répondit lentement Drake. Ils ont construit ce complexe il y a des siècles de ça.

Drake ne laissa pas à Cal le loisir de poser une autre question et le fit aussitôt entrer dans une antichambre plus petite qui ressemblait à une salle d'hôpital. Le sol et les murs étaient recouverts de carreaux blancs abîmés par des années de crasse et d'humidité. Des lits innombrables étaient entassés près de l'entrée comme si la personne qui avait voulu les sortir de là avait été interrompue en plein déménagement. Le plus étrange était que ces lits étaient tous sans exception assez petits. Aucun enfant de sa taille n'aurait pu y dormir, et encore moins un adulte.

— Des lits d'enfant ? dit-il à voix haute en voyant qu'ils étaient encore plus nombreux qu'il ne le croyait.

Au-dessus de chaque lit trônait une cage circulaire aux mailles rouillées. La plupart étaient encore en place. Il ne restait que quelques traces des matelas de paille pourrie au fond des cages.

— C'est pas pour les bébés ? demanda Cal d'un ton horrifié. On aurait dit une maternité sortie tout droit d'un cauchemar.

— Pour les bébés coprolithes, répondit Drake en rejoignant Elliott.

Cette dernière ouvrit une double porte qu'elle immobilisa aussitôt après avoir entendu le grincement sonore d'un battant qui ne tenait plus que sur un gond.

Drake et Cal la suivirent dans le couloir adjacent aux parois couvertes d'étagères gauchies sur lesquelles trônaient d'obscurs instruments ésotériques et rongés par l'oxydation dont suintaient de ternes traînées vert-de-gris. Cal examina une machine dotée de soufflets rouillés et de quatre cylindres en verre qui surplombaient l'ensemble. À la base de l'engin, Cal remarqua ce qui ne pouvait être qu'une pompe à pied.

Puis il leva les yeux et vit une crémaillère fixée au mur, à laquelle on avait accroché toute une série d'instruments aux pointes mortelles qui avaient rouillé sur pied. Déployée juste à côté, figurait une carte sur laquelle on distinguait encore des dessins anguleux et d'étranges écritures, malgré les moisissures. Cal n'avait pas la moindre idée de ce que tout cela signifiait et il n'avait pas le temps d'essayer de les déchiffrer.

Ils traversèrent encore une autre enfilade de couloirs étroits en pataugeant dans des flaques d'eau trouble. Des réseaux de larges conduits couraient le long du plafond, duquel pendaient des écheveaux de vieilles toiles d'araignée.

Ils changèrent de direction et s'engagèrent enfin dans une pièce en L, remplie du sol au plafond d'un empilement de gros cylindres de verre dont certains atteignaient un mètre de diamètre. Alors que Drake et Cal attendaient le signal d'Elliott, le jeune garçon remarqua quelque chose dans l'un des bocaux qui se trouvaient à proximité de lui.

Cal ne comprit pas immédiatement ce qu'il regardait, mais il finit par distinguer une tête humaine tranchée en deux. On l'avait découpée avec soin, du sommet jusqu'à la base du crâne, si bien que l'intérieur, cerveau compris, était à présent parfaitement visible. Cela avait quelque chose d'irréel – on avait du mal à croire que cette tête ait pu appartenir un jour à quelqu'un. Cal commit l'erreur de se pencher pour examiner l'autre côté du bocal. Le faisceau de sa lanterne pénétra alors le fluide jaunâtre dans lequel on avait immergé la tête, et il se retrouva face à un œil unique dont le globe se détachait nettement sur la peau livide et la barbe noire de cet homme qui semblait avoir oublié de se raser ce matin-là.

Cal retint son souffle. La vision était bien réelle.

Le spectacle était si morbide qu'il détourna aussitôt les yeux pour découvrir le reste des bocaux dans lesquels flottaient d'autres horreurs : des embryons atrocement déformés, quelquefois en partie disséqués, et des bébés indemnes figés pour l'éternité dans la même posture par des fils de fer. L'un d'eux suçait son pouce. Il avait l'air si vivant qu'on aurait pu croire qu'il dormait tout simplement, à condition de faire abstraction de sa peau translucide et parcourue d'un réseau de veines bleues.

Ils passèrent en silence dans une autre zone. Il s'agissait d'une pièce octogonale au centre de laquelle se dressait une grande plaque d'émail. On y avait fixé des bracelets métalliques pour immobiliser les cobayes.

— Bouchers! marmonna Drake.

Cal aperçut alors des outils éparpillés dans la poussière et des éclats de verre jonchant le sol. Il y avait des scalpels, des forceps gigantesques et d'autres étranges instruments médicaux.

— Oh non! s'exclama Cal malgré lui, sentant un frisson d'horreur lui parcourir l'échine.

Cette pièce ne comportait aucun des épouvantables spécimens qu'il venait de voir, mais il s'en dégageait quelque chose de terrifiant. Un peu comme si l'on y entendait encore l'écho des souffrances que les Styx avaient infligées entre ces murs des années plus tôt.

— Cet endroit est rempli de fantômes, dit Drake en comprenant ce que ressentait Cal à cet instant précis.

— Oui, répondit le jeune garçon en frissonnant.

— Ne t'inquiète pas, on ne va pas s'attarder ici, le rassura Drake avant de s'engager dans un autre couloir plus large aux étranges parois inclinées, semblables à celle du précédent.

Ils continuèrent à avancer jusqu'à ce que Drake leur fasse signe de s'arrêter. Cet endroit ne rendait pas le même son. Cal sentit une infime brise sur son visage et en conclut qu'ils devaient avoir atteint l'autre bout du bunker. Il s'appuyait lourdement sur sa canne, ravi de pouvoir enfin ménager sa jambe, tout en s'efforçant de ne pas songer à ce qu'il venait de voir.

Drake tendit l'oreille un instant, scrutant la noirceur à travers la lentille qui lui couvrait l'œil, puis il mit sa lampe frontale en veilleuse. Une étendue naturelle et circulaire s'ouvrait devant eux. Elle faisait environ trente mètres de diamètre et comportait un sol de pierre à la surface irrégulière. Cal dénombra dix tubes de lave qui rayonnaient à partir de cette pièce.

— Cache-toi au fond d'un de ces tubes, Cal, chuchota Drake, en balayant la zone d'un vague geste de la main, alors qu'il inspectait l'endroit.

Elliott était restée en arrière, tapie à l'entrée du bunker.

— Tu te bouges un peu, ou quoi ? lança Drake en voyant que Cal ne le suivait pas.

Le jeune garçon émit un grognement et fit à contrecœur quelques pas en avant pour se rapprocher de Drake.

— Elliott et moi allons nous séparer et partir à la recherche de Will, mais toi tu restes ici pour monter la garde. Il est possible qu'il passe par ici, expliqua Drake, puis il ajouta d'une voix calme : s'il ne l'a pas déjà fait.

À peine Cal s'était-il éloigné de quelques pas qu'il entendit un sifflement derrière lui. Il s'arrêta. Elliott était encore accroupie à l'entrée du bunker, la carabine calée contre la paroi.

Drake se figea sans se retourner.

— Reviens ! pressa Elliott, sans lever les yeux de sa lunette.

— Moi ? demanda Cal.

— Oui, confirma-t-elle en scrutant l'horizon à plusieurs reprises.

Sans savoir ce qui se passait, Cal rejoignit Elliott, qui lâcha un instant sa carabine pour lui fourrer deux canons-culasses entre les mains. Ce changement subit dans les plans de Drake le laissait totalement perplexe. Il prit les armes, puis se plaça en retrait derrière Elliott, tête baissée.

Drake se tenait totalement immobile dans l'encadrement de la porte, les pans de sa veste claquant dans la brise. Il n'avait pas éteint sa lampe frontale, dont le faisceau éclairait quelques-uns des plus gros rochers et affleurements tout autour de lui, projetant des ombres nettes sur les parois. Mais rien ne bougeait dans les proches environs.

— T'as repéré quelque chose ? demandant Drake d'une voix calme à Elliott.

— Oui, dit-elle lentement. J'ai un pressentiment.

Son ton était grave, et elle avait l'air tendue, la joue pressée contre la crosse de sa carabine. Elle ajustait sans cesse son tir de galerie en galerie. D'un geste rapide, elle décrocha plusieurs autres canons-culasses de sa ceinture et les posa à côté d'elle.

Cal plissait les yeux pour voir ce qui l'inquiétait tant. Il n'y avait pas le moindre mouvement dans la zone. Il ne comprenait pas ce qui se passait.

Tout était si silencieux que Cal commença à se détendre. Il ne voyait rien du tout. Il était certain qu'il s'agissait d'une fausse alerte. Drake et Elliott réagissaient de façon disproportionnée. Il avait mal à la jambe et réajusta légèrement sa posture. Il mourait d'envie de pouvoir enfin se relever.

Drake se tourna vers Elliott.

— Je dis, je dis... l'homme invisible est à la porte, déclama-t-il d'une voix forte, sans faire le moindre effort pour en atténuer le volume.

— Dis-lui que je ne le vois pas pour le moment, répondit Elliott dans un murmure à peine audible.

Elle ajusta rapidement sa visée sur la bouche d'une autre galerie, et se figea brusquement, comme si elle s'attardait un instant, puis elle pivota et mit aussitôt Drake en joue.

— Oui, murmura-t-elle en hochant la tête, tout en le regardant à travers sa lunette. J'aurais dû être plus vigilante. C'est moi qui aurais dû me retrouver à ta place.

— Non, c'est mieux ainsi, répondit Drake avec détachement, avant de se détourner d'Elliott.

— Adieu, dit-elle d'une voix tendue.

Les quelques secondes qui suivirent semblèrent durer une éternité, puis Drake lui répondit enfin.

— Adieu, Elliott, dit-il en reculant d'un pas.

Ce fut alors le chaos.

Des Limiteurs surgirent soudain des tubes de lave, armes à la main. On aurait dit un essaim d'insectes maléfiques. Vêtus de leurs masques noirs qui absorbaient la lumière et de leurs longs manteaux brun gris, ils semblaient se confondre avec l'obscurité des galeries dont ils émergeaient telles des ombres innombrables. Ils se déployèrent en rangs serrés pour former un demi-cercle qui bloquait l'entrée des tubes de lave.

— Déposez vos armes ! ordonna une voix perçante.

— Rendez-vous ! cria quelqu'un d'autre.

Ils se mirent à avancer comme un seul homme.

Cal était paralysé par la terreur. Drake ne s'était pas mis à couvert. Il était resté exactement au même endroit tandis que la ligne se rapprochait.

Drake fit soudain un pas en arrière, et Cal entendit aussitôt une détonation ; il vit exploser le tissu de la veste de Drake, juste au-dessus de l'épaule. L'impact le fit pivoter sur lui-même, mais il ne tarda pas à se rétablir. Elliott répliqua par de rapides rafales, actionnant la culasse de sa carabine à la vitesse de l'éclair. Les Limiteurs tombaient les uns après les autres sous ses tirs. Elle ne manqua pas une seule fois sa cible. Cal regardait les silhouettes maigres des soldats styx tomber à la renverse ou s'effondrer sur place sous les coups de la puissante carabine qui tressautait entre ses mains. Mais ils continuaient inexplicablement à avancer sans répondre à ses tirs.

Drake se pencha soudain en avant d'un mouvement plein de souplesse. Cal pensa d'abord qu'il avait été touché une nouvelle fois, puis il vit qu'il avait un mortier-culasse dans les mains. Il en cogna la base contre un rocher et une flamme jaillit de la gueule du canon, oblitérant au passage tout un rang de Limiteurs. Il ne restait plus que quelques volutes de fumée là où ils se tenaient encore quelques instants auparavant. L'explosion les avait rayés de la carte. Des cris retentirent un peu partout dans la caverne, mais les Limiteurs n'en cessèrent pas moins d'avancer en répliquant cette fois aux tirs d'Elliott.

Cal battait en retraite dans le couloir, serrant les canons-culasses dans sa paume trempée de sueur. Il n'avait qu'une idée en tête : s'enfuir, d'une façon ou d'une autre.

Puis il crut voir bouger Drake à travers les nuages de fumée. Il vacilla et tomba sur le sol. Cal ne distingua rien d'autre, car à cet instant même Elliott l'empoigna par le bras pour l'entraîner avec elle. Elle courait si vite qu'il manquait de trébucher à chaque foulée. Ils avaient déjà parcouru plusieurs centaines de mètres lorsqu'elle se précipita dans l'une des pièces adjacentes.

– Bouche-toi les oreilles ! hurla-t-elle.

Une explosion fracassante retentit presque aussitôt. À l'abri dans un coin de la pièce, ils n'en furent pas moins renversés par le souffle. Ils virent une boule de feu et plusieurs morceaux de béton qui filaient dans le couloir. Cal comprit alors qu'Elliott avait placé des charges derrière elle à mesure qu'elle avançait. Avant même que les débris ne soient tous retombés au sol, elle avait déjà entraîné Cal dans le tourbillon de poussière qui avait envahi le couloir. De petites nappes de feu grésillaient sur le sol en crachotant au milieu des flaques d'eau.

Ils foncèrent à travers les spirales de fumée asphyxiantes lorsque, tout à coup, se profila devant eux la grande silhouette d'un Limiteur. Elliott poussa Cal hors de sa route, se laissa choir à genoux, actionna la culasse et sans hésiter une seconde, appuya sur la détente alors même que le Styx fondait sur elle, prêt à tirer. Une langue de feu jaillit de la gueule de sa carabine, illuminant le visage stupéfait du Limiteur. La balle l'atteignit en plein cou, sa tête bascula violemment vers l'avant, et il s'évanouit dans un nuage de poussière. Mais Elliott s'était déjà relevée.

— Vas-y! hurla-t-elle en montrant le couloir à Cal.

Une autre ombre noire plongeait sur eux. La carabine toujours prête, Elliott appuya sur la détente qui émit un clic sourd.

— Oh, mon Dieu! hurla Cal en voyant l'air triomphant du Styx.

Le soldat pensait les avoir coincés.

Cal leva pitoyablement sa canne comme pour le frapper, mais Elliott avait déjà lâché sa carabine et lui avait saisi le poignet. Elle orienta les canons-culasses qu'il tenait à la main dans la direction du Limiteur et en déclencha aussitôt le mécanisme.

Cal sentit le recul et l'intense chaleur des deux armes qui venaient de tirer à bout portant.

Il ne pouvait pas voir le résultat, et l'homme n'avait pas même hurlé. Cal était figé sur place, serrant les cylindres encore fumants dans sa main tremblante et dégoulinante de sueur.

Elliott sortit un objet de son sac à dos en hurlant quelque chose. Mais Cal ne comprenait pas ce qu'elle lui disait. Il était paralysé par la peur. Elle lui administra une claque d'une telle puissance que ses dents s'entrechoquèrent. Quand il revint à lui, il vit qu'elle lançait une nouvelle charge dans le couloir. Cal croyait pourtant qu'ils allaient passer par là et ne comprenait pas ce qu'elle faisait. Comment allaient-ils s'enfuir si elle bloquait la seule issue qui leur restait?

— Mets-toi à couvert, espèce d'idiot! beugla-t-elle en lui flanquant un coup de pied pour le faire dégager du passage.

Cal tomba à la renverse et franchit le seuil d'une autre pièce.

L'explosion fut moins forte cette fois, et ils foncèrent aussitôt dans le couloir où elle avait eu lieu. Cal trébucha sur quelque chose de mou – il n'avait pas besoin de regarder pour savoir qu'il s'agissait d'un corps. Fort heureusement pour lui, la scène était noyée sous un nuage de poussière.

Le temps semblait s'être arrêté. Les secondes n'existaient plus en ces lieux, et Cal n'agissait plus que par réflexe. Il fallait qu'il s'échappe – rien d'autre n'avait d'importance. Cet instinct primitif avait pris le contrôle de son esprit.

En un rien de temps, ils se retrouvèrent à nouveau dans la salle d'opération au centre de laquelle trônait l'horrible plaque en émail. Elliott lança une charge cylindrique qui détonna presque aussitôt. À peine avaient-ils eu le temps de traverser la moitié de la pièce en

L reliée à la salle d'opération qu'ils furent rattrapés par le souffle de l'explosion.

Horreur suprême, de nombreux bocaux éclatèrent à leur tour, et leur contenu se déversa sur le sol tel un flot de poissons morts, tandis que se répandait dans l'atmosphère l'odeur puissante du formol. Cal aperçut la tête à demi disséquée qui filait sur le sol : elle lui adressait un demi-sourire tordu et lui tirait une moitié de langue espiègle. Cal l'enjamba d'un bond et suivit Elliott hors de la pièce, qui fonçait déjà à travers l'enfilade de couloirs. Ils tournèrent plusieurs fois, à gauche, puis à droite. Les nuages de poussière et la fumée étaient moins épais maintenant, mais Elliott stoppa brusquement, scrutant fébrilement les lieux.

— Zut, zut, zut ! jura-t-elle.

— Quoi ? demanda-t-il à bout de souffle en s'accrochant à elle. Il était complètement perdu et totalement épuisé.

— Zut ! C'est pas le bon chemin ! Faut repartir en arrière... en arrière !

Ils rebroussèrent chemin en toute hâte, virant d'un côté, puis de l'autre, à mesure qu'ils croisaient de nouveaux couloirs. Elliott s'arrêta tout à coup pour examiner un passage latéral. Cal lisait l'inquiétude dans ses yeux.

— C'est forcément par là, marmonna-t-elle sans grande certitude. Dieu, j'espère que...

— T'es sûre ? coupa-t-il aussitôt. Je ne reconnais pas...

Elle ouvrit une porte et il lui emboîta immédiatement le pas, si bien que lorsqu'elle stoppa soudain il heurta son dos.

Cal cligna des yeux en se protégeant le visage. Ils étaient enveloppés de lumière.

Ils étaient dans une chambre blanche qui faisait environ vingt mètres sur dix.

C'était surprenant.

Il y régnait un calme absolu.

Cette pièce n'avait aucun rapport avec tout ce que Cal avait pu voir jusque-là dans le bunker. Elle était parfaitement propre. Le carrelage du sol était d'un blanc immaculé. Une longue rangée de globes lumineux pendait du plafond récemment blanchi à la chaux.

De part et d'autre de la pièce, s'ouvraient des portes en fer poli. Elliott jeta un coup d'œil à travers le verre du guichet, puis inspecta le suivant. Chacune des deux portes comportait une marque de peinture noire étalée en couches si épaisses qu'elle avait dégouliné sur le métal poli.

– Je vois des corps, dit-elle. C'est donc la zone de quarantaine.

Ce n'était pas de simples corps. Cal jeta un coup d'œil à son tour et vit deux cadavres par cellule, voire trois dans certaines, étendus sur le sol. À voir l'état de décomposition dans lequel ils se trouvaient, ils étaient manifestement morts depuis un bon moment. Un liquide clair et gélatineux moucheté de rouge et de jaune s'écoulait de leurs chairs pour former des flaques sur le carrelage blanc.

– Certains ressemblent à des Colons, dit Cal en remarquant leurs vêtements.

– Et d'autres faisaient partie des renégats, dit-elle d'une voix tendue.

– Qui a fait ça ? Qu'est-ce qui les a tués ? demanda Cal.

– Les Styx.

Ce nom le ramena immédiatement à la réalité. L'heure était grave, et il paniqua.

– Nous n'avons pas le temps de regarder ça ! hurla-t-il en essayant de la tirer vers la porte.

– Non, attends, lui dit-elle en fronçant les sourcils sans le repousser.

– On peut pas traîner dans le coin ! Ils nous suivent...

Ils venaient d'échanger les rôles. C'était elle qui retardait leur fuite à présent.

– Non, c'est important. On a scellé ces cellules ! dit Elliott en examinant les jointures des portes.

Comme toutes les autres portes, elles comportaient des soudures récentes des quatre côtés. Il n'y avait aucune poignée, aucun moyen de les ouvrir.

– Tu ne comprends pas, Cal ? Voici la zone d'expérimentation styx dont nous avons entendu parler. C'est ici qu'ils testent une sorte d'arme !

Cal se trouvait juste derrière Elliott lorsque cette dernière atteignit la cellule suivante. Il remarqua qu'aucune marque ne figurait sur la porte. Elle jeta un coup d'œil à l'intérieur, et c'est alors qu'un homme plaqua soudain son visage contre la vitre. Il avait les paupières enflées et les yeux injectés de sang. Il semblait complètement paniqué. Il avait les joues creuses et le corps couvert de bubons rouges et enflammés. Il hurlait, mais pas même le moindre murmure ne parvenait à franchir la barrière de verre.

Il cogna faiblement des deux poings contre la vitre, mais ils n'entendirent toujours rien. Il cessa alors et les fixa de son regard de fou.

— Je le connais, dit Elliott d'une voix rauque. C'est l'un des nôtres.

Son visage était d'une maigreur cadavérique comme s'il avait connu la famine. Il essayait de communiquer en formant les mots avec ses lèvres.

Mais elle n'y comprenait rien.

— Elliott! supplia Cal. Laisse tomber, tu veux! Faut qu'on file!

Elle passa les doigts sur toute la longueur de la soudure qui formait un épais boudin sur tout le tour de la porte en se demandant si elle parviendrait à la faire sauter. Mais elle savait qu'ils n'avaient pas le temps d'essayer; alors elle se contenta de hausser les épaules pour signifier son impuissance au prisonnier.

— Partons! hurla Cal, avant de crier de plus belle : maintenant!

— D'accord, répondit-elle en tournant les talons pour rejoindre la porte par laquelle ils étaient entrés.

En quittant la pièce, ils replongèrent aussitôt dans le bunker, enveloppés par les tourbillons de poussière qui flottaient dans l'air. Ils suivirent le couloir dans la direction qu'elle avait d'abord choisie avant de se raviser, tandis que leurs yeux se réhabituaient peu à peu à l'obscurité après avoir connu la blancheur clinique de cette étrange pièce.

— Reste avec moi, chuchota Elliott.

Ils avaient parcouru une courte distance lorsqu'elle s'arrêta de nouveau.

— Allez, allez! C'est par où? marmonna-t-elle entre ses dents. C'est forcément par là, décréta-t-elle enfin.

Après avoir franchi plusieurs autres couloirs, ils pénétrèrent dans un petit hall. Il y avait deux portes de part et d'autre de la pièce. Elle fit plusieurs allers-retours d'une porte à l'autre, puis s'arrêta un instant et ferma les yeux.

À ce stade, Cal avait perdu toute confiance en sa capacité à les mettre en sécurité, mais le bruit métallique qui retentit non loin de là ne lui laissa pas le loisir d'exprimer ses doutes. On défonçait une porte. Les Limiteurs se rapprochaient.

Elliott ouvrit les yeux d'un coup.

— J'y suis! hurla-t-elle en se précipitant sur l'une des deux portes. On est sur le chemin du retour, à présent!

Après de multiples détours, ils glissèrent le long des escaliers et plongèrent dans le couloir submergé du sous-sol. Cette fois, Cal n'hésita pas un instant à s'immerger dans l'eau stagnante, et quelques minutes plus tard il gravissait déjà les marches à l'autre bout du bâtiment, lorsqu'il remarqua qu'Elliott était restée en arrière. Elle posait une grosse charge sur l'autre escalier, juste au-dessus de la ligne d'eau. Elle ne tarda pas à le rejoindre. Ils passaient sous les dalles de béton effondrées quand la bombe se déclencha.

Tout se mit à trembler, et des torrents de poussière s'abattirent sur eux. Ils entendirent un grondement sourd qui se transforma en un grincement menaçant. Tout semblait vaciller autour d'eux. Les énormes plaques de béton se fracassèrent sur le sol, projetant un mélange de poussière et d'eau en tous sens, scellant la voie derrière eux.

— C'était moins une, déclara Elliott, le souffle court.

Ils traversèrent en toute hâte la pièce au sol couvert de lino et se faufilèrent dans le conduit menant à la Grande Plaine.

Cal poussa un cri de soulagement en retrouvant le sol de la plaine. Elliott l'aida à se relever puis longea le mur de béton en refaisant le trajet à l'envers.

Plusieurs coups de feu retentirent, les balles criblaient le béton tout autour d'eux.

— Des tireurs embusqués! hurla Elliott en jetant quelque chose par-dessus son épaule sans que Cal ait eu le temps de voir de quoi il s'agissait.

Le dispositif se déclencha, émettant des bouffées de fumée qui flottaient au ras du sol. Elliott se servait de cet écran pour les protéger des tirs qui ainsi rataient systématiquement leur cible.

Ils foncèrent le long du mur, puis s'engouffrèrent dans un tube de lave, laissant la Grande Plaine derrière eux. Au bout de quelques mètres, Elliott incita Cal à continuer pendant qu'elle tendait le fil d'un trébuchoir. Ce dernier ne se fit pas prier et, regonflé par une décharge d'adrénaline, se mit à courir comme un fou. Il sentait à peine sa jambe douloureuse.

Au moment où Elliott le rattrapait, le souffle de l'explosion les souleva presque de terre, les encourageant à poursuivre, et ils continuèrent à courir ainsi sans jamais s'arrêter.

Will ne savait pas combien de temps il avait dormi lorsque des cris le tirèrent brutalement de son sommeil. Il avait une migraine carabinée et sentait son pouls qui battait dans ses tempes.

— Lève-toi!

— Hé! bredouilla Will. Qui?

Il cligna des yeux, encore à moitié endormi, cherchant à deviner les silhouettes informes. Il vit Elliott et Cal penchés au-dessus de lui.

— Lève-toi! ordonna Elliott d'une voix dure en lui flanquant un coup de pied.

Will tenta d'obéir, mais il s'effondra sur-le-champ. Il était encore vaseux et tremblant, incapable de mettre un peu d'ordre dans le flot confus de ses pensées. Lorsqu'il vit le visage noir de crasse d'Elliott, il comprit qu'elle n'était vraiment pas ravie de le retrouver. Et dire qu'il avait cru qu'Elliott et Drake l'auraient félicité pour avoir poursuivi son chemin et survécu contre toute attente!

Il s'était grossièrement trompé sur leur réaction. Ils étaient furieux contre lui, car il avait abandonné le reste du groupe, même si tout ça n'était pas vraiment sa faute –, tout au moins, c'est ce qu'il s'efforçait de croire. Peut-être avait-il enfreint l'une de leurs règles incompréhensibles? Il se frotta les yeux pour se débarrasser des cristaux de sel qui s'y étaient accumulés, puis scruta de nouveau le visage d'Elliott. Elle avait l'air vraiment lugubre.

— Je... Je n'ai pas... Combien de temps est-ce que...? demanda-t-il d'une voix inarticulée, remarquant l'expression tout aussi sinistre de Cal.

Ils étaient tous les deux trempés, et une odeur de produit chimique émanait de leurs vêtements.

Chester s'affairait derrière eux et rassemblait maladroitement les boîtes de vivres pour les fourrer dans son sac à dos.

— Ils l'ont eu, dit Cal, en prenant une grande inspiration. Les Limiteurs ont eu Drake! précisa-t-il en fouettant l'air de sa canne pour appuyer son propos.

Chester cessa ce qu'il était en train de faire. Will secoua la tête d'un air incrédule, puis jeta un coup d'œil à Elliott dans l'attente d'une confirmation. Il n'avait pas besoin de voir les égratignures sur le côté de son visage, ni le sang qui s'épanchait de sa profonde blessure à la tempe pour savoir que son frère venait de dire la vérité. Il suffisait de voir la manière dont elle plissait les yeux et son regard plein de rage pour comprendre.

— Mais... comment? demanda Will d'une voix étranglée.

Elliott se contenta de se retourner et prit la direction de la mer souterraine sur les rivages de laquelle Will avait passé tant de temps.

Quatrième Partie

L'île

Chapitre Trente-quatre

Elliott marchait si vite que les garçons avaient grand peine à garder le rythme, mais elle ne semblait pas s'en soucier le moins du monde.

C'était Cal qui avait le plus de mal à suivre. Il avançait en traînant les pieds, il fit même plusieurs chutes sur le rivage sablonneux. À chaque fois, Will avait cru que son frère ne se relèverait jamais, mais Cal avait réussi à poursuivre malgré tout. Il se parlait à lui-même – Will n'aurait pas su dire s'il s'agissait de prières, et il n'allait pas perdre son temps à le lui demander. Il ne parvenait pas à se débarrasser de sa migraine carabinée. Il se sentait affaibli par le manque de sommeil et de nourriture. Il n'avait toujours pas réussi à étancher sa soif et ne cessait de boire de grandes rasades, en vain.

Les garçons ne parlaient pas, malgré les questions qui les taraudaient. Maintenant que Drake n'était plus, Elliott allait-elle les abandonner pour partir seule? Ou bien allait-elle suivre les plans que Drake avait mentionnés, et conserver cette équipe?

Will était absorbé par ces considérations lorsqu'il remarqua un changement imperceptible sous ses pieds. Le sable mouvant semblait se raffermir, ce qui rendait cette marche exténuante un peu plus aisée. Que se passait-il donc?

La mer se trouvait toujours à sa droite. Il entendait l'étrange clapotis d'une vague lugubre, mais la paroi de la grotte – plongée dans le noir et invisible à sa gauche – se trouvait à bonne distance, à présent. Ils s'enfonçaient toujours plus loin dans une zone dont Will avait à peine commencé l'exploration au cours de sa longue errance.

Puis il sentit un sol plus compact sous ses pieds et vit à la lueur de sa lanterne que le sable pâle avait cédé la place à une substance plus sombre. C'est alors qu'il trébucha sur un obstacle solide et ina-movible. Il se pencha pour l'examiner : ça ressemblait à la souche d'un arbre abattu. Will tenta de réprimer sa curiosité pendant une centaine de mètres, mais il finit par soulever le levier situé derrière la lentille de sa lanterne pour éclairer le sol à ses pieds.

— Tu fais quoi au juste ? rugit aussitôt Elliott en fondant sur lui. Baisse ça tout de suite, lança-t-elle d'un ton menaçant.

— Je jette juste un coup d'œil, répondit-il en évitant son regard furibond tout en examinant ce qui se trouvait à ses pieds.

En effet, le sol avait changé. Il y avait des souches de différentes hauteurs entre lesquelles poussaient des plantes étranges – des suc-culentes, devina Will. Il y en avait tant que c'est à peine si l'on voyait le sable sous ce tapis végétal. Elles étaient noires, ou tout au moins gris foncé, et leurs tiges courtes et épaisses arboraient des feuilles rondes et renflées, couvertes d'une cuticule cireuse.

— Elles aiment le sel, déclara-t-il en touchant une plante du bout de sa botte.

— Réduis cette satanée lumière ! gronda Elliott.

Elle était à peine essoufflée, alors que Will et les autres peinaient à respirer, ravis de cette occasion de prendre un peu de repos.

— Je veux savoir où tu nous emmènes, exigea-t-il en la regardant cette fois droit dans les yeux. Tu vas si vite, et on est tous totale-ment lessivés.

Elliott ne répondit pas.

— Dis-nous au moins quel est ton plan.

Elle cracha, manquant de peu le genou de Will.

— La lumière ! siffla-t-elle entre ses dents en le menaçant avec la crosse de sa carabine.

Will n'avait aucune envie de se battre avec elle pour une histoire de lampe, il régla donc sa lanterne sur l'intensité minimum. Elle détourna vivement la tête, et repartit aussi sec au-devant de la troupe, dépassant Cal, puis Chester. Son attitude lui rappelait la manière dont le traitait Rebecca à Highfield. Il aurait tant voulu pouvoir effacer ces souvenirs inopportuns. Il se demandait si toutes les adolescentes se montraient aussi vindicatives. Comprendrait-il jamais le sexe opposé ? Dans les heures qui suivirent, et malgré sa remarque, il lui sembla qu'Elliott avait encore accéléré le pas, ne serait-ce que pour le contrarier.

La taille des succulentes s'accroissait à mesure qu'ils avançaient dans cette nouvelle zone. En s'écrasant sous leurs pieds, les feuilles émettaient un bruit de succion, si bien qu'ils avaient l'impression de patauger dans la boue. De temps à autre, une feuille éclatait comme un ballon avec un claquement sonore, emplissant l'air d'une puissante odeur de soufre.

Puis ils croisèrent des plantes à l'aspect rudimentaire qui s'entremêlaient sur le sol tels des buissons de ronces invasives. Elles ressemblaient énormément aux prêles rampantes que Will avait vues dans le cimetière de Highfield, si ce n'est que leurs tiges grisâtres atteignaient jusqu'à cinq centimètres de diamètre et comportaient des couronnes de fines épines noires et acérées, réparties à intervalles réguliers sur toute leur longueur. Plus ils avançaient, plus les buissons devenaient compacts, rendant leur progression encore plus difficile, maintenant qu'ils leur arrivaient à la taille.

Qui plus est, des arbres au tronc épais se multipliaient sur leur route. Leurs troncs étaient couverts de grossières écailles, Will en déduisit qu'il s'agissait d'immenses fougères. Elles étaient si denses qu'il parvenait de moins en moins à voir ses camarades devant lui. L'air ne cessait de s'humidifier, les trois garçons ne tardèrent pas à être en nage.

Will suivait Cal de près pour s'assurer qu'il ne traînait pas en arrière, lorsqu'il remarqua qu'ils changeaient de direction. Ils descendaient à présent le long d'une pente douce qui les ramenait vers la plage. Il entendait les autres qui se frayaient un passage à travers l'épais feuillage. Il commençait à s'inquiéter. Il ne voulait pas s'égarer au beau milieu de cette jungle avec Cal. Ce qu'il avait subi au cours des dernières quarante-huit heures lui suffirait largement pour le restant de ses jours. Will fut soulagé lorsqu'il aperçut Chester devant lui à la faveur d'une vague lueur. Ils suivaient donc le bon chemin. Mais où Elliott les emmenait-elle donc ?

Ils descendirent les derniers mètres en trébuchant et émergèrent des broussailles pour se retrouver sur le rivage. Cal et Chester voyaient la mer pour la première fois de leur vie et la contemplaient dans un silence émerveillé tandis qu'une légère brise rafraîchissait leurs visages ruisselants de sueur.

Will entendit le bruit tonitruant d'une chute d'eau non loin de là, mais il était encore fasciné par l'immense forêt dont ils venaient de sortir. Plongée dans la pénombre, elle semblait si impénétrable.

Des arbres géants semblables à des fougères dominaient la scène.

– Des cycas ! s'écria Will. Ce sont des gymnospermes, à coup sûr. Les dinosaures mangeaient des trucs comme ça !

Leurs troncs légèrement inclinés comportaient des anneaux sombres qui se succédaient à intervalles réguliers, si bien que l'on aurait cru voir une série de cylindres emboîtés les uns dans les autres. Ils étaient coiffés d'une couronne de feuilles si massive qu'elle semblait disproportionnée. Certaines feuilles étaient entièrement déployées, tandis que d'autres s'enroulaient sur elles-mêmes. Contrairement aux cycas que l'on rencontrait à la Surface, ces plantes immenses arboraient un feuillage gris.

Entre ces arbres primordiaux, croissaient des bosquets de succulentes aux feuilles renflées et de ronces rampantes qui formaient un tissu si dense que la forêt ressemblait à une jungle épaisse au cœur de la nuit. Will voyait de petits insectes papillonner entre les hautes branches des arbres. Il en distinguait de plus en plus à force de les observer. S'il ne reconnaissait pas les plus gros d'entre eux, il savait que les plus proches de lui étaient de la même espèce que les mites couleur de neige qu'il avait vues dans la Colonie. Il entendait parfois un son familier, lui évoquant tant la campagne surfacienne qu'il finit par sourire. C'était le chant des criquets !

Il lui fallut plusieurs minutes pour s'arracher à la contemplation de cette scène. Cal et Chester tentaient de reprendre leur souffle et regardaient à présent l'étendue d'eau d'un air inquiet.

Will pivota sur lui-même et vit alors Elliott agenouillée sur le sable humide qui scrutait le rivage à travers la lunette de sa carabine.

Will la rejoignit, curieux de voir pourquoi la mer était aussi agitée. À cet endroit du rivage, une ligne blanche se brisait à la surface de l'eau pour disparaître ensuite dans le noir en laissant derrière elle des sillons d'écume fluctuants.

— Voici la chaussée, dit Elliott de but en blanc, anticipant sa question.

Elle se releva, et les garçons se rassemblèrent autour d'elle.

— C'est ici que nous allons traverser. Si vous glissez, le courant vous emportera. Alors, évitez de tomber, dit-elle d'un ton neutre qui ne laissait rien transparaître de ses pensées.

— Il y a un affleurement rocheux là-dessous, n'est-ce pas ? s'interrogea Will à voix haute, puis il fit quelques pas en avant pour plonger la main dans l'écume bouillonnante. Oui... le voilà...

— Je ne ferais pas ça si j'étais toi, le mit en garde Elliott.

Will retira vivement sa main.

— Il y a des trucs là-dessous qui t'arracheraient les doigts, poursuivit-elle en intensifiant le faisceau de sa lanterne pour éclairer les eaux.

Les garçons virent alors l'immense étendue vide de part et d'autre de la chaussée et frissonnèrent malgré la chaleur humide qui régnait.

— S'il te plaît, dis-nous où tu nous emmènes, implora Will. Y a-t-il une raison pour laquelle tu nous laisses ainsi dans le flou ?

Elliott laissa passer plusieurs secondes avant de lui répondre.

— Très bien, dit-elle en poussant un soupir. Nous n'avons pas beaucoup de temps et je veux que vous m'écoutiez attentivement. D'accord ?

— Oui, marmonnèrent-ils tous en chœur.

— Je n'ai jamais vu autant de Limiteurs dans les Profondeurs, et je n'aime pas ça. Il est évident qu'il se trame quelque chose d'important, c'est peut-être pour ça qu'ils ne laissent plus rien au hasard.

— Qu'est-ce que tu veux dire ? demanda Chester.

— Les renégats... nous, répondit Elliott avant de pointer sa lanterne sur Will. Et lui. Nous allons nous mettre à l'abri, ajouta-t-elle en baissant les yeux vers l'eau écumante. Je pourrai alors réfléchir à la suite des opérations. Pour le moment, contentez-vous de me suivre, dit-elle.

La traversée fut terrifiante. Elle les avait autorisés à augmenter légèrement l'intensité lumineuse de leurs lanternes, mais le courant était incroyablement puissant, et les vagues se brisaient contre leurs bottes, dispersant une brume vaporeuse tout autour d'eux. La surface de la corniche sur laquelle ils étaient contraints de marcher était irrégulière et couverte d'algues glissantes, ce qui ne leur facilitait pas la tâche. De temps à autre, elle plongeait loin sous la surface – ces passages étaient les plus dangereux. Will entendait les grognements de Chester au-devant, tandis qu'il négociait l'une de ces portions invisibles. Chester grommela pour manifester son soulagement dès qu'il atteignit une plate-forme sur laquelle se brisaient les vagues. Les moutons d'écume rendaient la traversée un peu plus aisée en indiquant le chemin, tandis que le courant semblait un peu moins vigoureux à cet endroit.

Cal babillait loin devant eux. Sa voix grimpait souvent dans les aigus comme s'il implorait le ciel de mettre fin à cette traversée. Will ne pouvait rien faire pour l'aider – ils devaient tous se concentrer pour éviter la chute, de crainte de se voir emportés par une vague dans l'océan de cauchemar qui s'étendait à leur gauche.

À peine avaient-ils parcouru quelques mètres qu'ils entendirent un grand bruit : quelque chose de gros venait de plonger.

— Mon Dieu ! C'était quoi ? bafouilla Chester en s'arrêtant si brusquement qu'il vacilla sur la corniche.

Will aurait pu jurer qu'il avait aperçu la queue d'un poisson aux nageoires pâles à moins de cinq mètres de là, mais la houle rendait toute observation difficile. Le regard plein d'appréhension, ils scrutèrent l'endroit où ils avaient entendu ce clapotis, alors que les vagues reprenaient leur rythme régulier.

— Bougez-vous ! les pressa Elliott.

— Mais... dit Chester en étendant une main tremblante vers l'eau.

— Bougez-vous ! répéta-t-elle avec rage en jetant un coup d'œil vers la plage qui se trouvait derrière eux. On est comme des canards sur un stand de tir à la fête foraine !

Il leur fallut environ une demi-heure pour atteindre la terre ferme. Ils s'effondrèrent sur le rivage de sable, contemplant l'épaisse jungle qui s'étendait devant eux. Mais Elliott ne leur laissa pas un instant de répit, les entraînant aussitôt vers les bosquets de succulentes et les buissons de ronces entremêlées aux noires épines tout aussi denses que de l'autre côté de la chaussée.

Ils finirent par déboucher sur une petite clairière d'une dizaine de mètres de large. Elliott leur dit d'attendre là et partit, sans doute pour repérer les environs. Au beau milieu de la jungle, il leur était impossible de dire où ils se trouvaient, mais en cet instant précis ils n'en avaient cure. Ils étaient tous exténués, et leurs vêtements étaient trempés de sueur. L'humidité ambiante et l'absence de vent n'aidaient guère à les sécher. Un drôle d'insecte passa devant eux en voletant. Will et Chester partagèrent un bidon d'eau.

Cal s'était posé dans un coin de la clairière, le plus loin possible de Will et Chester. Assis en tailleur et le regard perdu dans le vide, il se mit à se balancer d'avant en arrière tout en marmonnant d'un ton monocorde.

— Qu'est-ce qu'il a ? demanda Chester d'un ton calme en s'essuyant le front.

— Sais pas, répondit Will en avalant une grande goulée d'eau.

Ils entendirent alors la voix de Cal, de plus en plus forte, et saisirent des bribes de son délire.

— ... et ce qui était caché ne sera plus caché aux yeux du...

— Tu crois qu'il va bien? demanda Chester à Will qui s'était adossé contre son sac à dos, puis avait fermé les yeux en poussant un profond soupir.

— ...et nous seuls élus connaîtrons le salut... le salut... le salut... bredouillait Cal.

Will était exténué. Il ouvrit un œil, puis appela son frère avec irritation.

— Tu disais, Cal? J'entends pas.

— Je n'ai rien dit du tout, répondit Cal sur la défensive, en se redressant avec un air plutôt surpris.

— Cal, qu'est-ce qui s'est passé là-bas? demanda Chester avec hésitation. Qu'est-ce qui est arrivé à Drake?

Cal s'avança à quatre pattes et se lança aussitôt dans un récit sans fin, revenant en arrière dès qu'il se souvenait d'un nouveau détail, s'arrêtant parfois en plein milieu d'une phrase pour vite reprendre son souffle avant de poursuivre aussitôt. Puis il leur parla de la pièce blanche aux cellules scellées sur laquelle ils étaient tombés dans le bunker.

— Mais ce renégat, celui qui était vivant, qu'est-ce qu'il avait? demanda Will.

— Les yeux vraiment gonflés et un visage horrible à voir. Il était couvert de bubons, dit Cal. Je suis sûr qu'il avait une maladie.

— Qu'est-ce que tu veux dire? intervint Chester.

— Drake savait que les Styx menaient des expériences dans les Profondeurs. Il voulait savoir où... et pourquoi. C'est donc peut-être une maladie.

Après avoir haussé légèrement les épaules, Cal poursuivit son récit et leur expliqua comment ils s'étaient échappés en passant par les tubes de lave; sa voix se brisa dans un sanglot.

— Drake aurait pu fuir, mais il a choisi de rester pour nous laisser une chance, à Elliott et à moi... C'était... c'était comme le jour où oncle Tam a fait demi-tour et...

— Il n'est peut-être pas mort, l'interrompit Elliott d'une voix pleine de rage mêlée de chagrin. Nous nous sommes montrés imprudents, et ils nous ont eus, mais les tirs des Limiteurs visaient à nous estropier, pas à nous tuer. S'ils avaient voulu notre mort, nous n'aurions pas même eu le temps de nous en apercevoir.

Elle se tourna vers Will avec un air réprobateur.

— Mais pourquoi voulaient-ils nous capturer vivants, hein? Dis-moi un peu, Will?

Will sentit tous les regards se tourner vers lui alors qu'il secouait la tête.

— Allez, dis-moi pourquoi ? insista-t-elle avec un rugissement sourd.

— Rebecca, répondit-il calmement.

— Oh, bon sang ! s'exclama Chester. Non, encore elle !

Soudain, Cal marmonna une diatribe monocorde en se tordant les mains. Ils entendaient à présent ce qu'il disait.

— Et le Seigneur sera le sauveur de ceux qui...

— Arrête ça ! ordonna Elliott. Qu'est-ce que tu fais ? Tu pries ? Elle s'approcha et lui flanqua une grande gifle.

— Je... euh... non... bafouilla-t-il en levant les bras pour se protéger la tête de peur qu'elle ne le frappe encore.

— Continue comme ça et je t'achève sur-le-champ. Ce sont des balivernes ! J'en sais quelque chose... À la Colonie, on m'a gavée pendant des années avec le *Livre des catastrophes*, ajouta-t-elle en l'attrapant par les cheveux pour lui secouer la tête sans pitié. Reprends-toi, parce que c'est tout ce qui te reste.

— Je... dit Cal dans un sanglot à demi étranglé.

— Non, écoute-moi. Réveille-toi, tu veux ? On t'a lavé le cerveau, dit-elle d'une voix grave et pleine de haine en lui tirant les cheveux. Ici, c'est pas le paradis. Tu te souviens d'une époque avant ta naissance ?

— Hein ? sanglota Cal.

— Alors ?

— Non, bégaya-t-il sans comprendre où elle voulait en venir.

— Non ? Et pourquoi ça ? Parce qu'il n'y a aucune différence entre nous et les autres animaux, les insectes, ou les microbes.

— Elliott, s'il veut croire que... risqua Chester, incapable de garder le silence.

— Reste en dehors de ça, Chester ! lança-t-elle sans même lui adresser un regard. Nous n'avons rien de spécial, Cal. Toi, moi, nous, on sort tous du néant, et c'est là qu'on retournera un jour, et peut-être sous peu, que ça te plaise ou non, dit-elle avec un grognement plein de mépris en le faisant basculer sur le flanc. Le paradis ? Ah ! Ne me fais pas rire. Ton *Livre des catastrophes* ne vaut pas un clou !

En un éclair, elle fondit sur Will qui se préparait déjà à recevoir une volée d'insultes, mais elle se planta devant lui sans rien dire, les bras croisés sur sa carabine. Cette posture lui rappela malgré lui celle qui avait été sa sœur. Il tenta en vain de chasser ces pensées. Rebecca se tenait devant lui exactement de la même manière lorsqu'elle lui passait un savon pour avoir sali le tapis avec de la boue, ou pour quelque autre méfait sans conséquence. C'était arrivé si souvent. Mais cette fois, l'enjeu était tout autre. Il s'agissait d'une question de vie ou de mort, et il était à bout de forces, prêt à s'effondrer et incapable de faire face.

— Tu viens avec moi ! aboya-t-elle.

— Qu'est-ce que tu veux dire ? Où ça ?

— C'est toi qui nous as fourrés dans ce pétrin. Tu peux donc nous filer un coup de main, rétorqua-t-elle sèchement.

— Pour faire quoi ?

— On retourne à la base.

Will ne comprenait pas ce qu'elle lui disait et la regardait en fronçant les sourcils.

— Toi et moi, on retourne à la base, répéta-t-elle en détachant bien chaque syllabe. Compris ? Pour récupérer du matériel et des vivres.

— Mais je ne peux pas refaire tout ce chemin. Je ne peux vraiment pas, plaida-t-il. Je suis crevé... j'ai besoin de repos... de manger...

— Débrouille-toi.

— Pourquoi on ne va pas directement à la base suivante ? Drake m'a dit que...

— C'est trop loin, dit-elle en secouant la tête.

— Je...

— Lève-toi.

Elle lui fourra l'autre lunette entre les mains, et il se releva lentement. Il savait qu'elle ne céderait pas à sa requête.

Will jeta un dernier coup d'œil impuissant à Chester en quittant la clairière, puis se fraya un chemin à travers l'épais feuillage jusqu'à la chaussée.

Il avait l'impression de vivre un horrible cauchemar. Il était exténué, et c'était bien la dernière chose à laquelle il pouvait faire face. Il n'aurait jamais cru devoir refaire le chemin en sens inverse, pas aussi vite en tout cas. Mais il savait au moins à quoi s'attendre cette fois-ci.

L'eau ruisselait autour de leurs chevilles et leur éclaboussait les jambes. À la lueur de leurs lanternes, leurs silhouettes solitaires se découpaient sur le fond du vaste désert aquatique qui les entourait de toutes parts.

Lorsqu'ils arrivèrent sur l'autre rivage, Will n'était plus capable de formuler la moindre pensée. Anesthésié par la fatigue, il suivait Elliott machinalement en plaçant un pied devant l'autre, franchissant l'étendue de sable d'un pas lourd jusqu'à l'orée de la jungle.

— Arrête-toi, ordonna-t-elle.

Elliott donna des coups de pieds dans le sable tout autour des racines qui se trouvaient devant elle. Elle cherchait quelque chose dans le sable décoloré qui s'était accumulé autour des noueuses racines des succulentes à la texture compacte et fibreuse.

— Où est-ce qu'elle est ? dit-elle en s'avançant dans les broussailles. Ah ! s'exclama-t-elle en se penchant pour cueillir une petite plante en forme de cocarde, logée au creux de deux énormes racines au pied de l'un des gros arbres.

Elle dégaina son couteau et découpa le feuillage gris qui tombait à ses pieds. Il ne resta bientôt plus que le cœur irrégulier de la plante. Elle continua à le découper jusqu'à ce qu'elle obtienne une sorte de noix dont elle pela soigneusement l'écorce ligneuse. Elle s'attaqua enfin au noyau, de la taille d'une amande, et le découpa en lamelles. Elle les renifla avant de les tendre à Will, paume ouverte.

— Mâche ça, dit-elle, puis elle aspira un filament qui était resté collé sur son couteau. N'avale pas. Contente-toi de mâcher lentement.

Will acquiesça d'un air incrédule et se mit à broyer les lamelles fibreuses entre ses incisives en grimaçant. Elles étaient très âpres au goût.

Elle le regarda tout en portant une autre lamelle à sa bouche avant de l'y fourrer d'un doigt crasseux.

— C'est dégoûtant, dit-il.

— Attends un peu... ça va t'aider.

Elle avait raison. À mesure qu'il mâchait, il éprouvait peu à peu une sensation de froid qui se répandait dans tout son corps, ce qui, au sein de cette atmosphère chaude et humide, était fort bienvenu. Il sentit une poussée d'énergie, et ses membres ankylosés s'allégèrent soudain. Il se sentait revigoré, puissant... Il était prêt à tout.

— C'est quoi, ce fichu truc ? demanda-t-il en redressant les épaules, alors que sa curiosité naturelle revenait au grand galop. De la caféine ?

Cette sensation lui rappelait la fois il avait bu une tasse de vrai café préparé par sa sœur. Le coup de fouet temporaire qui avait suivi lui avait donné des fourmis dans les jambes, mais il avait trouvé l'arrière-goût qui persistait dans sa bouche absolument infect.

— De la caféine? répéta-t-il.

— Un truc dans le genre, répondit-elle avec un sourire indifférent. Allons-y!

Il n'avait plus aucun mal à suivre Elliott, qui filait à toute allure. Ils se déplaçaient avec une vitesse et une légèreté toutes félines. Ils traversèrent la plage de sable, puis gravirent la pente couverte de galets menant à la paroi de la caverne percée de tubes de lave.

Will avait perdu toute notion du temps, il lui semblait qu'ils avaient atteint la base en quelques minutes, même s'il savait très bien qu'il leur avait fallu beaucoup plus longtemps. Il avait l'impression de n'avoir fourni aucun effort, comme s'il était étranger à son propre corps. Il se sentait tel un badaud qui aurait regardé quelqu'un d'autre suer et panteler, épuisé d'avoir voyagé à une vitesse aussi phénoménale.

Elliott monta à la corde, et il la suivit. À l'intérieur de la base, Elliott se déchaîna telle une tornade. Elle tria les différents objets qu'ils allaient emporter avec eux. Elle courait comme une folle d'une pièce à l'autre comme si elle avait tout planifié auparavant et savait précisément ce qu'elle avait à faire.

Dans la pièce principale, que Will n'avait vue qu'une fois, elle arracha les objets accrochés au mur et récupéra tout ce qui se trouvait sur les étagères des vieux placards métalliques. Le sol fut bientôt jonché d'un fatras d'objets qu'elle déplaçait à coups de pied lorsqu'ils lui bloquaient le passage. Elle déposa le matériel à emporter sur le seuil. Will prit l'initiative de tout fourrer dans deux gros sacs à dos et deux autres grands sacs fermés par des cordelettes.

Elliott ne fit soudain plus aucun bruit. Will leva les yeux, mais elle était cachée derrière l'une des couchettes sur laquelle elle avait jeté le contenu du placard de Drake. Will se releva en la voyant sortir lentement de derrière le lit. Ce qu'elle tenait à la main semblait la préoccuper. Elle avait manifestement beaucoup de respect pour cet objet.

— C'est le casque de rechange de Drake, dit-elle en se plantant devant lui, puis elle tendit les bras comme si elle s'attendait à ce qu'il le prenne.

— Hein? dit-il en fronçant les sourcils.

Elle ne répondit pas, mais avança encore un peu plus les bras vers lui.

— Pour moi ? demanda-t-il. Vraiment ?

Elliott acquiesça.

— Où est-ce que Drake se procurait ces trucs-là ? demanda-t-il en examinant le casque.

— Il les fabriquait lui-même. C'était son travail dans la Colonie... les scientifiques l'ont fait entrer.

— Qu'est-ce que tu veux dire ? demanda aussitôt Will.

— C'était un Surfacien, tout comme toi.

— Je sais. Il me l'avait dit.

— Les Styx lui ont mis le grappin dessus. Ils remontent de temps à autre à la Surface pour enlever des gens dont le savoir-faire leur fait défaut.

— Non, souffla Will d'un air totalement incrédule. Qu'est-ce qu'il savait faire ? Il était dans l'armée, ou quoi ? Membre d'un commando ?

— Il était ingénieur spécialisé dans l'optique visuelle, dit Elliott en énonçant chaque mot comme si elle s'essayait à une langue étrangère. C'est aussi lui qui a fabriqué celle-ci, dit-elle en posant la main sur la lunette de l'arme qui pendait à son épaule.

— Tu rigoles, dit Will en soupesant le casque qu'il tenait à la main.

Il se souvenait de l'histoire que lui avait racontée Elliott. Les Styx avaient enlevé quelqu'un qui savait fabriquer des instruments permettant de voir dans le noir. Mais Drake ? Will s'imaginait cet homme maigre et balafré qui lui inspirait tant de respect travaillant aux côtés de débiles stéréotypés en blouses blanches, penchés sur leurs appareils électroniques au fond de leurs labos. Ces deux images irréconciliables le perturbaient.

— Je croyais vraiment qu'il avait été soldat, marmonna Will en secouant la tête d'un air incrédule. Et qu'il avait été banni de la Colonie, comme toi.

— On ne m'a pas bannie !

Elliott lui avait répondu avec une telle véhémence que c'est tout juste si Will parvint à émettre un grognement pour s'excuser.

— Quant à Drake... les Styx l'ont forcé à travailler sur ces instruments. Tu comprends ce que je veux dire ?

— Ils l'ont torturé ? demanda Will avec hésitation.

— Oui, et jusqu'à ce qu'ils obtiennent ce qu'ils voulaient. Ils l'ont entraîné dans les Profondeurs pour effectuer des essais sur le terrain, mais il s'est enfui dès qu'il a pu. Ils devaient estimer qu'ils avaient tiré de lui tout ce dont ils avaient besoin, car ils ne sont jamais venus le rechercher.

— C'est génial, dit Will. C'était donc un scientifique, un chercheur... un peu comme mon père.

Elliott fit une grimace, comme si elle ne savait pas de quoi il voulait parler, mais n'ajouta rien de plus. Elle retourna au placard pour en sortir de temps à autre un objet qu'elle jetait sur le lit.

Will enfila soigneusement le casque en retenant son souffle. Il ajusta la sangle sur son front et s'assura que la lentille était bien positionnée sur son œil en actionnant le clapet. Puis il rangea la boîte rectangulaire dans la poche de son pantalon. Il était fort mal à l'aise : sans trop savoir pourquoi, il ne se sentait pas digne de porter ce casque.

Il aurait sans doute été ravi de porter cet étrange appareil juste après avoir rencontré Drake, mais ce n'était plus le cas. C'était devenu l'emblème de la maîtrise de Drake dans ce monde souterrain, le symbole de son statut, un peu comme une couronne. Il y voyait le signe de sa détermination à résister aux Styx et de sa suprématie sur les renégats qui écumaient les Profondeurs. Pour Will, Drake était un être à part. Il incarnait les valeurs de l'homme qu'il voulait devenir : il était coriace, pratique, et ne devait rien à personne.

Elliott rassembla encore d'autres objets et les déposa à côté des sacs à dos sans adresser un regard à Will, puis elle disparut dans le couloir. Elle revint quelques minutes plus tard avec une série de canons-culasses.

— T'as plus qu'à ranger ça, et on y va.

Will plaça les armes dans les sacs à dos, puis transporta le tout jusqu'à l'entrée de la base. Il noua une corde autour des quatre sacs et fit descendre l'énorme ballot jusqu'au pied de l'arche en contrebas. L'idée de devoir tout rapporter jusqu'à l'île où les attendaient Cal et Chester ne l'enchantait guère, car ça pesait une tonne, et il devrait forcément en prendre la plus grosse partie.

Posté en haut de l'arche, il attendait qu'Elliott ait terminé. Elle arpentait chaque pièce très lentement. Il ne savait si elle vérifiait qu'elle n'avait rien oublié, ou bien si elle jetait un dernier coup d'œil à cet endroit qu'elle ne reverrait sans doute jamais.

— Bien, allons-y, dit-elle en le rejoignant.

Elle se laissa glisser le long de la corde. À peine avaient-ils posé le pied à terre que Will dénoua la corde et libéra les quatre sacs. Il remarqua en se redressant qu'Elliott lisait quelque chose. On aurait dit un rouleau de tissu.

— C'est quoi ?

Elle lui fit aussitôt signe de se taire. Lorsqu'elle eut terminé, elle lui lança un regard.

Will se contenta de la fixer sans rien dire.

— Ce message concerne Drake... Il était accroché à la corde, répondit-elle. Ça vient d'un autre renégat.

— Mais... mais je viens juste de... je n'ai vu personne, bégaya Will en scrutant les ténèbres, terrifié à l'idée de tomber dans une embuscade tendue par Cox et ses semblables.

— En effet, tu n'aurais rien pu voir, et de toute façon ça vient de l'une de nos connaissances – un ami. Il faut qu'on file, dit-elle.

Elle sortit de l'un des sacs la plus grosse charge explosive que Will ait jamais vue. Elle fixa la boîte en métal gris sombre, de la taille d'un pot de peinture, à la paroi de l'arche sous laquelle pendait la corde ; puis elle s'éloigna tout au bout de la galerie en dévidant un fil presque invisible derrière elle. Will n'eut pas besoin de lui demander ce qu'elle faisait. Elle installait un explosif au cas où quelqu'un viendrait à dénicher leur base. Sa puissance était telle que l'endroit allait être enseveli sous des tonnes de gravats.

Elle pinça le fil pour vérifier qu'il était bien tendu, et il émit un son menaçant. Puis, après avoir ôté la sécurité de la boîte, elle rejoignit Will.

— On fait quoi maintenant ? On emporte tout ça avec nous ? demanda-t-il en indiquant les sacs.

— Laisse tomber.

— On ne retourne pas sur l'île ?

— Changement de plan, dit-elle, le regard embrasé par la détermination.

Will comprit alors que les choses n'allaient pas se dérouler aussi simplement qu'il l'avait espéré. Elliott avait quelque chose en tête, et ils n'allaient pas rejoindre les autres.

— Oh ! dit Will qui venait de percuter.

— Il faut qu'on aille de l'autre côté de la plaine, et vite.

Sans raison apparente, elle jeta un coup d'œil furtif de chaque côté de la galerie en reniflant à plusieurs reprises.

— Pourquoi ? demanda Will, mais elle l'interrompit d'un geste de la main.

Il avait entendu le même gémissement sourd qui gagnait peu à peu en intensité jusqu'à devenir un hurlement. Il sentit une douce

brise sur son visage. L'un des pans du keffieh d'Elliott se souleva
légèrement.

— Un Levant! s'exclama-t-elle. Le vent arrive. Quelle chance!

C'en était trop pour Will. Il vacilla sur ses jambes comme s'il
allait s'effondrer, ce que ne manqua pas de remarquer Elliott. Elle
lui lança un regard inquiet. Elle fouina dans sa poche et lui tendit
quelques lamelles de racine. Il en prit plusieurs et commença à les
mâcher d'un air sombre, tandis que leur goût âpre se répandait sur
sa langue.

— Ça va mieux? demanda Elliott.

Il opina et vit dans son regard, non pas la sollicitude d'une amie
mais quelque chose de froid et détaché, de l'ordre du professionna-
lisme clinique. Elle avait besoin d'un assistant pour accomplir ce
qu'elle s'apprêtait à faire. Elle se fichait pas mal de lui.

— Essaye le casque, ordonna-t-elle pendant qu'il continuait à
mâcher.

Il acquiesça, abaissa la lentille sur son œil, puis chercha l'interrupteur de la petite boîte qui se trouvait dans sa poche et l'alluma.
Il perçut un son imperceptible, qui s'intensifia en montant d'abord
dans les aigus, pour redescendre de plusieurs octaves. Il était à peine
audible, et Will se demandait même s'il ne percevait pas cette
vibration dans son crâne.

— Ferme l'œil gauche, ne te sers que du droit, conseilla Elliott.

Il s'exécuta, mais ne vit rien du tout derrière la ventouse qui la
maintenait pressée contre son œil et bloquait la lueur de la lanterne
d'Elliott – elle en avait réduit la luminosité au minimum. Puis, alors
même qu'il commençait à se dire que l'appareil était défectueux, de
minuscules petits points se mirent à tourbillonner comme si la surface de l'océan s'animait pour révéler une phosphorescence surnaturelle remontée des profondeurs. L'image prit d'abord une teinte
ambrée, comme à travers la lunette de la carabine puis vira rapidement au jaune clair jusqu'à ce que tous les points s'illuminent. Ils
émirent alors une telle brillance qu'il en eut presque mal à la rétine.
Tout devenait parfaitement visible, comme si le paysage était baigné
par la lumière crue du soleil. Il regarda tout autour de lui, posa les
yeux sur ses mains encrassées, observa Elliott qui enroulait son keffieh autour de son visage, et enfin les langues de ténèbres qui se
déroulaient dans la galerie à l'approche du Levant.

— Tu t'es déjà retrouvé au milieu d'un vent noir avant ça?
demanda Elliott qui avait remarqué sa réaction à la vue des nuages
noirs.

— Non, jamais, dit-il en se rappelant la fois où il avait regardé les nuages se répandre dans les rues de la Colonie derrière des fenêtres fermées.

Will se souvint alors des paroles de Cal qui imitait la voix nasillarde des Styx : « Pernicieux pour qui croise son chemin, il ... »

— Mais c'est pas toxique ? demanda-t-il en jetant un coup d'œil rapide à Elliott.

— Non, répondit-elle avec dérision. Ce n'est que de la poussière, comme dans un jardin, portée par le vent de l'Intérieur. Tu ne devrais pas croire tout ce que racontent les Cols d'albâtre.

— Mais je ne les crois pas, répondit-il, indigné.

— Allons-y, dit-elle en empoignant sa carabine, puis elle prit la direction de la Grande Plaine.

Il la suivit, le cœur battant la chamade sous l'effet de cette étrange racine, et de l'appréhension de ne pas savoir ce qu'ils s'apprêtaient à faire. Mais la vision aux rayons X que lui conférait le casque lui redonnait du courage. C'était comme un projecteur invisible.

Ils atteignirent la galerie dorée au bout du tunnel et plongèrent dans la fosse. Will émergea de l'autre côté et vit aussitôt que des volutes noires et vaporeuses flottaient déjà dans la plaine. Les nuages mousseux réduisaient rapidement l'étendue de son champ visuel, telles deux mains gantées de noir qui se seraient refermées sur son visage, voilant tout le paysage. Il comprit alors que l'appareil de Drake ne lui servirait à rien dans de telles conditions.

— Ces orages sont très épais. On ne va pas s'égarer ? demanda-t-il à Elliott, tandis que le vent hurlait en soufflant des bourrasques de plus en plus puissantes.

— Impossible, dit-elle d'un ton dédaigneux en nouant une corde autour de son poignet, avant de lui tendre l'autre bout pour qu'il la passe autour de sa taille. Tu suis cette corde partout où elle ira. Mais si tu sens deux coups, tu t'arrêtes immédiatement. T'as compris ?

— Cinq sur cinq, répondit-il, même s'il se sentait quelque peu étranger à cette situation.

Ils s'enfoncèrent d'un pas rapide et léger dans les ténèbres compactes. Will ne voyait plus Elliott, alors qu'elle se trouvait quelques mètres devant lui. Il sentait la fine poussière de la brume noire se déposer dans ses narines et sur son visage. Il dut se pincer plusieurs fois le nez pour se retenir d'éternuer, tandis que son œil gauche, sans protection, n'arrêtait pas de pleurer. En effet, les particules de poussière revenaient sans cesse s'y loger.

Il continuait à mâcher résolument sa racine en cadence, comme s'il pouvait en tirer un peu plus d'énergie encore. Il ne tarda pas à la réduire à quelques fibres. Il ne savait plus très bien si la pâte fine sous sa langue provenait de la plante, ou bien des particules du vent noir qu'il avait inhalées.

Elliott tira deux fois sur la corde. Will se figea aussitôt et s'accroupit en scrutant les alentours. Elliott émergea de la brume et s'agenouilla à côté de lui en lui intimant de garder le silence d'un geste de la main.

Elle se pencha vers lui, et il sentit tout contre son oreille le tissu du keffieh dont elle se couvrait la bouche.

– Écoute, chuchota-t-elle.

Il s'exécuta et entendit le hurlement lointain d'un chien, suivi d'un cri atroce.

Le cri d'un homme.

En proie aux plus atroces souffrances.

Elliott avait la tête inclinée sur le côté, mais son regard restait insondable.

– Il faut qu'on se dépêche.

Les longs cris d'agonie retentissaient dans l'air, comme canalisés par les voiles de fumée qui se déchiraient çà et là et leur laissaient parfois entrevoir un pan de sol. Ils formaient même d'étranges couloirs fluctuants dans lesquels s'engouffraient Will et Elliott.

Les cris leur parvenaient de plus en plus distinctement, accompagnés par les hurlements graves des chiens. On aurait dit un opéra sorti tout droit de l'enfer.

Le sol était légèrement incliné. Lorsque Will écrasa un morceau de cristal rose sous sa botte – une rose du désert –, il comprit aussitôt qu'ils gravissaient la colline surplombant la clairière en forme d'amphithéâtre où les avaient surpris Drake et Elliott. L'endroit même où Chester et lui avaient été les témoins de l'horrible massacre des renégats et des Coprolithes par les Limiteurs.

Un long gémissement retentit, sans doute plus animal qu'humain, suivi d'un cri aussi soudain que déchirant. Will ne parvenait pas à en déterminer l'origine. On aurait dit qu'il retombait en pluie tout autour de lui après avoir percuté la voûte de pierre. À ce cri qui lui vrillait les entrailles, se mêlait le souvenir des actes meurtriers des *Styx*, ce qui lui donnait envie de se jeter à terre, de plaquer son visage contre le sol meuble de la pente et d'enfouir sa tête entre ses bras. Mais c'était impossible. La corde qui le reliait à Elliott l'entraînait sans relâche vers les brumes noires où l'attendait une scène dont il pressentait déjà l'horreur.

Elle donna deux coups, et il s'immobilisa.

Elliott parut à ses côtés en un éclair. Elle lui fit signe d'avancer d'un geste lent. Il acquiesça pour lui indiquer qu'il avait compris. Elle voulait qu'il avance prudemment derrière elle en rampant sur le sol.

Elliott ne cessait de s'arrêter sans prévenir. Il se cogna la tête plusieurs fois contre ses bottes, reculant pour lui laisser un peu d'espace. Elle ne restait immobile qu'un instant. Will en déduisit qu'elle tendait probablement l'oreille pour s'assurer que personne ne se trouvait à proximité.

Le vent noir semblait se calmer quelque peu. De petites portions de sol émergeaient de la brume devant eux, telles les images brouillées d'un paysage lunaire. L'appareil de Will cessait parfois de fonctionner pendant quelques fractions de secondes. Il ne voyait plus que des parasites, comme sur un écran de télévision, ce qui lui rappelait le jour où sa mère – sa mère adoptive, même s'il avait tendance à l'oublier – avait piqué une crise parce que sa chère télé ne marchait pas bien. Will secoua la tête. Tout était si facile à cette époque pleine d'insouciance où rien n'avait vraiment d'importance.

C'est alors qu'il entendit, là, quelque part devant lui, ce même cri effroyable, comme pour lui rappeler où il se trouvait à présent. Le son était bien plus distinct maintenant, même s'il était encore lointain, ce qui galvanisa aussitôt Elliott. Elle se figea et lui adressa un regard furtif et terrifié. Will se sentit soudain submergé par un sentiment d'effroi d'autant plus glaçant qu'il ne savait pas pourquoi ils étaient venus jusque-là.

Que se passait-il ? Qu'est-ce qui clochait ?

Il était perdu. Il ne pouvait s'agir d'un autre massacre, semblable à celui dont Chester et lui avaient été les témoins, car Elliott n'aurait jamais réagi de la sorte. Elle avait réussi à garder son calme ce jour-là, aussi terrible l'incident fût-il.

Ils continuèrent à ramper, avançant un bras après l'autre, tandis que leurs genoux glissaient sur le gypse. Ils gravirent ainsi la côte, centimètre par centimètre, jusqu'à ce qu'ils sentent un souffle plus puissant sur leurs visages, tandis que le vent soulevait de petits tourbillons de poussière tout autour d'eux.

Les bourrasques charbonneuses du vent noir s'abattaient peu à peu.

Ils parvinrent enfin au bord du cratère.

Elliott avait déjà mis sa carabine en joue.

Will n'avait pas compris ce qu'elle lui disait à cause des multiples couches de tissu qui lui masquaient la bouche. Mais voilà qu'elle dégageait son visage et pressait déjà sa joue contre la crosse de sa carabine. Le canon de son arme frémissait sous l'effet de ses tremblements. Cela ne lui ressemblait pas.

Pourquoi? Qu'est-ce qui clochait?

Tout allait trop vite pour lui.

Il tenta de voir ce qui se trouvait plus loin devant eux, regrettant de ne pas avoir pensé à emporter sa lunette.

La lentille qui lui couvrait l'œil crépita de nouveau, et il se focalisa enfin sur la scène, comme si l'appareil venait de cligner. On avait éparpillé des trépieds surmontés de globes lumineux. Il distinguait aussi de nombreuses silhouettes, trop lointaines pour qu'il puisse en voir le moindre détail. Une nuée de poussière balaya à plusieurs reprises l'espace qui le séparait de l'esplanade, tel un rideau s'ouvrant et se refermant tour à tour sur la scène.

N'y tenant plus, il se rapprocha d'Elliott en enroulant la corde qui les reliait encore.

— Qu'est-ce que c'est? murmura-t-il.

— Je crois... je crois que c'est Drake, répondit-elle.

— Il est donc en vie? souffla-t-il.

Elle ne répondit pas, anéantissant ses premiers espoirs.

— Ils l'ont fait prisonnier? demanda-t-il.

— Pire encore, dit-elle d'une voix tendue. Tom Cox... il est là-bas, ajouta-t-elle en frémissant légèrement. Il est passé à l'ennemi... Il travaille pour les Styx...

Elle termina sa phrase sur un cri étranglé noyé par les hurlements du vent.

— Qu'est-ce qu'ils font à Drake?

L'œil collé à sa lunette, Elliott parvenait à peine à articuler.

— Si c'est vraiment lui, ils... un Limiteur... dit-elle en secouant violemment sa carabine. Ils l'ont attaché à un pieu et ils sont en train de le torturer. Tom Cox... il rit... cette ordure malfaisante de...

Elle fut interrompue par un autre gémissement d'agonie, encore plus atroce que le précédent.

— Je ne peux pas voir ça plus longtemps... Je ne peux pas les laisser continuer, dit-elle avec détermination, les mâchoires serrées, puis elle regarda Will droit dans les yeux.

À travers sa lentille, elle semblait avoir les pupilles d'un ambre très prononcé.

— Je dois... il ferait la même chose pour moi... dit-elle en réglant le zoom de sa lunette.

Elle cala ses coudes sur le sol, contracta les muscles de ses bras pour stabiliser sa carabine, prit plusieurs inspirations rapides avant de retenir son souffle.

Will la regardait avec stupeur. Il n'arrivait pas à croire à ce qu'elle s'apprêtait à faire.

— Elliott? demanda-t-il d'une voix chevrotante. Tu ne vas pas?...

— J'arrive pas à viser... les nuages... vois rien, dit-elle en expirant.

Le temps sembla s'arrêter pendant quelques instants.

— Oh, Drake... dit-elle d'une voix si faible qu'elle était presque inaudible.

Puis elle inspira encore et ajusta sa visée.

Elle tira.

Le coup fit tressaillir Will. L'écho de la détonation se répercuta plusieurs fois dans la plaine jusqu'à ce qu'il n'entende plus que le mugissement du vent.

Elle tremblait de tout son corps.

— Je ne sais pas si j'ai réussi... Fichus, fichus nuages... je...

Elle actionna la culasse pour recharger sa carabine, et tendit soudain son arme à Will.

— Regarde, toi.

Will eut un mouvement de recul.

— Prends-la, ordonna-t-elle.

Il s'exécuta à contrecœur. Il ne voulait pas voir la scène, mais il savait pourtant qu'il ne pouvait refuser. Il ajusta la carabine comme il avait vu faire Elliott, releva la lentille et regarda à travers la lunette qui lui semblait froide et humide — mais ce n'était pas le moment de penser à ça. Il prenait peu à peu ses repères, ajustant sa visée sur le groupe au fond du cratère. La lentille de la lunette était réglée sur un fort grossissement et, faute d'expérience, il tentait de les localiser en balayant le terrain au hasard.

Là! Il venait d'apercevoir un Limiteur!

Il dirigea sa lunette vers l'endroit où il l'avait vu. Un autre Limiteur! Non, c'était le même. Il était seul. Will garda la carabine pointée sur lui. Il voyait en détail le visage effrayant du Styx et sentit se vriller ses entrailles, lorsqu'il comprit que le Limiteur regardait en l'air, vers la crête où Elliott et lui étaient tapis, plaqués contre le sol. C'est alors qu'il vit d'autres silhouettes qui couraient derrière lui. Des Styx. Il modifia sa visée.

Où est Drake?

Il tomba sur la forme ratatinée de Tom Cox – il se rapprochait du but. Cox tenait un objet brillant. Une lame sans doute. Will vit enfin le pieu, et crut reconnaître sa veste.

Drake!

Will essayait de ne pas regarder la scène de trop près. La distance et les nuages du vent noir qui traînaient encore là contribuaient à en noyer les détails. Alors même qu'il se reprenait, il remarqua une tache noire répandue sur le sol tout autour de Drake. Elle paraissait plus noire que rouge à travers la lunette, et elle réfléchissait la lumière à la manière du bronze fondu. Pris de vertige, Will sentit une sueur froide lui parcourir l'échine.

Ce n'est pas réel. Je ne suis pas là.

— Est-ce que je l'ai eu? demanda Elliott avec impatience.

Will visa la tête de Drake.

— Je ne peux pas dire...

Will ne voyait pas son visage, car il avait la tête penchée en avant.

Ils entendirent des tirs qui retentissaient dans le lointain. Les Limiteurs n'avaient pas perdu de temps pour répliquer.

— Will, concentre-toi. Ils foncent droit sur nous, siffla Elliott. J'ai besoin de savoir si j'ai réussi.

Will essaya de stabiliser sa visée sur la tête de Drake, mais des nuages s'enroulèrent devant lui.

— Vois rien...

— Il le faut! s'exclama Elliott d'un ton désespéré.

C'est alors que Drake bougea la tête.

— Mon Dieu, dit Will, horrifié. On dirait qu'il est encore en vie.

Arrête de penser, se dit-il.

— Balance-lui une autre décharge... vite! implora-t-elle.

— Hors de question! éructa Will.

— Fais-le! Abrège ses souffrances.

Will secoua la tête. *Je ne suis pas là. Ce n'est pas moi. Non, ce n'est pas réel.*

— Hors de question! répéta-t-il encore, au bord des larmes. Je ne peux pas faire ça.

— Vas-y. On n'a pas le temps. Ils arrivent.

Will leva la carabine, serra la mâchoire et inspira entre ses dents. Il tremblait.

— Ne brusque pas la détente... Appuie tout doucement, conseilla Elliott.

Will plaça la croix du réticule en plein milieu du torse de Drake. Ce dernier relevait parfois légèrement la tête avant de la laisser retomber comme s'il était à bout de forces. Will risquait moins de manquer sa cible ainsi. Mais c'était complètement fou, détraqué. Will était incapable de tuer qui que ce soit.

— Je ne peux pas faire ça.

— Il le faut, implora-t-elle. Il le ferait pour nous. Tu dois...

Will essaya de faire le vide dans sa tête. *Non, ce n'est pas réel. Je suis devant un écran. Ces actions ne sont pas les miennes.*

— Aide-le! lança-t-elle. Maintenant!

Tous les muscles de son corps se raidirent, refusant d'accomplir la tâche qu'il devait pourtant exécuter. Les points d'intersection du réticule bougeaient sans cesse, mais il les avaient alignés plus ou moins sur le torse de l'homme qu'il admirait tant et qui se trouvait à présent horriblement mutilé. *Fais-le, fais-le, fais-le!* Will augmenta la pression de son doigt sur la détente et ferma les yeux. Le coup partit. Will poussa un cri lorsqu'elle sauta entre ses mains, tandis que la lunette télescopique lui percutait le front sous l'effet du recul. N'ayant jamais tiré à la carabine auparavant, il avait placé son œil trop près. Il abaissa l'arme en grimaçant, le souffle court.

L'odeur âcre de la cordite emplit ses narines. Elle lui rappelait distinctement celle des feux d'artifice, mais elle resterait désormais associée à tout autre chose. Pire encore, Will avait l'impression d'être marqué à jamais. Rien ne serait plus pareil. *Ce souvenir me suivra jusqu'à la mort. J'ai peut-être tué un homme!*

Elliott s'appuya contre Will, entrelaçant ses bras dans les siens, le visage collé contre sa joue, alors qu'elle actionnait la culasse de la carabine. Will percevait inconsciemment cette intimité, même si elle ne signifiait rien à ce moment précis. Elle rechargea son arme, et la cartouche usagée partit en vrille dans les ténèbres. Will voulut lui rendre la carabine, mais elle la repoussa en relevant la gueule du canon.

— Non! Il faut en être sûr! ordonna-t-elle dans un sifflement.

Will colla à contrecœur son œil contre la visée à la recherche du pieu auquel était attaché le corps de Drake. En vain. Il ne voyait que du flou. Puis il finit par le trouver, mais son bras d'appui dérapa sur le sol. Il recommença, et c'est alors qu'il vit...

Rebecca.

Elle se tenait entre deux grands Limiteurs, quelque part à la gauche de Drake.

Elle regardait droit dans sa direction.

Il eut l'impression que le sol venait de se dérober sous ses pieds.

— Tu l'as eu? demanda Elliott d'une voix étranglée.

Mais Will ne pouvait détacher son regard de Rebecca. Elle avait les cheveux tirés en arrière et portait le long manteau aux rectangles camouflage des Limiteurs.

C'était elle.

Il voyait son visage.

Elle souriait.

Elle lui adressa un geste de la main.

Ils entendirent d'autres coups de feu. Les plombs fusaient à travers les dernières volutes de brume. À mesure que les Limiteurs avançaient avec leurs carabines, leurs tirs devenaient de plus en plus précis, si proches qu'ils reçurent même des éclats de roche.

— Alors?

— Je crois, dit-il à Elliott.

— Assure-toi que c'est bien le cas, implora-t-elle.

Will balaya rapidement du regard le corps de Drake attaché à son pieu, mais Rebecca était à nouveau dans sa ligne de mire, plus vraie que nature. Elle semblait avoir ôté son manteau entre-temps, et chose encore plus étonnante elle s'était déplacée de l'autre côté du pieu. Il n'y comprenait rien, quand il se dit soudain qu'il serait très facile de la tuer. Mais même s'il avait peut-être achevé Drake, il n'aurait pas le courage de tuer Rebecca – il le savait. Malgré la haine immense qu'il ressentait à son égard.

— Eh bien? demanda Elliott, interrompant ses pensées.

— Oui, je crois, répondit-il en mentant, et il lui rendit sa carabine.

Il ne savait pas s'il avait touché Drake et ne voulait pas le savoir – il aimait autant laisser tout cela en suspens. Il avait fait de son mieux pour ajuster son tir, pour ne pas décevoir Elliott, ni Drake, mais il ne voulait pas savoir. Voilà tout. C'était un pas trop difficile à franchir.

Quant à Rebecca... Elle avait assisté à cette épouvantable séance de torture.

Sa petite sœur !

Son visage souriant, avec son air suffisant et satisfait d'elle-même – ce même air avec lequel elle l'avait accueilli à de nombreuses reprises lorsqu'il était en retard pour le dîner, ou qu'il avait sali le tapis avec ses chaussures crottées, ou laissé la lumière de la salle de bains allumée... Ce sourire réprobateur et supérieur qui révélait son autorité, voire sa suprématie... C'était plus qu'il ne pouvait en supporter. Il lui fallait s'échapper, s'enfuir. Il se leva, entraînant Elliott au bout de la corde.

Ils dévalèrent la côte à toute allure, si vite que c'était tout juste si Elliott parvenait à toucher terre.

Ils furent accueillis au pied de la colline par un éclair éblouissant. Amplifiée par la lentille de l'appareil de Drake, la lumière lui arracha un glapissement de douleur en lui brûlant la rétine. Il pensa aussitôt aux Limiteurs, mais non, c'était en fait l'orage électrique qui suivait toujours le vent noir. Il avait les cheveux et les poils des avant-bras hérissés sous l'effet de l'électricité statique.

Tout autour d'eux, d'énormes boules tournoyaient et bondissaient en crachant des étincelles, lorsque survint un second éclair aveuglant, immédiatement suivi d'un craquement assourdissant. Une immense langue bleue zébra l'atmosphère au-dessus du sol avant de se subdiviser à l'infini jusqu'à ce que les fourches minuscules s'évanouissent dans le néant. La puanteur de l'ozone flottait dans l'air comme s'il s'agissait d'un véritable orage.

– Éteins ça ! hurla Elliott.

Will cherchait déjà l'interrupteur en cuivre sur la boîte qu'il gardait dans sa poche. Il n'avait pas besoin qu'on lui dise que cette intense lumière risquait d'endommager l'appareil lui permettant de voir la nuit. Quoi qu'il en soit, les boules de feu étaient si nombreuses à surgir des derniers nuages de poussière, roulant sur la plaine dans toutes les directions, que toute la zone était éclairée comme par d'immenses feux d'artifice.

Ces sphères crépitantes, parfois aussi grosses que des ballons de plage prêts à exploser, planaient ou s'élevaient au-dessus de leur tête, mais Will et Elliott continuaient à courir sans jamais dévier de leur trajectoire.

Will entendit des coups de feu. Les Limiteurs se rapprochaient, mais il était impossible de les dénombrer au milieu d'un tel chaos. Puis il perçut les aboiements haineux des chiens.

— Des limiers! hurla-t-il.

Elliott sortit de sa veste un sachet parcheminé et en déchira la partie supérieure. Elle semblait répandre de la poudre derrière eux.

Il lui adressa un regard interrogateur, à bout de souffle à force de courir à toutes jambes, mais elle était trop préoccupée. Elle jeta le sachet vide et continua d'avancer.

Will était épuisé, tant par la fatigue que par la poussée d'adrénaline provoquée par la racine dont il sentait encore le goût amer sur sa langue. Il avait l'impression que sa tête allait exploser.

Une petite boule d'électricité crachotante frôla Elliott à toute allure, telle une fée Clochette devenue délinquante, mais la jeune fille ne ralentit pas et faillit bien foncer dedans.

Ils arrivèrent enfin en bordure de la Grande Plaine.

Ils s'engouffrèrent dans l'un des tubes de lave et retrouvèrent l'obscurité, tandis que la lueur de l'orage électrique vacillait derrière eux. Will ralluma son casque et vit Elliott tirer un autre sachet parcheminé de sa veste.

— Qu'est-ce que tu fais? C'est quoi, ce truc? demanda-t-il, essoufflé.

— Des assécheurs.

— Hein?

— Ça arrête les limiers sur-le-champ. Ça provoque d'atroces brûlures, expliqua-t-elle avec un sourire méchant.

Will regarda derrière lui et vit une sublime lueur jaune émise par la poudre qui venait de tomber dans une flaque d'eau. Il avait déjà vu ça auparavant... Les bactéries qu'ils avaient découvertes avec Chester et Cal produisaient la même lumière. Malin. Si un chien venait à en renifler, ça lui desséchait, voire lui brûlait les muqueuses nasales. Will se mit à rire. Voilà qui mettrait les traqueurs hors service.

Ils coururent et coururent encore. Will finit par se cogner le visage et le menton contre le sol dur en tombant à plat ventre. Elliott l'aida à se relever. Tandis qu'il s'appuyait contre la paroi pour reprendre son souffle, elle disposa le fil d'une charge explosive en travers de la galerie.

— Il faut filer de là maintenant, hurla-t-elle alors.

Chapitre Trente-cinq

– C'était quoi, ce bruit? demanda Chester à Cal en chuchotant.

Ils clignèrent des yeux, à l'affût.

– Ça devient plus fort, dit Chester. On dirait un moteur.

– Chuuut! Tu vas te taire un peu, lança Cal d'une voix inquiète.

Ils écoutèrent à nouveau le bruit incessant.

– Je n'arrive pas à en évaluer la distance, déclara Chester, perplexe.

– Je crois que ça tourne autour de nous, dit Cal à voix basse.

Tout à coup, le bruit s'intensifia avant de cesser d'un coup.

Chester laissa échapper un cri désespéré.

– Vite, Cal! hurla-t-il pris de panique. Allume ta lanterne!

– Non, allume donc la tienne. Elliott a dit que nous ne devions pas...

– Fais-le! rétorqua Chester sèchement. C'est sur mon bras. Je le sens!

Cal ne se fit pas prier pour attraper sa lanterne et éclaira aussitôt Chester.

– Oh, mon Dieu! Qu'est-ce que c'est? beugla Chester en éloignant lentement le bras de son corps.

Il avait l'air horrifié.

La chose s'était accrochée à son avant-bras à l'aide de ses pattes. Elle ressemblait plus ou moins à une libellule. Elle avait en effet deux paires d'ailes irisées et arachnéennes, mais c'était bien le seul trait vaguement attirant de cet insecte. Son corps, d'une quinzaine de centimètres de long, était couvert d'une fourrure poussiéreuse couleur terre de sienne brûlée.

Sous ses yeux composites et protubérants presque aussi gros que des billes, se déroulaient deux trompes effroyables, tandis que son abdomen se terminait par un méchant crochet, comme si on lui avait greffé le dard d'un scorpion. On aurait difficilement pu concevoir créature plus diabolique ni plus effrayante.

— Enlève-la! dit Chester entre ses dents, voulant éviter de bouger trop brusquement, de peur de provoquer la créature.

Il avait tendu le bras le plus loin possible de son visage, mais l'insecte courbait sa queue comme s'il s'apprêtait à le piquer.

— Comment? Qu'est-ce que tu veux que je fasse? demanda Cal, la main tremblante, alors qu'il s'écartait à reculons.

— Allez! Tape-lui dessus avec un truc!

— Je... je... bredouilla Cal.

L'insecte avait désormais enroulé son dard sur son thorax et faisait vibrer ses ailes pour rester en équilibre sur le bras tremblant de Chester.

— Pour l'amour de dieu! Tape-lui dessus, bon sang! hurla Chester.

Cal cherchait quelque chose qui puisse faire office d'arme lorsque Chester décida qu'il ne pouvait plus attendre : il agita le bras dans l'espoir de déloger la créature. Mais celle-ci refusait de céder et s'agrippait encore plus fermement de ses trois paires de pattes. Malgré les gestes frénétiques de Chester, elle restait accrochée, tandis que son dard recourbé oscillait au-dessus de son dos. Elle décolla soudain dans un bruissement d'ailes, frôlant dangereusement le visage de Chester avant de disparaître.

— C'était vraiment horrible, souffla Chester qui tremblait tout en agitant les coudes. Horrible... horrible... horrible... On se croirait dans une foire aux monstres, ici. Horrible!

Chester semblait se remettre de cet incident lorsque, contre toute attente, il se tourna vers Cal.

— Et puis toi! Pourquoi est-ce que t'as pas frappé ce fichu machin comme je t'avais demandé?

— J'étais censé faire quoi? J'avais rien sous la main, répondit Cal, vexé. Il se trouve juste que je ne me trimbale pas avec une tapette géante, ajouta-t-il, très en colère.

— Oh, arrête un peu... N'importe quel truc aurait fait l'affaire, grommela Chester. En tout cas, merci, vraiment, mon pote... Je saurai m'en souvenir la prochaine fois que t'auras des ennuis.

Ils s'assirent tous les deux dans un silence tendu lorsqu'ils entendirent un bourdonnement tout autour d'eux, mais cette fois plus doux et plus aigu.

— Mon Dieu, c'est quoi maintenant? demanda Chester. Pas encore une de ces saletés!

Cal ne se fit pas attendre pour allumer sa lanterne.

— Des moucherons? suggéra Chester qui espérait que la libellule diabolique n'allait pas revenir le voir.

— Non, ils sont plus gros, dit Cal.

L'air grouillait d'insectes de la taille de moustiques mal nourris.

— C'est quoi, ce truc, bon sang? Grosses bestioles et compagnie? J'imagine qu'elles viennent toutes pour me faire la peau! hurla Chester avec exaspération.

Cal marmonna en se frappant la nuque. Il venait de se faire piquer.

— Je les hais. J'ai toujours détesté les insectes, dit Chester en essayant d'écraser ceux qui volaient devant lui. Je tuais les guêpes et les mouches dans mon jardin, juste pour m'amuser. On dirait qu'elles envoient leurs congénères venger leur mort.

Ces petits insectes non identifiés avaient rapidement décelé la présence de chair fraîche dans le coin. Chester et Cal finirent par s'envelopper dans les vêtements qui se trouvaient dans leurs sacs à dos pour se protéger. Tandis que Cal marmonnait qu'il voulait faire du feu, ils restèrent assis là, côte à côte, telles deux momies mal lunées, tout en se frottant les yeux pour se débarrasser des insectes. C'était en effet la seule partie de leur corps qui restait encore exposée.

Will fut le premier à arriver sur les lieux. Il surgit soudain dans la clairière et s'arrêta en dérapant sur le sol. Plié en deux, les mains sur les genoux, il inspirait l'air à grandes goulées.

Surpris, Chester et Cal se relevèrent aussitôt. Will faisait peur à voir. Après avoir essuyé la tempête de poussière, il avait le visage crasseux et ruisselant de sueur, un œil couvert par la lentille de Drake, et des traces de sang frais au-dessus de l'autre sourcil, suite à la blessure qu'il s'était fait au front en tombant.

— Qu'est-ce qui s'est passé? bredouilla Chester.

— C'est pas celui de Drake, n'est-ce pas? demanda Cal au même instant en montrant le casque que portait Will.

— J'ai... dû... parvint à dire Will entre deux inspirations.

Il secoua la tête, à bout de souffle.

— Je... essaya-t-il encore.

— On a tué Drake, dit Elliott d'un ton neutre en émergeant de l'ombre, juste derrière Will, pour entrer dans le faible halo de lumière que projetait la lanterne de Cal. Du moins, c'est ce que nous pensons. Will l'a achevé.

Elle chassa les insectes qui volaient devant son visage d'un geste de la main. Puis elle regarda le sol à ses pieds et cueillit la feuille d'une fougère qu'elle écrasa dans sa paume, avant de s'en frotter le front et les joues. L'effet fut miraculeux : les insectes l'évitèrent aussitôt comme si elle était protégée par un champ de force invisible.

— Qu'est-ce que t'as dit ? Will a fait quoi ? demanda Cal, tandis que Chester, imitant Elliott, cueillait à son tour une feuille de la même fougère.

Will semblait indifférent aux insectes qui lui couvraient le visage. Il avait le regard perdu dans le vague.

— On n'a pas eu le choix. Ils étaient en train de le torturer. Cette crapule de Tom Cox était là aussi, et il les aidait, dit Elliott d'une voix rauque, puis elle cracha sur le sol.

— Non, dit Chester, frappé d'horreur.

— Et Rebecca, ajouta Will, le regard toujours aussi perdu.

Elliott tourna brusquement la tête vers lui.

— Elle était avec les Limiteurs, poursuivit-il avant de marquer une pause pour reprendre son souffle. Elle savait que j'étais là. Je jurerais qu'elle me regardait droit dans les yeux... Elle m'a même souri !

— Et c'est maintenant que tu me dis ça ! rugit Elliott. Avec Cox passé à l'ennemi, c'était déjà assez dangereux comme ça de retourner à la base pour récupérer le matériel, mais maintenant il est hors de question que je prenne ce risque. Pas avec tous ces Styx qui veulent ta peau.

— Peut-être que ce serait mieux si je... si je me rendais. Ça mettrait peut-être fin à tout ça. Peut-être que ça l'arrêterait ? dit Will en penchant la tête alors qu'il peinait encore à reprendre son souffle.

Tous les regards se tournèrent vers lui. Pendant quelques secondes déchirantes, Will les regarda l'un après l'autre en espérant qu'aucun d'eux n'approuverait sa suggestion.

— Non, je ne crois pas que ça puisse faire la moindre différence, dit alors Elliott avec un air des plus tristes.

Elle ôta un fragment de fougère resté collé sur sa lèvre supérieure avant de reprendre :

— Ça ne nous serait d'aucune aide. Cette fameuse Rebecca est du genre à tout balayer sur son passage.

— Oh que oui, acquiesça Will d'un ton découragé. Elle aime que tout soit bien rangé.

Chapitre Trente-six

— Ho, mon garçon!

Sarah tourna à l'angle d'un tube de lave à toute allure en envoyant valser les gravillons, tandis que Bartleby fonçait devant elle, tirant de toutes ses forces sur sa laisse.

— Tout doux, tout doux! cria-t-elle, freinant des talons, en essayant de le retenir.

Elle ne parvint à l'arrêter qu'au bout de plusieurs mètres. Encore essoufflée par l'effort, elle l'attrapa par le collier et le tint fermement. Elle était ravie de pouvoir se reposer un peu. Les muscles de ses bras étaient en feu et elle pensait sincèrement ne pas pouvoir le retenir beaucoup plus longtemps s'il ne cédait pas un peu.

Bartleby tourna lentement la tête vers elle. Sarah vit alors une grosse veine palpiter sous la peau grise qui s'écaillait sur sa large tempe et une étincelle de sauvagerie dans son regard.

Il avait les naseaux dilatés; l'odeur était forte à présent. Il suivait une piste.

Elle enroula de nouveau l'épaisse laisse de cuir autour de sa main douloureuse et râpée. Elle prit deux grandes inspirations pour se préparer puis relâcha Bartleby. Avec un sifflement impatient, il bondit aussitôt, et sa laisse émit un claquement sonore en se tendant à nouveau.

— Du calme, Bartleby! souffla-t-elle.

Le cerveau de l'animal surexcité avait manifestement plus ou moins enregistré cet ordre, car il relâcha un peu la tension.

Alors qu'elle continuait à parler au chat d'une voix apaisante en l'implorant de rester calme, elle sentit une vague de désapprobation émaner des quatre ombres tapies en retrait derrière elle. Contrairement à Sarah et Bartleby, les quatre Limiteurs se déplaçaient dans un silence spectral. Ils se fondaient généralement si bien dans leur environnement que Sarah ne les voyait pas. Ils s'étaient rendus visibles à cet instant comme pour l'intimider. Si telle était leur intention, ils avaient réussi leur coup.

Elle se sentit profondément mal à l'aise.

Rebecca lui avait promis qu'elle aurait le champ libre pour pister Will. Pourquoi lui avait-on imposé une escorte ? Et pourquoi Rebecca avait-elle pris la peine de l'impliquer dans cette chasse à l'homme, dans un environnement qui lui était si peu familier et dont elle n'avait pas la moindre pratique, alors que l'on déployait au même moment des soldats très entraînés ? Tout ça ne collait pas.

Cette question la taraudait, mais Bartleby bondissait déjà en avant, l'entraînant avec lui, qu'elle le veuille ou non.

**

Elliott leur fit traverser des broussailles denses. Will trébuchait et agitait les bras en queue de peloton. Chester et Cal étaient inquiets pour lui, mais ils n'osaient rien dire. Ils finirent par émerger sur une bande de rivage. Ils suivirent Elliott le long du bord puis à l'intérieur d'une crique, semblait-il, mais dans l'obscurité totale ils ne distinguaient pas très bien les lieux.

Will était mal en point. Il tenait à peine sur ses pieds, car l'effet de la racine que lui avait donnée Elliott se dissipait. Il était rattrapé par son extrême fatigue. Il marchait sans plier les genoux, tel le monstre de Frankenstein, son casque ne faisant que renforcer cette image.

— Il est crevé. Il a besoin de dormir un peu, dit Elliott à Cal et Chester en le voyant approcher, comme s'il n'était pas là. Il ne nous servira à rien dans cet état, ajouta-t-elle sans qu'il réagisse le moins du monde à ce commentaire, vacillant sur ses pieds.

Cal et Chester échangèrent des regards amusés sans comprendre ce qu'elle leur disait.

— À rien ? répéta Chester.

— Oui, et ça n'est pas bon, répondit-elle avant de se tourner vers Cal pour l'examiner. Et toi ? Comment va cette jambe ?

Chester comprit aussitôt qu'elle était en train de les évaluer. Il ne savait pas pourquoi, mais il n'aimait pas beaucoup ça. Cette situation le rendait nerveux. Il ne se faisait aucune illusion : il savait qu'ils devaient tous être à la hauteur s'ils voulaient échapper aux Styx. Mais la question d'Elliott ne laissait rien augurer de bon.

— Sa jambe va beaucoup mieux. Il s'est reposé, intervint rapidement Chester en lançant un regard à Cal que cette question avait quelque peu surpris.

— Il ne peut pas parler pour lui-même ? gronda Elliott.

— Oh, oui, désolé, marmonna Chester en s'excusant.

— Alors ? Comment ça va ?

— Comme vient de le dire Chester... Bien mieux, répondit Cal en pliant la jambe pour rassurer Elliott.

À dire vrai, elle restait très raide, et chaque fois qu'il déportait son poids dessus, il se demandait si elle n'allait pas céder.

Elliott scruta le visage de Cal un instant, puis elle s'intéressa à Chester qui se demandait quel était son verdict et s'il avait passé le test. C'est alors que Will détourna leur attention. Il venait de marmonner le mot « fatigué » avant de s'asseoir lourdement et de se laisser tomber sur le dos. Il se mit à ronfler bruyamment, sombrant dans un profond sommeil.

— Il est K.-O. Il sera frais comme un gardon d'ici quelques heures, dit Elliott. Toi, Cal, tu restes avec ton frère, ajouta-t-elle en lui tendant la lunette. Garde un œil sur le rivage, et notamment sur la chaussée, dit-elle en indiquant la mer et les ténèbres impénétrables où se déroulait la bande de plage invisible qu'ils avaient empruntée pour atteindre la fameuse chaussée, tout aussi invisible. Si jamais tu vois quoi que ce soit, dis-le-moi. Il est essentiel que tu restes en alerte... Compris ?

— Pourquoi ? Où vous allez ? demanda Cal, tentant de masquer l'angoisse perceptible dans sa voix.

Il avait déjà craint que Drake et Elliott ne l'abandonnent, et maintenant que cette dernière avait perdu Drake, cette peur revenait au grand galop. Avait-elle l'intention de filer avec Chester et de le laisser en rade avec Will ?

— Pas loin... Faut juste que je fasse quelques recherches, lui dit-elle. Surveille ça aussi, dit-elle en ôtant son sac à dos pour le déposer à côté de Will, toujours immobile, ce qui allégea les craintes de Cal.

Elle n'irait pas très loin sans son kit. Il la regarda sortir deux sacs de la poche latérale de son sac à dos, puis elle disparut dans les ténèbres en compagnie de Chester.

— Comment ça va ? demanda ce dernier à Elliott en marchant à côté d'elle.

Chester avait réglé sa lanterne au plus bas, et la couvrait de sa main comme elle le lui avait indiqué, si bien que seul un fin pinceau de lumière éclairait leur chemin. Comme toujours, Elliott n'avait pas besoin de lumière pour se diriger. On aurait dit qu'elle possédait une perception surnaturelle de son environnement. Ils s'enfonçaient plus avant dans la crique, la mer à leur droite et les denses broussailles à leur gauche.

Elliott n'avait pas répondu à sa question. Elle gardait un silence maussade. Chester en déduisit qu'elle devait penser à Drake. Sa mort lui causait sans doute une grande détresse. Chester se sentait obligé de dire quelque chose, même s'il avait le plus grand mal à s'y résoudre. Il avait passé beaucoup de temps avec elle lors de leurs nombreuses patrouilles, mais ils n'avaient jamais beaucoup parlé. Il n'avait pas mieux appris à la connaître depuis le jour où elle l'avait capturé avec Drake. Elle était très discrète, aussi insaisissable qu'un souffle dont on sent la présence au cœur de la nuit sans jamais pouvoir l'attraper.

Il essaya encore.

— Elliott, t'es sûre... sûre que tout va bien ?

— T'inquiète pas pour moi, répondit-elle sèchement.

— Si tu veux savoir, on est tous désolés pour Drake... On lui doit... On lui doit tout, dit-il, puis il marqua une courte pause avant de reprendre : c'était horrible, là-bas, lorsque Will a dû... euh ?...

Sans prévenir, elle s'arrêta brusquement et le repoussa sans ménagement avec une telle agressivité que Chester en resta stupéfait.

— N'essaie pas de me materner ! Je n'ai besoin de la pitié de personne !

— Je ne...

— Laisse tomber, tu veux !

— Écoute, je m'inquiète pour toi, dit-il avec indignation. On s'inquiète tous pour toi.

Elle sembla se radoucir un peu. Chester perçut même un voile dans sa voix.

— Je n'arrive pas à accepter sa mort, dit-elle dans un sanglot. Il parlait souvent du jour où ça arriverait à l'un d'entre nous. Il disait que ce n'était qu'un tour du destin, qu'il fallait s'y préparer sans se laisser abattre. Il disait qu'il ne fallait pas regarder en arrière et profiter du moment présent... C'est ce que j'essaie de faire, mais c'est dur, conclut-elle en tripotant la sangle de sa carabine pour la réajuster sur son dos.

Chester regardait son visage indistinct dans la pénombre. Il semblait avoir perdu son masque de dureté, révélant une adolescente très apeurée et complètement perdue. Peut-être voyait-il pour la première fois la véritable Elliott.

— On est tous dans le même bateau, dit-il avec chaleur.

— Merci, répondit-elle d'une voix éraillée en évitant son regard. Il faut qu'on avance.

Ils arrivèrent enfin sur une fine bande de sable qui paraissait plus sombre que le reste. En l'examinant de plus près, Chester découvrit que cela n'avait rien à voir avec la lumière, mais qu'un sédiment plus noir et plus lourd s'était déposé dans ces eaux peu profondes.

— On devrait faire une bonne récolte ici, annonça-t-elle en tendant les sacs à Chester.

Elle s'avança dans l'eau et y plongea les mains comme si elle cherchait quelque chose.

Elle fit un pas de côté, puis suivit le bord de la crique. Elle se redressa soudain en poussant un cri de joie. Elle tenait un gros animal qui se débattait entre ses mains. Son corps argenté d'une cinquantaine de centimètres de long ressemblait à un cône aplati doté de nageoires qui ondulaient frénétiquement comme s'il essayait de nager dans l'air. Il possédait deux énormes yeux composites au sommet de la tête, et deux appendices préhensiles munis d'épines sous le ventre, avec lesquels il essayait d'atteindre les mains d'Elliott qui s'efforçait de ne pas lâcher la bête. Elle pivota sur elle-même et courut vers la plage. Chester manqua de tomber à la renverse en lui cédant le passage.

— Dieu du ciel ! cria-t-il. C'est quoi ?

Elliott frappa l'animal contre une pierre. Chester ne savait pas si elle l'avait tué, ou simplement assommé, mais il semblait maintenant ne bouger que très lentement.

Elle le retourna sur le dos : Chester vit alors que les deux appendices se contractaient encore. Et sa bouche circulaire était bordée de dizaines d'aiguilles blanches et luisantes.

— On les appelle les crabes nocturnes. C'est très savoureux.

Chester déglutit comme s'il était tellement écœuré qu'il allait vomir.

— C'est un poisson d'argent sacrément maousse, grogna-t-il, encore à terre.

Elliott jeta un coup d'œil aux sacs qu'il avait laissé tomber. Chester ne lui serait d'aucune aide à ce stade, elle décida donc d'y fourrer l'animal elle-même.

— C'est le plat principal, dit-elle. Maintenant...

— Ne me dis pas que tu vas attraper un autre truc comme ça, implora Chester d'une voix aiguë et légèrement hystérique.

— Non, y a peu de chances pour ça, répondit-elle. Les crabes nocturnes sont assez rares. Et seuls les plus jeunes s'aventurent aussi loin pour se nourrir. On a eu de la chance.

— Ouais, tu m'étonnes, dit Chester qui avait fini par se relever et brossait ses vêtements.

Elliott était déjà dans l'eau, plongeant cette fois les bras dans la boue jusqu'au coude.

— Et voici ce que cherchent les crabes, informa-t-elle Chester en extirpant deux coquillages incurvés, d'environ trois centimètres de long, qu'elle lui montra. Quel festin... des mollusques. Je vais voir s'il y en a d'autres.

Chester frissonna malgré lui. Elliott s'attendait-elle vraiment à ce qu'il mange ces créatures?

— Vas-y, fais-toi plaisir, lança-t-il!

Sur le chemin du retour, le long de la plage, Chester eut l'intuition soudaine que quelque chose n'allait pas. Il n'y avait pas le moindre mouvement, pas un geste ni même un cri de Cal pour les accueillir. Furieuse, Elliott fonça droit sur le jeune garçon. Il était encore assis, mais sa tête penchait vers l'avant. Il sommeillait à côté de son frère, que rien n'aurait pu réveiller non plus.

— Personne ne m'écoute donc, ici? dit-elle à Chester.

Elle soufflait entre ses dents, au bord de l'apoplexie.

— Je lui ai pourtant dit de rester en alerte. J'ai pas été assez claire, ou quoi?

— Si, répondit Chester d'une voix forte.

— Chuuut! ordonna-t-elle.

Elle fit quelques pas sur la plage et leva sa carabine pour scruter l'horizon pendant que Chester l'attendait à côté des deux garçons endormis.

— Drake n'aurait jamais laissé passer ça, dit-elle d'une voix tendue en faisant les cent pas derrière Cal, telle une lionne prête à bondir.

Cal dodelinait légèrement de la tête. Il dormait comme un bienheureux sans se douter de la fureur muette d'Elliott.

— Qu'est-ce que tu veux dire? demanda Chester en essayant de déchiffrer son regard.

— Il l'aurait abandonné là. Il aurait levé le camp et l'aurait laissé se débrouiller tout seul.

— C'est tout à fait exagéré. Combien de temps crois-tu que Cal arriverait à tenir tout seul? objecta Chester. Ça reviendrait à le condamner à mort!

— Tant pis.

— Tu peux pas lui faire ça, bredouilla Chester. Lâche-lui un peu la bride. Ce petit bonhomme est complètement crevé. Comme nous tous.

Mais Elliott ne plaisantait pas.

— Tu comprends pas? En s'endormant ainsi, il aurait pu nous entraîner tous dans sa chute, dit-elle en jetant un coup d'œil vers le rivage. On ne sait pas quelle forme prendra leur prochaine attaque... S'il s'agit de Limiteurs, je ne les verrai probablement pas arriver. Mais ça pourrait être des civils. Ils les envoient souvent en éclaireurs, car ils ne coûtent pas cher – de la pure chair à canon. Les Styx procèdent parfois comme ça... Les soldats arrivent en dernier pour nettoyer.

— Oui, mais...

— Écoute-moi maintenant. Tu laisses filer une maille et tu finis le ventre en l'air, dit-elle d'un ton glacial en indiquant la mer.

Elle sembla délibérer un moment, puis elle passa sa carabine sur son épaule.

Elle s'avança derrière Cal et lui donna une grande claque sur la nuque.

— Arghhhhhh! cria-t-il en se réveillant aussitôt.

Cal bondit en agitant frénétiquement les bras avant de comprendre qu'il s'agissait d'Elliott : il la fusilla du regard.

— J'imagine que tu trouves ça drôle? dit-il en soufflant d'un ton plein de rancœur. Eh bien, moi je trouve pas ça drôle...

Il comprit tout ce qu'il avait besoin de savoir en voyant le visage de marbre d'Elliott, et ses protestations moururent sur ses lèvres.

— On ne s'endort pas quand on est de garde! rugit-elle d'un ton menaçant.

— Non, dit-il en défroissant sa chemise, l'air confus.

— Je pensais bien avoir entendu des voix, dit Will qui se frottait les yeux tout en se redressant. Qu'est-ce qui se passe?

— Rien, on prépare juste le dîner, répondit Elliott.

Will ne la vit pas se retourner vers Cal et lui adresser un dernier regard appuyé en menaçant de lui trancher la gorge d'un geste de la main. Le jeune garçon acquiesça d'un air sombre.

Elliott creusa un trou dans le sable, puis elle envoya Chester et Cal chercher des broussailles. Elle les disposa tout autour du foyer et alluma un petit feu tout au fond du trou.

Pendant qu'elle s'affairait ainsi, Chester et Cal regardaient Will s'avancer d'un pas lourd vers les nombreux bassins rocheux qui se trouvaient près du bord. Il releva la lentille qui lui couvrait l'œil et s'aspergea le visage. Puis il se lava les mains pendant ce qui sembla durer des heures. Il se récurait les mains avec du sable mouillé puis les rinçait lentement, avant de recommencer méthodiquement la même opération.

— Tu crois pas que je devrais aller le voir? demanda Chester à Elliott en observant son ami. Il se comporte bizarrement. Qu'est-ce qu'il a aux mains?

— Réactions symptomatiques, dit-elle simplement sans expliquer ce que cela signifiait.

Depuis qu'ils avaient appris que Will avait peut-être tué Drake, les deux garçons n'étaient pas vraiment pressés de lui parler; ils étaient ravis que l'occasion ne se soit pas présentée. Ce meurtre l'avait isolé des autres en le plaçant dans une position que ses camarades ne comprenaient pas.

Comment fallait-il le traiter, désormais?

Ils n'auraient jamais osé en parler ouvertement, mais cette question les hantait tous les deux. Ils ne pouvaient certainement pas lui donner une petite tape dans le dos pour le féliciter. Devaient-ils s'apitoyer avec lui sur la mort de Drake, le consoler, alors qu'il en était la cause? En réalité, Will leur inspirait maintenant une sorte de terreur sacrée. Comment se sentait-il après ce qu'il avait fait? Il avait non seulement du sang sur les mains après avoir tué un autre être humain, mais il s'agissait de Drake... Un des leurs... Leur gardien et ami... Son ami.

Chester examina de nouveau Elliott. Il se demandait comment elle réagissait à tout cela. Après le bref instant où elle lui avait montré son côté vulnérable, elle semblait redevenue comme avant, et mettait toute son énergie à veiller sur eux. Elliott sortit le crabe nocturne du sac et le laissa tomber sur le sable. Il était aussi vif que lorsqu'elle l'avait attrapé, et elle dut poser le pied dessus pour l'empêcher de s'enfuir.

Chester vit que Will se dirigeait vers eux. Ses gestes étaient lents, comme s'il n'était pas encore tout à fait réveillé. Il dégoulinait et faisait peur à voir. Il ne s'était pas très bien nettoyé le visage. Il lui restait de grosses taches noires sous les yeux, sur le front et sur le cou. Il en avait aussi dans les cheveux. Dans d'autres circonstances, Chester l'aurait taquiné en lui disant qu'il ressemblait à un panda, mais ce n'était ni le lieu ni le moment.

Will s'arrêta à quelques mètres d'eux, évitant leur regard. Il baissa la tête pour regarder ses pieds. Il se grattait la paume avec l'index, comme s'il essayait d'en retirer quelque chose du bout de l'ongle.

– Qu'est-ce que j'ai fait ? dit-il.

Ils avaient du mal à comprendre ce qu'il disait, comme s'il avait la bouche anesthésiée. Il continuait à se gratter la main.

– Arrête ça ! lança Elliott d'un ton sec.

Will cessa de se gratter et resta les bras ballants le long du corps, les épaules tombantes et la tête baissée.

Une gouttelette se détacha du visage de Will puis étincela un instant dans la lumière. Chester n'aurait su dire qu'il s'agissait d'une larme ou d'une goutte d'eau de mer.

– Regarde-moi ! ordonna Elliott.

Will ne bougea pas d'un pouce.

– Je t'ai dit de me regarder !

Will leva la tête et regarda Elliott en vacillant sur ses pieds.

– C'est mieux. Maintenant, on va mettre les choses au point... On a fait ce qu'on devait faire, lui dit-elle avec fermeté, avant de radoucir le ton. Je n'y pense plus... Fais comme moi. On aura largement le temps d'y réfléchir plus tard.

– Je... bégaya-t-il en secouant lentement la tête.

– Non, ne... Écoute-moi. Tu as tiré parce que j'en étais incapable. J'ai failli à Drake, mais toi non. Tu as fait ce qu'il fallait... pour lui.

– D'accord, répondit-il enfin dans un soupir. T'as pas parlé d'un dîner ? demanda-t-il après une longue pause.

Will s'efforçait de se reprendre, mais on lisait toujours un profond désespoir au fond de ses yeux cernés de noir.

Elliott se souvint tout à coup qu'elle devait s'occuper du crabe nocturne sur lequel elle avait posé le pied. Cela devenait urgent, car il cherchait à s'échapper en agitant frénétiquement ses nageoires dans le sable pour retourner à l'eau.

– Comment tu te sens ? demanda-t-elle.

– Pas génial, dit-il. Je n'entends plus les bourdonnements, mais j'ai l'estomac tout retourné, comme si je venais de faire un tour sur le grand huit.

– Il faut que tu manges quelque chose de chaud, dit-elle en dégainant son couteau.

Les appendices qui se trouvaient sous la tête du crabe nocturne s'agitaient comme une antenne radar douée d'une vie propre.

Après un instant de silence, Will vit enfin l'animal et s'exclama :

– *Anomalocaris canadensis !*

À la surprise générale, il changea rapidement d'attitude. Tout excité, sautillait sur place en agitant les bras.

Elliott retourna le crabe nocturne et plaça la pointe de son couteau à la jointure de deux des segments qui striaient son abdomen plat.

– Hé ! hurla Will d'une voix stridente. Non !

Il tendit la main pour empêcher Elliott de tuer l'animal, mais elle était trop rapide pour lui. Elle enfonça le couteau, et les appendices cessèrent aussitôt de s'agiter sous sa tête.

– Non ! cria-t-il encore. Comment t'as pu faire ça ? C'est un *anomalocaris* !

Il s'avança d'un pas vers elle, la main tendue.

– Ne t'approche pas de moi, lui dit-elle en levant son couteau, ou bien c'est toi que j'embroche.

– Mais... c'est un fossile... Je veux dire... Il est éteint... Je veux dire que j'ai vu un spécimen fossile... Il est éteint ! hurla-t-il, de plus en plus agité, tandis qu'aucun des autres ne semblait comprendre ce qu'il essayait de leur dire – ils s'en fichaient d'ailleurs pas mal.

– Vraiment ? Il ne m'a pas l'air trop éteint, dit Elliott en lui plaçant l'animal sous le nez comme pour le faire enrager.

– Tu ne te rends pas compte de l'importance de cette découverte ? Tu ne peux pas les tuer ! Laisse les autres tranquilles !

Will venait de remarquer l'autre sac. Il ne criait plus mais bafouillait maintenant, comme s'il savait qu'il n'arriverait pas à convaincre Elliott.

– Will, arrête de faire l'idiot, d'accord ? Il n'y a que des coquillages dans l'autre sac. De toute façon, Elliott dit qu'il y a des tonnes de crabes ici, lui dit Chester en indiquant la mer.

– Mais... mais !

En voyant l'air exaspéré d'Elliott, Will comprit qu'il valait mieux qu'il se calme. Il se mordit la lèvre en regardant avec une horreur silencieuse le corps sans vie de l'*anomalocaris*.

— C'était le plus grand prédateur marin de son époque... le *Tyrannosaurus Rex* de la période cambrienne, marmonna tristement Will. L'espèce s'est éteinte il y a près de cinq cent cinquante millions d'années.

Will fut tout aussi stupéfait en voyant les mollusques qu'Elliott sortait de son sac.

— Des griffes du diable ! souffla-t-il. *Gryphæa arcuata*. J'en ai une boîte à la maison. Je les ai trouvées avec papa sur le site de Lyme Regis... mais ce ne sont que des fossiles !

Elliott, Cal et Chester s'assirent autour de ce barbecue préhistorique, face à l'*anomalocaris* embroché, tandis que Will dessinait une griffe du diable vivante qu'il avait quémandée auprès d'Elliott. Ses frères et sœurs (ou peut-être les deux – Will ne savait plus s'il s'agissait d'hermaphrodites) n'avaient pas eu cette chance et cuisaient lentement, calés sur les braises chaudes en bordure du feu.

Will se parlait à lui-même avec un sourire niais. Il était concentré comme un jeune enfant qui examine la petite bestiole qu'il vient d'attraper dans le jardin.

— Oui, coquille vraiment épaisse... regarde un peu les annelures... et voici le couvercle, dit-il en tapotant du bout de son crayon à papier une zone circulaire et aplatie qui se trouvait sur la partie la plus large de la coquille.

Will releva la tête et vit que les autres le regardaient.

— C'est vraiment génial ! lança-t-il. Vous savez que c'est l'ancêtre de l'huître ?

— Drake avait dit quelque chose à ce sujet. Il aimait les manger crues, dit Elliott comme si de rien n'était, tout en retournant l'*anomalocaris*.

— Vous n'avez pas la moindre idée de l'importance de cette découverte, dit Will que leur manque d'intérêt commençait à agacer. Comment pouvez-vous songer à les manger ?

— Si tu n'en veux pas, Will, je le veux bien ! s'exclama Cal, puis il se tourna vers Chester : c'est quoi une huître, de toute façon ?

Pendant que leur nourriture cuisait, Elliott mentionna l'étrange couloir de cellules scellées qu'elle avait vu avec Cal dans le bunker. Cela faisait visiblement un bout de temps qu'elle y pensait, et elle avait besoin d'en parler.

— On était au courant de l'existence d'une zone de quarantaine, mais on ne savait pas où elle était, ni à quoi elle servait.

— C'est ce qu'a dit Drake, mais qui vous l'a appris au départ? demanda Will.

— Un contact, dit Elliott en baissant rapidement les yeux.

Will aurait pu jurer qu'il avait décelé un certain malaise dans son regard, mais il se dit que cela devait être lié à la découverte des cellules.

— Ils étaient donc tous morts? demanda Chester.

— Tous, sauf un homme, dit Elliott. C'était un renégat.

— Les autres étaient des Colons, dit Cal. Ça se voyait à leurs vêtements.

— Mais pourquoi les Styx prendraient-ils la peine d'emmener des Colons jusque-là, juste pour les tuer comme ça? demanda Chester.

— Je ne sais pas, répondit Elliott en haussant les épaules. Les Profondeurs leur ont toujours servi de zone d'expérimentation – ça n'a rien de nouveau –, mais tout indique qu'ils préparent quelque chose d'important. Drake pensait que vous pourriez nous aider à leur mettre des bâtons dans les roues et à détruire ce que les Points noirs étaient en train de préparer. Surtout lui, là-bas, ajouta-t-elle en grimaçant en direction de Will, qui regardait avec horreur l'*anomalocaris* en train de cuire. Je ne suis pas sûre que Drake ait bien réfléchi à tout ça, ce coup-ci.

Elle retira l'*anomalocaris* du feu et le mit sur le sol. Puis elle pela l'un des segments de son abdomen avec la pointe de son couteau et se mit à en découper la carapace.

— C'est prêt, annonça-t-elle.

— Oh, super, dit platement Will.

Il finit néanmoins par capituler, une fois la nourriture répartie. Il mit son journal de côté et commença à manger sa part comme les autres, d'abord à contrecœur puis la dévorant à pleines dents. Il s'accorda même avec Chester pour dire que l'anomalocaris ressemblait au homard. En revanche, pour les griffes du diable, c'était une tout autre histoire : les garçons essayèrent de les mâchonner vaillamment tout en grimaçant.

— Hum. Intéressant, commenta Will qui termina sa bouchée en pensant qu'il était l'une des rares personnes à se régaler avec des espèces disparues.

Il se vit soudain en train de déguster un burger au Mac Do, et esquissa un sourire gêné.

– Ouais, trop cool, ce barbecue, dit Chester en riant, puis il s'étira les jambes. C'est un peu comme si on était de retour chez nous.

Will acquiesça.

Tous deux ressentaient le mal du pays avec d'autant plus d'acuité. Les bourrasques de vent revigorantes, le crépitement du feu mourant qui se mêlait au bruit des vagues et le goût des coquillages sur leur langue, tout cela leur rappelait d'autres temps insouciants à la Surface. Il aurait pu s'agir d'une excursion pendant les vacances ou d'une soirée estivale sur la plage – même s'il était rare que la famille de Will pratique de telles sorties, pas tous ensemble ; en tout cas, cette idée l'émouvait malgré tout.

Mais plus ils essayaient de se persuader que c'était « comme à la maison », plus ils prenaient conscience que ce n'était pas du tout le cas et qu'ils se trouvaient en un lieu étrange et dangereux où ils vivaient au jour le jour, leur existence ne tenant qu'à un fil. Ils bavardaient pour réprimer ces émotions, mais la conversation s'épuisa bientôt. Ils s'abîmèrent dans leurs pensées, et le repas s'acheva en silence.

Elliott avait emporté sa part avec elle au bord de l'eau et scrutait régulièrement les plages dans le lointain.

– Ho, ho ! dit Cal.

Will et Chester se tournèrent vers Elliott, qui venait de se relever en laissant glisser sa nourriture sur le sol. Elle se tenait parfaitement immobile, la carabine pointée sur quelque chose.

– Il est temps de filer ! lança-t-elle aux autres, l'œil toujours collé à sa lunette.

– T'as vu quelque chose ? demanda Will.

– Oui, j'ai repéré un éclair... Je comptais avoir plus de temps avant qu'ils n'atteignent les plages... C'est probablement une patrouille de reconnaissance.

Chester avala bruyamment sa dernière bouchée.

Chapitre Trente-sept

– **E**spèce d'animal stupide! cria Sarah en glissant à travers les succulentes, tandis que Bartleby tirait comme jamais.

Il suivait la piste encore fraîche des garçons. Cela ne faisait aucun doute, et c'était une bonne nouvelle. Ce qui l'était déjà moins, c'est qu'il devenait de plus en plus sauvage et difficile à manier. Sarah avait même cru une ou deux fois qu'il allait se retourner contre elle.

– Ralentis! hurla-t-elle.

La laisse se détendit d'un coup avec un claquement sec, et elle perdit l'équilibre puis tomba à plat sur le dos. La lanterne lui échappa. Elle valsa dans les airs en rebondissant sur les plantes, ce qui eut pour effet d'en modifier le réglage sur l'intensité maximale. Des faisceaux éblouissants balayèrent le sommet des hauts arbres derrière elle. Elle savait que ces éclairs intermittents seraient visibles à des kilomètres à la ronde. Elle n'aurait pu trouver meilleure façon d'annoncer son arrivée à tout le monde.

Elle était tellement essoufflée qu'elle resta incapable de bouger pendant de longues secondes. Puis elle rampa rapidement vers sa lanterne et se jeta dessus pour en masquer la clarté. Elle resta ainsi couchée, pantelante et jurant à l'envi. Quel amateurisme! Elle avait envie de hurler sa frustration, mais voilà qui n'aurait certainement pas amélioré la situation.

Toujours couchée sur la lanterne, elle en diminua l'intensité avant d'examiner les restes de la laisse en cuir qu'elle avait enroulée sur sa main. L'extrémité qui avait cassé était déchiquetée. En l'observant de plus près, elle vit des marques de dents. Bartleby s'était empressé de la ronger pendant qu'elle avait le dos tourné. Le petit malin! Si elle n'avait pas été aussi furieuse contre elle-même, elle aurait pu admirer la fourberie de l'animal.

La dernière image qu'elle avait gardée de lui était celle de son postérieur. Il éparpillait le feuillage de ses grosses pattes arrière, alors qu'il filait à toute vitesse dans l'obscurité.

Ce satané chat! se dit-elle en le traitant de tous les noms.

À la vitesse à laquelle il allait, il avait déjà couvert une bonne distance; il ne fallait pas rêver, elle n'arriverait pas à le rattraper. Elle venait de perdre le seul moyen qu'elle avait de retrouver Will et Cal.

— Saleté de chat! dit-elle à haute voix, d'un ton découragé, écoutant le bruit des vagues.

Il ne lui restait plus qu'à suivre le rivage en espérant qu'il la mènerait jusqu'à sa proie.

Sarah se releva et se mit à courir au trot, priant pour que Will n'ait pas filé dans la direction opposée à celle que suivait Bartleby. S'il avait changé de trajectoire au cœur du dense feuillage à sa gauche, elle n'avait pas la moindre chance de le trouver.

Une demi-heure plus tard, le bruit de l'eau qui court se substitua au murmure des vagues. Elle se souvint de ce qu'elle avait vu sur la carte. Il y avait une sorte de passage qui menait à une île. Elle coupa vers la mer, et le bruit de l'eau s'intensifia.

Sarah avait presque atteint la chaussée lorsqu'une forme se matérialisa devant elle. Elle sursauta, puis vit qu'il s'agissait d'un homme. Elle n'avait pas la moindre idée d'où il sortait, car depuis qu'elle se trouvait sur la plage elle n'avait croisé aucun endroit où il aurait pu se cacher. Prise de panique, elle saisit maladroitement sa carabine, manquant de la faire tomber au passage.

Elle entendit un rire dur et nasillard et se figea en serrant la carabine contre son corps pour se défendre. Il était trop près pour qu'elle puisse tirer.

— Perdu quelque chose? lui demanda-t-il d'un ton méprisant.

L'homme fit un pas en avant. Sarah leva légèrement sa lanterne et distingua son visage buriné aux orbites creuses.

C'était un Limiteur.

— Négligent, très négligent, dit-il en lui fichant brutalement une corde dans la main.

Elle comportait un nœud coulant.

Sarah tremblait de peur, ne sachant à quoi s'attendre. Les choses étaient différentes dans le train, lorsque Rebecca se trouvait avec elle. Ici, Sarah n'appréciait pas particulièrement l'idée de se retrouver en compagnie de ces monstres – notamment si elle avait fait quelque chose qui les avait froissés. Sur ces terres sombres et sauvages, c'est eux qui incarnaient la loi. Elle songea soudain qu'ils avaient peut-être l'intention de la pendre ensuite. Étaient-ils en train de s'amuser avec elle ? Peut-être allaient-ils l'exécuter parce qu'ils la trouvaient trop incompétente. Elle constituait un handicap. Elle ne pouvait guère les en blâmer : elle n'avait cessé d'enchaîner les bourdes jusqu'alors.

Ses craintes se révélèrent toutefois sans fondement. Bartleby apparut derrière les jambes du Limiteur, un nœud coulant passé autour du cou. Il avait l'air d'un chien battu, la queue entre les jambes. Sarah ne savait pas si le Limiteur l'avait rossé, mais le chat avait manifestement eu la peur de sa vie. Son comportement avait changé du tout au tout. Sarah le tira vers elle et il céda sans opposer la moindre résistance.

— On repart d'ici, déclara un autre homme juste derrière elle.

Lorsqu'elle se retourna, elle se retrouva nez à nez avec un rang de silhouettes sombres : les trois autres membres de la patrouille de Limiteurs. Elle n'en avait pas vu la moindre trace depuis une demi-journée au moins, mais ils ne l'avaient pas lâchée d'une semelle. Elle comprenait pourquoi ils avaient une telle réputation : ils se déplaçaient vraiment comme des fantômes. Et dire qu'elle se croyait bonne !

Sarah s'éclaircit la voix d'un air gêné.

— Non, commença-t-elle docilement en fixant le départ de la chaussée où l'on entendait le clapotement de l'eau – elle voulait éviter à tout prix de croiser leurs regards éteints. J'emmène le chasseur... On suivra la piste jusqu'à l'île... pour...

— Inutile, dit le Limiteur qui lui barrait la route d'une voix d'un calme terrifiant.

La manière dont il baissait le ton était bien plus troublante que lorsqu'il aboyait ses ordres. Sa colère ne laissait place à aucune contestation. Le Limiteur tourna brusquement la tête de côté, puis la regarda de nouveau. C'était un geste violent, un avant-goût de ce qui l'attendait si elle osait encore s'opposer à lui.

— Tu en as déjà assez fait, murmura-t-il avec le plus grand mépris.

— Mais Rebecca a dit... risqua Sarah tout en sachant qu'elle prononçait peut-être ses dernières paroles.

— Laisse-nous faire ! rugit l'un des Limiteurs derrière elle en lui agrippant si violemment le bras qu'elle faillit se défendre.

Mais elle se contenta de lui tourner obstinément le dos. Ils se tenaient tous les trois tout près d'elle, à présent. Elle était certaine que l'un d'eux venait de lui frôler l'autre bras. Elle sentait leur souffle sur sa nuque. Aussi difficile à admettre que ce fût, elle était terrorisée. Elle les voyait déjà en train de lui trancher la gorge, abandonnant son cadavre derrière eux.

— Très bien, dit-elle d'une voix à peine audible.

Sarah sentit se relâcher quelque peu l'emprise de sa main sur son bras. Elle baissa les yeux. Elle s'en voulait mortellement de ne pas leur tenir tête, mais mieux valait coopérer, se dit-elle, que de se faire exécuter. S'ils parvenaient à capturer Will vivant, elle aurait peut-être l'occasion de connaître la vérité sur la mort de Tam. Rebecca lui avait promis qu'elle pourrait achever Will de ses propres mains : ça voulait dire qu'elle aurait au moins le temps de lui parler. Mais ce n'était pas le moment de discuter avec ces sauvages de l'accord passé entre elle et Rebecca.

— Remonte la côte. Il se peut que les renégats aient d'autres moyens de quitter l'île, chuchota un Limiteur au creux de son oreille.

Celui qui la tenait par le bras la poussa soudain en avant, et elle parcourut plusieurs mètres en trébuchant. Lorsqu'elle se redressa, ils avaient disparu. Elle était seule avec la brise qui lui balayait le visage et un sentiment d'échec mêlé de honte. Elle avait parcouru tout ce chemin pour se faire éliminer de la chasse au final. Elle sentait son estomac se serrer en pensant aux quatre soldats partis sans elle au-devant. Mais elle n'y pouvait rien. Elle aurait été folle de continuer à leur résister. Folle à en mourir.

Sarah remonta lentement le rivage. Elle s'efforça de ne pas s'arrêter lorsqu'elle dépassa la chaussée. C'eût été jouer avec son destin. Elle tourna malgré tout la tête pour jeter un rapide coup d'œil en direction de l'île. Même si les Limiteurs restaient invisibles, elle était quasiment sûre que l'un d'eux était resté en arrière pour s'assurer qu'elle suivait bien leurs ordres. Elle n'avait pas d'autre choix que de se rendre là où il l'avait envoyée, pure perte de temps. Will était sur l'île. Il s'était caché dans un cul-de-sac – et dire qu'elle était si proche.

– Bouge-toi, lança-t-elle à Bartleby d'un ton inutilement dur. Tout ça, c'est ta faute!

Sarah tira sur la corde d'un coup sec. Bartleby tourna la tête vers la chaussée et poussa un gémissement, mais il obéit sans rechigner. Il savait tout aussi bien qu'elle qu'ils partaient dans la mauvaise direction.

Chapitre Trente-huit

L a trace d'une piste. Une étroite bande à peine discernable sur le champ de pierre. Il était possible qu'il s'agisse d'une formation naturelle... Le Dr Burrows n'en était pas certain.

Il examina le sol de plus près et... là!... oui!... Il vit les larges dalles posées bout à bout. Il gratta le gravier du bout de sa botte pour mettre au jour les interstices qui les séparaient à intervalles réguliers. Il n'y avait plus de doute possible, ce n'était pas naturel... À mesure qu'il progressait, il aperçut une petite volée de marches qu'il finit par gravir. Puis il s'arrêta lorsqu'il remarqua que le chemin continuait dans le lointain. Il scruta la zone, d'un côté puis de l'autre, et découvrit des pierres carrées érigées de chaque côté de la piste.

— Oui! On les a façonnées! marmonna-t-il.

Le Dr Burrows vit alors qu'elles étaient alignées. Il se rapprocha pour mieux les examiner. *Non, pas alignées, disposées en carrés*, se dit-il.

— Des structures rectilignes! s'exclama le Dr Burrows, sentant l'excitation croître en lui. Ce sont des ruines!

Il décrocha son marteau de géologue à manche bleu pour dégager les quelques morceaux de gravats qui les entouraient. Il acquiesça en répondant à sa propre question, tandis que son visage crasseux se plissait d'un sourire.

— Y a pas de doute. Ce sont des fondations.

Il se redressa et vit d'autres rectangles dont les formes s'évanouissaient dans les ténèbres.

— Est-ce que c'était un village?

À mesure qu'il regardait plus loin, il appréciait l'échelle de ce qu'il venait de découvrir.

– Non, plus grand que ça! Plutôt une ville!

Il raccrocha son marteau de géologue à sa ceinture et s'essuya le front. La chaleur était telle qu'il n'arrivait plus à réfléchir. Il entendait le bruit de l'eau qui goutte non loin de là. De longs rubans de vapeur s'élevaient dans l'air, dérivant lentement tels des serpentins qui se seraient déroulés au ralenti.

L'énorme acarien faisait doucement claquer ses mandibules en l'attendant sur le sentier, tel un chien bien dressé. Il semblait déterminé à le suivre et l'avait accompagné sur deux kilomètres. Le Dr Burrows appréciait sa compagnie, même s'il ne se faisait aucune illusion sur sa motivation : il voulait tout simplement obtenir un peu plus de nourriture.

Après avoir percé à jour la langue du peuple antique qui avait habité ces lieux, le Dr Burrows s'était enflammé d'une passion nouvelle et voulait en savoir plus sur eux. Si seulement il parvenait à trouver des artefacts, il pourrait reconstituer leur mode de vie. Il fouinait dans les fondations à la recherche de quelque chose qui puisse l'aider, lorsqu'un appel retentit dans la chaleur torpide de la caverne : un cri strident se réverbérait contre les parois.

Puis il entendit un bruit au-dessus de lui qui ressemblait à une bourrasque, quelque chose comme *Zoumf!*

L'acarien s'immobilisa aussitôt.

– Qu'est-ce que?... demanda le Dr Burrows.

Il leva les yeux sans parvenir à repérer l'origine des sons. Il comprit alors que la caverne n'avait pas de voûte, comme s'il se trouvait au fond d'une immense crevasse. Il était tellement absorbé par la découverte des ruines qu'il n'avait pas pris le temps d'inspecter les environs.

Il plaça lentement son globe lumineux au-dessus de sa tête. Dans la pénombre, il distinguait à peine les parois à pic de la crevasse qui s'élevaient dans les ténèbres en ondulant comme des gaufrettes au chocolat. La pierre avait presque la même couleur, si ce n'est qu'elle était d'un brun un peu plus clair. Privé depuis si longtemps de son chocolat adoré qui occupait une place de choix dans sa vie à Highfield, il se prit à rêver, l'eau à la bouche. Cette envie soudaine lui rappela à quel point il avait faim – les vivres que lui avaient fourni les Coprolithes étaient fort peu appétissants, et pas très nourrissants non plus.

Le Dr Burrows entendit à nouveau la bourrasque, ce qui chassa ses autres pensées. Cette fois, le bruit était plus proche, et plus fort aussi. Il sentit l'immense masse d'air qui venait d'être déplacée. C'était à n'en pas douter quelque chose de gros. Il retira aussitôt sa main et la referma sur le globe, tapi au ras du sol.

La peur au ventre, il réprima son envie de prendre la fuite et resta immobile au milieu des rochers. Il se trouvait à découvert, sans aucun abri à proximité. Il jeta un coup d'œil à l'acarien : il se tenait si tranquille qu'il lui fallut un moment avant de le repérer sur le chemin. Il devait s'agir d'un mécanisme de défense – la créature cherchait à se dissimuler. C'est pourquoi, raisonna-t-il, il valait mieux craindre la chose qui tournoyait au-dessus de leur tête. Si un monstrueux acarien de la taille d'un jeune éléphant, protégé par une carapace blindée, s'inquiétait, lui qui n'était qu'un vermisseau humain tendre et charnu, mûr pour la moisson, devait constituer une cible de choix.

Zoumf!

Une ombre immense plana au-dessus d'eux, dans un sens, puis dans l'autre.

Elle se rapprochait de plus en plus, tournoyant comme un faucon qui décrit des cercles concentriques au-dessus de sa proie.

Le Dr Burrows savait qu'il ne pouvait pas rester là où il se trouvait. À cet instant, l'insecte se mit à détaler au bout du chemin. Il hésita un instant, puis il se précipita à sa suite, trébuchant sur les fondations et le sol escarpé. Il se cognait les tibias contre les rochers et dérapait dans sa course folle, mais il parvint à éviter la chute.

Zoumf!

La créature lui avait presque frôlé la tête. Il réprima un cri en levant les bras pour se protéger. Au nom du ciel, qu'est-ce que c'était que cette chose ? Un prédateur ailé ? Fondant sur lui tel un oiseau de proie ?

Il était à nouveau sur le chemin, mais l'acarien se déplaçait à une vitesse phénoménale en se propulsant à l'aide de ses six pattes. C'était à peine s'il parvenait à l'apercevoir. Sans la vague piste qui s'étendait devant lui, il se serait sans doute perdu. Mais où le conduisait-il donc ?

Zoumf! Zoumf!

— Mon Dieu ! hurla-t-il avant de s'effondrer sur le sol.

Il sentit un courant d'air chaud lui balayer le visage et aperçut des ailes sombres. *C'était moins une!* À présent à quatre pattes, il tournait frénétiquement la tête pour tenter de voir de quoi il s'agissait. Il était certain que la créature décrivait des cercles quelque part, pas très loin au-dessus de lui, et ne tarderait pas à fondre sur lui pour l'achever.

Connaîtrait-il pareille fin ? Arraché au sol par quelque bête volante souterraine ?

Les pensées se bousculaient dans sa tête, alors qu'il imaginait à quoi pourrait bien ressembler cet animal. Il détala à nouveau, fuyant à quatre pattes comme un fou. Il devait trouver une cachette, et vite.

Tête baissée, il fonça droit devant lui et rencontra un obstacle. Il tomba à plat ventre, à moitié sonné, et chercha aussitôt à voir de quoi il retournait. Il était toujours sur le chemin et en déduisit que l'acarien était parti par là. Il venait de rencontrer la paroi de la caverne, mais plus encore, on avait creusé une entrée dans la roche. Elle comportait un linteau aux bordures nettes à une vingtaine de mètres au-dessus de lui.

Le Dr Burrows poussa un cri de soulagement et s'autorisa à penser qu'il avait enfin trouvé un abri. Il se remit à avancer à quatre pattes en s'efforçant de rester près du sol. Il s'écorchait les genoux, les mollets et les phalanges sur les gravats. Il ne s'arrêta que lorsqu'il se rendit compte que cela faisait déjà plusieurs secondes qu'il n'avait pas entendu le fameux son. Se trouvait-il en sécurité ?

Il se laissa choir sur le sol et se recroquevilla sur lui-même, pris d'une crise de tremblements. Il était encore sous le choc et ne pouvait s'arrêter de frissonner, même si tout était calme à présent. Pour couronner le tout, il fut pris d'un hoquet chronique qui faisait vibrer tout son corps. Il s'allongea et roula sur le côté sans cesser de hoqueter. Il prit plusieurs inspirations profondes et irrégulières, et relâcha lentement ses doigts crispés sur le globe lumineux.

— Oui, oui, oui... *hic* ! marmonna-t-il en s'éclaircissant la voix comme s'il avait honte de sa réaction, puis il se redressa pour jeter un coup d'œil tout autour de lui.

Il se trouvait dans une immense zone enclose. Deux colonnades s'élevaient de part et d'autre de lui. Elles étaient de la même couleur brunâtre que les parois de la caverne à l'extérieur.

— Qu'est-ce que... *hic* ?

***

Elliott entraînait les garçons vers l'intérieur de l'île. Les broussailles étaient si denses par endroits qu'elle devait se frayer un chemin à coups de machette. Alignés en file indienne derrière elle, les garçons prenaient soin d'éviter que les tiges des hautes succulentes et les branches basses ne fouettent le visage de celui qui se trouvait derrière eux. Il n'y avait pas un souffle d'air, et ils ne tardèrent pas à ruisseler de sueur. Ils regrettaient les espaces ouverts et les vents légers de la plage.

Malgré cela, Will était de très bonne humeur. Il était content de les voir à nouveau travailler en équipe, veillant les uns sur les autres. Il espérait que les différends qu'il avait pu avoir avec Chester étaient bel et bien enterrés, et qu'ils retrouveraient leur amitié d'antan. Par-dessus tout, il était très heureux qu'Elliott ait repris la direction des troupes à la suite de Drake. Il ne doutait pas de sa capacité à assumer cette fonction.

Will entendit des bruits, des cris rauques d'animaux et des râles sourds. Il s'efforçait d'en localiser la source, regardant tout autour de lui et scrutant les branchages des arbres géants, mais en vain. Il aurait donné n'importe quoi pour pouvoir s'arrêter et mener des recherches dignes de ce nom. Il se trouvait dans une jungle primordiale qui abritait peut-être des créatures fantastiques.

Ils débouchèrent sur une clairière. Will regardait la végétation luxuriante en priant pour apercevoir l'une de ces bêtes. Il ne pouvait s'empêcher de rêver aux merveilles qui se trouvaient peut-être à un jet de pierre de là.

Tout à coup, alors qu'il se retournait, il aperçut deux animaux émergeant d'entre les succulentes à la bordure de la clairière. S'agissait-il d'oiseaux ou de reptiles? Will n'en était pas sûr, et il dut regarder à deux fois ces créatures semblables à deux petits poulets nains fraîchement plumés, aux cous courtauds et aux petits becs acérés. Telles deux vieilles femmes qui se seraient plaintes de leurs malheurs, ils communiquaient en échangeant des cris rauques. Il s'agissait de sons qu'il avait entendus dans la jungle. Ils rebroussèrent aussitôt chemin et détalèrent dans les broussailles en agitant leurs ailes rabougries couvertes de quelques taches irrégulières de fourrure ou de plume. La déception de Will était tangible. Tant pis pour les créatures exotiques dont il avait rêvé.

Elliott les entraîna sur une piste qu'ils suivirent jusqu'à ce que Chester s'exclame enfin:

– La mer!

Ils se rassemblèrent autour d'Elliott, accroupis dans les buissons. Une bande de plage s'étendait devant eux, et on entendait à nouveau le bruit de la mer. Ils attendaient qu'elle leur indique la suite de son plan, lorsque Cal prit la parole.

— Elle ressemble exactement à notre plage. Ne me dis pas qu'on a tourné en rond? demanda-t-il à Elliott avec indignation en essuyant la sueur de son front.

— Ce n'est pas la même plage, l'informa-t-elle froidement.

— Mais où on va maintenant? demanda-t-il en fronçant les sourcils, tout en tendant le cou pour regarder de chaque côté du rivage.

Elliott pointa la mer du doigt en direction des vagues déferlantes.

— Tu veux dire qu'on est sur une île et que la seule... commença Will.

— ... façon d'y accéder, c'est de passer par la chaussée, compléta Elliott. Et je parie qu'en ce moment même les Points noirs sont en train de renifler les restes de notre feu de camp.

Un silence embarrassé s'abattit sur le groupe.

— On va donc traverser à la nage? finit par demander Chester d'une petite voix.

Chapitre Trente-neuf

Le Dr Burrows se remit debout en vacillant. Comme envoûté par ce qui se trouvait devant lui, il clignait des yeux de surprise, sa soif insatiable de connaissance primant sur tout le reste. À cet instant, son hoquet sembla cesser, et voilà que l'intrépide explorateur était de retour. Il avait chassé sa peur de la bête non identifiée qui le poursuivait et le souvenir de sa fuite hystérique.

– Bingo ! cria-t-il.

Il venait de tomber sur une sorte d'édifice que l'on avait apparemment taillé dans le soubassement rocheux de la caverne. S'il cherchait des preuves de l'existence de cet ancien peuple, il les avait certainement trouvées. Il s'avança lentement, révélant à la clarté de son globe rangée après rangée de bancs de pierre, pour la plupart brisés par des éboulis. Il se dirigeait vers l'avant de la caverne en suivant l'orientation des sièges, lorsqu'il leva les yeux.

La voûte, loin au-dessus de sa tête, était lisse et presque intacte, à l'exception de quelques zones où la pierre s'était effritée. Il éclaira la zone avec son globe et aperçut quelque chose qui semblait renvoyer la lumière.

– Extraordinaire ! s'exclama-t-il en levant son globe un peu plus haut pour révéler un cercle aux reflets ternes qui devait faire au moins vingt mètres de diamètre. Plus haut... il faut que je monte plus haut... se dit-il en escaladant le banc de pierre le plus proche.

Mais ce n'était pas assez, il grimpa donc sur l'étroit dossier du banc.

Ainsi perché en équilibre, il déplaça lentement son globe et put mieux distinguer le motif. Il pouvait s'agir d'une dorure au bronze ou à l'or, ou peut-être d'une peinture.

— C'est donc un cercle avec... avec... qu'est-ce que je vois au milieu ? On dirait... dit-il à voix haute en plissant les yeux tout en levant son globe aussi haut que possible au bout de ses doigts.

Au centre du cercle figurait un disque de pur métal d'où rayonnaient des lignes irrégulières semblables à des faisceaux anguleux et stylisés.

— Ha, ha ! De toute évidence, tu es censé représenter le soleil ! déclara le Dr Burrows avant de plisser le front. Mais qu'avons-nous donc là ? Un peuple souterrain qui vouait un culte à la Surface ? Ces gens se souvenaient-ils d'une époque où ils vivaient encore sur la croûte terrestre ?

Quelque chose d'autre attira son attention. À y regarder de plus près, il voyait distinctement des représentations rudimentaires de figures humanoïdes qui marchaient à l'intérieur du cercle. Cela ne faisait aucun doute, c'était bien des hommes, répartis à intervalles réguliers tels des hamsters dans leur roue.

— Hé ! les gars, qu'est-ce que vous faites là-haut ? Vous n'êtes pas à votre place, et le soleil non plus ! remarqua-t-il en fronçant encore plus les sourcils, tandis qu'il orientait son globe vers le disque central. Je ne sais pas qui vous a dessinés, mais tout est à l'envers !

Malgré cette image apparemment inversée, il n'avait pas manqué d'observer que toute représentation de la Terre comme une sphère qui daterait du temps des Phéniciens signifiait que son auteur était incroyablement éclairé, et pour le moins largement en avance sur son temps.

Comme son bras commençait à fatiguer, il abaissa le globe et redescendit sur le sol, époustouflé par ce qu'il venait de voir.

Il continua d'avancer vers l'avant de la salle, dépassa la première rangée de sièges, et la lumière de son globe vint frapper ce qui se trouvait là. Il retint son souffle lorsqu'il découvrit un dais surélevé sur lequel on avait posé un bloc de pierre massif. Il s'approcha et estima qu'il devait mesurer quinze mètres de large sur un mètre cinquante de haut.

— Qu'est-ce tu fais là, toi ? demanda-t-il en s'adressant à voix haute aux ténèbres qui l'entouraient.

Il jeta un regard en arrière aux rangées de sièges, au plafond orné de deux cercles, puis contempla de nouveau le bloc de pierre.

— On a des bancs, une peinture tout de travers au plafond, et aussi un autel. Il n'y a aucun doute possible... Tu es forcément un lieu de culte... Une église, ou un temple, qui sait ?

La disposition générale du lieu rappelait certainement celle d'un temple – un lieu de culte archétypal doté d'une allée centrale, et voilà qu'il venait de trouver un autel pour compléter le tout.

Il avança en silence, tandis que l'autel devenait de plus en plus net à la lumière de son globe. Il s'arrêta pour admirer le talent avec lequel on avait décoré le bloc de pierre de gravures géométriques complexes dignes de n'importe quel sculpteur byzantin.

Il leva son globe, et toute une partie du mur qui se trouvait juste derrière l'autel se mit à briller d'un éclat envoûtant.

– Mon Dieu... Regardez-moi ça!

Haletant d'impatience, il se pencha pour mieux voir. Il s'agissait d'un triptyque : trois panneaux massifs – des bas-reliefs – sur lesquels figuraient des gravures. À la façon dont ils renvoyaient la lumière en lui conférant une note de chaleur, le Dr Burrows en déduisit qu'on avait taillé les panneaux dans un autre matériau que la roche chocolat qui l'entourait.

Comme hypnotisé, il gravit une marche à la base de l'autel, puis une autre, et monta ainsi jusqu'au sommet, qui mesurait environ deux mètres de large. Les trois panneaux s'étendaient sur toute la longueur de l'autel et devaient faire deux fois la taille du Dr Burrows. Le cœur battant, il s'approcha du panneau central, balaya doucement la poussière et les toiles d'araignée dont il était recouvert, puis se mit à l'examiner en effectuant de petits mouvements rapides de la tête.

– C'est tellement, tellement magnifique... du cristal de roche poli! proclama-t-il en palpant la surface. Tu es très beau, n'est-ce pas... Mais à quoi est-ce que tu sers? demanda-t-il au triptyque en s'approchant à quelques centimètres de la surface. Par Zeus, je crois que c'est peut-être de l'or, là-dedans! dit-il avec un sifflement incrédule en voyant briller le métal sous la couche transparente. Quel merveilleux artefact! Il faut que je note cette découverte.

Le Dr Burrows se délectait à l'avance à l'idée d'examiner les panneaux, mais il décida de s'organiser d'abord en rassemblant assez de petit bois pour faire du feu. C'était bien la dernière chose à laquelle il avait envie de consacrer son temps, mais il n'était pas facile d'utiliser son globe comme seule source de lumière. Et puis, se disait-il, il pourrait apprécier ainsi les panneaux dans toute leur splendeur. En l'espace de quelques minutes, il avait rassemblé assez de matériaux secs pour allumer au sommet de l'autel un petit feu qui prit sans hésitation.

Tandis qu'il crépitait derrière lui, le Dr Burrows commença à essuyer la poussière qui couvrait les trois panneaux avec son avant-bras. Pour atteindre les sections les plus hautes, il sortit son vieux bleu de travail en lambeaux et se mit à balayer les panneaux.

Il soulevait un nuage de poussière. Affaibli, il ne tarda pas à s'épuiser. Il s'arrêta, le souffle court, pour inspecter l'avancement de son travail, et fut soulagé de voir qu'il n'avait pas besoin de tout dépoussiérer. À la lueur du feu, la couche résiduelle semblait souligner le relief des gravures.

— Je me demande bien ce que tu vas me raconter... dit-il d'un ton presque badin en s'avançant vers le panneau le plus à gauche.

À la lumière du feu crachotant, le Dr Burrows vit immédiatement une silhouette vêtue d'une coiffe ressemblant vaguement à une mitre écrasée. La silhouette avait une forte mâchoire et un front large. D'après sa posture, il s'agissait d'une personne très puissante et d'une extrême importance, impression renforcée par le long bâton qu'elle brandissait dans son poing fermé.

La silhouette occupait la plus grande partie du panneau. Le Dr Burrows vit que cet homme menait une longue procession serpentine qui s'étirait sur une distance considérable jusqu'à l'horizon d'une grande plaine monotone. Le Dr Burrows essuya encore un peu de poussière et souffla sur la surface polie, sculptée de façon très stylisée.

— Influence égyptienne? marmonna-t-il en remarquant des similitudes avec des objets de cette période qu'il avait étudiés à l'université, puis il recula d'un pas. Alors, qu'est-ce que tu me racontes? Tu essaies de me dire que ce gars était sans aucun doute un chef... une sorte de Moïse qui conduisait son peuple jusqu'ici... ou peut-être est-ce le contraire. Il les entraînait loin d'ici, en exode. Mais pourquoi?... Qu'est-ce qui était si important dans cette histoire pour qu'on t'ait gravé avec tant de talent et laissé ensuite ici, sur cet autel?

Il marmonna encore quelques mots, puis fit claquer sa langue contre ses dents.

— Non, tu ne me diras rien de plus, pas vrai? Il va falloir que je parle à tes amis, mais je vais peut-être revenir dans un moment, informa-t-il le panneau silencieux.

Le Dr Burrows pivota d'un coup sur ses talons et se dirigea droit sur le panneau qui se trouvait le plus à droite du triptyque.

Comparé au premier, il était plus difficile d'en saisir le sujet. Il ne comportait aucune image prédominante à laquelle puisse se raccrocher le Dr Burrows. Dans l'ensemble, ce panneau était plus complexe et plus déroutant. Malgré tout, il distingua ce qu'il représentait à la lueur des flammes.

– Ah... Tu es donc un paysage stylisé... Des champs vallonnés... Un cours d'eau surmonté par un petit pont... et que se passe-t-il ici? marmonna-t-il en essuyant la section du panneau qui se trouvait juste devant lui. Une forme d'agriculture... des arbres... un verger, peut-être? Oui, je crois que c'est ça, dit-il en reculant pour observer la partie supérieure du panneau. Mais que représentent ces traits? Curieux, c'est vraiment très curieux.

En haut à droite, d'étranges colonnes descendaient sur le reste du paysage aux gravures complexes. Il se rapprocha lentement du panneau puis s'en éloigna de nouveau s'efforçant de saisir ce qu'il représentait. Il se figea brusquement en comprenant ce qu'il regardait. Les colonnes rayonnaient à partir d'un cercle.

– Le soleil! Oh, revoilà mon vieil ami le soleil! s'exclama le Dr Burrows. Que je suis stupide. Tu es exactement comme celui qui se trouve au plafond!

– Qu'est-ce que tu me racontes, toi? Est-ce que tu me montres l'endroit où ce Moïse conduisait son peuple? Était-ce une sorte de grand pèlerinage à la Surface? C'est ça?

Il jeta un coup d'œil au panneau qu'il avait examiné en premier.

– Un dirigeant menant son peuple vers une sorte de nirvana idéalisé, vers les Champs-Élysées, le jardin d'Éden?

Il regarda de nouveau le panneau devant lui.

– Mais toi, tu représentes la surface de la Terre et le Soleil... Alors, que vient faire une belle image comme toi dans un endroit pareil, si loin sous terre? Est-ce que tu es là pour rappeler à ce peuple ce qui se trouve là-haut, un peu comme un pense-bête? Un Post-it souterrain? Et qui sont ces gens? S'agit-il vraiment d'une culture oubliée, ou bien des ancêtres des Égyptiens, ou plus vraisemblablement des Phéniciens ou... ou peut-être quelque chose d'encore plus merveilleux, dit-il en secouant la tête. Les évacués de la cité perdue d'Atlantis? Est-ce possible?

Il se reprit. Il tirait trop de conclusions hâtives sans avoir procédé à une enquête poussée.

– Quel que soit ton message, pourquoi a-t-on éprouvé le besoin de te mettre là? Si t'es pas mystérieux, toi... Je ne te comprends vraiment pas.

Le Dr Burrows se tut alors et mordit ses lèvres sèches et pelées, perdu dans ses pensées.

— Peut-être que toi, tu détiens toutes les réponses, marmonna-t-il dans sa barbe en effectuant un pas de côté pour se placer devant le panneau central.

Il fut surpris de découvrir ce qu'il représentait. Il s'attendait en effet, et à juste titre, à trouver quelque chose d'impressionnant sur le plus important des trois panneaux, peut-être un symbole religieux, une image de couronnement. Mais à dire vrai, c'était de loin le moins remarquable des trois.

Sur le panneau figurait une ouverture circulaire dans le sol, entourée de roches escarpées. La perspective permettait d'en voir en partie l'intérieur où il n'y avait rien d'autre que des parois rocheuses.

— Ah! s'exclama-t-il en se penchant en avant lorsqu'il vit de minuscules silhouettes humaines tout au bord du trou. Alors, qu'est-ce que tu essaies de me dire d'autre? Je sais maintenant que tu es d'une taille gigantesque, n'est-ce pas? dit-il en tendant le bras pour essuyer la poussière qui masquait les petites silhouettes avec son pouce — elles ne dépassaient pas la taille d'une fourmi.

Il découvrait au fur et à mesure de plus en plus de Lilliputiens alignés en file indienne, quand il retira soudain vivement la main.

Il venait de voir tout à gauche de la procession qu'un certain nombre de ces minuscules bonhommes avaient les bras et les jambes écartées, comme s'ils tombaient en chute libre. Ils semblaient tomber dans la bouche de cette immense brèche. À mesure qu'ils tombaient, d'étranges créatures ailées planaient au-dessus d'eux.

— Eh bien, ça, c'est une découverte! dit-il.

Elles semblaient dotées de corps humains et vêtues de longues robes amples. Elles avaient, déployées dans le dos, des ailes semblables à celles d'un cygne.

— Anges... ou démons? s'interrogea-t-il à voix haute.

Puis il recula de plusieurs pas en prenant soin de ne pas marcher dans le feu qui brûlait toujours. Les bras croisés et une main sous le menton, il continua à observer le panneau en sifflotant, comme à son habitude, un air atonal et sans suite.

— Ha, ha! cria-t-il soudain.

Il venait de se souvenir de quelque chose. Il se hâta de sortir la carte coprolithe de la poche de son pantalon, la déplia, puis la tint devant lui.

— Je savais que je t'avais déjà vu avant.

Sur la carte, à l'extrémité d'une longue ligne qui représentait sans doute une galerie ou une piste, bordée de différents symboles, il vit quelque chose qui ressemblait à l'image du panneau, même si on l'avait esquissée de façon beaucoup plus simpliste. Mais il s'agissait aussi d'une brèche dans le sol.

— Est-ce que cela pourrait être la même chose ?

Il se rapprocha du panneau central et l'examina à nouveau. Il y avait autre chose à la base, quelque chose qu'il n'avait pas remarqué, car cette zone était recouverte par une couche de moisissures sèches et poudreuses qu'il gratta fébrilement. Il découvrit alors une ligne d'écriture cunéiforme.

— Oui ! tonna-t-il avec exultation en ouvrant aussitôt son journal à la page de la « pierre du Dr Burrows ».

Ça correspondait bien à l'écriture du dernier cartouche de la tablette... Il pouvait donc la traduire !

Il s'accroupit et se mit aussitôt au travail pour déchiffrer l'inscription composée de cinq mots séparés. À mesure qu'il allait et venait entre le panneau et son cahier, s'esquissait sur son visage un immense sourire satisfait. Il avait déchiffré le premier mot :

— Jardin...

Il fit claquer sa langue d'impatience et poursuivit sans tarder.

— Allons, allons... Quel est le mot suivant ? Vers... Non, pas Vers, mais De ! Et puis, t'es pas un mot facile, toi... La.

Il prit une inspiration et résuma ce qu'il venait de découvrir.

— Nous avons donc Jardin de la...

Il bloquait sur le mot suivant.

— Quelle est la suite ?

Les mots suivants n'étaient pas aussi faciles à déchiffrer, et il s'impatientait. Il balaya du regard la dernière partie de l'inscription, espérant qu'un coup de chance l'aiderait à percer rapidement ce mystère.

C'est alors que le feu s'embrasa. Un gros morceau se mit à brûler avec un sifflement sonore. Le Dr Burrows vit quelque chose du coin de l'œil et se détourna lentement du panneau.

La lumière désormais plus vive révéla de grosses cavités, ou peut-être des trous, sur toutes les parois latérales du temple. Il y en avait vraiment beaucoup.

Il frémit soudain en y regardant de plus près.

Non, ce n'était pas des trous... Ils se déplaçaient.

Il poussa un cri de surprise.

Une marée d'acariens s'avançaient devant lui, comme si celui avec lequel il s'était lié d'amitié avait convoqué ses frères. Il y en avait maintenant des centaines, assemblés à l'intérieur du temple comme une congrégation extravagante sortie tout droit d'un cauchemar. Certains d'entre eux atteignaient des tailles monstrueuses. Ils étaient parfois près de trois à quatre fois plus gros que celui qui l'avait conduit jusque-là. Ils ressemblaient à des chars d'assaut, dotés d'une carapace qui n'avait rien à envier à leur blindage.

Ils se mirent en mouvement en entendant son cri et firent claquer leurs mandibules comme pour l'applaudir. Plusieurs d'entre eux s'avancèrent vers lui d'un pas lourd avec cette détermination inhumaine que seuls possèdent les insectes. Cette vision lui glaça le sang.

Sa rencontre avec le premier acarien ne l'avait pas effrayé outre mesure – même s'il avait pris soin de garder ses distances au départ, il ne s'était pas senti menacé –, mais cette situation était tout autre. Ils étaient en trop grand nombre et ils avaient l'air bien trop gros, et sacrément affamés. Il se vit soudain tel un bâtonnet géant, disposé sur l'autel, comme une invitation à la gourmandise.

Oh mon Dieu, oh mon Dieu, oh mon Dieu! se répétait-il sans cesse lui-même.

Certains des plus gros acariens, brutes dangereuses aux carapaces cabossées et criblées de trous, avançaient plus rapidement que les autres, écartant violemment de leur chemin leurs plus petits congénères.

Il ramassa son sac à dos pour y fourrer son journal, puis l'enfila. Les pensées se bousculaient dans son esprit. Il fallait qu'il sorte de là, et vite.

Les acariens se rapprochaient en martelant les dalles de leurs pattes articulées. Certains se cabrèrent en agitant leurs grosses pattes, tandis qu'ils franchissaient le dossier des bancs, révélant leurs abdomens brillants et noirs.

Il était encerclé. Il y en avait partout. Ils arrivaient de tous côtés, telle une division de blindés, spécialisés dans la mise en pièces.

Oh mon Dieu, oh mon Dieu, oh mon Dieu!

Il se demandait s'il ne pourrait pas tenter sa chance en passant par-dessus les acariens, sautant de dos en dos comme s'il franchissait un embouteillage en bondissant de toit en toit. Bonne idée, mais, non, ils n'allaient sûrement pas le laisser faire ça. Quoi qu'il en soit, il préférait ne pas retourner dans la caverne où l'attendait peut-être encore la créature ailée.

Il prit un débris de la taille d'une grosse branche dans le feu et l'agita devant eux pour les effrayer. Les plus proches n'étaient qu'à quelques mètres de la base, à présent, et les autres s'avançaient inexorablement de part et d'autre de l'autel. Les flammes ne faisaient aucune différence, bien au contraire. À voir la manière dont ils accéléraient, le feu semblait les attirer.

De désespoir, le Dr Burrows jeta le débris de toutes ses forces sur un gros acarien, mais il rebondit sur sa carapace sans même le ralentir ne serait-ce qu'un instant.

Pris d'une peur panique, il pivota sur lui-même et tenta d'escalader le panneau central du triptyque. Il se demandait s'il parviendrait jamais à s'y hisser, et peut-être à atteindre la paroi supérieure. Gagnerait-il ainsi un peu de temps ? Il était incapable de se projeter plus de quelques secondes en avant.

Il glissait sur la surface poussiéreuse du bas-relief. Il ne trouvait aucune prise.

– Allons! Espèce d'idiot! hurla-t-il, mais le claquement des mandibules couvrait sa voix, plus fort et plus rapide à présent, comme si le spectacle de ce bâtonnet humain qui tentait de s'enfuir ne faisait qu'exciter un peu plus les acariens.

Il trouva enfin une prise sur les côtés du panneau et parvint à se hisser au sommet de l'autel au prix d'un immense effort. Pantelant et grognant, les muscles des mains et des bras tendus à tout rompre, il se maintint au-dessus du panneau, agitant inutilement les jambes.

– S'il vous plaît, s'il vous plaît, s'il vous plaît... répétait-il, alors que ses bras commençaient à céder.

Par miracle, il trouva une prise pour ses orteils sur le bas-relief. C'était suffisant. Il rajusta légèrement la position de ses mains, puis poussa de nouveau sur ses bras et trouva une autre prise pour ses pieds. C'est ainsi qu'il gravit le panneau, alternant pieds et mains en imitant la reptation d'une chenille.

Il jeta ses dernières forces dans l'ascension du sommet du panneau. Arrivé tout en haut, il plaça son pied droit dans le creux qui représentait l'immense brèche dans le sol. Les doigts agrippés à l'arête du panneau – corniche de quatre centimètres de large –, il évalua rapidement sa situation.

Il était dans une position des plus précaires et ne tiendrait pas très longtemps ainsi. Les muscles de ses bras et de ses jambes étaient tétanisés après l'escalade du panneau. Inutile de se leurrer : les acariens parviendraient à gravir cet obstacle, comme ils avaient grimpé le long des parois du temple. Il s'attendait à les voir bientôt se précipiter sur lui. Mais que pouvait-il faire pour se défendre? Il pourrait peut-être ralentir l'assaut en leur donnant des coups de talon. C'était la seule chose qui lui venait à l'esprit.

Le Dr Burrows scruta fébrilement le plafond en essayant d'imaginer sa prochaine manœuvre. Il retira sa main tremblante de la corniche pour sonder la paroi au-dessus de lui. *Non, aussi plate qu'une crêpe. Inutile.* Son front était en nage, et la sueur lui ruisselait dans le dos. Il retira sa main et prit de profondes inspirations pour se calmer un peu, s'agrippant à sa corniche avec une détermination inflexible.

Tel un homme qui aurait eu le vertige, il tourna lentement la tête pour regarder les insectes. Le globe qui pendait autour de son cou glissa alors hors de sa veste et illumina les créatures, ce qui causa une agitation générale au sein de leurs rangs serrés.

Le Dr Burrows imagina soudain des baguettes chinoises géantes en train de déchiqueter ses chairs, membre après membre.

– Pfff! Allez-vous en! Pfff! Du vent! hurla-t-il par-dessus son épaule.

Il avait souvent employé les mêmes mots pour effrayer le chat du voisin lorsqu'il s'aventurait sur la pelouse à l'arrière de leur maison, à Highfield. Mais cette situation était très différente, il allait se faire dévorer par un millier d'insectes géants.

Ses mains étaient moites de transpiration et percluses de crampes atroces. Que pouvait-il faire? Il avait encore son sac à dos dont le poids ne l'aidait guère. Il se demandait s'il ne valait pas mieux s'en débarrasser en faisant glisser de son épaule une lanière après l'autre, mais il craignait de perdre l'équilibre. Que pouvait-il faire d'autre?

– Dieu! souffla-t-il d'une voix désespérée.

Sa main gauche commençait à déraper sur le bord de la corniche, tandis que la poussière se transformait en une pâte glissante à mesure qu'elle absorbait sa sueur. Il changea de position en essayant simultanément de se hisser un peu plus haut.

Il se passa alors quelque chose.

Un grondement sourd secoua son corps tout entier.

Oh mon Dieu, mon Dieu, mon Dieu!

Il regarda rapidement tout autour de lui, d'un côté puis de l'autre, tandis que le globe qui pendait à son cou se balançait librement, ajoutant à la confusion générale.

– Oh, non! Quoi encore? hurla-t-il, alors qu'une nouvelle vague de terreur le submergeait soudain.

Il avait l'étrange impression qu'il était en train de se déplacer... Mais comment était-ce possible? Il avait certes les doigts gourds après l'effort fourni pour se maintenir au sommet du panneau, mais il restait encore solidement agrippé et il avait le pied bien ancré. Non, il ne glissait pas le long du panneau vers les arachnides impatients et affamés.

Ce n'était pas du tout ça.

Puis le tremblement cessa, et bien que la situation restât aussi fâcheuse qu'auparavant, il s'en félicita. Il se hissa un peu plus haut sur le panneau.

Le grondement reprit aussitôt, plus violemment cette fois.

Il pensa d'abord à une secousse sismique, une sorte de tremblement de terre souterrain, mais se rendit bien vite compte que c'était lui qui bougeait, et non ce qui l'entourait.

Le panneau de pierre qui se trouvait au milieu du triptyque, et auquel il s'accrochait désespérément, basculait lentement sous son poids. Il tombait en avant, vers la paroi du temple.

– À l'aide! gémit-il.

Tout se passait trop vite. Alors que tout devenait flou autour de lui, il en déduisit aussitôt que le panneau s'était détaché et qu'il tombait. Ce qu'il ne voyait pas, c'est que seule la portion supérieure du panneau pivotait sur elle-même, juste en dessous de ses pieds.

Que ça lui plaise ou non, il suivait le même mouvement, qui allait s'accélérant. En une fraction de seconde, il avait déjà gagné de la vitesse. Le panneau continuait à basculer, tandis que le Dr Burrows s'y accrochait obstinément jusqu'à ce qu'il se retrouve à l'horizontale, allongé au sommet de l'édifice. Le panneau s'arrêta brusquement, et il entendit le bruit sourd et effrayant des deux blocs de pierre qui s'entrechoquaient.

Le Dr Burrows se retrouva propulsé vers l'avant et fit plusieurs culbutes dangereuses dans les ténèbres. Il voltigea ainsi pendant quelques instants dans le noir avant de retomber à plat sur le dos, le souffle coupé. Il déglutit et toussa en essayant de reprendre son souffle, tandis que ses doigts se refermaient sur le sable doux sur lequel il avait atterri. Il avait eu de la chance – le sable avait amorti sa chute.

Il entendit un grand bruit sourd derrière lui, et quelque chose lui éclaboussa le visage. Alors un sifflement aigu retentit.

– Que?...

Le Dr Burrows se tourna pour découvrir où il se trouvait. Il s'attendait à voir les hordes d'arachnides fondre sur lui. Mais il avait perdu ses lunettes dans sa chute et il ne discernait presque rien dans la pénombre. Il les chercha à tâtons sur le sable, les trouva et les chaussa aussitôt.

À cet instant, il entendit un grattement juste à côté de lui et tourna vivement la tête dans cette direction. C'était la patte articulée de l'un des acariens, aussi grosse que le fanon d'un cheval, sectionnée à ce qui était probablement l'équivalent de la jointure de l'épaule. Il la vit s'ouvrir et se refermer brusquement avec une telle force qu'elle se retourna sur le sable. Elle se déplaçait comme mue par une volonté propre. C'était d'ailleurs peut-être le cas. Il n'aurait su le dire.

Le Dr Burrows s'écarta et se leva en vacillant, un peu sonné, sifflant et toussant à mesure qu'il recouvrait un rythme respiratoire normal. Il regardait tout autour de lui avec inquiétude, imaginant que les arachnides allaient se précipiter sur lui d'un instant à l'autre.

Mais il n'y en avait plus la moindre trace, et l'intérieur du temple demeurait tout aussi invisible. Il ne restait que le silence absolu, les ténèbres, et les parois rocheuses nues.

Il avait mal à la tête après sa chute et tentait de comprendre ce qui s'était passé. C'était comme s'il avait été transporté dans un tout autre endroit.

— Mais où suis-je, bon sang? marmonna-t-il en se penchant en avant, les mains posées sur les cuisses.

Après quelques instants, il commença à se sentir mieux et se redressa pour inspecter ce nouvel environnement. Il se souvenait du panneau qui avait basculé sous son poids; il finit par reconstituer ce qui s'était passé et comprit à quel point il avait été chanceux. Il se mit à parler tout seul.

— Oh, merci, merci...

Il joignit ses mains en prière, versant des larmes de gratitude.

Un autre jet de liquide chaud emplit à nouveau l'air. Il en émanait une odeur nauséabonde et inhumaine qui lui coupa le souffle. Il regarda tout autour de lui pour voir d'où il provenait.

À environ deux mètres au-dessus du sol, les restes luisants d'un acarien mutilé dépassaient de la paroi. De toute évidence, il s'était retrouvé piégé par le panneau pivotant lorsqu'il s'était refermé. Un fluide transparent et bleuâtre suintait, jaillissant de plusieurs tubes sectionnés. Une autre averse s'abattit soudain sur le sol et fit bondir le Dr Burrows de frayeur. On aurait dit que les valves d'une étrange machine s'ouvraient pour se vidanger et relâcher la pression.

Une idée lui traversa soudain l'esprit : la tête de l'acarien ne devait pas être très loin, et ses mandibules devaient continuer à fonctionner tout comme la patte sectionnée qui s'ouvrait et se refermait sans cesse.

Il n'avait pas l'intention de traîner là pour le savoir.

— Espèce de vieil imbécile, tu as bien failli passer l'arme à gauche, se dit-il en s'éloignant en toute hâte de la scène.

Il s'essuya le visage sur sa manche, encore un peu déboussolé, et c'est alors qu'il vit, là, juste devant lui, de grandes marches... de nombreuses marches qui descendaient le long d'un couloir voûté. Il les emprunta en psalmodiant des prières incohérentes pour remercier le ciel.

Chapitre Quarante

Sarah était assise sur la plage, l'air abattu, les genoux ramassés sous le menton et les bras autour des jambes. Elle ne faisait plus aucun effort pour se dissimuler. Sa lanterne était réglée au maximum, et elle regardait les déferlantes se briser sur le rivage, Bartleby à ses côtés.

Elle avait suivi les instructions des Limiteurs et longé la côte, mais elle ne se faisait aucune illusion : ils cherchaient avant tout à se débarrasser d'elle. Pourquoi l'auraient-ils envoyée là si tel n'était pas le cas ?

À mesure qu'ils avançaient, elle avait remarqué que Bartleby ne manifestait plus aucun entrain, à présent qu'il n'y avait plus aucune piste à renifler. Elle ne pouvait pas lui en tenir rancune. Il y avait quelque chose de touchant dans la ténacité dont il faisait preuve pour retrouver son maître. Ce chasseur avait été le compagnon de Cal, et à dire vrai, il avait passé plus de temps avec son fils qu'elle-même. Et dire qu'elle était sa mère !

Sarah regardait affectueusement les énormes omoplates de Bartleby se soulever et s'abaisser à un rythme hypnotique, d'un côté puis de l'autre, tandis qu'il avançait honteusement. Il laissait pendre sa tête si bas, à quelques centimètres du sol tout au plus, qu'il en avait les os d'autant plus saillants sous sa peau glabre. Elle ne voyait pas ses yeux, mais il ne semblait pas s'intéresser à ce qui l'entourait. La manière dont il avançait sans but en disait long sur son état. Elle ressentait exactement la même chose.

Maintenant qu'ils étaient assis sur la plage, elle ne parvenait plus à contenir sa frustration.

— C'est une fausse piste. On court après un leurre, grommela-t-elle à l'attention du chat, qui se grattait l'oreille comme si elle était irritée. T'as déjà mangé du leurre ? lui dit-elle.

Le chat s'arrêta, la patte arrière encore en l'air, et la regarda de ses immenses yeux brillants.

— Oh, mon Dieu, je ne sais pas ce que je raconte, admit-elle, puis elle s'allongea sur le sable blanc, et Bartleby recommença à se gratter. Ni ce que je fabrique ! lança-t-elle en direction de la voûte rocheuse, invisible dans les ténèbres.

Qu'aurait pensé Tam de tout cela ? Et plus particulièrement, qu'aurait-il pensé d'elle s'il l'avait vue agir ainsi ? Elle faisait des courbettes devant une patrouille de Limiteurs dévoreurs de cadavres. Elle était censée découvrir si Will était réellement à l'origine de la mort de son frère et ramener Cal à la maison, au sein de la Colonie. Elle était loin du compte. Elle avait le sentiment d'avoir échoué lamentablement.

— Pourquoi ne leur ai-je pas résisté ? Trop faible, dit-elle à voix haute. Voilà pourquoi !

Elle se demandait comment tourneraient les choses si les Limiteurs capturaient Will vivant. Que ferait-elle si elle se retrouvait face à lui ? Les Limiteurs s'attendraient sans doute à ce qu'elle le tue de sang-froid. Mais elle en était incapable, pas sans savoir s'il était vraiment coupable.

Mais si elle ne l'exécutait pas, ce qui l'attendait était encore pire... impensable. Elle n'osait imaginer les tortures que lui infligeraient Rebecca et les autres Styx. Alors qu'elle réfléchissait à tout cela, elle comprit la force des sentiments qu'elle éprouvait pour son fils, malgré tout ce qu'il était supposé avoir fait. Elle était sa mère ! Mais encore une fois, elle ne le connaissait pas du tout. Peut-être était-il capable de trahir sa propre famille ? Elle devait le rattraper la première. Elle voulait connaître la vérité. Cette incertitude la rendait folle.

Elle repensa à Tam et fut prise d'un soudain accès de colère ; il avait perdu la vie. Elle bouillait intérieurement. Elle se cambra et enfonça la tête dans le sable.

— Tam ! hurla-t-elle.

Alerté par cette crise subite, Bartleby se releva. Il la regarda d'un air perplexe, impuissant et dans un silence mausssade, tandis qu'elle relâchait ses muscles, étendue immobile sur la plage. La colère de Sarah ne trouvait aucun exutoire. Elle se sentait comme un jouet mécanique. Rebecca et ses acolytes l'avaient remontée juste assez pour la laisser courir jusque-là, avant de l'arrêter net dans sa course.

Bartleby termina sa toilette et recracha bruyamment les grains de sable qui s'étaient logés dans sa bouche, puis il bâilla exagérément. Il se laissa retomber lourdement en laissant échapper un gros pet, aussi sonore qu'un clairon qui aurait sonné la retraite.

Sarah n'en fut pas du tout surprise. Elle avait remarqué qu'il avait complété son régime alimentaire en mangeant les restes moisis de choses indescriptibles glanées tout au long du chemin. De toute évidence, il n'avait pas tout bien digéré.

— Je ne l'aurais pas mieux formulé, marmonna Sarah entre ses dents tout en fermant les yeux de dépit.

Chapitre Quarante et un

Le Dr Burrows n'avait d'autre choix que de suivre cet escalier en pierre. Il avait fini par déboucher sur un vaste espace où se prolongeait le chemin pavé de dalles posées à intervalle régulier. Il descendait le long d'une pente douce. Le sol était parsemé de menhirs, rochers aplatis en forme de poire dont le sommet arrondi se trouvait à trois ou quatre mètres du sol. C'était une drôle de scène : on aurait dit qu'un demi-dieu avait jeté çà et là de grosses boules de pâte.

En voyant l'uniformité des menhirs, le Dr Burrows commençait à se demander s'ils n'avaient pas été disposés selon un motif précis. Il ne s'agissait peut-être pas d'un phénomène entièrement naturel. Il échafaudait diverses théories sur leur origine en marmonnant. Il sursautait parfois en voyant l'ombre portée des rochers les plus proches, qui donnait l'impression que quelque chose se trouvait tapi là, juste derrière ceux qui se trouvaient au second plan. Après sa rencontre avec la créature ailée et l'armée de bestioles affamées, il ne voulait plus prendre aucun risque avec la faune locale.

Mais il ne cessait de penser par ailleurs aux images qu'il avait vues sur le triptyque. Il essayait d'en saisir le sens. Il regrettait notamment de ne pas avoir eu la chance de déchiffrer en entier l'inscription à la base du panneau central. Il aurait voulu disposer de plus de temps afin de la traduire, mais pour rien au monde il ne retournerait là-bas pour finir ce travail. Il avait brièvement aperçu les lettres qui formaient les derniers mots et s'efforçait de s'en souvenir, maintenant.

Il employait la technique à laquelle il avait souvent eu recours : il se forçait à penser à une chose sans aucun rapport avec ces lettres, espérant libérer ainsi sa mémoire. Il se concentrait donc à présent sur la carte coprolithe qui demeurait en grande partie énigmatique.

Tout ce qu'il avait rencontré jusqu'alors, la caverne couleur chocolat puis le temple, figurait sur la carte, et il les avait aussitôt reconnus chaque fois qu'il s'était arrêté pour examiner ce document. Mais il avait égaré sa loupe en chemin, et les étranges icônes par lesquelles les Coprolithes avaient indiqué ces lieux étaient microscopiques. Cela n'aurait probablement pas fait grande différence s'il avait encore eu la loupe sur lui, car les icônes ne comportaient aucune légende. À moins de tomber sur l'original, c'était un véritable jeu de devinette que d'interpréter ces symboles.

La carte coprolithe lui donnait néanmoins une idée de l'étendue des Profondeurs. Il y avait deux grandes zones principales : à gauche, la Grande Plaine et ses alentours, et à droite, quelque chose qui ressemblait à un immense trou creusé dans le sol (il n'avait besoin d'aucune loupe pour le voir). C'était sans doute le même que celui qu'il avait vu sur le triptyque.

De nombreuses voies rayonnaient depuis la Grande Plaine et la plupart convergeaient vers ce trou. On aurait dit la cartographie des rues du centre d'une grande conurbation à la surface de la Terre, et il se trouvait à présent sur l'une de ces voies.

Il y avait aussi de multiples chemins qui partaient du trou vers la droite et semblaient déboucher sur des culs-de-sac. Il ne savait pas si c'était parce que les Coprolithes ne les empruntaient jamais, ou bien s'ils ne les avaient jamais explorés. Mais cette dernière hypothèse lui semblait improbable – ce peuple vivait là depuis des générations. Qui plus est, ils étaient passés maîtres dans l'extraction minière, et il aurait été très étonné d'apprendre qu'ils n'avaient pas retourné chaque pierre ni exploré chaque portion de cette région. Les Coprolithes, pour autant qu'il sache, étaient non seulement des mineurs, mais aussi des prospecteurs hors pair – l'un n'allait pas sans l'autre. Ils avaient donc forcément effectué le relevé de toutes les zones les plus éloignées pour y trouver d'éventuelles pierres précieuses ou autres.

Le Dr Burrows se demandait si son expédition, son « grand tour » des terres souterraines, allait trouver son point d'orgue dans une série de culs-de-sac, le contraignant à rebrousser chemin à chaque fois. S'il trouvait de la nourriture, et surtout de l'eau (ce qui restait une hypothèse des plus douteuses), il passerait au peigne fin les zones indiquées par les Coprolithes en quête d'anciens villages, et de tout artefact digne d'intérêt.

Si c'était le cas, son voyage connaîtrait une fin, et il n'atteindrait jamais les strates inférieures du manteau terrestre où l'attendaient peut-être des trésors archéologiques inouïs, et où avaient peut-être vécu – et vivaient peut-être encore – d'anciennes civilisations dont l'existence défiait l'imagination.

Il savait qu'il ne serait pas déçu. Malgré tous les risques qu'il courait, il avait déjà effectué les découvertes les plus remarquables du siècle, et probablement de toute éternité. Si jamais il parvenait à rentrer chez lui, on chanterait ses louanges : il appartiendrait enfin au cercle des grands archéologues.

Lorsqu'il était parti de Highfield, il n'y avait pas si longtemps de cela, décollant les étagères de la paroi de sa cave pour s'aventurer dans la galerie qu'il avait creusée tel un personnage sorti d'un conte pour enfants peu crédible, il n'avait pas la moindre idée de ce qui l'attendait. Mais il était parvenu jusque-là, et il avait réussi à surmonter tous les obstacles rencontrés au cours de son voyage, à sa plus grande surprise.

Maintenant qu'il y pensait, il se rendait compte qu'il avait le goût du risque et de l'aventure. Il se rengorgea et se mit à fanfaronner sur le chemin obscur.

– Écarte-toi, Howard Carter, dit-il d'une voix forte. À côté de mes découvertes, le tombeau de Toutankhamon n'est rien !

Le Dr Burrows entendait presque le tonnerre d'applaudissements et voyait les accolades, il imaginait déjà les nombreuses apparitions télévisées et le...

Il abaissa soudain les épaules et cessa de parader.

Il en avait assez.

Un travail de titan l'attendait maintenant. Il avait, certes, de quoi passer plusieurs vies à documenter les zones figurant sur la carte, et avec l'aide d'une énorme équipe de chercheurs, mais il se sentait très déçu malgré tout.

Il en voulait plus !

Ses pensées prirent soudain la tangente. Ce trou dessiné sur la carte... il ne cessait de se demander ce qu'il représentait au juste. Qu'est-ce que cela pouvait bien être ? Ce devait être quelque chose d'important, sans quoi les Coprolithes ne lui auraient pas donné une telle ampleur... et tous les chemins convergeaient vers cet endroit.

Non ! Il devait représenter bien plus qu'un simple phénomène géclogique ! De toute évidence, c'est ce que pensait le peuple du temple antique.

Il s'arrêta sur le chemin, parlant et marmonnant avec agitation tout en pointant un tableau noir imaginaire.

— La Grande Plaine, annonça-t-il en montrant le coin gauche du tableau d'un geste de la main, comme s'il s'adressait à un amphithéâtre rempli d'étudiants.

Il leva l'autre bras vers la droite en décrivant un cercle dans l'air avec son globe.

— Gros trou... là, dit-il en indiquant à plusieurs reprises le centre du cercle. Bon sang, qu'est-ce que tu représentes ?

Il baissa les deux bras en laissant échapper un soupir à travers ses dents tachées. Cela devait forcément être quelque chose d'important.

Il revit soudain le triptyque. Il essayait toujours de lui dire quelque chose, mais il ne savait toujours pas de quoi il retournait. Ces trois panneaux comportaient un message. Il lui fallait se rappeler les dernières lettres de l'inscription dont le souvenir était encore enfoui dans sa mémoire pour terminer la traduction et rassembler toutes les pièces du puzzle. Mais elles restaient inaccessibles. Il croyait parfois les tenir enfin, mais elles redevenaient aussitôt floues, comme si ses lunettes s'embuaient.

Il soupira.

Il ne lui restait plus qu'une chose à faire : se rendre au trou et découvrir par lui-même de quoi il retournait.

Peut-être était-ce là sa véritable aspiration... trouver une voie qui lui permette de descendre plus bas.

Peut-être y avait-il encore de l'espoir.

Il repartit avec un nouvel enthousiasme, mais au bout de vingt minutes s'aperçut qu'il était incroyablement affamé et affaibli ; il se força à ralentir le pas.

Il entendit alors un grattement devant lui et leva aussitôt les yeux.

Le bruit recommença, plus net cette fois.

En l'espace de quelques secondes, il vit deux silhouettes qui venaient vers lui.

Il n'en croyait pas ses yeux – deux hommes qui marchaient côte à côte.

Il continua d'avancer, tout comme eux. Quoi qu'il arrive, son globe brillait si fort qu'ils l'avaient forcément déjà repéré.

Alors qu'ils se rapprochaient, il vit d'après leurs longs manteaux, leurs carabines et leurs sacs à dos qu'il s'agissait de deux soldats styx, connus sous le nom de Limiteurs. Il en avait vu quelques-uns à la gare des mineurs lorsqu'il était descendu du train. Le grattement qu'il avait entendu provenait en fait du son de leurs voix rauques. Ils étaient en effet en train de converser.

Quelle chance incroyable! Il n'avait pas rencontré âme qui vive des jours durant et voilà que, chose étrange, il tombait sur un autre être humain au beau milieu d'un réseau souterrain de passages et de cavernes qui communiquaient les unes avec les autres sur des milliers de kilomètres. Quelles étaient les probabilités d'une telle rencontre?

Lorsqu'ils ne furent plus qu'à cinq mètres de lui, il les héla en les saluant d'un ton amical et plein d'espoir.

L'un d'eux lui jeta un coup d'œil glacial en gardant un visage de marbre, sans pour autant lui adresser le moindre signe de reconnaissance. L'autre soldat ne daigna pas même lever les yeux du chemin qui se trouvait devant lui. Son acolyte détourna le regard comme si le Dr Burrows n'existait pas, et ils passèrent leur chemin d'un pas déterminé en continuant à bavarder sans lui prêter la moindre attention.

Le Dr Burrows était stupéfait, mais il ne s'arrêta pas non plus. Leur manque d'intérêt lui donnait l'impression d'être comme un mendiant qui aurait eu le culot de demander de l'argent à deux hommes d'affaires. Il n'arrivait pas à le croire!

— Oh, très bien. À votre guise, dit-il en haussant les épaules, puis il revint à des questions autrement plus importantes.

— Où es-tu, qui es-tu, trou dans le sol? demanda-t-il aux menhirs silencieux qui l'entouraient, tout en échafaudant sans fin des théories.

Chapitre Quarante-deux

— Un, deux ! Un, deux ! Un, deux ! scandait Chester tandis qu'il ramait en cadence avec Will.

Chester avait prétendu avoir pratiqué l'aviron avec son père, et Elliott avait semblé prête à le laisser prendre le contrôle des opérations dès qu'ils avaient grimpé à bord du bateau branlant. À dire vrai, « bateau » était un bien grand mot pour désigner cet esquif, dont la coque s'était mise à grincer dangereusement lorsqu'ils étaient montés à bord. On avait tendu et cousu un matériau semblable à de la peau sur une structure en bois de quatre mètres de long.

Il n'était manifestement pas destiné à transporter quatre passagers, surtout chargés comme ils l'étaient. Coincé à la proue du bateau, Cal grommelait à voix basse en essayant de s'occuper de sa jambe gourde, placée dans une position fort peu satisfaisante. Il essayait de l'étendre, mais c'était presque impossible avec Will qui se pressait tout contre lui.

— Hé ! Attention ! Comment tu veux que je rame si tu continues à faire ça ! protesta Will lorsque Cal lui cogna le dos pour la énième fois en changeant de position.

Cal comprit enfin qu'il valait mieux qu'il s'allonge sur le fond du bateau en calant sa tête dans le V de la proue — il pouvait ainsi poser sa jambe sur le côté du bateau et l'étendre complètement.

— Y en a qui s'ennuient pas, plaisanta Will entre deux expirations, lorsqu'il aperçut du coin de l'œil un drôle de pied qui dépassait du bateau, et se tourna pour découvrir son frère allongé derrière lui. On fait pas une croisière de plaisance, tu sais !

— Un... deux... Concentre-toi, Will ! ordonna Chester en s'efforçant de synchroniser leurs cadences.

Mais il devint assez vite évident que Chester ne savait pas vraiment ce qu'il faisait non plus, contrairement à ce qu'il avait raconté. Ses rames frôlaient trop souvent la surface en y arrachant quelques gouttelettes au passage.

— Où t'as appris à ramer, déjà ? lui demanda Will. À Legoland ?

— Non, à Center Parcs, admit Chester.

— Tu veux rire ! s'exclama Will. Et voici le numéro dix-neuf qui franchit la ligne d'arrivée ! dit-il en imitant une voix déformée par un mégaphone.

— Tais-toi, tu veux, rétorqua Chester avec un grand sourire.

Ils étaient loin de ramer en cadence, mais Will décida que la meilleure façon de s'en sortir, c'était de voyager par bateau. L'effort physique chassait les brumes de son esprit. Il n'avait pas eu les idées aussi claires depuis des jours. La légère brise qui soufflait au-dessus de l'eau suffisait à sécher la sueur perlant à son front à chaque coup de rame. Il se sentait revigoré.

Ils semblaient avancer bon train, même si Will ne voyait pas le rivage — ni rien d'autre d'ailleurs — pour pouvoir juger de leur vitesse. L'étendue d'eau invisible qui les entouraient étaient quelque peu intimidante. Leur seule source de lumière provenait de la lanterne de Chester, réglée au minimum et posée sur le fond du bateau.

Elliott était perchée à la barre du bateau et, fidèle à elle-même, surveillait leurs arrières d'un œil vigilant, même si l'île avait disparu depuis longtemps derrière un voile de ténèbres. Will et Chester parvenaient à peine à distinguer sa silhouette dans la pénombre – ils attendaient ses instructions qui tardaient à venir, au point que cette attente leur paraissait interminable.

Elliott leur dit soudain de s'arrêter. Will et Chester cessèrent de ramer. Le bateau semblait néanmoins filer tout seul à une vitesse surprenante comme s'il était emporté par un courant puissant. Mais Will n'y prêta guère attention. Il pencha la tête par-dessus bord et vit — à moins que ses sens ne l'aient terriblement abusé — des formes indistinctes à peine visibles dans l'eau. Leurs contours se précisaient soudain, puis s'évanouissaient tout aussi brusquement sans qu'il puisse jamais les distinguer clairement. Certaines créatures étaient de petite taille et filaient à toute allure, tandis que d'autres, aux formes plus substantielles, se déplaçaient lentement en émettant une lumière plus puissante.

Alors qu'il regardait la mer, fasciné, la large tête aplatie d'un poisson de près de cinquante centimètres de large de branchie à branchie remonta juste sous la surface. Il avait en dessous de ses gros yeux une longue tige dont l'extrémité émettait une lumière verdâtre et pulsante. Il ouvrit la bouche pour relâcher un jet de bulles, puis il s'immergea. Will eut un frisson d'excitation en remarquant aussitôt sa ressemblance avec une lotte, cette habitante des profondeurs océaniques surfaciennes. Il devait y avoir tout un écosystème caché sous ces vagues, des créatures vivantes qui généraient leur propre lumière.

À l'instar du poisson, Will ouvrit la bouche pour partager sa découverte avec les autres, lorsqu'un petit *floc!* le coupa dans son élan. On aurait dit le bruit d'une pierre qui frappe la surface de l'eau, à une vingtaine de mètres à bâbord.

— Ça commence, murmura Elliott sans préciser sa pensée.

Will crut d'abord qu'il s'agissait d'un autre de ces poissons bioluminescents qui crevait la surface, mais la détonation lointaine qui suivit une seconde plus tard le détrompa. D'autres *floc!* enchaînèrent sur d'autres détonations, mais ils venaient de trop loin pour qu'il puisse en déterminer l'origine.

— Il serait peut-être temps d'éteindre cette lumière, suggéra Elliott.

— Pourquoi? demanda innocemment Chester en scrutant les ténèbres pour essayer de comprendre l'origine de ce clapotis.

— Parce que les Limiteurs sont sur la plage.

— Ils nous tirent dessus, idiot, intervint Cal.

Will remarqua une petite gerbe d'eau qui jaillissait à tribord, à moins de cinq mètres du bateau.

— Ils nous tirent dessus? répéta Chester, un peu lent à comprendre ce qu'on lui disait. Oh, mon Dieu! s'exclama-t-il en percutant soudain.

Il se pencha aussitôt pour éteindre sa lanterne en pantelant.

— Mon Dieu, mon Dieu, oh mon Dieu! lança-t-il.

Après avoir éteint sa lanterne, il se redressa et se tourna vers Elliott. Il était sidéré par le calme avec lequel elle prenait les choses. La volée de balles n'avait pas cessé, et ils entendaient d'autres *floc!* tout autour d'eux : ils semblaient se rapprocher et Chester bronchait à chaque coup.

— Si ce sont vraiment des tirs... commença Will.

— Sans aucun doute, confirma Elliott.

— ... ne devrions-nous pas ramer comme des dératés? poursuivit Will en s'agrippant à ses rames, prêt à démarrer.

– Inutile, nous sommes largement hors de portée... ils tirent au petit bonheur la chance, précisa Elliott en s'autorisant un petit gloussement. On a dû vraiment les froisser. Ils ont une chance sur un million de nous toucher.

Dans le noir, Will entendit Chester qui grommelait quelque chose comme « avec la chance que j'ai », tandis qu'il enfouissait sa tête sous son aisselle tout en essayant d'apercevoir l'île derrière la silhouette parfaitement immobile d'Elliott.

– Ils sont exactement là où je voulais qu'ils soient, dit-elle calmement.

– Exactement là où tu voulais qu'ils soient? siffla Chester d'un ton incrédule. Ne me dis pas que...

– Des bombes à retardement... l'interrompit Elliott. Ma spécialité.

Le ton de sa voix ne laissa rien transparaître, et ils attendirent tous, bercés par les craquements du bateau, le bruit de l'eau qui tourbillonnait autour d'eux et le clapotis des tirs incessants.

– Ça ne devrait plus tarder, dit Elliott.

Quelques secondes s'écoulèrent.

Il y eut un immense éclair sur l'île, qui embrasa toute la bande de plage où ils avaient embarqué. Elle semblait minuscule dans le lointain. Ils sursautèrent lorsque le bruit de la détonation parvint jusqu'à eux.

– Bon Dieu! s'exclama Cal en tirant sur sa jambe pour se redresser.

– Non, attends... dit Elliott en levant la main – sa silhouette se découpait nettement sur fond d'incendie. Si jamais l'un d'entre eux a survécu à ça, il prendra ses jambes à son cou tel un rat ébouillanté et fuira vers l'intérieur de l'île, loin de la plage.

Elle commença à compter, en inclinant légèrement la tête à chaque chiffre.

Les garçons retinrent leur souffle sans savoir ce qui allait suivre.

Il y eut une seconde explosion, bien plus puissante que la précédente. De gigantesques étoiles rouges et jaunes explosèrent sous la voûte de la caverne, déployant leur panache au-dessus des fougères arborescentes. Will avait l'impression que l'île tout entière avait été réduite en pièces. Cette fois, ils sentirent sur leur visage toute la puissance du souffle, tandis que des débris retombaient déjà dans l'eau tout autour d'eux.

– Zut, alors! souffla Cal.

– D'enfer! dit Chester. T'as dégommé toute l'île!

– Bon sang, c'était quoi, ce truc? s'enquit Will qui se demandait s'il resterait le moindre animal sur l'île ou s'ils allaient tous périr dans les flammes.

Il était cependant bien forcé d'admettre qu'il ne se souciait guère des quelques poulets primordiaux assez minables qui s'étaient peut-être fait griller les plumes du croupion.

– C'était le mot de la fin, dit Elliott. L'embuscade parfaite... La première explosion les aura conduits directement vers la seconde.

Ils continuèrent à regarder les flammes dont les reflets semblaient flotter sur les eaux noires. Will voyait pour la première fois l'étendue du lieu dans lequel ils se trouvaient. À sa droite, la lointaine ligne de côte était à peine éclairée, et il n'y avait absolument rien de visible dans la direction qu'ils empruntaient pour filer, ni la moindre terre à sa gauche.

Le bruit de l'explosion retentissait encore dans l'immense caverne, alors que des débris en flamme retombaient non loin du bateau. Ils émettaient un grésillement en touchant la surface de l'eau.

– C'est toi qui as tout installé? demanda Chester à Elliott.

– Avec Drake. Il appelait ça son « tour de passe-passe », même si je n'ai jamais compris ce qu'il voulait dire par là, admit Elliott.

Elle détourna les yeux du spectacle, le visage noyé dans une obscurité impénétrable et auréolé d'un halo de langues de feu.

– Il était bon... C'était un homme bon, dit-elle dans un murmure.

Will, Chester et Cal admiraient en silence l'enfer qui sévissait sur l'île et partageaient le sentiment de perte qu'ils éprouvaient après la mort de Drake. C'était comme si l'île incendiée faisait office de bûcher funéraire, forme d'adieu des plus appropriées pour cet homme. Non seulement on honorait sa mort par un somptueux feu d'artifice dans le lieu le plus improbable qui fût, mais justice avait été faite, et certains de ses ennemis avaient payé.

– Alors, vous les aimez comment, vos Limiteurs? demanda Elliott après ce moment de recueillement grave, puis elle éclata de rire.

– Saignants! rétorqua Chester, vif comme l'éclair.

Les garçons s'esclaffèrent en chœur. Ils hésitèrent quelque peu au départ, puis partirent dans un tel fou rire qu'ils en firent tanguer le bateau.

***

La première explosion tira Sarah de sa torpeur. Elle était déjà debout au moment où retentit la seconde et courait vers le rivage avec Bartleby à sa suite.

Elle siffla en voyant l'étendue des dégâts et leva aussitôt sa carabine, enroulant la lanière autour de son bras pour stabiliser son arme. Elle scruta l'incendie à travers sa lunette. Il paraissait si petit au-dessus des vagues. Puis elle balaya l'étendue d'eau. La lueur émanant du feu contribuait au fonctionnement de sa lunette qui concentrait la lumière ambiante, mais elle mit plusieurs minutes à apercevoir quoi que ce soit. Elle régla le grossissement en essayant d'augmenter la netteté de l'image.

— Un bateau? s'interrogea-t-elle en vérifiant par deux fois, convaincue qu'elle avait vu un petit vaisseau dans le lointain.

Sarah n'avait aucun moyen de savoir qui se trouvait à son bord, mais elle savait d'instinct qu'il ne s'agissait pas des Styx. Non, elle avait l'intime conviction que ce qu'elle cherchait se trouvait sur ce bateau flottant sur l'eau.

— Il semblerait que nous soyons de retour aux manettes, mon vieil ami, dit-elle à Bartleby qui balançait sa queue osseuse comme s'il savait déjà ce qu'ils s'apprêtaient à faire.

Sarah jeta un dernier coup d'œil à l'île en feu avec un sourire mauvais.

— Et je parie que Rebecca va avoir besoin d'enrôler de nouveaux Limiteurs.

Chapitre Quarante-trois

– Synchronisez-vous, pressa Elliott à la barre, alors que Will et Chester n'arrivaient toujours pas à ramer en cadence.

– Où allons-nous, au juste ? lança Cal. Tu as dit que tu nous conduisais dans un endroit sûr.

Will donna un coup de rame à la surface de l'eau, et l'on entendit un éclaboussement. Il avait mal jaugé la distance. Elliott ne répondit pas.

– On veut savoir où tu nous emmènes. On a le droit de savoir, insista-t-il.

Cal semblait en rogne. Sa jambe devait le faire souffrir, pensa Will.

– Nous allons nous perdre dans les Zones humides, expliqua Elliott en détachant son visage de la carabine. Si on arrive jusque-là, dit-elle avant de marquer une pause. Les Cols d'albâtre ne pourront pas nous traquer là-bas, ajouta-t-elle après que Will et Chester eurent donné plusieurs coups de rame irréguliers.

– Pourquoi ? demanda Will essoufflé par l'effort.

– Parce que c'est comme… comme un grand marécage sans fin…

Elliott semblait mal à l'aise, comme si elle n'était pas convaincue par ce qu'elle venait de dire, ce qui ne rassurait guère les garçons, qui se raccrochaient à chacun de ses mots.

– Aucune personne sensée ne s'aventure jamais là-bas, poursuivit-elle. Nous pouvons y rester cachés jusqu'à ce que les Styx nous croient perdus.

– Ces Zones humides, elles sont plus loin sous terre ? En dessous de là où nous nous trouvons ? demanda Cal avant que Will ait eu le temps de poser la même question.

Elliott secoua la tête.

— Non, c'est l'une des zones périphériques de la Grande Plaine qu'on appelle les Terres de désolation. Certaines franges sont trop dangereuses à cause des points chauds... Drake ne voulait jamais y rester plus de quelques jours. Ça fera l'affaire un temps, puis on ira ailleurs sur les Terres de désolation. Dans un endroit où il sera beaucoup plus facile de survivre.

Les garçons gardèrent le silence et restèrent plongés dans leurs pensées après ces explications. Ses dernières paroles résonnaient dans leurs têtes : « Beaucoup plus facile de survivre. » Cela n'avait rien d'engageant, surtout de la part d'Elliott, mais aucun d'eux n'avait vraiment envie de lui demander ce qu'elle entendait exactement par là.

Ils entendirent un clapotis, très différent cette fois des petits *floc!* causés par les balles.

— Ce ne sont pas encore des Limiteurs, dit aussitôt Chester, qui avait cessé de ramer en même temps que Will.

— Non... restez immobiles... complètement immobiles, chuchota Elliott.

Ils entendirent un autre bruit, et l'eau se mit à déferler en bouillonnant furieusement autour d'eux comme si quelque chose d'énorme s'apprêtait à émerger. Ils entendirent un frottement sous la coque du bateau, qui se mit à tanguer violemment, ce qui les souleva de leurs sièges. Quelques secondes plus tard, le calme était revenu, et le bateau avait retrouvé sa stabilité.

— Ouf! dit Elliott en expirant.

— Qu'est-ce que c'était? éructa Chester.

— Un léviathan, répondit simplement Elliott.

— Hein? s'exclama Will d'un ton incrédule avant qu'elle ne l'interrompe aussitôt.

— Pas le temps de t'expliquer maintenant... Tais-toi et rame, dit-elle en pointant à tribord. On est attirés par les courants que générèrent une série de tourbillons à deux kilomètres à l'est d'ici.

Will pensait pourtant que le rivage se trouvait dans la direction opposée.

— Si vous ne voulez pas les voir de près, ce qui serait une bonne idée, je vous suggère de vous échiner à maintenir le cap.

— À vos ordres, capitaine, grommela Will qui avait perdu tout enthousiasme pour cette traversée en bateau.

Plusieurs heures plus tard, après les avoir fait ramer comme des damnés, Elliott leur ordonna de s'arrêter. Will et Chester, totalement épuisés, apprécièrent ce moment de répit. Ils avaient les bras si fatigués qu'ils tremblaient en portant leur gourde à leur bouche. Elliott demanda à Cal de monter la garde avec la lunette amovible, et à Will de se servir de son casque.

Ce dernier rabattit la lentille sur son œil et alluma l'appareil. L'image grésilla sous une pluie de petits points orange, puis quand elle fut redevenue cohérente il put voir qu'ils ne se trouvaient pas loin des côtes. Le bateau dérivait vers ce qui ressemblait à un promontoire, même s'il ne le distinguait pas très bien, et ce malgré son casque.

À mesure qu'ils se rapprochaient, des traînées soyeuses s'étiraient au-dessus de la surface de l'eau. Une fine brume s'avançait vers eux en épaississant peu à peu, si bien qu'elle finit par envelopper toute la coque du bateau. La lanterne posée aux pieds de Chester émettait une lumière diffuse à travers la brume, ce qui lui conférait une transparence laiteuse. Leurs visages luisaient étrangement. Le bas de leur corps ne tarda pas à disparaître sous la nappe blanchâtre. C'était une sensation étrange que de rester assis là, entouré par un tapis de brume, tandis qu'ils avançaient sur un bateau désormais invisible. La brume semblait étouffer tous les sons, jusqu'au clapotement des vagues, désormais à peine audible.

La température augmentait nettement à mesure qu'ils progressaient, et même s'ils ne disaient rien les trois garçons percevaient comme une pression sur leurs corps. Que ce soit lié à ce paysage de brume lugubre ou à un autre phénomène, ils se sentaient tous mélancoliques et profondément abattus.

Ils dérivèrent pendant vingt minutes encore. Ils semblaient pénétrer dans une sorte de baie, ou peut-être était-ce une crique. La quille heurta des rochers, rompant ainsi le silence désolé. Le bateau avait touché le fond. C'était étrange. Ils avaient l'impression qu'un sombre sortilège venait de se dissiper, comme s'ils se réveillaient d'un mauvais rêve.

Elliott ne tarda pas à sauter du bateau. Ils l'entendirent tomber dans l'eau, mais ils ne pouvaient jauger la profondeur étant donné que la brume l'enveloppait jusqu'à la taille. Elle pataugea jusqu'à l'avant du bateau et le tira derrière elle.

En s'intéressant à la côte, Will vit qu'ils étaient en effet arrivés dans une baie formée par deux promontoires qui s'avançaient dans la mer. La brume se déversait lentement depuis la crique, déchirée çà et là par les nombreuses pointes de rochers déchiquetés. Les trois garçons restèrent tranquilles pendant qu'Elliott tirait le bateau sur une courte distance. Puis elle leur ordonna de débarquer, et ils descendirent l'un après l'autre à contrecœur du bateau en emportant leur matériel avec eux.

Les garçons étaient inquiets de ne pas voir l'endroit où ils s'apprêtaient à sauter, mais ils découvrirent que l'eau n'avait pas plus d'un mètre de profondeur. Ils sentaient la pression de puissants courants invisibles sur leurs jambes. Prenant garde de ne pas glisser sur la surface irrégulière du haut-fond, ils s'acheminèrent vers le rivage rocheux, tandis qu'Elliott hissait le bateau dans une petite crique, sans doute pour l'y dissimuler. Alors que Will et Chester pataugeaient dans les hauts-fonds, ils entendirent un raclement sourd : Elliott hissait le bateau sur la berge.

– On devrait peut-être l'aider, non? Elle... suggéra Chester, lorsqu'ils remarquèrent tous deux un brusque changement sur le rivage qui s'étendait devant eux.

Un grondement assourdi semblait répondre au bruit de la coque du bateau sur le sol, même si le voile de brume les empêchait d'en distinguer l'origine. Will et Chester étaient presque sortis de l'eau, tandis que Cal escaladait déjà les rochers à une vingtaine de pas devant eux. Il avait aussi remarqué que quelque chose venait de se produire.

Ils s'arrêtèrent sur-le-champ dès que reprit ce même grondement au son grave. Quelque chose s'agita. On aurait dit que les rochers s'animaient puis, tout à coup, des dizaines de petites lumières s'allumèrent dans la nappe de brume, vacillant faiblement comme la flamme d'une bougie sous la brise.

– Des yeux! bredouilla Chester. Ce sont des yeux!

Il avait raison. Ils captaient la lumière des lanternes de Cal et Chester et la renvoyaient comme des bandes réfléchissantes sur une route. Grâce à son casque, Will distinguait plus de choses que les autres. Il avait d'abord cru que les deux promontoires et le rivage constituaient le prolongement de la formation rocheuse escarpée qui se trouvait face à eux, mais il s'agissait en fait d'un véritable tapis vivant. En une fraction de seconde, toute la zone se mit à s'agiter. Ils entendirent des grattements qui provenaient d'un peu partout... accompagnés de drôles de bruits; on aurait dit que l'on tapait sur du caoutchouc.

Le courant de brume se déchira, et Will distingua des sortes de volatiles – des cigognes à longues pattes – qui déployaient leurs ailes. Il ne s'agissait cependant pas d'oiseaux, mais de lézards comme Will n'en avait jamais vu auparavant.

— Qu'est-ce qu'on fait, maintenant? demanda Chester, paniqué, en se rapprochant de Will.

— Will! hurla Cal qui hésita d'abord à bouger, puis se mit à reculer vers l'eau.

— Où est Elliott? demanda Chester à la hâte.

Ils la cherchèrent tous aussitôt du regard pour voir comment elle réagissait et la virent qui déambulait à grandes enjambées le long du rivage. Elle ne semblait pas du tout inquiète et se frayait un chemin parmi les créatures. Elles déployaient leurs ailes et s'écartaient de son chemin en poussant des cris des plus troublants. On aurait cru entendre de jeunes enfants à l'agonie gémissant de douleur.

— C'est vraiment effrayant, dit Chester, un peu plus à l'aise maintenant qu'il avait constaté que les créatures n'étaient pas dangereuses.

Ces lézards chassaient la brume en battant leurs ailes anguleuses dont le bord d'attaque se terminait par une griffe préhensile. Ils avaient un corps renflé, le thorax fuselé, l'abdomen trapu, et la patine de leur peau était semblable à celle de l'ardoise polie. Leurs cous étiques étaient surmontés d'une tête en forme de cylindre aplati aux extrémités arrondies. Ils ouvraient et refermaient des mâchoires lisses et édentées.

Le passage d'Elliott sembla tant les déranger que certains d'entre eux commencèrent à prendre leur envol. Mais ils avaient besoin de faire quelques pas raides et mécaniques avant de pouvoir s'élancer et décoller du sol.

En quelques secondes, l'air se mit à grouiller de milliers de créatures. Elles battaient des ailes dans un bourdonnement incessant. Elles continuaient à pousser leurs cris étranges qui se répandaient comme un feu de forêt à travers toute la colonie comme si elles sonnaient l'alerte. Lorsqu'elles furent toutes en vol, elles se rassemblèrent au-dessus de l'eau. Fasciné, Will les regarda à travers sa lentille. La masse de créatures ressemblait à une traînée orange et mouvante qui s'évanouissait dans le lointain, comme si elles migraient en masse.

— Bougez-vous! cria Elliott. On n'a pas le temps d'admirer le paysage.

Elle leur indiquait par des gestes impatients qu'ils devaient la suivre le long du rivage. Au ton de sa voix, Will savait déjà qu'elle l'enverrait promener s'il lui demandait quoi que ce soit au sujet des créatures.

— Elles étaient pas géniales?... J'aurais tant voulu prendre une photo, dit-il à Chester d'un ton tout excité, tandis qu'ils se hâtaient de rejoindre Elliott qui fonçait vers la paroi de la caverne.

— Ouais, t'as raison, rétorqua Chester qui ne semblait guère apprécier. Et pourquoi pas en faire une carte postale, histoire de l'envoyer à la famille? rétorqua-t-il d'un ton sec. Vous me manquez... Je m'amuse beaucoup... au pays des fichus dragons parlants, ajouta-t-il à voix haute.

— T'as lu un peu trop de bandes dessinées. Ce ne sont pas du tout des fichus dragons parlants, répondit vivement Will.

Il était tellement absorbé par sa dernière découverte qu'il n'avait pas perçu l'état d'esprit dans lequel se trouvait son ami. Chester bouillonnait intérieurement, et il était à deux doigts d'exploser.

— Ces fichus dragons sont fichtrement étonnants... Ce sont des lézards volants préhistoriques, comme les ptérosaures, poursuivit Will. Tu sais... les ptérodactyles...

— Écoute, mon pote, je me fiche pas mal de ce qu'ils sont, l'interrompit Chester sur un ton agressif. Chaque fois qu'il arrive un truc comme ça, je me dis que le pire est derrière nous, et ça ne manque pas, l'instant d'après... poursuivit-il, tête baissée, tandis qu'ils se frayaient un chemin entre les rochers escarpés. Peut-être que si t'avais lu ces bouquins-là et que tu t'étais intéressé à des trucs normaux au lieu de passer ton temps à creuser des galeries comme un malade mental, on ne serait pas dans un tel pétrin. T'es atteint du cerveau, non, pire que ça, t'es un fichu ringard!

— Inutile de piquer ta crise, Chester, répondit Will en essayant de ramener le calme.

— Ne me dis pas ce que je dois faire. C'est pas toi le chef.

— Je voulais juste... Les lézards... Je... tenta de répondre Will d'un ton plein d'indignation.

— Oh, ferme-la à la fin! T'arrives pas à te fourrer dans la caboche que tout le monde se fiche de tes fossiles des cavernes et de tes animaux à la noix, n'est-ce pas? Ils sont répugnants, et on devrait tous les écrabouiller comme des insectes! tempêta-t-il en se tournant vers Will, puis il broya la poussière du pied sous sa semelle pour souligner son propos.

— Je voulais pas te mettre en colère, Chester, s'excusa Will.

— Me mettre en colère ? hurla Chester d'une voix hystérique. T'as fait pire que ça. J'en ai ras le bol de tout ça. Et puis j'en ai surtout marre de voir ta tronche !

— Je me suis excusé pourtant, répondit faiblement Will.

Chester desserra les poings dans un geste agressif.

— C'est donc aussi simple que ça ? Tu crois vraiment que tu vas t'en tirer avec des excuses ? Tu t'attends à ce que je laisse passer ça... Je suis censé te pardonner pour tout, n'est-ce pas ? ajouta-t-il en lui lançant un regard si méprisant que Will en resta bouche bée. Les paroles ne valent pas grand-chose, surtout les tiennes, dit Chester d'une voix grave et tremblante, puis il s'éloigna à grandes enjambées.

Les remarques de Chester avaient ébranlé Will. Autant pour l'esprit de camaraderie qu'il avait perçu auparavant. Il avait tant espéré que leur amitié aurait retrouvé une base solide, mais il comprenait à présent que leurs plaisanteries sur la plage et à bord du bateau ne signifiaient rien. Will s'était complètement leurré tout ce temps. Il avait beau essayer d'ignorer cette crise, il avait été piqué au vif. Il n'avait pas besoin qu'on lui rappelle qu'il était responsable de tout. Il avait arraché Chester à ses parents, et à la vie qu'il menait à Highfield. C'est ainsi qu'ils s'étaient retrouvés dans cette situation cauchemardesque qui ne faisait qu'empirer à vue d'œil.

Will se remit en route, mais il ressentait à nouveau tout le poids de la culpabilité. Il essayait de mettre le comportement de Chester sur le compte de l'épuisement — le manque de sommeil leur mettait forcément les nerfs à vif —, mais sans grande conviction. Son ancien ami lui avait dit ce qu'il avait sur le cœur. C'était clair et net.

Will se sentait plutôt patraque, et la crise de Chester ne l'aidait certes pas. Il aurait donné n'importe quoi pour pouvoir prendre un bon bain chaud et s'allonger dans des draps blancs et propres. Il aurait pu dormir pendant un mois. Il chercha son frère du regard. Cal se trouvait un peu au-devant et s'appuyait à chaque pas toujours un peu plus lourdement sur sa canne. Sa démarche était gauche, comme si sa jambe allait céder d'un moment à l'autre.

Ils étaient tous en piteux état. Will espérait qu'ils auraient bientôt l'occasion de goûter un repos bien mérité. Mais il n'allait pas se raconter des histoires non plus, car les Limiteurs étaient toujours sur leurs talons.

Ils se rassemblèrent autour d'Elliott à côté d'une brèche étroite, à la base de la paroi de la caverne, haute de plusieurs mètres. C'est de là que semblait s'échapper le flux continu de brume. Will se tenait à distance de Chester et faisait mine de s'intéresser à la brèche, malgré la vapeur d'eau qui lui masquait la vue. Impossible d'en jauger la largeur.

— Nous avons un long trajet devant nous, avertit Elliott en déroulant une corde qu'ils se nouèrent autour de la taille.

Elliott prit la tête de la cordée, suivie par Cal, puis Chester et enfin Will.

— Je veux que personne ne s'éloigne, leur dit-elle avant de marquer une pause en regardant Will et Chester. Vous deux, ça va mieux, maintenant ?

Elle a tout entendu... elle doit avoir entendu tout ce qu'a dit Chester, pensa Will avec un certain malaise.

— Parce que ça va pas être facile, et il faut qu'on reste tous unis.

Will acquiesça d'un grognement tandis que Chester gardait le silence en évitant soigneusement le regard de son ami.

— Et toi, dit Elliott en s'adressant à Cal, j'ai besoin que tu me dises si... si tu te sens capable de faire ça.

— Je me débrouillerai, répondit-il en hochant la tête avec optimisme.

— Je l'espère sincèrement, dit-elle avant de se tourner pour leur jeter un dernier regard, puis elle se glissa dans la brèche. À tout à l'heure, de l'autre côté.

CINQUIÈME PARTIE

Le Pore

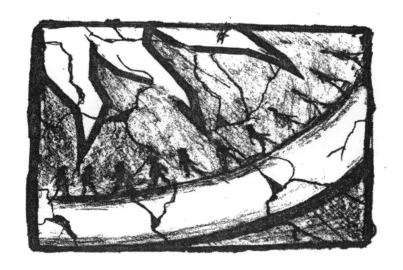

Chapitre Quarante-quatre

— **R**emarquable! s'exclama le Dr Burrows.
 Sa voix se réverbéra en de multiples échos de plus en plus faibles jusqu'à ce que l'on n'entende plus que le clapotis de l'eau qui tombait sporadiquement entre les deux grandes colonnes de pierre au bout du chemin.

Il voulait tout embrasser d'un seul regard et ne savait plus où donner de la tête.

Pour commencer, on avait gravé un trident sur la clé de voûte de l'arche. Il avait vu ce symbole plusieurs fois sur des ouvrages de maçonnerie au cours de son périple dans les Profondeurs, ainsi que sur les tablettes de pierre qu'il avait dessinées dans son carnet. Ce symbole ne semblait correspondre à aucun de ceux qui figuraient sur la pierre de Burrows. Il était donc particulièrement contrarié de ne pas en connaître le sens.

Mais tout cela n'avait guère d'importance. Il venait d'avancer de quelques pas sous l'arche : le chemin s'élargissait et s'ouvrait sur une zone pavée de grandes dalles.

De plus en plus perplexe, il se mit à rire, cessa un instant, puis recommença à s'esclaffer en voyant le gouffre noir qui s'ouvrait à ses pieds. C'était un trou colossal. Il se trouvait sur une sorte de jetée suspendue au-dessus du vide.

Tandis qu'il s'approchait du bord du précipice à petits pas sur les dalles usées, il sentit le souffle d'une bourrasque qui venait d'en haut.

C'était une découverte extrêmement troublante. Son cœur battait la chamade face à l'immensité du gouffre. Il ne voyait pas du tout l'autre côté, plongé dans l'obscurité la plus totale. Il aurait tant voulu disposer d'une source de lumière plus puissante pour pouvoir en évaluer le diamètre, mais il pouvait d'ores et déjà dire qu'une grosse montagne aurait très bien pu s'y engouffrer sans problème.

Il leva lentement la tête et vit que la voûte était percée d'un trou tout aussi vaste. La béance semblait se prolonger vers la surface. C'était donc la source des coups de vent et des cascades sporadiques qui s'abattaient sur les lieux. Ses lèvres s'animèrent, mais il n'émit aucun son. Il se demandait jusqu'où remontait cette incroyable formation naturelle. Peut-être s'ouvrait-elle jadis à la surface de la Terre? Elle avait peut-être été scellée suite au déplacement des plaques tectoniques, ou par l'activité volcanique.

Mais il ne s'attarda pas sur cette hypothèse, car il était fasciné par les profondeurs de l'abîme. À force de fixer le gouffre, il finit par repérer du coin de l'œil une série de marches qui partaient du bord de la plate-forme à sa gauche.

Nous y voilà? se demanda-t-il, le souffle court. *Est-ce là mon billet pour l'Intérieur?*

Il ôta aussitôt son sac à dos et amorça sa descente le long des marches de pierre fissurées.

— Zut! dit-il en arrondissant les épaules lorsqu'il vit que l'escalier s'arrêtait presque immédiatement.

Il s'agenouilla et scruta les ténèbres pour voir si une partie de l'escalier s'était effondrée.

— Pas de chance, dit-il en poussant un soupir d'abattement.

Rien ne semblait indiquer que les marches continuassent en contrebas – il ne restait que cette volée de sept marches sur laquelle il était perché. Il avait espéré tout autre chose. Peut-être son exploration s'arrêterait-elle là pour de bon, mais il ne se laissa pas gagner par le désespoir. Il se demandait s'il n'y avait pas un autre escalier semblable, mais intact, et dont le départ se situerait plus loin en bordure du gouffre.

Une autre voie d'accès.

Il remonta, ramassa son sac à dos tout en cherchant à comprendre ce qu'il voyait. C'était donc le trou qui figurait sur la carte coprolithe; et ce devait forcément être le même que celui se trouvant sur le panneau central au cœur du temple aux vilaines bestioles.

Il comprenait pourquoi ce peuple antique lui avait donné une telle importance. Mais il devait y avoir autre chose. La civilisation qui avait construit et s'était servie de ce temple croyait manifestement qu'il s'agissait d'un lieu saint, digne d'être vénéré. Il réfléchit en se massant la nuque.

Ces gens minuscules représentés sur le panneau central du triptyque se précipitaient-ils dans le vide pour accomplir un acte rituel ? Se sacrifiaient-ils tout simplement ? Ou bien était-ce autre chose ?

Les questions se bousculaient dans son esprit. Elles réclamaient toutes son attention et exigeaient une réponse. La tempête battait son plein sous son crâne, lorsque, tout à coup, son corps entier se convulsa comme s'il venait d'être frappé par la foudre.

— Oui ! J'y suis ! cria-t-il en se retenant in extremis de hurler : « Eurêka ! ».

Il ouvrit son sac à dos en toute hâte et en sortit son carnet, dans lequel il se plongea littéralement en s'affalant à plat ventre sur le sol. Il se mit alors à noter rapidement ce dont il se souvenait. Les derniers mots du panneau central lui étaient revenus en mémoire, il visualisait presque tous les détails ; et même si l'image n'était pas parfaite, il en avait assez pour tenter de traduire le tout grâce à la pierre de Burrows, quand il aurait noté toutes les lettres.

Après dix minutes de gribouillages fébriles, il esquissa un large sourire.

— Jardin de la... du Second Soleil ! cria-t-il.

Puis son sourire s'évanouit.

— Jardin du Second Soleil ? Qu'est-ce que ça peut bien vouloir dire, bon sang ? Quel jardin ? Quel second soleil ?

Il roula sur le côté pour observer l'abîme.

— Des faits, des faits, rien que des faits, dit-il en répétant le mantra auquel il recourait chaque fois qu'il se sentait emporté par une vague de spéculations sans fin.

Le Dr Burrows essayait de procéder par déduction logique, aussi difficile que ce fût étant donné son excitation. Il lui fallait se forcer à bâtir une base solide à partir de tout ce qu'il avait découvert. Alors seulement il pourrait commencer à échafauder des théories et vérifier leur véracité.

Il pouvait cependant affirmer catégoriquement que les géologues et les géophysiciens de la Surface s'étaient complètement fourvoyés, ce qui était une révélation en soi. Il se trouvait à plusieurs kilomètres sous la Surface, et d'après leurs calculs il aurait déjà dû être rôti à point. Il avait certes traversé des zones d'intense chaleur où il y avait très probablement des roches en fusion, mais cela ne correspondait certainement pas à ce que l'on croyait savoir sur la composition de la planète, ou sur la courbe prétendument ascendante des températures.

Voilà qui était bien joli, mais ça ne l'aidait guère à trouver les réponses qu'il cherchait.

Il se mit à siffler entre ses dents tout en se concentrant...

Qui étaient les gens du temple ?

Il s'agissait manifestement d'un peuple qui s'était réfugié sous la surface de la Terre, des milliers d'années plus tôt.

Mais, comme on le voyait sur le Triptyque du jardin d'Éden, *ils étaient revenus en pèlerinage à la surface de la Terre. Que leur était-il alors arrivé ?*

Il laissa échapper un sifflement aigu et se releva, totalement perplexe. Il repassa sous l'arche, puis redescendit les marches.

Peut-être s'était-il trompé ? Peut-être les marches continuaient-elles en contrebas, mais il ne les avait pas vues. Il tira de sa ceinture son marteau de géologue à manche bleu, puis il s'accroupit sur la dernière marche et le planta dans une fissure qui courait dans la paroi juste à côté de lui. Il l'enfonça avec la paume de sa main pour s'assurer qu'il était bien ancré dans la roche, ce qui semblait être le cas. Puis il s'y agrippa d'une main et se pencha aussi loin que possible pour voir ce qui se trouvait sous ses pieds.

Une idée lui traversa soudain l'esprit tandis qu'il scrutait les ténèbres à l'aide de son globe lumineux qui se balançait au bout de la lanière nouée autour de son poignet.

En se précipitant dans ce trou, ces gens croyaient-ils vraiment qu'ils atteindraient quelque terre promise ? Était-ce la voie qui menait à leur jardin d'Éden, ou leur nirvana, quel que soit le nom qu'ils aient choisi pour le désigner ?

Il continua de réfléchir à cette hypothèse, quand soudain un concept révolutionnaire lui traversa l'esprit tel un éclair zébrant le ciel.

Peut-être avait-il cherché dans la mauvaise direction depuis le début. Il était tellement résolu à regarder vers le haut qu'il n'avait jamais songé à regarder vers le bas !

Ce peuple antique n'avait peut-être rien à avoir avec les cultures de la Surface depuis des millénaires pour une très bonne raison. Même s'ils avaient fui la Surface en emportant leur écriture et leurs connaissances avec eux, peut-être n'y étaient-ils jamais revenus ? Ça aurait expliqué pourquoi il parvenait pas à comprendre ce qui leur était arrivé, pourquoi il ne retrouvait aucune trace de leur présence dans l'histoire des civilisations terrestres.

Donc...

Il émergea de ses pensées pour prendre une brève inspiration avant de replonger de plus belle.

... possédaient-ils le secret de ce qui se trouve en dessous, au centre de la Terre ? Y avait-il vraiment un Jardin du Second Soleil, *là-bas, à l'Intérieur ? Et pensaient-ils vraiment l'atteindre en se jetant dans un gouffre immense ? Qu'est-ce qui les pousserait à croire cela ? Pourquoi ? Pourquoi ? Pourquoi ?*

Peut-être avaient-ils raison.

Cette idée était trop extraordinaire, mais quoi qu'il en soit ce peuple primitif croyait de toute évidence qu'il atteindrait ce paradis idyllique en sautant. Il le croyait avec ferveur.

Le Dr Burrows était sans doute épuisé et souffrait d'inanition, car une idée farfelue lui traversa l'esprit.

Pourquoi ne pas risquer le tout pour le tout et sauter dans le trou ?

— Tu veux rire ! dit-il aussitôt à voix haute.

Comment pouvait-il souscrire, lui, homme d'une érudition considérable, à une croyance païenne selon laquelle il survivrait à la chute et découvrirait alors un soleil radieux et de merveilleux vergers d'arbres fruitiers ?

Un soleil au centre de la Terre ?

Non, il délirait complètement. Tu parles d'une déduction rationnelle et scientifique !

Il écarta prestement cette idée et se hissa de nouveau sur la marche, puis se retourna.

Il poussa soudain un hurlement de terreur.

L'insecte géant se trouvait là, juste derrière lui — son acarien géant —, agitant ses mandibules juste sous son nez.

Pris d'une peur panique, le Dr Burrows recula, perdit l'équilibre en moulinant l'air de ses bras tandis qu'il tombait à la renverse dans le vide.

Il ne poussa nul cri héroïque dans sa chute, si ce n'est un bref gloussement de surprise contrariée. Sa silhouette minuscule tournoya dans les airs, puis disparut en sombrant dans l'oubli des ténèbres du Pore.

Chapitre Quarante-cinq

Chester tira si fort sur la corde qu'elle s'enroula autour de son poignet, et lui entraîna le bras au passage. Will s'étala à plat ventre dans la boue humide et chaude. Il entendit la voix de Chester, assourdie et indistincte, qui marmonnait sans doute des injures, très probablement à son encontre. Chester tira de nouveau, plus violemment cette fois. Au vu de leur précédent échange, Will ne doutait pas un instant que Chester le rendrait responsable de cette partie fort déplaisante de leur périple, comme il l'avait fait pour tout le reste. Will sentait monter en lui un sentiment de rancœur – ne souffrait-il pas tout autant que les autres ?

– J'arrive, bon sang ! J'arrive ! cria-t-il avec fureur en se hissant à la corde pour rattraper les autres, crachant et jurant tout du long.

Il avait l'impression de se rapprocher de Chester, même si la brume l'empêchait de le voir. Will découvrit alors que la corde avait dû s'accrocher à quelque chose. Elle était coincée.

Chester hurla encore à cause de ce nouveau retard. Peu importe ce qu'il disait, Will savait que cela ne devait pas être très plaisant.

– La ferme, d'accord ? La corde est coincée ! hurla Will à son adresse en s'allongeant sur le côté pour chercher l'origine du problème à la lueur de sa lanterne.

En vain. Il ne voyait rien du tout. Il en déduisit qu'elle avait dû s'enrouler autour d'un rocher, il la fit sauter à plusieurs reprises et elle finit par se libérer. Il gravit la pente comme un dératé pour rattraper Chester, qui s'était encore arrêté – probablement à cause de Cal, immobilisé devant lui.

Depuis qu'ils avaient pénétré dans la brèche, ils avaient grimpé le long d'un plan invariablement incliné à trente degrés. L'étroitesse du passage ne leur laissait pas d'autre choix que de progresser à quatre pattes. Le substrat sous-jacent était lisse et ruisselait d'une eau abondante qui coulait le long de la pente pour se jeter dans la mer en contrebas. À mesure qu'ils avançaient, une boue chaude se substituait peu à peu à l'eau. Elle avait la consistance du pétrole brut; incroyablement glissante, elle rendait leur ascension d'autant plus ardue.

C'était un peu comme dans un sauna dont on aurait réglé le thermostat au maximum – la chaleur et l'humidité étaient insupportables. Will haletait en tirant sur le col de sa chemise, tentant en vain de se rafraîchir. De temps à autre, la puanteur âcre du soufre emplissait l'atmosphère, si bien qu'il en avait le vertige et se demandait comment s'en sortaient les autres.

Elliott les avait autorisés à régler leurs lanternes au maximum, car il était peu probable que quiconque détecte leur lumière dans ce passage, d'autant plus que tout était noyé dans la brume. Will lui en était très reconnaissant, car il aurait été horriblement angoissant de ne pas voir où ils allaient dans un boyau aussi étroit.

Will entendit la voix de son frère à deux reprises au-devant de lui. Il jurait et n'avait pas l'air content du tout. Les trois garçons exprimaient en effet leur contrariété en poussant des grognements entrecoupés de jurons. Chester était le plus véhément des trois, il jurait comme un charretier. Seule Elliott demeura fidèle à elle-même, taciturne et silencieuse tout au long du chemin.

Chester tira de nouveau sur la corde, et Will s'aperçut qu'il s'était presque endormi; il se remit aussitôt en route. L'instant d'après, il dut encore s'arrêter pour s'essuyer les yeux. Ils étaient couverts de boue. Il vit alors des bulles qui éclataient à la surface d'un bassin boueux non loin de là en émettant un son incessant : *glop glop!*

– Merci, mon ami, vraiment, hurla Will à l'adresse de Chester, qui venait de tirer violemment sur la corde.

Ces fréquents à-coups lui rappelaient avec qui il se trouvait encordé, et il repensa à ce que lui avait dit Chester, car cette ascension éreintante constituait son unique diversion.

Les paroles ne valent pas grand-chose, surtout les tiennes!

J'en ai surtout marre de voir ta tronche!

Ces phrases résonnaient dans sa tête.

Comment avait-il osé dire des choses pareilles?

Will n'avait jamais voulu que ça se passe ainsi. Il n'avait jamais imaginé qu'ils pussent courir un tel danger lorsqu'ils avaient décidé tous les deux de découvrir ce qu'il était advenu du père de Will. Plusieurs mois auparavant, lorsqu'ils longeaient les rails menant à la gare des mineurs, Will lui avait présenté ses plus sincères excuses. À l'époque, Chester avait semblé les accepter sans réserve.

Les paroles ne valent pas grand-chose, surtout les tiennes !

Chester lui avait tout jeté à la figure. Que pouvait-il faire maintenant pour se faire pardonner ?

Rien.

C'était une situation inextricable. Will commença donc à imaginer ce qui se passerait lorsqu'il retrouverait son père adoptif. Il était manifeste que Chester avait fait allégeance à Elliott – peut-être était-ce pour contrarier Will. Mais quelle que soit sa motivation, ils semblaient très proches l'un et l'autre, et Will était totalement exclus.

Mais si son père adoptif entrait soudain en scène, comment Elliott réagirait-elle à sa venue au sein de l'équipe ? Et lui, comment la jugerait-il ? Resteraient-ils tous ensemble, lui, son père adoptif, Chester, Cal et Elliott ? Will ne pouvait imaginer qu'ils puissent s'entendre. Le Dr Burrows était bien trop détaché des contingences et pas assez pragmatique pour Elliott. Après tout, on ne pouvait trouver personnes plus dissemblables – leurs caractères divergeaient totalement.

S'ils se séparaient, qu'adviendrait-il de Chester ? Il avait manifestement choisi son camp et n'était plus dans le sien. Will s'avoua qu'il ne verrait pas d'inconvénient majeur à ce que Chester parte avec Elliott, vu la situation. Mais tout n'était pas si simple, car Will aurait besoin d'Elliott lui aussi, surtout avec les Styx à ses trousses.

La corde se raidit à nouveau, l'arrachant à ses pensées, et il entendit la voix gutturale de Chester qui lui demandait de presser le pas.

Ils continuèrent à grimper jusqu'à ce que Will remarque que la brume et la vapeur d'eau se dissipaient peu à peu, tandis qu'un léger souffle d'air frais se diffusait tout autour d'eux. Mais cela n'arrangea en rien la situation : ils étaient couverts d'une épaisse couche de boue qui commença à sécher, et leurs vêtements se mirent à râper leur peau.

La brise céda la place à un vent fort, et Will découvrit qu'ils étaient enfin arrivés en haut après avoir néanmoins subi une dernière traction sur la corde. À son grand soulagement, il put se relever et détendre les nœuds qu'il avait dans le dos. Il ôta la boue de ses yeux et vit que les autres étaient déjà debout en train d'étirer leurs membres perclus de crampes. Cal, quant à lui, avait trouvé un rocher sur lequel se percher et massait sa jambe. On aurait dit qu'il portait un masque de pure souffrance sur le visage. Will regarda l'état dans lequel il se trouvait, puis examina ses compagnons sous l'épaisse croûte de boue séchée dont ils étaient crépis, ils ne ressemblaient plus à rien.

Will s'avança au milieu de la caverne et sentit le vent souffler sur son visage avec une telle force et sans jamais faiblir qu'il peinait à respirer. Il pensa tout d'abord qu'ils se trouvaient devant une forêt de stalagmites ou de stalactites, voire des deux. Mais après avoir nettoyé sa lentille et allumé son casque, il découvrit une tout autre réalité. Ils étaient dans une grande galerie dont la voûte s'élevait à vingt ou trente mètres du sol et d'où partaient de multiples passages plus petits. Il y avait tant d'ouvertures obscures qu'il se sentit aussitôt mal à l'aise, imaginant que des Styx se tenaient tapis là.

— T'as plus besoin de la corde, maintenant ! lui cria Elliott.

Il fit de son mieux pour la défaire, mais le nœud était tellement englué par la boue qu'elle dut lui venir en aide. Après l'avoir débarrassé de la corde qui lui enserrait la taille, Elliott l'enroula et fit signe aux garçons de s'approcher.

— Vous partez par là, dit-elle en indiquant le fond de la grande galerie.

Le bruit du vent couvrait sa voix, et les trois garçons avaient du mal à l'entendre.

— Pardon ? demanda Will en mettant sa main en cornet.

— J'ai dit : vous partez par là, hurla-t-elle, alors qu'elle s'éloignait déjà vers une galerie latérale.

Les trois garçons la regardèrent d'un air interrogateur et plein d'inquiétude. Elle ne les accompagnait manifestement pas.

**

Sarah était proche. Si proche qu'elle pouvait presque sentir leur présence malgré les jets de vapeur sulfureuse.

Le chasseur était bel et bien dans son élément — on l'avait élevé pour ça. La piste était si fraîche qu'il se précipitait comme un fou pour rattraper sa proie. De sa gueule dégoulinait une bave blanchâtre, et ses oreilles ne cessaient de tressaillir, tandis qu'il gardait le museau collé au sol. Il courait à toute allure le long de l'étroit boyau en dérapant dans la boue. Il tirait littéralement Sarah derrière lui, et elle faisait tout son possible pour le retenir. Lorsqu'il marqua une pause pour se dégager les naseaux en reniflant comme un cochon, elle lui lança :

— Où est ton maître ? Où est Cal, alors ? Où est Cal ? l'aiguillonna-t-elle d'une voix chantante.

Bartleby n'avait pas besoin qu'on l'encourage et il démarra au quart de tour. Il bondit en avant sans prévenir, si bien que Sarah se retrouva à plat ventre. Elle glissa ainsi en lui ordonnant de freiner l'allure sur une bonne vingtaine de mètres, avant qu'il ne ralentisse suffisamment pour qu'elle puisse se remettre à quatre pattes.

— Si seulement j'apprenais enfin à me taire, marmonna-t-elle en clignant des yeux sous un masque de boue.

En voyant les lézards qui volaient dans le ciel, elle avait parfaitement compris ce qui les avait dérangés. Elle avait donc filé avec Bartleby le long du rivage, jusqu'à la paroi de la caverne. Le chat avait rapidement retrouvé la trace qui menait au boyau. Il avait alors relevé la tête pour pousser un miaulement grave et victorieux.

À mesure qu'ils progressaient à vive allure le long du boyau, Sarah remarquait les traces laissées par le groupe. En voyant l'empreinte d'une paume inconnue, elle conclut qu'il y avait quelqu'un d'autre avec Cal et Will, quelqu'un de plus petit. *Un enfant* ? se demanda-t-elle.

Chapitre Quarante-six

Le vent soufflait toujours aussi fort dans la galerie principale. Canalisé par les passages plus étroits, il se transformait parfois en bourrasques, propulsant les garçons en avant. Après la moiteur du boyau, ce changement était fort bienvenu, même si l'air qui leur balayait le visage restait chaud.

La voûte se trouvait loin au-dessus d'eux, et toutes les surfaces qu'ils voyaient étaient lisses, comme si elles avaient été polies par les particules portées par le vent qui forçaient les trois garçons à rentrer la tête dans les épaules pour se protéger les yeux.

Après qu'Elliott les avait laissés seuls, ils avaient foncé à toute allure. Cependant, comme elle ne réapparaissait toujours pas, ils avaient fini par perdre peu à peu leur détermination et s'étaient mis à marcher d'un pas nonchalant.

Elle leur avait expliqué qu'ils devaient rester sur la voie principale pendant qu'elle partait en éclaireur pour dénicher ce qu'elle appelait les « postes d'écoute ». Chester et Cal avaient semblé accepter cette explication, mais Will ne lui faisait guère confiance et avait essayé de savoir ce qu'elle préparait vraiment.

– Je ne comprends pas... Pourquoi as-tu besoin de partir au-devant ? lui avait-il demandé en étudiant soigneusement son regard. Tu nous as pourtant dit que les Limiteurs étaient derrière nous, non ?

Elliott ne lui avait pas immédiatement répondu. Elle avait rapidement détourné la tête comme si elle avait entendu un bruit porté par le vent. Elle avait tendu l'oreille pendant une seconde avant de se tourner vers lui.

– Ces soldats connaissent le terrain presque aussi bien que Drake et moi. Mais Drake n'est plus parmi nous, corrigea-t-elle en grimaçant. Ils pourraient être n'importe où. Ne tiens jamais quoi que ce soit pour acquis.

— Tu veux dire qu'ils pourraient nous attendre en embuscade ? avait demandé Chester en regardant le passage d'un air angoissé. On pourrait foncer droit dans un piège ?

— Oui. Laissez-moi faire ce que je sais faire de mieux, avait répondu Elliott.

Elle n'était plus là pour les guider, et Chester avait pris la tête du groupe, suivi de près par Will et Cal. Ils se sentaient extrêmement vulnérables sans leur protectrice féline.

Le vent qui soufflait en continu les rafraîchissait, certes, mais il les déshydratait aussi, et ils ne firent aucune objection lorsque Will leur proposa de s'arrêter. Ils s'adossèrent contre la paroi de la galerie, ravis de pouvoir siroter à leurs gourdes.

Comme Will et Chester ne s'étaient toujours pas réconciliés, ils ne faisaient aucun effort pour parler. Cal boitait encore, il avait d'autres problèmes à régler. Il restait donc tout aussi silencieux.

Will regarda les deux autres garçons. À voir leur comportement, il savait qu'il n'était pas le seul à se demander si Elliott n'avait pas déserté. Il s'était déjà préparé à cette éventualité, car il la croyait tout à fait capable de les planter là. Elle pourrait rejoindre les Zones humides beaucoup plus vite, ou tout autre lieu, d'ailleurs, sans s'encombrer de leur présence.

Will se demandait comment réagirait Chester si Elliott leur avait vraiment joué ce sale tour. Il lui faisait une confiance aveugle, et le coup serait forcément terrible. Chester scrutait sans cesse les ténèbres dans l'espoir de l'apercevoir.

Ils entendirent soudainement un bruit étrange par-dessus le mugissement du vent. C'était une plainte rauque.

À peine Will l'eut-il entendue qu'il avait su ce qui fonçait droit sur eux. C'était un son qu'il aurait voulu ne jamais plus entendre de sa vie. Il se mit à hurler de terreur.

— Chien ! Limier !

Sous le regard hébété de Chester et de Cal, Will lâcha sa gourde et fondit sur eux pour les entraîner avec lui.

— Courez ! hurla-t-il, aveuglé par la panique.

Alors, tout arriva en même temps.

Un gémissement grave s'éleva, puis une forme sombre surgit des ténèbres. Elle bondit et se jeta sur Cal. Si ce dernier n'avait pas été si près de la paroi, il serait tombé à la renverse. La créature heurta

Will sur le côté, mais il recouvra vite son équilibre. Il aperçut brièvement l'animal à la forme ondoyante, persuadé qu'il s'agissait d'un chien d'attaque styx. Il crut bien que tout était perdu, lorsqu'il entendit les cris de son frère.

— Bartleby! hurlait Cal avec délice. Bart! C'est toi!

Deux détonations retentirent simultanément dans le lointain, et Will aperçut des éclairs du coin de l'œil, tout au fond de la galerie.

— La voilà! s'exclama Chester. Elliott!

Will et Chester la virent émerger de la pénombre pour se poster au milieu de la galerie.

— Restez en arrière! hurla-t-elle tandis qu'elle reculait.

Cal était ravi. Assis à côté de son chat, il en avait oublié tout ce qui se passait autour de lui.

— Qui t'a passé ce truc stupide autour du cou? demanda-t-il à l'animal.

Il défit aussitôt le collier en cuir et le jeta au loin. Puis il embrassa son chat gigantesque qui lui lécha le visage en retour.

— Je n'arrive pas à croire que tu es revenu, Bartleby, répétait-il sans cesse.

— Je n'en reviens pas non plus, dit Will à Chester en oubliant un instant leur différend. D'où est-ce qu'il a bien pu sortir?

Malgré l'ordre que leur avait donné Elliott, ils s'avancèrent lentement vers elle. Will alluma son casque pour voir ce qu'elle faisait. Elle visait quelque chose en pointant sa carabine vers le sol. Will était encore très secoué par l'apparition subite de Bartleby, et il saisit ce qui s'était passé en entendant les explications de Chester.

— Elliott a tiré sur quelqu'un, dit-il d'une voix neutre.

— Oh, mon Dieu, souffla Will qui venait de comprendre : les éclairs qu'il avait vus provenaient de la carabine d'Elliott.

Il s'immobilisa aussitôt, n'ayant pas la moindre intention de s'aventurer plus loin.

Au bout du tunnel, Elliott avait écarté l'arme du corps d'un coup de pied et s'était accroupie à ses côtés pour l'examiner. Inutile de vérifier son pouls ; une mare de sang s'étalait dans la poussière, et si le Styx n'était pas déjà mort ce n'était plus qu'une question de temps.

Elliott lui avait tiré dans les jambes pour le stopper net, puis elle l'avait atteint à la tempe. *Immobiliser d'abord... et tuer ensuite.* Elle n'avait pas visé aussi juste qu'elle l'aurait souhaité, mais le résultat était le même au final. Elle s'accorda un sourire satisfait.

Le Styx était couvert de boue séchée. Il avait donc dû les suivre dans le boyau. Du bout des doigts, Elliott palpa le cuir ciré du long manteau au camouflage marron dont elle connaissait si bien le motif. Eh bien, ça ferait un Limiteur de moins – il ne les embêterait plus.

– Pour toi, Drake, murmura-t-elle.

Elle fronça soudain les sourcils.

Quelque chose ne collait pas. Ce tueur potentiel fonçait sur eux, arme à l'épaule. Elliott était persuadé qu'il s'apprêtait à tirer « à la volée », mais il n'en avait pourtant rien fait. Il n'avait pas non plus fait preuve de la précision ni de la furtivité qu'elle aurait été en droit d'attendre d'un soldat de la division des Limiteurs. Leur talent au combat était légendaire, mais pour une raison qu'elle ignorait cet homme avait couru comme un fou. Son front se plissa encore un peu plus en méditant sur ce point, même si elle ne spéculait que pour la forme – elle l'avait abattu –, et mieux valait ne pas traîner dans les parages. Il était très probable qu'il y en eût encore d'autres en chemin, et elle ne voulait surtout pas se faire prendre à découvert.

Elliott commença à le dépouiller de tout ce qu'elle pouvait. Pas de sac à dos – voilà qui était décevant. Ce Limiteur devait s'en être débarrassé en cours de route pour aller plus vite. Il avait néanmoins son ceinturon. Elle le lui ôta et le lança par-dessus la carabine.

Elle tomba sur un bout de papier plié en fouillant dans ses poches. Pensant qu'il s'agissait d'une carte, elle le déplia en le maculant du sang qu'elle avait sur la main. C'était un placard qui célébrait quelque événement. Elle en avait déjà vu dans la Colonie. L'image principale était celle d'une femme encadrée par quatre petites vignettes qui représentaient chacune une scène différente. Elliott les parcourut rapidement, lorsque quelque chose attira son regard.

Il y avait une cinquième image au bas de la feuille. Elle semblait avoir été ajoutée au crayon à papier. C'était très étrange. Elle la regarda de travers, n'en croyant pas ses yeux.

C'était le portrait craché de Will, même s'il avait l'air plus élégant, avec les cheveux courts et bien coupés.

Elle l'examina d'un peu plus près en approchant sa lanterne. Oui, c'était bien Will, mais autre chose lui coupa soudain le souffle. Il avait un nœud coulant passé autour du cou. L'autre extrémité de la corde s'enroulait au-dessus de sa tête pour former un point d'interrogation.

Il y avait aussi une silhouette plus sombre et moins précise derrière lui, qui ressemblait vaguement à Cal. Will avait l'air dépité, *comme n'importe quel condamné à mort*, se dit-elle, alors que l'autre personnage affichait un sourire serein. Leurs expressions divergentes rendaient cette association assez troublante.

Elliott étudia le reste de la page en s'attardant sur le portrait central, et lut alors la bannière flottante dans laquelle on avait inscrit le nom de cette femme.

Sarah Jérôme.

Elliott se pencha aussitôt sur le corps, et tourna la tête sur le côté pour l'examiner. Malgré la grande quantité de sang qui coulait de sa tempe blessée, elle vit immédiatement qu'il ne s'agissait pas d'un Limiteur.

C'était une femme !

Elle avait tiré ses longs cheveux bruns en arrière.

Il n'y avait pas de femmes chez les Limiteurs. C'était quelque chose d'inouï, et Elliott était bien placée pour le savoir.

À cet instant, elle comprit à qui elle avait affaire. Qui elle venait de tuer.

La mère de Will et de Cal... Sarah Jérôme.

Elle tourna de nouveau la tête de côté, estimant qu'il valait mieux dissimuler son visage si jamais les garçons venaient à s'approcher.

— T'as besoin d'un coup de main ? lança Will.

— Euh... répondit Elliott. Non, restez là où vous êtes.

— C'est un de ces fichus Styx, n'est-ce pas ? cria Will d'une voix légèrement tremblante.

— Je crois, répondit Elliott après un instant.

Elle hésitait, les yeux posés sur la tête sanglante, tout en se demandant si elle devait dire la vérité à Will. Elle eut un pincement au cœur en repensant à son foyer au sein de la Colonie. Elle se souvenait du moment déchirant où elle avait dû quitter sa propre mère, sachant alors qu'elle ne la reverrait probablement jamais.

Toujours aussi indécise, Elliott examina de nouveau le papier. Elle ne pouvait garder ce secret pour elle-même. Elle ne pouvait pas rester avec ça sur la conscience.

— Will, Cal, venez ici !

— D'accord, cria Will en accourant vers elle, suivi par Cal et Chester. T'as vraiment épinglé cette ordure, dit-il en regardant le corps avec une certaine excitation.

— Tu devrais jeter un coup d'œil là-dessus, lui dit rapidement Elliott en lui fourrant le papier entre les mains.

Will examina la feuille qui claquait dans le vent. Il secoua la tête d'un air incrédule en reconnaissant son propre portrait au bas de la page.

— Qu'est-ce que c'est que ce truc?

Puis il posa les yeux sur le nom qui figurait en haut de la feuille.

— Sarah... Sarah Jérôme, lut-il à voix haute, avant de se tourner vers Chester. Sarah Jérôme? répéta-t-il encore.

— C'est pas ta mère? demanda Chester en se penchant pour voir la feuille.

Elliott s'agenouilla à côté du corps. Sans dire un mot, elle tourna doucement la tête sur le côté et écarta les cheveux humides pour révéler le visage. Puis elle se releva.

— Je croyais que c'était un Limiteur, Will.

— Oh mon Dieu! C'est elle! C'est bien elle! s'exclama Will, comparant le visage de cette femme au portrait qu'il tenait à la main.

Il n'avait pas vraiment besoin de cette image. La ressemblance entre son propre visage et celui de cette femme était si frappante qu'il avait l'impression de voir son reflet dans un miroir poussiéreux.

— Qu'est-ce qu'elle fait là? demanda Chester. Et pourquoi est-ce qu'elle transportait ça? ajouta-t-il en indiquant la carabine.

Will secoua la tête. C'était plus qu'il n'en pouvait supporter.

— Va chercher Cal, dit-il à Chester d'un ton sec en se rapprochant de Sarah.

Il s'accroupit à hauteur de son épaule et tendit la main pour toucher ce visage si semblable au sien.

Il la retira en l'entendant grogner légèrement.

— Elliott, elle est en vie, souffla-t-il.

Les paupières de Sarah tressaillirent, mais elle garda les yeux fermés.

Avant qu'Elliott ait eu le temps de réagir, Sarah ouvrit la bouche pour respirer.

— Will? demanda-t-elle en bougeant mollement les lèvres et d'une voix presque inaudible, noyée par le mugissement sinistre du vent qui soufflait dans la galerie.

— Vous êtes Sarah Jérôme? Vous êtes vraiment ma mère? demanda-t-il d'une voix étranglée.

Will était en proie à un tumulte d'émotions. Voilà qu'il rencontrait sa mère biologique pour la première fois, et qu'elle était revêtue de l'uniforme des soldats qui le pourchassaient. Qui plus est, il figurait avec une corde autour du cou sur l'affiche qu'elle transportait sur elle. Qu'est-ce que cela signifiait? S'apprêtait-elle à lui tirer dessus?

— Oui, je suis ta mère, grogna-t-elle. Tu dois me dire... commença-t-elle avant que sa voix ne la trahisse.

— Quoi? Vous dire quoi? demanda Will.

— As-tu tué Tam? hurla-t-elle en s'arc-boutant avant d'ouvrir soudain les paupières et de regarder Will droit dans les yeux.

Celui-ci eut un tel choc qu'il faillit tomber à la renverse.

— Non, répondit Cal qui se trouvait juste à côté de Will — ce dernier n'avait même pas remarqué sa présence. C'est vraiment toi, mère?

— Cal, dit Sarah en fermant les yeux, tandis que des larmes roulaient le long de ses joues.

Sarah se mit alors à tousser, et il lui fallut plusieurs secondes avant de pouvoir recommencer à parler.

— Dis-moi juste ce qui s'est passé dans la Cité éternelle... Dis-moi ce qui est arrivé à Tam. J'ai besoin de savoir.

Cal avait du mal à parler. Il avait les lèvres tremblantes.

— Oncle Tam est mort pour nous sauver... tous les deux, dit-il enfin.

— Oh, mon Dieu! s'exclama Sarah dans un sanglot. Ils me mentaient. Je le savais. Les Styx m'ont menti depuis le début.

Elle essaya de se redresser, en vain.

— Il faut que vous restiez tranquille, lui dit Elliott. Vous saignez beaucoup. J'ai pensé que vous étiez un Limiteur et j'ai tiré...

— Ça n'a plus d'importance à présent, dit Sarah, à l'agonie, en tournant la tête sur le côté.

— Je peux panser vos plaies, proposa Elliott en dansant d'un pied sur l'autre, tandis que Will la regardait.

Sarah tenta de refuser, mais elle fut prise d'une nouvelle quinte de toux avant de pouvoir poursuivre.

— Will, je suis désolée d'avoir jamais douté de toi. Je suis tellement, tellement désolée.

— Euh... c'est pas grave, balbutia Will sans comprendre ce qu'elle voulait dire.

— Approchez-vous, tous les deux, pressa-t-elle. Écoutez-moi.

Cal et Will se penchèrent pour entendre ce que leur mère cherchait à leur dire. Pendant ce temps, Elliott appliquait des compresses de gaze sur la hanche de Sarah en les fixant avec des bandages.

— Les Styx détiennent une sorte de virus mortel qu'ils vont répandre en Surface.

Elle cessa de parler, serrant les dents sur un gémissement de douleur, puis elle reprit.

— Ils en ont déjà testé une souche ici, mais... mais ce n'était qu'une répétition... La souche la plus virulente s'appelle le Dominion... va entraîner une terrible épidémie.

— C'est donc ce qu'on a vu dans le bunker, murmura Cal à l'adresse d'Elliott.

— Will... Will, dit Sarah en lui adressant un regard plein de désespoir. Rebecca transporte le virus sur elle... et elle veut t'éliminer du tableau. Les Limiteurs...

Sarah se raidit, puis se relâcha.

— ... ne s'arrêteront pas tant qu'ils ne t'auront pas tué.

— Mais pourquoi moi? demanda Will qui en avait le vertige.

Sa mère confirmait ce qu'il redoutait. Les Styx voulaient sa mort.

Sarah ne répondit pas, mais au prix d'un immense effort elle se tourna vers Elliott qui terminait de poser un pansement sur sa tempe.

— Ils viennent pour vous tuer tous autant que vous êtes. Il faut que vous filiez d'ici. Y a-t-il d'autres personnes à qui vous pouvez demander de l'aide?

— Non, nous sommes seuls, répondit Elliott. Ils ont raflé la plupart des renégats.

Sarah resta silencieuse pendant qu'elle essayait de contrôler sa respiration.

— Dans ce cas, Will, Cal, il faut que vous vous cachiez au fond d'un trou... là où ils ne pourront pas vous atteindre.

— C'est ce que nous faisons, confirma Elliott. Nous partons pour les Terres de désolation.

— Bien, dit Sarah d'une voix étranglée. Mais ensuite, il faudra que vous remontiez en Surface pour les avertir de ce qui se trame.

— Comment?... commença Will.

— Oh, ça fait mal, grogna Sarah.

Les traits de son visage se détendirent soudain comme si elle s'était évanouie. Seul le tressaillement occasionnel d'une paupière leur indiquait qu'elle s'accrochait et n'avait pas encore sombré dans l'inconscience.

— Maman... **dit** Will d'une voix hésitante.

Il trouvait très bizarre de s'adresser ainsi à une étrangère. Il aurait voulu lui poser des centaines de questions, mais il savait que ce n'était ni le lieu ni l'heure.

— Maman, il faut que tu viennes avec nous.

— On peut te transporter, dit Cal.

— Non, je ne ferais que vous ralentir. Vous avez encore une chance de vous en sortir si vous filez maintenant, répondit Sarah d'un ton résolu.

— Elle a raison, dit Elliott en ramassant la carabine et le ceinturon de Sarah pour les donner à Chester. Il faut qu'on parte maintenant.

— Non, je ne pars pas sans ma mère, insista Cal en serrant la main molle de Sarah.

Pendant que Cal pleurait à chaudes larmes en parlant à sa mère, Will prit Elliott à part.

— On doit bien pouvoir faire quelque chose, insista-t-il. On ne peut pas la transporter sur une partie du chemin et la cacher quelque part ?

— Non, répondit Elliott. Et puis, on n'arrangera pas les choses en la transportant. De toute façon, elle va probablement mourir, Will.

Sarah appela Will, qui rejoignit aussitôt Cal à ses côtés.

— N'oubliez jamais... dit-elle aux deux garçons, le visage déformé par la douleur, que je suis très fière de vous d...

Sarah ne termina jamais sa phrase. Ses paupières se refermèrent et elle s'immobilisa. Elle avait perdu connaissance.

— Il faut qu'on y aille, dit Elliott. Les Limiteurs ne vont vraiment plus tarder à arriver, maintenant.

— Non ! hurla Cal. C'est toi qui lui as fait ça. On ne peut pas...

— Je ne peux pas défaire ce que j'ai fait, lui répondit Elliott d'une voix égale. Mais je peux encore vous aider. À vous de voir.

Cal s'apprêtait à lever une nouvelle objection, mais Elliott commençait déjà à s'éloigner, Chester à sa suite.

— Regarde-la un peu, Cal. On ne lui rendrait pas vraiment service si on essayait de la déplacer, ajouta Elliott par-dessus son épaule.

Malgré ses protestations incessantes, Cal savait tout comme Will qu'Elliott avait raison. Ils ne pourraient jamais transporter Sarah pour l'emmener avec eux. Ils se mirent donc en route. Elliott leur dit que leur mère aurait de plus grandes chances de s'en sortir si un autre renégat venait à la trouver et pansait ensuite ses plaies. Mais Will et Cal savaient l'un comme l'autre que c'était très improbable. Elliott s'efforçait de les réconforter comme elle pouvait.

Lorsqu'elle disparut au détour d'un méandre de la galerie, Will s'arrêta pour regarder Sarah qui gisait sur le sol. Accompagnée par le mugissement lugubre et implacable du vent qui l'entourait, c'était une pensée si triste et effroyable; elle allait mourir là-bas dans le noir, sans personne à ses côtés. Peut-être connaîtrait-il le même destin et exhalerait-il son dernier souffle dans quelque recoin perdu de la Terre, seul au monde.

Il éprouvait une immense détresse, mais il savait pourtant qu'il aurait dû ressentir quelque chose de bien plus fort.

Il aurait dû être en proie au plus grand des chagrins à l'idée que sa vraie mère était en train de perdre tout son sang au fond de cette galerie; au lieu de ça, il ne ressentait qu'une suite d'émotions confuses. Elle n'était qu'une étrangère, abattue à cause d'une regrettable erreur.

— Will! le pressa Elliott, en le prenant par le bras.

— Je ne comprends pas. Qu'est-ce qui se passe ici? dit-il. Et pourquoi lui ont-ils confié Bartleby?

— Le chasseur appartenait à Cal? demanda Elliott.

Will acquiesça.

— C'est très simple dans ce cas, dit Elliott. Les Cols d'albâtre savaient que Cal était avec toi. Quoi de mieux que de laisser Sarah se servir de l'animal pour retrouver son maître et la conduire tout droit jusqu'à toi?

— J'imagine que tu as raison, dit Will en fronçant les sourcils. Mais que faisait-il ici-bas pour commencer? Qu'est-ce que les Styx pensaient...

— Tu ne comprends donc pas? Ils voulaient qu'elle te retrouve et qu'elle te tue, l'interrompit Chester d'un ton mesuré et sans passion.

Il avait gardé le silence jusqu'alors, et il avait les idées plus claires que Will.

— Ils ont manifestement cherché à lui faire croire que tu étais responsable de la mort de Tam. C'est encore une autre de leurs petites manigances ignobles. Comme ce truc, le Dominion, dont elle a parlé.

– On peut se dépêcher un peu maintenant, leur dit Elliott en saupoudrant quelques assécheurs sur leurs traces.

Ils continuèrent le long de la galerie principale. Cal marchait en retrait, son chat paradant à ses côtés. Bartleby était aux anges.

Ils débouchèrent bientôt sur une étroite corniche. Le vent soufflait toujours aussi fort. Ils s'arrêtèrent. Ils ne voyaient que le vide devant eux, et aucune voie d'accès pour descendre.

Chapitre Quarante-sept

— Qu'est-ce qu'il y a encore ? demanda Will qui cherchait à chasser de ses pensées l'image de Sarah pour se concentrer sur le moment présent.

Ils avaient réglé leurs lanternes au minimum et, même sans l'aide de son casque, Will avait la nette impression que la zone qui s'étendait devant eux comportait des taches sombres, comme s'il y avait d'autres pics, voire des plateaux, approximativement au même niveau que la corniche. Il était manifeste qu'Elliott les avait conduits au bord d'une crevasse, mais il n'aurait su dire ce qui se trouvait sous leurs pieds ou plus loin devant eux.

Will sentait que Chester le fixait d'un regard de glace, ce qui le mettait dans une colère noire. Il avait encore l'impression que son ancien ami lui reprochait silencieusement tout ce qui s'était passé jusque-là. Étant donné les épreuves qu'il venait de traverser, Will s'attendait à ce que Chester lui lâche un peu la bride. Mais c'était visiblement trop demander.

— Alors, c'est parti pour le grand saut ? demanda-t-il en scrutant le précipice.

— Pas de problème. Après toi. Le sol est à plusieurs centaines de mètres en contrebas, d'après le temps que met une pierre pour toucher le fond, répondit Elliott. Mais peut-être qu'il vaudrait mieux passer par là.

Ils tournèrent la tête dans la direction qu'elle indiquait et virent deux pointes qui dépassaient du bord de la corniche. Étant donné la force du vent et la hauteur du précipice, ils s'approchèrent du bord avec prudence et virent alors qu'il s'agissait d'une vieille échelle rouillée, mais encore solide.

— Une échelle coprolithe. Ce n'est pas aussi rapide que de sauter, mais beaucoup moins douloureux, dit-elle. On appelle cet endroit les Tranchants – vous verrez pourquoi lorsque nous arriverons en bas.

— Et Bartleby? demanda soudain Cal. Il ne peut pas descendre cette échelle, et je refuse de l'abandonner ici! Je viens à peine de le récupérer!

Cal était agenouillé à côté de son chat qu'il enlaçait d'un bras. L'animal frottait son gros museau contre sa tête et ronronnait si fort qu'on aurait cru entendre le bourdonnement d'une ruche surpeuplée.

— Envoie-le le long de la corniche. Il saura trouver un moyen de descendre, lui dit Elliott.

— Je ne veux pas le perdre encore une fois, dit Cal d'un ton résolu.

— Je crois que j'ai compris le message! aboya Elliott. Si c'est un bon chasseur, il nous suivra jusqu'en bas.

Cal poussa un soupir contrarié.

— Qu'est-ce que tu veux dire? C'est le meilleur de tous les satanés chasseurs de toute cette sainte Colonie! Pas vrai, Bart?

Il passa la main affectueusement sur le crâne chauve et arrondi du chat, et la ruche se mit à vrombir comme si une émeute venait de s'y déclencher.

Elliott passa la première, suivie de près par Chester, qui bouscula Will au passage.

— Excuse-moi! dit-il brutalement.

Will préféra ne rien dire, et s'engagea à son tour, à peine Chester avait-il disparu. Il saisit les deux montants et passa sa jambe dans le vide, quelque peu perplexe, jusqu'à ce qu'il trouve enfin un barreau où poser le pied. Une fois en mouvement, la descente ne lui sembla pas aussi difficile qu'il l'avait cru. Cal passa en dernier. Il avait envoyé Bartleby sur le chemin de la corniche. Ce trajet était certes moins court, mais il continuait à douter et se déplaçait délibérément avec une extrême raideur.

La descente était longue, et l'échelle tremblait et grinçait à chaque fois qu'ils bougeaient, comme si plusieurs vis s'étaient détachées de la paroi. Ils ne tardèrent pas à avoir les mains couvertes de rouille et les paumes si sèches qu'ils durent redoubler d'attention pour ne pas lâcher prise. Le vent diminuait à mesure qu'ils avançaient. Will remarqua alors qu'il n'entendait plus du tout Cal au-dessus de lui.

— Tout va bien? cria-t-il.

Pas de réponse.

Il répéta sa question, plus fort cette fois.

— Oui, répondit Chester d'un ton plein de rancœur.

— Pas toi, espèce d'idiot. Je m'inquiète pour Cal.

Alors que Chester marmonnait quelque réponse, la canne de Cal passa à côté de Will en tournoyant dans les airs à toute allure.

— Oh, mon Dieu! s'exclama Will qui crut l'espace d'un instant que son frère avait glissé et qu'il allait suivre le même chemin que sa canne.

Il attendit en retenant son souffle. Ses peurs n'étaient pas fondées, mais il n'y avait toujours aucune trace de Cal. Il décida qu'il valait mieux vérifier où il en était et commença à grimper pour le rejoindre. Il retrouva rapidement son frère qui se tenait parfaitement immobile et serrait l'échelle dans ses bras.

— Tu as perdu ta canne. Qu'est-ce qui se passe?

— Je n'y arrive pas... souffla Cal. Je me sens mal... Laisse-moi tranquille, s'il te plaît.

— C'est ta jambe? demanda Will que le ton nerveux de son frère inquiétait. Ou bien tu es encore bouleversé pour Sarah? Qu'est-ce qu'il y a?

— Non, j'ai juste... le vertige.

— Ah! dit Will, comprenant enfin la nature du problème.

Cal n'avait pas l'habitude de se trouver en hauteur, vu qu'il avait passé toute sa vie dans la Colonie. Il l'avait déjà remarqué lorsqu'ils étaient en Surface.

— Tu n'es pas ravi de te retrouver aussi haut. C'est ça, n'est-ce pas?

Cal acquiesça en avalant sa salive.

— Eh bien, fais-moi confiance, Cal. Je ne veux pas que tu regardes en bas, mais nous sommes presque arrivés au fond. Je vois Elliott en ce moment même.

— T'es sûr? demanda Cal, vraiment pas convaincu.

— Absolument. Allez.

Will réussit à lui faire avaler cette histoire tout au long d'une trentaine de mètres, mais Cal se figea de nouveau.

— Tu mens. On devrait déjà être arrivés.

— Non, vraiment, ça n'est plus très loin, assura Will. Et ne regarde pas en bas!

Cette même scène se répéta à plusieurs reprises, tandis que Cal commençait à douter de plus en plus fortement de la bonne foi de Will. Il avait de plus en plus chaud. Mais Will finit par toucher terre.

— Terre! annonça-t-il.

— Tu m'as menti! lança Cal d'un ton accusateur en quittant l'échelle.

— Ouais... mais tu sais quoi, ça a marché, n'est-ce pas? Tu es en sécurité maintenant, lui répondit Will en haussant les épaules, ravi d'avoir réussi à convaincre son frère de descendre, quitte à lui mentir.

— Je ne t'écouterai plus jamais, rétorqua Cal dans un mouvement d'humeur, puis il chercha sa canne. Tu n'es qu'un asticot menteur.

— Mais oui, vas-y, te gêne surtout pas pour m'insulter... comme tous les autres, répondit Will, plus à l'attention de Chester que de Cal.

Will s'était tellement occupé de son frère qu'il n'avait pas encore regardé où il se trouvait. Il s'écarta de l'échelle et entendit un crissement caractéristique sous ses semelles. À mesure qu'ils avançaient, le sol émettait un son semblable à celui du verre que l'on broie.

Will prit alors conscience de la dense forêt de colonnes de soixante-dix mètres de circonférence qui s'élançaient au-dessus de leur tête.

— Les Limiteurs devraient être encore assez loin pour que cela soit sans importance, et je veux que tu saches où nous mettons les pieds, dit Elliott en allumant sa lanterne pour éclairer la zone devant eux.

— Waouh! dit Will.

Il avait l'impression de regarder un océan de miroirs aux surfaces noires. Le faisceau frappa la colonne la plus proche, sur laquelle il se réverbéra presque aussitôt pour se refléter dans une autre, et ainsi de suite à l'infini, ce qui leur donnait l'illusion qu'il y avait des dizaines de lanternes. C'était renversant. Il aperçut également son image et celle de ses camarades qui se répétait sous tous les angles.

— Les Tranchants, dit Elliott. C'est de l'obsidienne.

Émerveillé, Will prit une profonde inspiration et examina la colonne la plus proche. Il avait d'abord cru qu'elle était ronde, mais elle se composait en fait d'une série de segments parfaitement plats qui couraient sur toute sa longueur, comme s'ils résultaient de multiples fractures longitudinales. Le sommet ne semblait pas s'effiler le moins du monde.

Puis il vit une autre colonne qui semblait différente. Les segments plats s'incurvaient légèrement, ce qui lui donnait l'aspect d'une gigantesque torsade de guimauve qu'on aurait posée à l'envers. En explorant les lieux un peu plus avant, il vit d'autres colonnes du même type entre les fûts rectilignes. Certaines suivaient une courbe très prononcée.

Il se souvint qu'il avait toujours son appareil photo rudimentaire dans son sac à dos et se demanda s'il pourrait obtenir un bon cliché de cette scène, mais il se ravisa vite à cause des reflets. Les pensées se bousculaient dans son esprit, tandis qu'il spéculait sur l'origine de ce phénomène naturel unique.

Will se dispensa de dire quoi que ce soit sur le sujet, car il gardait encore en mémoire le souvenir douloureux de la réaction de Chester lorsqu'il s'était épanché sur les lézards volants. Cela dit, ces monolithes cristallins auraient fourni un cadre idéal aux histoires fantastiques si chères à Chester. *Le Repaire secret des fées noires*, pensa ironiquement Will. *Non, mieux encore, le Repaire secret des fées noires et très, très vaniteuses*. Il réprima un gloussement et se garda bien de partager cette idée. Inutile de contrarier Chester plus qu'il ne l'était déjà. Leur amitié était déjà mal en point. Inutile d'en rajouter.

Chester prit la parole à cet instant précis. Il n'avait pas l'air impressionné du tout par leur environnement et cherchait sans doute à faire enrager Will.

— Oui, et quoi d'autre ensuite ? demanda-t-il à Elliott qui avait réduit l'intensité de sa lanterne.

L'enchevêtrement de faisceaux lumineux et d'images démultipliées s'évanouit aussitôt, au soulagement de Will qui trouvait le phénomène assez troublant.

— On est dans un dédale. Faites exactement ce que je vous dis, répondit Elliott. Drake et moi avons aménagé une cachette à mi-parcours où on pourra se réapprovisionner en vivres et en eau. On pourra aussi récupérer des munitions dans l'arsenal. Ça ne prendra pas longtemps. Ensuite, on ira au Pore. Arrivés là-bas, il ne nous faudra plus que quelques jours de marche pour rallier les Zones humides.

— Le Pore ? demanda Will dont elle venait de piquer la curiosité.

— Et Bartleby ? intervint Cal, mettant un terme à cet échange. Il n'est pas encore arrivé.

— Laisse-lui le temps. Tu sais qu'il nous retrouvera, dit Elliott d'un ton compréhensif.

Elle cherchait à calmer le jeune garçon qui s'énervait déjà.

— Vaudrait mieux.

— Allons-y, soupira Elliott qui commençait à perdre patience.

Les garçons ne parvenaient pas à se déplacer sans bruit : la pierre vitreuse tintait et crissait sous leurs semelles, alors qu'Elliott semblait glisser sur le sol sans effort.

— Ce vacarme va s'entendre à des kilomètres à la ronde. Vous ne pouvez pas marcher d'un pas un peu plus léger, espèce de macaques ! implora-t-elle en vain.

Quoi qu'ils fissent, ils étaient aussi bruyants qu'un troupeau d'éléphants dans un magasin de porcelaine.

— La cachette n'est pas très loin d'ici. Je vais d'abord vérifier. Vous me suivrez ensuite. D'accord ? interrogea Elliott avant de disparaître.

Cal prit soudain la parole pendant qu'ils l'attendaient.

— Je crois que j'entends Bart. Il arrive.

Abandonnant Will et Chester, il avança lentement en longeant une colonne.

Tout à coup, il vit quelque chose à la lueur de sa lanterne.

Ce n'était pas Bartleby.

Il crut d'abord que c'était son propre reflet, mais comprit bien vite son erreur.

Un Limiteur se tenait face à lui, dans toute sa sombre splendeur.

Il avait longé la colonne en sens inverse. Il portait un long manteau et tenait sa carabine à la taille.

Pendant un bref instant, il eut l'air aussi surpris que Cal, qui poussa un cri inintelligible pour alerter Will et Chester.

Le Limiteur riva ses yeux aux siens, puis esquissa un sourire de brute en retroussant la lèvre supérieure. Ses joues étaient creuses, et son visage hideux. Il avait une expression à mi-chemin entre celle d'un animal et celle d'un dément. Il avait le visage d'un tueur.

D'instinct, Cal se servit de la seule chose qu'il avait à sa portée. Il leva sa canne et, par un coup de chance inouï, parvint à crocheter le canon de la carabine avant que le Limiteur ait eu le temps de viser, puis il la lui arracha des mains.

L'arme retomba sur les bris d'obsidienne avec fracas.

Cal et le Limiteur restèrent encore immobiles un instant, sans doute encore plus surpris par ce qui venait de se passer que lorsqu'ils étaient tombés nez à nez. Mais en moins d'une fraction de seconde, le Limiteur fit jaillir devant lui un poignard en forme de faucille. L'arme officielle des soldats styx. Elle comportait une lame meurtrière et légèrement incurvée d'une quinzaine de centimètres de long. Le Limiteur fondit sur Cal en brandissant son arme.

Mais Will était déjà là. Il fonça à toute vitesse sur l'agresseur pour retenir son bras et le percuta de plein fouet. L'homme l'entraîna dans sa chute, et Will se retrouva étendu sur lui. Will lui tenait encore le bras et pesait de tout son poids pour l'empêcher de se servir de son arme.

Voyant ce que tentait de faire son frère, Cal l'imita, se jeta sur les jambes du soldat, et s'agrippa de toutes ses forces à ses chevilles. De son autre bras, le Limiteur frappait Will en lui décochant des coups de poings dans le dos et dans le cou. Le soldat cherchait à l'atteindre au visage. Mais son sac à dos, qui lui était remonté sur la nuque, amortissait les puissants coups du Limiteur.

— Sers-toi du fusil ! beugla Will à plusieurs reprises à l'attention de Chester, mais l'avant-bras du Limiteur pressé contre sa bouche étouffait ses cris.

— Chester, le fusil ! s'époumonait Cal. Tue-le !

Les lanternes des garçons projetaient des rafales de faisceaux qui se réverbéraient sur les colonnes dans un chaos de reflets – on aurait dit une myriade de projecteurs. Chester, qui se tenait à plusieurs mètres de là, avait mis le Limiteur en joue et essayait d'ajuster sa visée.

— Tire ! hurlèrent Cal et Will à l'unisson.

— J'y vois rien ! répondit Chester en criant frénétiquement.

— Vas-y !

— Tire !

— J'arrive pas à trouver le bon angle ! lança-t-il d'une voix désespérée.

L'homme s'agitait violemment pour se débarrasser de Will et de Cal. Will s'apprêtait de nouveau à crier, lorsqu'il sentit quelque chose de gros se caler contre lui. Le Limiteur avait cessé de le frapper, mais Will entendait encore les échanges de coups rapides.

Il fallait qu'il regarde.

Will tourna la tête et la releva juste assez pour voir que Chester s'était joint à la mêlée. Il avait abandonné la carabine, décrétant qu'il ne lui restait plus qu'à participer au combat. Il enfonçait son genou dans l'estomac du Limiteur et lui assénait des coups de poing au visage. Entre chaque volée de coups, Chester essayait d'épingler le bras du Limiteur sur le sol pour le réduire à l'impuissance. C'est au moment même où le jeune garçon se penchait en avant pour l'attraper que le Limiteur saisit sa chance. Il tendit les muscles de son cou et lui administra un coup de tête qui rendit un horrible bruit sourd en le percutant en pleine face.

— Espèce de pourriture ! hurla Chester qui se remit à le tabasser de plus belle, mais cette fois en prenant soin de garder ses distances, esquivant chaque crochet du Limiteur.

— Crève ! Crève, espèce d'ordure ! Crève ! délirait Chester en le frappant de plus en plus fort au visage.

Chester avait le visage tellement déformé par la démence et la détermination qu'il n'aurait pas reconnu son propre reflet dans la colonne qui se trouvait juste à côté de lui. Jamais il ne se serait cru capable d'une telle violence, ni d'une telle brutalité. Il trouvait un exutoire à toute la rancœur et la colère qu'il avait accumulées suite aux mauvais traitements subis dans la Colonie, et il se déchaînait contre son adversaire. Il ne s'arrêtait de frapper que pour parer les coups du Limiteur qui tentait de répliquer.

Ils se contorsionnaient tous les quatre dans une lutte mortelle. Ils juraient et contractaient fébrilement leurs muscles avec la rage du désespoir, tandis que l'homme poussait des grognements tel un sanglier sauvage, tentant de se libérer par tous les moyens. Chester continuait à lui marteler le visage, mais sans grand effet. Le poids combiné des trois garçons limitait sa marge de manœuvre, mais il pouvait encore se servir de son coude pour contre-attaquer, même si ses coups n'avaient guère de force. Le Limiteur chercha alors à leur déchirer le visage et à leur crever les yeux de ses doigts crochus, mais encore une fois sans succès. Chester parait chaque coup, alors que Will gardait la tête baissée, restant ainsi hors d'atteinte.

— Tue-le ! hurlait Cal qui bloquait les jambes du Limiteur.

Les garçons tenaient bon et continuaient à lutter, car ils savaient très bien qu'ils devaient retenir le soldat par tous les moyens. Ils avaient l'impression de lutter contre un tigre, certes galeux, mais non moins meurtrier. Ils n'avaient pas d'autre choix que de poursuivre le combat. Ils ne pouvaient pas le laisser filer. Les enjeux étaient à leur comble : c'était lui ou eux.

Il y avait quelque chose d'obscène dans l'intimité de cette lutte. Chester percevait la sueur aigre de l'homme et son souffle acide sur son visage. Will sentait ses muscles se contracter et se nouer sous son corps tandis qu'il essayait de toutes ses forces de libérer son bras.

— Non, n'y compte pas ! cria Will en redoublant ses efforts pour entraver les gestes du Limiteur.

Le soldat changea de tactique, peut-être en dernier recours, car il avait cessé de frapper Will et Chester. Il leva la tête aussi haut que possible, et tenta de les mordre après leur avoir craché dessus. Il produisait des sons assez semblables aux hurlements du limier qui avait infligé d'horribles blessures à Will dans la Cité éternelle.

Mais cette démonstration de pure sauvagerie ne visait qu'à détourner leur attention de ses véritables desseins. Il avait repéré un point faible dans leur assaut combiné. Il poussa un hurlement victorieux en ramenant ses genoux vers lui. Il avait réussi à déloger Cal, juste assez pour libérer l'une de ses jambes. Il arma son coup et lui décocha un coup de talon dans l'estomac qui l'envoya valdinguer parmi les débris d'obsidienne, le souffle coupé. Recroquevillé sur lui-même et manquant de s'étouffer, Cal essayait d'emplir à nouveau ses poumons d'air.

Le Limiteur disposait désormais d'une plus grande marge de manœuvre. Il se cabra en roulant de chaque côté avec une telle violence que Chester ne parvenait plus à maintenir sa prise. Alors qu'il se défendait, le Limiteur lui administra un coup de poing sonore à la tête. Étourdi, Chester s'affala sur le sol.

Will n'avait pas la moindre idée du calvaire que vivaient ses camarades. Il n'osait pas lever les yeux de peur de recevoir un coup, ou de se faire crever l'œil, et s'accrochait obstinément au bras du Limiteur en répartissant son poids au mieux pour le maintenir au sol. Will ferait de son mieux pour l'empêcher de se servir de sa faucille, quitte à en perdre la vie.

À présent qu'il avait recouvré une plus grande liberté de mouvement, le Limiteur le frappait à nouveau à la tête et au cou, lui arrachant des cris de douleur. Will ne pourrait pas supporter très longtemps un tel châtiment.

Par chance, le Limiteur ne l'avait pas matraqué deux fois que Chester était revenu dans la bataille. Il avait presque aussitôt repris ses esprits et saisi une longue écharde d'obsidienne dont il se servait à présent pour frapper le soldat à la tête en hurlant, tandis que ce dernier l'injuriait dans la langue nasillarde des Styx.

Le Limiteur leva soudain le bras et referma ses doigts sur la mâchoire de Chester en lui crochetant la bouche avec son pouce. Il profita de cette prise douloureuse pour écarter le jeune garçon.

Chester avait beau lutter, il n'avait d'autre choix que d'accompagner le mouvement de son bras. Lorsqu'il fut à sa portée, étendu sur le sol, le Limiteur lui asséna un formidable coup sur le crâne. Chester resta étendu, à demi-inconscient. Il voyait danser des étoiles qui se mêlaient aux faisceaux croisés des lanternes tout autour de lui. Cette fois, il lui faudrait plus longtemps pour récupérer.

Cal et Chester étant désormais hors concours, il ne restait plus que Will. Le Limiteur l'attrapa par la gorge et lui comprima la trachée. Le soldat vomissait un flot de paroles triomphantes dans la langue des Styx. Il croyait avoir gagné tandis qu'il resserrait son emprise.

Au bord de l'asphyxie, et paralysé par la douleur, Will crut bien que sa fin était proche. Il n'était pas vraiment surpris. Après tout, ils s'étaient attaqués à un soldat entraîné, et ils n'étaient que trois gamins.

Le Limiteur venait d'un autre monde. Il n'était pas comme eux. Quelles étaient leurs chances de victoire ? Will s'était résigné à cette défaite sinistre et douloureuse, lorsque le Limiteur lui relâcha le cou. Will prit une profonde inspiration et se mit à tousser. Il se laissa aller à penser que quelque chose avait changé, peut-être pour le meilleur. Il n'aurait pas pu se tromper plus lourdement.

Will entendit un clic, comme si le Limiteur venait de claquer des doigts : une seconde faucille se matérialisa dans sa main. La lame miroita à la lumière de la lanterne la plus proche tandis que le soldat ajustait sa prise sur le manche de son arme d'un geste parfaitement fluide.

Will tourna la tête de quelques centimètres pour voir ce qui se passait, et surtout si Chester ou Cal étaient assez proches pour intervenir, mais il ne les voyait nulle part.

– Non ! hurla-t-il tandis que ses entrailles se vrillaient à la vue de la faucille.

Il ne pouvait absolument rien faire. Il n'avait pas le temps d'esquiver le coup. Le Limiteur le tenait à sa merci. La lame étincela, le soldat aux lèvres meurtries prit une inspiration, et Will vit approcher la faucille. Son cou était entièrement exposé. Il serra les dents en attendant que le poignard trouve sa cible, résigné.

Soudain retentit une détonation assourdissante.

La balle passa si près de lui que Will en sentit la chaleur sur sa peau. La main levée du Limiteur resta suspendue pendant une fraction de seconde – cet instant lui sembla durer une éternité – puis il ouvrit le poing et laissa choir son poignard.

Will ne bougea pas d'un pouce, complètement ahuri, tandis que le coup de feu résonnait encore à ses oreilles. Il ne regardait pas directement le soldat, mais il en voyait assez pour savoir qu'il n'était plus qu'un amas de chair macabre. Il entendit une longue expiration, tandis que se vidaient les poumons du Limiteur. Les convulsions atteignirent alors leur paroxysme, et il sentit se contracter son corps tout entier, puis il entendit un gargouillement et vit une brume rose se diffuser autour de lui. Will sentit quelques gouttelettes lui retomber sur le visage. C'était plus qu'il n'en pouvait supporter. Il lui fallait s'éloigner le plus vite possible. Encore à quatre pattes, il s'écarta vivement du Limiteur, se releva d'un bond et se mit à vomir un flot de paroles inintelligibles entrecoupées de soupirs révulsés.

Encore pantelant, il s'essuya le visage sur ses manches à plusieurs reprises. Il cessa enfin, puis se retourna et vit Cal qui tenait la carabine de Chester, les yeux rivés sur l'homme mort.

— Je l'ai eu, dit-il doucement sans baisser son arme ni détourner le regard.

Will s'approcha de lui, et Chester l'imita.

— Je l'ai touché au visage, dit-il encore plus faiblement, le regard vide et le visage de marbre.

— Tout va bien, Cal, dit Will en détachant de ses doigts rigides la carabine pour la passer à Chester.

Il prit son frère par l'épaule et l'éloigna lentement du cadavre du Limiteur. Will était encore sonné et vacillait quelque peu sur ses jambes, mais il se souciait bien plus de Cal que de lui-même. Will lui dit qu'il valait mieux qu'ils s'assoient tous les deux, et Cal s'exécuta en silence.

Will jeta un regard au corps immobile du Limiteur et ressentit soudain une fascination morbide pour ce qu'ils venaient d'accomplir. Il ne regardait pas le visage mutilé du Limiteur, mais il était comme hypnotisé par sa main, éclairée par un faisceau de lumière. Les doigts étaient détendus et recourbés, comme s'il dormait. Pour quelque motif irrationnel, Will voulait voir sa main bouger, comme si tout ça n'était qu'un jeu. Mais elle ne bougea pas. Elle resterait figée ainsi à jamais.

Il détacha son regard du Limiteur lorsqu'il se rendit compte que Cal tremblait à ses côtés. Le moment était mal choisi pour entrer en état de choc.

— Tu l'as bien eu ! Tu l'as dégommé ! T'as dégommé un Limiteur ! répétait Chester en riant.

Il était tout excité. Il articulait mal ses mots, car il avait le visage tout enflé.

— Tu l'as touché, pile dans la tronche ! Dans le mille ! Bien fait pour lui ! Ha, ha, ha !

— Pour l'amour du ciel, tais-toi, Chester, gronda Will.

Son frère eut un hoquet, puis il vomit violemment. Il pleurait et marmonnait quelque chose à propos du Limiteur.

– Ça va, ça va, lui dit Will sans le lâcher. C'est fini.

Elliott arriva en courant.

– Mon Dieu ! Vous pouvez pas faire un peu moins de bruit, non ?

Elle vit le cadavre du Limiteur et hocha la tête en signe d'approbation. Puis elle observa les garçons. Encore sous l'effet d'une poussée
d'adrénaline, Chester dansait fébrilement d'un pied sur l'autre. Will
et Cal, quant à eux, avaient l'air complètement épuisés.

Elle scruta les colonnes d'obsidienne.

– Les Cols d'albâtre sont encore plus près que je ne le croyais.

– Tu peux redire ça, s'il te plaît ? grommela Chester.

Elle se tourna vers lui et sourit. Il se tamponnait le nez pour contenir l'hémorragie.

– Tu l'as tué. Bien joué, lui dit-elle.

– Euh... je... non... balbutia Chester. Je n'arrivais pas à...

– C'est Cal qui l'a fait, intervint Will.

– Mais c'est pourtant toi qui tenais la carabine... dit-elle à Chester, perplexe et quelque peu déçue.

Chester ne donna aucune explication et fusilla Will du regard
d'un air renfrogné. Elliott se tourna ensuite vers Will et Cal.

– Levez-vous. On doit filer maintenant... tout de suite. Des
blessés ?

– Ma mâchoire... mon nez... commença Chester.

– Cal a besoin d'une seconde. Regarde-le, interrompit Will en
reculant pour qu'Elliott puisse voir le regard vide et hébété de son
frère.

– Hors de question. Pas après tout ce raffut, dit-elle.

– Il ne peut pas ?... implora Will.

– Non ! rugit-elle. Écoute !

Ils obéirent tous et entendirent un aboiement dans le lointain,
sans pouvoir en évaluer la distance.

– Des limiers ! s'exclama Will.

Tous les poils de son cou meurtri se dressèrent soudain.

– Oui, toute une meute, acquiesça Elliott en les regardant avec
un petit sourire. Et puis il y a une autre raison qui me pousse à croire
qu'il vaudrait mieux filer d'ici... maintenant.

– Quoi donc ?

– J'ai amorcé une bombe à retardement dans la cachette, et dans
soixante secondes tout l'arsenal va sauter.

Par chance, cette dernière information sembla galvaniser
Cal. Elliott ramassa la carabine du Limiteur au passage, puis ils

commencèrent à courir comme jamais. Will resta près de Cal, qui faisait de son mieux pour suivre malgré sa jambe. Mais lorsque Bartleby les rejoignit enfin, son maître détala aussi vite que ses camarades.

Ils entendirent dans leur fuite une volée de tirs, semblables à des pétards. Une grêle de plombs cribla les colonnes tout autour d'eux, leur arrachant parfois des fragments de la taille d'une assiette à l'impact. Will baissa instinctivement la tête et commença à ralentir.

– Non, ne t'arrête pas ! hurla Elliott.

Les balles ricochaient sur les surfaces miroitantes en vrombissant. Will sentit quelque chose qui lui tiraillait le pantalon à hauteur du mollet, mais il n'avait absolument pas le temps de s'arrêter pour voir ce que c'était.

– Attention ! hurla Elliott par-dessus le bruit des tirs de barrage.

Et tout arriva en même temps.

Ce fut une gigantesque explosion. Une lumière aveuglante embrasa l'espace, diffractée en tous sens par les surfaces réfléchissantes, à peine l'écho de la première détonation s'était-il atténué, que retentit un énorme fracas.

Des colonnes brisées s'effondrèrent les unes sur les autres comme des dominos mus par une réaction en chaîne. Une énorme section s'abattit sur le sol juste derrière eux, soulevant une tempête de particules d'obsidienne qui étincelaient comme autant de diamants noirs à la clarté de leurs lampes. La nuée les prenait à la gorge et leur piquait les yeux. Le sol même tremblait à chaque impact. Les colonnes déplaçaient des masses d'air en tombant, déclenchant des bourrasques sporadiques qui les fouettaient de tous côtés.

Les déflagrations continuaient sans relâche. En un instant, ils s'engouffrèrent à la suite d'Elliott, qui venait d'entrer dans une galerie. Will tourna la tête pour jeter un bref coup d'œil en arrière, juste à temps pour voir s'écraser une colonne devant l'entrée. Le passage était complètement bloqué. La nuée de particules de verre les accompagna sur plusieurs centaines de mètres jusqu'à ce que l'atmosphère s'éclaircisse enfin. Elliott leur demanda brusquement de s'arrêter.

– Il faut y aller, il faut y aller, les pressait Chester.

– Non, on a quelques minutes de répit. Ils ne peuvent pas nous suivre ici, dit-elle en débarrassant son visage de quelques fragments de verre. Bois un peu d'eau et reprends ton souffle.

Après avoir bu une grande gorgée pour se rincer la bouche, elle prit de grandes rasades puis fit circuler la gourde.

— Des blessés? demanda-t-elle, commençant à examiner chacun d'eux.

Même si Chester n'arrivait pas à respirer par le nez, Elliott lui dit qu'elle ne pensait pas qu'il fût cassé. Il avait aussi la bouche très enflée et fendue là où l'avait crocheté le Limiteur. Il avait encore mal à la tête, suite à la volée de coups qu'il avait encaissée. À la lumière de la lanterne d'Elliott, il vit que ses phalanges étaient rouges et tuméfiées, et que ses manches et ses avant-bras étaient trempés de sang. Elliott les regarda d'un peu plus près.

— C'est bon. Ce sang n'est pas le tien, dit-elle après une brève inspection.

— C'est celui du Limiteur? demanda Chester en écarquillant les yeux.

Il frémit en se souvenant de la façon dont il avait frappé le soldat avec l'écharde d'obsidienne.

— C'est terrible... Comment j'ai pu faire ça... à un autre être humain? murmura-t-il.

— Parce qu'il t'aurait fait subir bien pire, dit-elle sèchement avant de passer à Cal.

Le jeune garçon semblait indemne, mais il avait très mal aux côtes. Il n'avait toujours pas surmonté le choc du meurtre du Limiteur, et tardait à réagir lorsque Elliott s'adressait à lui.

Elle le prit par les épaules et s'adressa à lui sur un ton plein de compassion.

— Écoute-moi, Cal. Drake m'a donné un conseil par le passé. Il venait de m'arriver quelque chose d'horrible.

Il la regarda d'un œil vague.

— Il m'a dit que notre peau comporte une couche morte.

Il l'écoutait à présent et fronça les sourcils d'un air perplexe.

— C'est la chose la plus intelligente qui soit. Elle meurt, et les couches supérieures s'effritent pour nous protéger des infections.

Elliott se redressa, lui lâcha les épaules puis frotta ses mains l'une contre l'autre pour illustrer son propos.

— Les bactéries, ou les germes comme tu dis, se déposent, mais n'arrivent pas à s'accrocher.

— Et alors? demanda Cal, de plus en plus intrigué.

— Eh bien, maintenant, une partie de toi est en train de mourir, tout comme ta peau. Ça peut prendre un moment, comme ça a été le cas pour moi, mais elle va mourir pour te sauver. Et la prochaine fois, tu seras plus fort et plus coriace.

Cal acquiesça.

— N'essaie pas de la retenir, et continue à avancer.

Cal opina à nouveau.

— Je crois que je comprends, dit-il, alors que son visage perdait de sa rigidité et que son regard retrouvait une certaine vitalité. Oui, je vois.

Will avait tout écouté et il était impressionné par la manière dont Elliott avait réconforté le jeune garçon. Cal sembla redevenir presque aussitôt le même qu'avant et se mit à parler à son chat adoré.

Elliott passa ensuite à Will. Étant donné ce qu'il avait subi, il était presque indemne, mis à part quelques tuméfactions rouge vif et des égratignures au cou, de nombreuses abrasions sur le visage et un chapelet de bosses sur la nuque. Alors qu'il tâtait délicatement ses bosses, il repensa aux tiraillements qu'il avait sentis au bas de son pantalon au cours de leur fuite. Il se palpa le mollet et découvrit deux petites déchirures dans la toile de son vêtement.

— Qu'est-ce que c'est ? demanda-t-il à Elliott, car il savait qu'elles n'étaient pas là avant.

Elliott les examina.

— Ce sont des impacts de balle. Tu peux t'estimer chanceux.

Les projectiles avaient traversé le tissu, et les trous étaient assez larges pour qu'on puisse y glisser un doigt et indiquer ainsi le point d'impact. Will se mit soudain à rire sans trop savoir pourquoi, peut-être parce qu'il était soulagé de l'avoir échappé belle. Cal lui jeta un drôle de regard, et Chester claqua des dents pour signifier son mépris. Elliott, quant à elle, l'observait en silence d'un air réprobateur.

— Reprends-toi, Will, dit-elle sur le ton de la réprimande.

— Oh, mais je vais très bien, rétorqua-t-il en éclatant de rire. Contre toute attente.

— Très bien, on file au Pore, annonça-t-elle, et ensuite, direction les Zones humides.

— Là où nous serons au chaud et au sec ? demanda Will en gloussant.

Chapitre Quarante-huit

– C'est toi, Will ? gémit Sarah en sentant qu'on l'attrapait par le poignet.

Puis elle se souvint que Will, Cal et les autres étaient partis depuis longtemps comme elle les avait pressés de le faire.

Elle ouvrit les yeux dans le noir et sentit une douleur des plus atroces. Elle avait l'impression que tous les maux, toutes les rages de dents, toutes les migraines et tous les inconforts qu'elle avait connus au cours de sa vie s'étaient concentrés en cet insoutenable instant d'agonie. C'était mille fois pire que les douleurs de l'accouchement.

Elle cria, s'efforçant de reprendre conscience. Elle garda les yeux ouverts bien qu'elle ne pût voir qui se trouvait là. Elle ne savait pas combien de temps elle était restée sans connaissance. Elle avait l'impression que quelque chose l'empêchait de franchir le lourd rideau qui la séparait du devant de la scène. C'était un combat formidable, car la douleur la tirait inéluctablement vers les coulisses, vers un lieu si tranquille, si chaleureux et accueillant. Elle peinait à respirer et luttait de toutes ses forces pour résister à la tentation de se laisser aller. Mais non, elle n'abandonnerait pas maintenant.

Sarah sentit la main se resserrer autour de son poignet. Lorsqu'elle entendit le son rauque de la langue des Styx, elle perdit espoir. Elle aperçut une lueur à la périphérie de son champ visuel, puis d'autres voix styx retentirent. Elle vit alors d'autres silhouettes vagues qui s'affairaient autour d'elle.

– Limiteur, dit-elle en reconnaissant le motif camouflage sur le bras de celui qui examinait à présent son corps.

En guise de confirmation, le soldat lui répondit d'une voix dure.

— Lève-toi !

— Je ne peux pas, dit-elle en s'efforçant de le regarder malgré la pénombre.

Il y avait quatre Limiteurs. Elle avait été retrouvée par une patrouille. Elle hurla de douleur lorsque deux d'entre eux la hissèrent sur ses pieds. Sa hanche la faisait atrocement souffrir. Son cri se réverbéra dans la galerie, mais on aurait cru entendre la voix de quelqu'un d'autre. Le rideau faillit retomber pour de bon sur la scène, et elle manqua de sombrer dans l'inconscience.

Suspendue entre les Limiteurs qui la forçaient à marcher, elle éprouvait une douleur insoutenable. Elle manqua de s'évanouir à nouveau lorsqu'elle sentit les morceaux de sa hanche fracturée râpant l'un contre l'autre. La sueur lui dégoulinait sur le front et dans les yeux, la forçant à cligner et à fermer les paupières.

Elle était en train de mourir, et elle le savait.

Mais elle n'allait pas partir tout de suite.

Elle pourrait peut-être aider Will et Cal tant qu'elle respirerait encore.

***

Drake se faufila dans la galerie aussi furtivement que les vents qui la balayaient. Il s'arrêtait de temps à autre en quête de traces d'un récent passage. Les constantes bourrasques déplaçaient sans cesse le sable et la poussière, effaçant les marques les plus anciennes. Il était donc peu probable qu'il se trompe de piste.

Sans s'arrêter, il se palpa la pointe de l'épaule, à l'endroit où il avait été touché par une balle. Seule la chair était atteinte – il avait connu pire. Il posa la main sur son couteau accroché à sa hanche, puis sur l'étui rempli de canons-culasses qu'il avait noué sur sa cuisse. Il se sentait très vulnérable sans sa carabine et son sac à dos rempli de munitions. Il les avait égarés à l'entrée du bunker. Il avait perdu quelques degrés d'acuité auditive après l'explosion du mortier-culasse, et ses oreilles ne cessaient de siffler.

Malgré tout, ce n'était pas cher payé pour s'en être sorti vivant. Jamais il n'avait frôlé la mort d'aussi près, et il ne comprenait pas ce qui s'était passé. Les Limiteurs le tenaient à leur merci, et pourtant, pour une raison qu'il ignorait, ils avaient retenu leurs tirs, comme s'ils voulaient l'attraper vivant, mais ce n'était pas du tout leur style. Après que le mortier avait semé le chaos dans les rangs Styx, il avait profité de la confusion et du nuage de poussière pour battre en retraite dans le bunker.

Le reste n'avait été qu'un jeu d'enfant. Il savait se diriger dans le complexe les yeux fermés, même si les bombes d'Elliott avaient coupé plusieurs des voies les plus rapides. Il fallait aussi compter avec les nombreuses patrouilles de Limiteurs, souvent accompagnées de limiers. Drake était resté caché un moment dans un trou qu'il avait aménagé pour parer à cette éventualité. Il avait de la chance, car les fumées et la poussière soulevées par les bombes d'Elliott gênaient les chiens qui ne pouvaient pas pister son odeur.

Il était sorti du bunker en passant par une conduite d'évacuation des eaux usées ; mais arrivé sur la Grande Plaine, il n'était pas tiré d'affaire pour autant. Il n'avait pas d'autre choix que de laisser de fausses pistes pour semer les troupes de Styx montés et les meutes de limiers à ses trousses. Il avait l'impression d'être poursuivi par les chiens de l'enfer, et déployait toutes les ruses possibles pour s'en débarrasser enfin.

Tandis que le mugissement du vent s'ajoutait au sifflement qu'il entendait sans cesse, Drake s'accroupit pour étudier le sol. Il était inquiet de n'avoir encore rien trouvé. Elliott avait pu choisir plusieurs itinéraires, mais il était plus vraisemblable qu'elle ait emprunté cette voie-là. Tout dépendait bien entendu des mouvements des Limiteurs.

Il se releva et poursuivit son chemin sur une trentaine de mètres jusqu'à ce qu'il trouve ce qu'il cherchait : des empreintes de pas récentes. Il était aisé de dire à qui elles appartenaient.

— Chester et... Ce doit être Will ! Il s'en est donc sorti ! dit-il en secouant la tête.

Il souriait, soulagé qu'ils aient retrouvé le garçon et qu'il ait pu se joindre au groupe. Il tendit la main pour palper une autre empreinte à sa gauche, puis se mit à plat ventre pour mieux en examiner le profil.

— Cal... ta jambe te donne du souci, pas vrai, marmonna-t-il en voyant l'irrégularité de ses pas.

Quelque chose d'autre attira son attention, juste à côté des empreintes de Cal.

— Un limier ? s'interrogea-t-il en cherchant des traces de lutte, voire de sang, dans la zone.

Il se rapprocha en rampant pour examiner les empreintes et les suivit jusqu'à la paroi opposée. Elles semblaient toutes partir de là, mais pour le moment il ne s'intéressait qu'à celles de l'animal.

Il vit alors une empreinte de patte bien nette.

— Non, ce n'est pas un chien, mais un félin. Ça doit être un chasseur.

Tout en réfléchissant à ce que cela pouvait bien signifier, il se releva et élargit sa zone de recherche en retournant sur ses pas.

— Elliott, où es-tu? se dit-il, essayant de repérer la trace de ses pas.

Il savait que ce serait plus difficile, étant donné la manière dont elle se déplaçait.

Il ne trouva rien, mais il ne pouvait se permettre de consacrer plus de temps à l'inspection de cette zone. Chaque seconde qui passait l'éloignait un peu plus d'Elliott et des garçons. Il se remit donc en route le long de la galerie.

Quelques mètres plus loin, il s'accroupit pour examiner le sol et poussa un cri en retirant vivement la main.

— Aïe! Bon sang! s'exclama-t-il en sentant la brûlure des assécheurs qui commençaient à émettre une faible lueur phosphorescente.

Drake s'essuya aussitôt sur son pantalon pour se débarrasser des bactéries. Il devait agir vite avant qu'elles ne s'embrasent totalement et n'absorbent toute l'eau que contenait sa peau. Une seconde de plus, et il aurait été trop tard pour stopper la réaction. La brûlure aurait été aussi grave et aussi douloureuse que s'il avait plongé la main dans un bain d'acide. Il avait vu assez de limiers à l'agonie glapir et se cabrer, la truffe aussi brillante que le feu arrière d'un vélo surfacien, pour savoir ce qu'il en était.

Mais il était intervenu à temps. Il le savait, Elliott ne les aurait employés qu'en cas de force majeure, et commença à courir.

Une énorme explosion retentit, loin devant lui.

Ça ressemble étrangement au bruit que ferait mon arsenal en sautant, se dit-il.

Suivirent plusieurs grondements qu'on aurait pu confondre avec des roulements de tonnerre, même si le phénomène durait bien plus longtemps que n'importe quel orage surfacien. Le vent s'abattit, puis changea de direction.

Drake fonçait maintenant à toute allure, terrifié à l'idée d'arriver trop tard.

Chapitre Quarante-neuf

Tu vois quelque chose ? demanda Chester à Elliott tandis
qu'ils scrutaient l'horizon à travers leurs lunettes
respectives.

— Oui... ça s'agite sur la gauche, confirma-t-elle. Tu les vois ?

— Non, admit Chester. Rien.

— Il y a deux Limiteurs, peut-être un troisième, dit Elliott.

Ils avaient déjà repéré des Styx à plusieurs reprises, ce qui les
avait contraints à changer de direction à chaque fois. Ils avaient
sans cesse modifié leur itinéraire depuis qu'ils avaient débouché sur
une immense zone parsemée de curieuses formations rocheuses. Il
s'agissait des « boules de pâte » sur lesquelles était tombé le Dr Burrows. Mais contrairement à ce dernier, ils avaient soigneusement
évité la voie centrale. Elliott leur avait dit que c'était beaucoup trop
dangereux.

— On ferait mieux de filer, dit-elle.

Les Limiteurs se trouvaient néanmoins à une distance
respectable.

Elliott et Chester rejoignirent l'endroit où Will et Cal les attendaient, en se dissimulant derrière les menhirs.

— Qu'est-ce qui se passe ? demanda Will.

— Il y en a encore d'autres, répondit sèchement Chester en
détournant le regard.

— C'est pas très encourageant, ajouta Elliott en secouant la tête.
On peut pas emprunter le chemin prévu. On va donc couper par le
flanc de la colline le long du Pore, et puis... et puis...

Elle hésita en entendant un hurlement porté par l'air aride, suivi
par des aboiements.

Bartleby poussa un petit miaulement. Il se tourna vers l'endroit d'où provenait ce son, et ses oreilles se dressèrent aussitôt telles deux antennes paraboliques.

— Ils ont des limiers, dit Elliott. Allons-y.

Ils continuèrent à avancer à la hâte, beaucoup moins paniqués qu'auparavant. Les soldats étaient si loin qu'ils ne semblaient pas constituer une menace immédiate, mais leur combat avec le Limiteur avait également eu un grand impact sur chacun d'eux. Les trois garçons entendaient encore les paroles réconfortantes d'Elliott à l'adresse de Cal dans les Tranchants. Ils étaient comme anesthésiés par la terreur dans laquelle ils vivaient. Elliott avait raison – aussi horrible qu'elle fût, cette expérience les avait endurcis.

Leurs adversaires n'étaient pas ces guerriers qu'ils avaient crus invincibles. On pouvait les vaincre. Et puis, Elliott était de leur côté. Alors qu'ils descendaient la côte d'un pas lourd, Will se prit à l'imaginer sous les traits d'une nouvelle super-héroïne. *L'incroyable fille explosive*, pensa-t-il en gloussant. *De la dynamite dans les doigts et de la nitroglycérine dans les veines.* Elle était toujours à la hauteur de la situation et elle avait plus d'un tour dans son sac lorsqu'il fallait les tirer d'une mauvaise passe. *Pourvu que ça dure*, se dit-il.

Will fut donc très surpris de constater qu'elle se montrait de plus en plus nerveuse, elle toujours si calme et posée. Elle venait de s'arrêter pour scruter l'horizon. Elle voyait des Limiteurs partout, et son inquiétude devenait contagieuse.

— Ça ne me dit rien qui vaille. Il faut qu'on descende encore plus bas, dit-elle en effectuant un rapide quart de tour en ajustant sa carabine sur son épaule pour une ultime vérification avant de choisir une nouvelle trajectoire.

Will n'avait pas saisi l'implication de ce changement de direction jusqu'à ce qu'ils arrivent enfin devant le Pore.

Des averses sporadiques s'abattaient sur eux, portées par le vent. Will voyait exactement ce que le Dr Burrows avait contemplé avant lui.

— C'est un trou gigantesque ! s'exclama-t-il en se précipitant vers le bord pour regarder au fond.

Pris de vertige, Cal ne cachait pas son malaise et restait à distance respectable de cet immense précipice.

Will étudiait la courbure du Pore à travers son casque.

— Qu'est-ce que c'est grand !

— Oui, répondit Elliott, on peut dire ça.

– On ne voit même pas l'autre bord, marmonna Chester.

– Ça fait environ un kilomètre et demi au point le plus large, expliqua Elliott en avalant une gorgée d'eau. Et qui sait quelle est sa profondeur ? Ceux qui sont tombés dedans ne sont jamais remontés pour le dire – à l'exception d'un homme qui, selon la rumeur, se serait hissé hors du gouffre.

– J'en ai entendu parler. Abraham quelque chose, dit Will en se souvenant de ce que lui avait dit Tam.

– Nombreux étaient ceux qui pensaient que c'était un imposteur, continua Elliott. Ou bien un homme dont la fièvre avait grillé les méninges, ajouta-t-elle en scrutant les profondeurs. Mais il y a des tas de vieilles légendes à propos d'une...

Elle hésita comme si elle s'apprêtait à dire un truc ridicule.

– ... une espèce d'endroit en dessous.

– Qu'est-ce que tu veux dire ? demanda Will en se tournant vivement vers elle. Quelle sorte d'endroit ?

Il voulait en savoir plus, et peu importait la manière dont réagirait Chester.

– Et c'est reparti pour *Questions pour un champion*, murmura aussitôt Chester, mais Will ignora sa remarque.

– On raconte qu'il y a un autre monde, mais Drake prétendait que c'étaient de vieilles lunes, dit-elle en revissant le bouchon de sa gourde.

Ils longèrent la bordure du Pore sans apercevoir le moindre Limiteur. Après avoir marché d'un pas rapide pendant un moment, Will vit se profiler la silhouette d'une structure régulière à travers sa lentille. Au bout de quelques minutes, il comprit qu'il ne s'agissait pas d'un bâtiment, mais d'une arche immense.

Arrivé au pied de cette ruine, Will fut frappé par deux choses. Il reconnut tout d'abord le symbole qui figurait sur la clef de voûte : on avait gravé trois lignes divergentes dans la pierre, le même symbole qui ornait le pendentif en jade que lui avait confié oncle Tam juste avant son dernier affrontement avec la division styx dans la Cité éternelle.

Puis il vit des papiers éparpillés sur le sol à quelques mètres de l'arche. Chester et Elliott avaient déjà ramassé plusieurs pages pour les examiner.

– Qu'est-ce que c'est que tout ça ? demanda Will en les rejoignant.

Chester lui tendit plusieurs pages sans autre commentaire.

Un seul coup d'œil lui suffit.

— Papa ! s'exclama-t-il. Mon papa !

Bon nombre de pages comportaient des dessins de pierres sur lesquels on avait soigneusement croqué des rangs entiers de symboles étranges et complexes. Les marges étaient couvertes de l'écriture caractéristique de son père adoptif. Il avait également pris des notes serrées sur d'autres feuillets.

Will examina le sol en déplaçant les feuilles volantes du bout de sa botte. Il découvrit une paire de chaussettes en laine marron que l'on avait nouées ensemble. Elles étaient assez miteuses et comportaient de gros trous au niveau des orteils. Puis, chose étrange, il tomba sur une brosse à dents à l'effigie de Mickey qui avait déjà bien servi.

— Et moi qui me demandais où elle était passée ! dit Will avec un sourire, tout en appuyant du pouce sur les poils crasseux et usés.

Mais il déchanta bien vite lorsqu'il découvrit un cahier veiné de bleu et de violet dont toutes ces pages s'étaient manifestement échappées. Il le ramassa et lut l'étiquette collée sur la couverture. Il y figurait, en belles lettres d'imprimerie toutes tarabiscotées, *Ex libris*, avec en dessous un hibou à grosses lunettes. Will leva la tête en clignant des yeux à cause de la pluie et remarqua autre chose.

Là, droit devant lui, se trouvait le marteau de géologue à manche bleu qui appartenait à son père, la pointe logée dans la roche. Il se pencha pour le récupérer et parvint à le desceller après plusieurs tentatives. Il l'examina pendant quelques instants, puis il scruta les parois du Pore en s'efforçant de voir quelque chose à travers la lentille de son casque. Mais il n'y avait rien.

Plongé dans ses pensées, il rejoignit les autres sans se presser.

— Qu'est-ce qui s'est passé ici ? demanda-t-il d'un ton très angoissé.

Elliott et Chester gardèrent le silence, incapables de lui répondre.

— Mon père ?... demanda Will à Chester.

Chester regarda dans le vide, le visage impassible et les lèvres serrées comme s'il refusait de dire quoi que ce soit.

— J'espère qu'il va bien, dit Elliott. Si on continue, on pourra peut-être...

— Oui, on pourra peut-être le rattraper, compléta Will en essayant de se rassurer. J'espère juste qu'il a laissé tout ça ici par accident... qu'il les a laissés tomber... Il est parfois dans la lune...

Will ressassait toutes les explications qui auraient pu justifier l'absence de son père tout en regardant l'arche.

— Mais... il n'est pas... négligent, ajouta-t-il lentement. Je veux dire... Ce n'est pas comme si son sac à dos était encore, ni...

Ils entendirent alors le glapissement terrifié de Cal. Il se reposait contre un gros rocher à distance du Pore quand il avait bondi tout à coup comme s'il avait été piqué par une abeille.

— Il a bougé! Je vous jure que ce fichu rocher a bougé! hurla-t-il.

Le rocher avait bien bougé, et il se déplaçait encore. Par quelque miracle, il s'était redressé sur des pattes articulées et se tournait vers eux. Alors qu'il continuait à pivoter sur lui-même, ils virent deux immenses antennes qui oscillaient. Il s'arrêta, et ils entendirent le claquement sec d'une paire de mandibules.

— Oh, mon Dieu! hurla Chester.

— Oh, tais-toi, tu veux! le réprimanda Elliott. C'est juste une vache des cavernes.

Les trois garçons regardèrent l'insecte – « l'acarien » gargantuesque qui avait accompagné un temps le Dr Burrows – refermer ses mandibules avec le même claquement sec, avant de s'avancer prudemment vers eux. Bartleby gambadait autour de lui, et se risquait parfois à le renifler avant de reculer à nouveau, comme s'il ne savait pas trop qu'en penser.

— Tire! exhorta Chester en se cachant derrière Elliott. Tue-le! Il est affreux! cria-t-il, pétrifié par la peur.

— Ce n'est qu'un bébé, dit Elliott en s'avançant tranquillement vers lui.

Elliott lui administra une tape sur la carapace, et elle rendit un son sourd – elle formait un exosquelette épais

— Ils sont inoffensifs. Ils se nourrissent d'algues. Ils ne mangent pas de viande. Inutile de...

Elliott s'interrompit. Elle venait de repérer un objet empalé sur les mandibules de la vache des cavernes. Elle tapota encore une fois l'insecte comme s'il s'agissait d'une génisse primée, et se pencha pour le récupérer.

C'était le sac à dos du Dr Burrows. Il était complètement déchiqueté et sens dessus dessous.

Will s'approcha lentement et le lui prit des mains.

Son regard en disait long.

— Ce machin... cette vache des cavernes... tu dis qu'elle est inoffensive, mais est-ce qu'elle pourrait avoir fait du mal à mon père?

— Impossible. Même les adultes ne toucheraient pas à un seul de tes cheveux, sauf si l'un deux venait à s'asseoir sur toi par accident. Je viens de te le dire, ils ne mangent pas de viande.

Will serrait toujours le sac à dos lorsqu'elle posa sa main sur la sienne et le tira vers elle pour pouvoir le renifler.

— C'est bien que ce que je pensais... il avait de la nourriture dedans. C'est ce que cherchait la vache.

Will n'était pas rassuré. Il regardait alternativement l'arche et la vache immobile, le front plissé et l'air soucieux.

Tout cela n'augurait rien de bon, et personne ne se faisait d'illusions.

— Désolée, Will, mais on ne peut pas traîner dans les parages, dit Elliott. Faut qu'on file d'ici au plus vite.

— Oui, tu as raison, acquiesça-t-il.

Elliott, Chester et Cal se remirent donc en route. Will ramassa en toute hâte autant de pages que possible et les fourra dans sa veste. Puis il rattrapa les autres en courant, en serrant dans son poing sa brosse à dents à l'effigie de Mickey. Il ne voulait surtout pas rester en arrière.

***

— *These boots... are made for... walking...*

L'esprit embrumé, Sarah fredonnait les bribes d'une chanson, entrecoupées de grognements et de soupirs, alors que les Limiteurs la forçaient à marcher, malgré les atroces douleurs causées par sa hanche à chaque pas – elle avait l'impression qu'on lui vrillait lentement du fil barbelé dans la chair.

Sarah s'éteignait à petit feu, et les Limiteurs le savaient. Autant ne pas compter sur des soins médicaux. Ils se fichaient pas mal de son sort, et Rebecca leur donnerait probablement une tape dans le dos s'ils lui rapportaient son cadavre.

Sarah savait qu'elle ne devait pas perdre connaissance et luttait contre les ténèbres qui menaçaient de l'engloutir.

— *and that's... just what they'll do...*

L'un des Limiteurs émit un sifflement guttural, mais elle le défia et continua sa chanson.

— Et tu vas l'regretter...

Sarah laissait derrière elle une traînée de sang irrégulière dont les éclaboussures tombèrent à deux reprises sur la poudre d'assécheur qu'Elliott avait saupoudrée dans son sillage tandis qu'elle fuyait en compagnie des trois garçons. Au contact du sang de Sarah, les bactéries s'embrasèrent avec une telle brillance qu'on aurait dit que la lumière irradiait du sol, telles autant de flammes surgies du septième cercle de l'enfer.

Mais Sarah n'y prêtait guère attention. Elle n'avait qu'une idée en tête. Pour autant qu'elle le sache, les Limiteurs l'entraînaient dans la même direction que Will et Cal, ce qui était à la fois une bonne et une mauvaise chose. D'autres Styx étaient probablement sur leurs traces, ses fils se trouvaient donc en danger. Mais peut-être pourrait-elle les aider, quitte à y perdre la vie, ce qui risquait fort d'arriver.

Sarah ne se doutait pas que les choses allaient prendre un tour inattendu.

Chapitre Cinquante

D rake avait été contraint de s'arrêter lorsqu'il s'était retrouvé juste derrière une patrouille de Limiteurs. Il jura en silence en voyant qu'ils lui barraient la route. Il ne pouvait rien faire pour les dépasser, si ce n'est effectuer un long détour sinueux.

Il prit malgré tout le risque d'avancer encore un peu plus pour évaluer la situation. Il vit qu'ils traînaient quelqu'un derrière eux, mais il ne pouvait pas tirer de conclusions hâtives. Il ne savait pas s'il s'agissait d'Elliott ou de l'un des trois garçons. Peut-être était-ce quelque infortuné renégat, capturé par les soldats, se dit-il en trépignant d'impatience. Il palpa les canons-culasses noués sur sa cuisse – il aurait été très osé de s'en servir contre quatre soldats, et il ne voulait pas non plus risquer de blesser leur prisonnier.

Drake attendit que la patrouille ait traîné le prisonnier jusqu'à la corniche qui marquait le début des Tranchants. Ils longèrent alors la crête et empruntèrent le chemin le plus long. Dès qu'ils furent hors de vue, Drake descendit l'échelle coprolithe en toute hâte. Arrivé en bas, il se mit aussitôt à couvert. L'air étincelait de millions de minuscules particules de verre en suspension qui lui bouchaient la vue et lui irritaient la gorge. Il dut s'arrêter pour se cacher à plusieurs reprises tandis qu'il sinuait entre les colonnes brisées par l'explosion dévastatrice. Il repéra plusieurs cadavres de Limiteurs sur les lieux, mais l'endroit grouillait encore de soldats bien vivants. Ils semblaient ratisser la zone.

Il finit par arriver au passage qu'Elliott avait sûrement emprunté, mais l'entrée était totalement obstruée par une colonne d'obsidienne. Il n'avait d'autre choix que de contourner l'obstacle pour prendre la voie la plus proche.

Il aperçut à nouveau la patrouille et son prisonnier qui dévalaient en trombe la dernière partie de la corniche. Deux Limiteurs se dispersèrent aussitôt, probablement pour signaler leur présence à leurs camarades, postés plus avant dans la caverne. Les deux autres soldats laissèrent choir leur prisonnier sur le sol. Il entendit le cri d'une femme. Drake n'avait pas la moindre idée de l'identité du captif, mais il ne pouvait le laisser à leur merci, et ce même s'il devait absolument rattraper Elliott.

Il ramassa une écharde d'obsidienne et la lança à vingt mètres à la gauche des Limiteurs. Les deux soldats réagirent aussitôt en levant leurs carabines avant de s'avancer vers l'endroit où elle avait atterri. Drake jeta alors une autre grosse écharde pour les éloigner encore un peu plus de leur prisonnier et en profita pour se faufiler jusqu'à Sarah. Il plaqua sa main sur sa bouche, de peur qu'elle ne laisse échapper un cri, la prit dans ses bras et se dirigea vers une sortie. Après avoir parcouru une distance suffisante, il la déposa à terre.

Drake était intrigué. Cette femme portait en effet l'uniforme des Limiteurs, et plus étrange encore, son visage lui était familier. Elle essaya de dire quelque chose, mais il lui demanda de rester tranquille pendant qu'il examinait ses blessures. Il remarqua alors avec surprise qu'elle avait des pansements identiques à ceux qu'Elliott et lui-même transportaient sur eux.

— Ces bandages... qui les a faits ? demanda-t-il à la femme.

— Vous êtes un renégat, n'est-ce pas ? rétorqua Sarah.

— Dites-moi... Est-ce que c'est Elliott ? pressa-t-il en rugissant — il n'avait pas le temps d'échanger des politesses.

— Une petite fille avec une grande carabine ? répondit Sarah.

Drake acquiesça tout en cherchant où il avait vu ce visage.

— J'imagine que c'est l'une de vos amies, déclara Sarah.

Drake haussa les sourcils. Cet instant avait quelque chose d'insolite. Il aurait pu s'agir de Tam, en plus mince peut-être. Il avait la même manière de manifester son étonnement. Elle sut aussitôt qu'elle pouvait accorder sa confiance à cet étranger, à cet homme grisonnant aux yeux bleu acier qui portait un drôle de casque sur la tête.

— Eh bien, elle tire comme un pied, commenta Sarah avec un gloussement maussade.

Cette femme avait pris Drake au dépourvu. Malgré l'étendue de ses blessures, elle faisait en effet preuve d'un incroyable courage.

Mais il n'avait pas le temps de s'attarder sur ce point. Il perdait de précieuses secondes.

— Il faut que j'y aille, s'excusa-t-il en se relevant. Mon amie Elliott a besoin d'aide.

— Quant à moi, il faut que j'aide mes fils, Will et Cal, dit Sarah.

— Ah, je sais qui vous êtes, maintenant, répondit Drake en tressaillant. La légendaire Sarah Jérôme. Je pensais bien vous avoir reconnue...

— Et si vous voulez savoir ce que trament les Styx, nous pourrons en discuter en chemin.

[*]

Elliott conduisit les garçons devant une autre arche qui n'avait pas aussi bien résisté aux ravages du temps que la première. Un seul pilier tenait encore debout. Le reste gisait éparpillé sur les dalles de la plate-forme sur laquelle on l'avait construite.

Will et ses camarades avaient à peine posé le pied sur les dalles géantes qu'ils entendirent à nouveau les aboiements des limiers. Ils semblaient dangereusement proches cette fois. Elliott s'arrêta net dans sa course puis fit volte-face pour s'adresser aux trois garçons.

— Comment j'ai pu être aussi stupide? murmura-t-elle d'une voix pleine de colère.

— Qu'est-ce que tu veux dire? demanda Chester.

— Tu ne vois donc pas? dit-elle avec exaspération.

Les garçons l'entourèrent en échangeant des regards perplexes.

— Ils nous suivent depuis des kilomètres... et je n'ai pas repéré leur manège. Quelle idiote! dit-elle en serrant sa carabine avec une telle force qu'elle en fit craquer ses phalanges.

— Quel manège? demanda Chester. De quoi tu parles?

— C'est le même schéma qui se répète... On est tombés sur des Limiteurs à chaque détour, et on est allés exactement là où ils voulaient qu'on aille, comme des fichus poulets qu'on rabat. À chaque fois, ils ont joué au ping-pong avec nous.

Will crut bien qu'elle allait éclater en sanglots. Elliott était furieuse contre elle-même.

— J'ai foncé droit dans le piège...

Elliott laissa glisser la crosse de sa carabine sur le sol, puis s'appuya sur le canon en baissant la tête. Elle était visiblement dépitée, comme si elle avait soudain abandonné la lutte.

— Après tout ce que m'a appris Drake. Il n'aurait jamais...

— Oh, laisse tomber... Tout va bien, l'interrompit Cal en essayant de rester calme, même si sa voix témoignait du contraire.

Il refusait d'entendre ce qu'elle disait. Il voulait juste arriver enfin à destination pour y goûter un repos bien mérité.

— On ne peut pas juste passer par là ? lui demanda-t-il en indiquant la bordure du Pore.

— Impossible, lui répondit Elliott d'une voix faible.

— Pourquoi pas ? insista-t-il.

Elliott resta un instant silencieuse, les yeux rivés sur Bartleby qui avait relevé la tête et dressait les oreilles. Il releva encore un peu plus le museau et se mit à renifler. Elliott hocha la tête d'un air résigné avant de lui répondre enfin.

— Quelque part par là, le long du Pore, il y a une troupe de Limiteurs, prêts à tirer.

Face à la réaction des garçons qui refusaient de croire ce qu'elle disait, elle sembla se reprendre et les fusilla tour à tour du regard.

— Et là-bas, dit-elle en pointant une zone sur sa gauche, il y a assez de Cols d'albâtre pour remplir une satanée église. Pourquoi ne demandes-tu pas à ton chasseur ? Lui, il sait...

Cal jeta un coup d'œil à son chat puis se tourna vers Elliott d'un air dubitatif, tandis que Will et Chester s'avançaient respectivement de quelques pas pour scruter le paysage aride dans les deux directions qu'elle venait d'indiquer.

Will rabattit sa lentille et balaya du regard la pente parsemée de menhirs disposés çà et là.

— Mais... mais il n'y a absolument personne là-haut, dit-il.

— Rien de ce côté non plus, dit Chester. T'es nerveuse, c'est tout. Pas de problème, Elliott, dit-il.

Will et Chester revinrent alors sur leur pas. Chester aurait tant voulu qu'elle lui confirme que tout allait bien.

— Si tu trouves que se faire cribler de balles n'est pas un problème, alors je me range à ton avis, dit-elle d'un ton laconique en armant sa carabine à l'épaule d'un geste fluide.

— Écoute, il n'y a pas de Styx là-haut, plaida Will qui trouvait cette idée fort peu plausible. C'est débile, un point c'est tout.

Rien n'aurait pu les préparer à ce qui arriva ensuite.

Chapitre Cinquante et un

Drake avait mitraillé Sarah de questions en cours de route. Il voulait qu'elle lui dise tout ce qu'elle savait. Elle avait de plus en plus de mal à se concentrer, et ses réponses devenaient parfois incohérentes. Elle se trompait dans la chronologie des événements en lui racontant l'histoire de Rebecca et du Dominion.

Ils finirent par se taire. Drake voulait préserver son énergie pour pouvoir transporter Sarah, tandis que cette dernière souffrait de vertiges de plus en plus sévères. Elle sentait ses forces l'abandonner telle une eau qui s'écoule d'un tonneau percé, et elle savait ce qui l'attendait si l'hémorragie continuait ainsi. Elle ne se faisait aucune illusion : elle avait très peu de chances de parvenir à son but et de rattraper ses fils avant de mourir.

— *Walk all over you...* entonna-t-elle, un sifflement dans la voix.

La douleur que lui causait sa fracture à la hanche était si intense qu'elle se voyait parfois tel un bouchon flottant à la surface brillante et rouge d'un océan brûlant qui menaçait de l'engloutir à tout moment. Sarah luttait et luttait encore pour se maintenir à flot, mais elle avait les idées si confuses. Elle avait l'impression qu'on lui avait sectionné le cerveau en deux, tant elle sentait palpiter la plaie à sa tempe.

— Tu mens tellement que c'est...

Ils finirent par atteindre la côte qui descendait vers le Pore. Drake était à bout de souffle après un tel effort. Comme s'il avait pressenti ce qui se préparait, il se mit à courir sans se soucier de l'état de Sarah.

₊₊*

Ils entendirent un cri provenant des hauteurs.

— Youhou, Will!

Will se figea.

— Je sais que tu es là, mon soleil! retentit la voix pleine de joie.

Will la reconnut aussitôt et riva ses yeux à ceux d'Elliott.

— Rebecca, souffla-t-il.

Pendant un instant, ils restèrent immobiles.

— Je crois qu'on va avoir des ennuis, dit Will, impuissant.

— T'as sacrément raison, acquiesça Elliott d'une voix monocorde.

Will était comme un lapin pris dans les phares d'un énorme poids lourd qui fonçait sur lui dans un roulement de tonnerre.

C'était comme si, tout au fond de lui, il avait toujours su que ce moment arriverait, que c'était quelque chose d'inéluctable. Malgré cela, il les avait conduits tout droit dans la gueule du loup. Il regarda Chester d'un air confus, mais il lut dans ses yeux un tel mépris mêlé de reproches qu'il détourna la tête.

— Ne restez pas plantés là! Mettez-vous à l'abri! aboya Elliott.

Par chance, il y avait deux menhirs à la silhouette ramassée à quelques mètres de là. Ils se dispersèrent : Elliott et Chester d'un côté, Will et Cal de l'autre.

— Ouh, ouh, Wiiiiiill! Sors de là, où que tu te caches! poursuivit Rebecca d'une douce voix de petite fille.

— Ne bouge pas, articula Elliott en silence avec un mouvement rapide de la tête.

— Hé, grand frère, ne me fais pas marcher! cria Rebecca. Tu ne veux pas qu'on cause un peu, en souvenir du bon vieux temps?

Comme le lui avait signifié Elliott, Will ne répondit pas. Il jeta un coup d'œil derrière le rocher, mais ne vit rien d'autre que les ténèbres.

— Très bien, si tu veux jouer à des jeux stupides, commençons par bien en établir les règles, poursuivit Rebecca, visiblement furieuse.

Il y eut un moment de flottement. Rebecca attendait de toute évidence que Will lui réponde; comme il n'en faisait rien, elle se remit à crier.

— Très bien... les règles. Règle numéro un... Comme tu m'as l'air un peu timide, je vais venir te voir. Deux... Si jamais quelqu'un s'avise de me tirer dessus, c'est la guerre. Et voici ce qui se passera : je lâcherai d'abord les limiers. Ça fait plusieurs jours que mes petits chéris n'ont rien mangé, et crois-moi, t'as vraiment pas envie de voir ça. Et si jamais les chiens ne se précipitaient pas sur vous, ce qui est fort peu probable, mon escadron de tireurs d'élite ne vous manquerait pas, lui. Pour finir, j'ai derrière moi une division dotée de pas mal de pièces d'artillerie lourde... Leurs armes anéantiront tout sur leur passage, et vous avec. Alors pas de blague, ou vous en paierez les conséquences. Compris ?

Il y eut un autre moment de silence, puis elle reprit d'une voix plus stridente cette fois et d'un ton plus impérieux.

– Will, je veux ta parole. Est-ce que je peux venir en toute sécurité ?

Will n'essaya plus de voir ce qui se passait en haut de la côte et s'affala derrière l'énorme menhir. Il avait le sentiment que Rebecca le voyait malgré tout, comme s'ils n'étaient séparés que par un panneau de verre.

Une sueur froide lui coula le long du dos. Ses mains tremblaient. Il ferma les yeux en se frappant la nuque contre le rocher.

– Non, non, non... gémit-il.

Comment les choses avaient-elles pu tourner aussi mal ? Ils filaient bon train en direction des Zones humides. Alors que de vastes étendues et de multiples passages s'ouvraient devant eux, voilà qu'ils se retrouvaient dans cette situation lamentable, acculés au bord de ce fichu gouffre. Comment avaient-ils pu en arriver là ?

Avec Rebecca, ils se trouvaient confrontés à quelqu'un de brutal qui n'éprouvait aucune pitié, et qui le connaissait comme si elle l'avait fait.

Will n'avait pas la moindre idée de la manière dont ils pourraient s'en sortir. Il jeta un coup d'œil à Elliott, mais elle faisait des remontrances à Chester. Will n'entendait pas le moindre mot de leur conversation frénétique. Ils semblèrent s'accorder au bout d'un moment, car ils cessèrent de parler. Elliott ôta rapidement son sac à dos et se mit à fouiller dedans.

– Hé, face de rat ! J'attends ta réponse ! cria Rebecca.

– Elliott ! siffla Will. Qu'est-ce que je fais ?

– Essaie de gagner du temps. Parle-lui, répondit sèchement Elliott sans relever la tête alors qu'elle extirpait une corde de son sac.

Encouragé par Elliott qui semblait suivre un plan d'action, Will prit plusieurs profondes inspirations et passa la tête derrière le menhir.

— Oui! D'accord! hurla-t-il à Rebecca.

— Bon garçon! répondit Rebecca avec entrain. Je savais que tu accepterais.

Pendant les secondes qui suivirent, Rebecca resta muette. Elliott et Chester se nouèrent une corde autour de la taille, puis Chester en jeta l'autre extrémité à Will tandis qu'Elliott se mettait à plat ventre, la carabine prête.

Will attrapa la corde en haussant les épaules à l'attention de Chester, qui fit le même geste en retour. Will ne voyait plus qu'une possibilité : en dernier recours, Elliott voulait tenter de descendre le long de la paroi du Pore. Il ne voyait aucune autre issue. Il se tourna vers Cal qui sanglotait en silence dans son coin, le visage plaqué contre le cou de Bartleby. Il serrait l'animal agité contre son torse. Cal s'était effondré, et Will ne pouvait lui en vouloir pour ça. Will noua la corde autour de sa taille, puis il s'occupa de son frère qui le laissa faire sans lui poser de question.

Will regarda de nouveau le Pore. C'était bien leur seule issue. Mais à moins qu'Elliott ne sache quelque chose qu'il ignorait, ce n'était guère une solution. *Qu'est-ce qu'elle a en tête?* Will avait constaté qu'il n'y avait qu'une paroi à pic à laquelle il était impossible de s'accrocher. L'avenir lui semblait bien sombre.

Will entendit Rebecca qui sifflotait dans le noir en approchant.

— *You are my sunshine*, murmura-t-il en reconnaissant immédiatement l'air. Je déteste vraiment cette chanson.

Lorsqu'elle reprit la parole, elle n'était plus qu'à une trentaine de mètres d'eux.

— Très bien, je n'irai pas plus loin.

D'énormes projecteurs s'allumèrent au sommet de la côte.

— Zut! Pleins feux! s'exclama Elliott qui releva aussitôt la tête lorsque la lumière aveuglante frappa la lentille de sa lunette.

Elle ferma plusieurs fois l'œil, comme pour recouvrer la vue après cet éclair aveuglant.

— C'est trop génial! fulmina-t-elle. Je ne peux rien viser du tout maintenant!

Des faisceaux de lumière éblouissants balayaient la zone où se cachaient Will et les autres en projetant des ombres noires et nettes sur le sol derrière eux.

Will jeta un coup d'œil derrière le rocher. Il avait dû éteindre son casque pour protéger l'élément qui se trouvait à l'intérieur de sa lentille, et la luminosité l'empêchait de voir correctement. Il parvenait cependant à distinguer quelqu'un qui ressemblait sans conteste à Rebecca. Elle se trouvait entre deux menhirs, à découvert. Il recula et se tourna vers Elliott. Elle était toujours à plat ventre, avec une série d'explosifs et de canons-culasses disposés à portée de main sur le sol. Elle changea de position comme pour ajuster son tir, même sans sa lunette.

— Ne fais pas ça ! Ne tire pas ! l'implora Will en chuchotant. Les limiers !

Elliott ne répondit pas, la carabine toujours en joue.

— Will ! J'ai une petite surprise pour toi ! lança Rebecca. Une sacrée surprise ! poursuivit-elle tel un ventriloque, sans bouger les lèvres.

Will fronça les sourcils et ne put s'empêcher de jeter un autre coup d'œil derrière le rocher.

— Je te présente ma sœur jumelle, annoncèrent en chœur deux voix identiques.

— Attention ! prévint Elliott en le voyant qui se relevait.

Il vit alors la figure solitaire se diviser en deux et révéler la deuxième personne qui se tenait juste derrière Rebecca. Elles se tournèrent l'une vers l'autre, et Will distingua deux profils identiques. Leurs visages semblaient se refléter l'un dans l'autre.

— Non, dit-il d'une voix étranglée en reculant légèrement, avant de se pencher à nouveau en avant.

Will n'en croyait pas ses yeux.

— J'espère que tu apprécies le coup, frérot ! lança la Rebecca qui se trouvait à sa gauche.

— Nous avons toujours été deux, parfaitement interchangeables, gloussa l'autre Rebecca avec la voix d'une jeune sorcière.

Non, ce n'était pas une illusion d'optique.

Il y en avait bien deux... deux Rebecca, côte à côte.

Comment était-ce possible ?

Le choc passé, il essaya de se dire qu'il s'agissait d'un truc, d'une sorte de tour d'illusionniste, ou peut-être la seconde personne portait-elle un masque. Mais non, c'était indéniable, se dit-il en regardant encore une fois les jumelles parfaitement identiques qui s'adressaient à lui.

Elles parlaient si vite qu'il était incapable de dire qui disait quoi.

— Ton pire cauchemar — ta peau se crevasse et se dissout [1].

— Comment crois-tu que nous nous en sommes sorties alors qu'il fallait que l'une de nous reste constamment en Surface ?

— On s'occupait de toi chacune notre tour.

— Une en haut, une en bas, pendant toutes ces années, jusqu'à ce que l'autre prenne la relève.

— On te connaît par cœur...

— On a préparé tes repas infects...

— ... ramassé ton linge sale...

— ... lavé tes slips cradingues et puants...

— Espèce de chien crasseux ! lança l'une d'elles avec dégoût.

— ... on t'a écouté balbutier dans ton sommeil, et appeler ta maman...

— ... mais maman, elle s'en fichait pas mal...

Malgré la gravité de la situation, Will se tortillait sur place tant son embarras était grand. Il aurait déjà été assez gêné d'entendre une Rebecca dire pareille chose, mais deux à la fois... et elles connaissaient son intimité dans les moindres détails, pire encore elles en discutaient entre elles. C'était plus qu'il n'en pouvait supporter.

— La ferme, hyène putride ! hurla-t-il.

— Oh, mais c'est qu'on est susceptible, répondit l'une des jumelles d'un ton moqueur.

Will se retrouvait soudain à Highfield. Il se souvenait de sa vie là-haut, avant la disparition de son père adoptif. Il se disputait sans cesse avec sa sœur pour des broutilles. Il avait l'impression de revivre l'une de ces bagarres sans fin qui se terminaient toujours de la même façon : à force de subir les traits et les railleries bien senties de sa sœur, il finissait par piquer une crise, tandis qu'elle le toisait d'un air satisfait.

— J'imagine que c'est à nous deux que ça s'adresse, lança la Rebecca qui se trouvait sur sa droite en insistant bien sur le dernier mot, tandis que l'autre continuait à le haranguer.

— Mais maman n'avait pas le temps de s'occuper de son petit Will... Il ne rentrait pas dans les cases des programmes télé...

— ... il ne faisait pas partie des feuilletons.

Deux ricanements retentirent alors.

— Quel pauvre petit, vraiment, croassa l'une des jumelles.

— Le mal-aimé qui creusait ses trous à la noix, toujours tout seul.

1. Allusion au Livre de Job, 7 : 5. (NdT)

— Qui creusait pour l'amour de papa, ajouta l'autre avec ironie.

Elles éclatèrent d'un rire tonitruant.

Will ferma les yeux. Il avait l'impression qu'elles sondaient son esprit pour dévoiler ses peurs et ses secrets les plus intimes. Les cruelles jumelles le mettaient à nu devant tout le monde.

— Ce qu'on voulait vous dire, à toi et à ce gros balourd de Chester, c'est que vous ne pourrez bientôt plus retourner à la maison, car elle n'existera plus, dit d'un ton extrêmement grave la jumelle qui se trouvait à gauche.

— Plus de Surfaciens, ajouta l'autre avec des trémolos dans la voix.

— En tout cas, beaucoup moins, rectifia la première d'une voix chantante.

— Qu'est-ce qu'elles racontent ? demanda Chester qui suait abondamment, le visage livide sous sa croûte de crasse.

Will en avait assez.

— Balivernes ! Ce ne sont que des fichus mensonges ! cria-t-il, le corps tremblant de rage et de terreur.

— Comme tu as pu le voir par toi-même, telles de petites abeilles industrieuses, on a bien travaillé dans la Cité éternelle, dit l'une d'elles. La Division y a prospecté des années durant.

— Ils ont finalement réussi à isoler le virus qu'on recherchait. Nos scientifiques ont travaillé dessus, et voici le fruit de notre travail.

Will vit l'une des jumelles brandir un objet pendu à son cou. Il étincelait sous les feux du projecteur. On aurait dit une petite fiole de verre, mais à cette distance il était difficile de l'affirmer avec certitude.

— Une pure merveille, ce... génocide en bouteille... il surpassera toutes les épidémies des siècles passés. Nous l'avons baptisé le Dominion.

— Le Dominion, reprit l'autre.

— On va le répandre en Surface...

— ... et la Colonie retrouvera les terres qui lui reviennent de droit.

Puis elle tendit la fiole à sa sœur comme pour porter un toast.

— À la nouvelle Londres.

— À un monde nouveau, ajouta l'autre.

— Oui, monde.

— Je ne vous crois pas, espèce d'ordures ! Ce ne sont que des idioties ! siffla Will. Vous mentez.

— Pourquoi veux-tu qu'on se donne toute cette peine ? contra la jumelle qui se trouvait sur sa droite en agitant une seconde fiole. Tu vois ça... On a le vaccin, mon vieux. Vous, les Surfaciens, n'arriverez jamais à le produire à temps. Tout le pays sera paralysé, et prêt pour la conquête.

— Et ne va pas t'imaginer qu'on est venues juste pour toi. Inutile de prendre la grosse tête.

— On a procédé à un petit nettoyage de printemps dans les Profondeurs. On voulait se débarrasser de ces vieilles ordures de renégats et autres traîtres à la cause.

— On a aussi pratiqué quelques tests avec le Dominion, comme certains de tes nouveaux copains ont pu le constater par eux-mêmes.

— Demande donc à Elliott, cette petite clocharde.

En entendant son nom, Elliott releva la tête d'un coup. Elle se souvenait des cellules condamnées sur lesquelles elle était tombée avec Cal.

— Le bunker, lut Will sur ses lèvres.

Les pensées se bousculaient dans son esprit. Il savait au fond de lui-même que Rebecca – les Rebecca, rectifia-t-il – étaient capables de la cruauté la plus abjecte. Cela pouvait-il être vrai ? Possédaient-elles vraiment un tel fléau ? Elles reprirent le dialogue, interrompant le fil de ses pensées.

— Bien, parlons affaires, frérot, dit la jumelle qui se tenait à sa gauche. On a une offre à te faire. C'est à prendre ou à laisser.

— Mais on retourne d'abord là-haut, précisa l'autre.

Will regarda les doubles pivoter avec grâce sur la pointe des pieds avant de remonter la pente en sautillant.

— J'arriverais peut-être à en épingler une... murmura Elliott derrière sa carabine.

— Non, attends ! implora Will.

— ... mais pas les deux, ajouta Elliott.

— Non, tu ne ferais qu'empirer les choses. Écoutons ce qu'elles ont à nous dire, supplia Will qui sentait son sang se glacer.

Il voyait déjà les meutes de limiers fondre sur eux pour les mettre en pièces comme des renards acculés par les chasseurs. Les yeux rivés sur les deux silhouettes qui disparaissaient derrière les menhirs, il refusait d'abandonner tout espoir. Non, ce ne pouvait être leur fin à tous.

Mais que préparaient donc les jumelles ? Quelle allait être la nature de leur offre ?

Il savait qu'il n'aurait plus à attendre bien longtemps.

C'est alors qu'elles recommencèrent à hurler à toute vitesse.

— Les gens ont tendance à tomber comme des mouches dans le coin, pas vrai ?

— Oncle Tam qui aimait tant s'amuser, déchiqueté par nos hommes.

— Et ce gros idiot d'Imago. Un petit poisson m'a dit qu'il était tombé dans la purée...

— ... et qu'il est raide mort maintenant, ajouta l'autre jumelle.

— Au fait, t'as déjà rencontré ta vraie mère ? Sarah est ici, et elle te cherche.

— Elle s'est mis en tête que tu étais responsable de la mort de Tam, et...

— Non ! Elle sait que c'est pas vrai ! hurla Will en s'étranglant presque.

Les jumelles se turent un instant comme s'il les avait prises au dépourvu.

— En tout cas, elle ne nous échappera pas cette fois, promit l'une d'elles, mais sa voix semblait moins confiante qu'auparavant.

— Non, c'est sûr. Et puisque nous en sommes aux réunions de famille, sœurette, dis-lui donc ce qui est arrivé à mamie Macaulay, suggéra l'autre avec dureté.

L'interruption de Will ne l'avait manifestement pas désarçonnée.

— Ah, oui, j'oubliais. Elle est morte, répondit l'autre. Mais pas de cause naturelle.

— Nous avons épandu ses restes dans les champs de cèpes.

Elles poussèrent des gloussements atroces. Will entendit Cal murmurer quelque chose, le visage toujours plaqué contre le flanc de Bartleby.

— Non, s'étrangla Will qui n'osait pas regarder Cal. C'est pas vrai, dit-il d'une voix faible. Elles mentent. Pourquoi faites-vous ça ? Vous ne pouvez donc pas me ficher la paix ? leur cria-t-il d'une voix pleine de colère.

— Désolée, c'est impossible.

— Œil pour œil, ajouta sa sœur.

— Par pure curiosité, on aimerait savoir pourquoi tu as tiré sur ce trappeur qu'on interrogeait sur la Grande Plaine ? poursuivit aussitôt l'une des deux jumelles. C'était bien toi, n'est-ce pas, Elliott ?

— Tu l'as confondu avec Drake, ou quoi ? demanda l'autre avant de partir dans un grand éclat de rire. Un peu nerveuse de la gâchette, n'est-ce pas ?

Will et Elliott échangèrent des regards confus.

— Oh, non! articula Elliott à voix basse.

— Quant à ce vieux bouc débile, le Dr Burrows, nous l'avons laissé poursuivre sa petite routine...

Will se raidit en entendant le nom de son père adoptif.

— ... comme un appât qui s'agite au bout d'un hameçon...

— Et on n'a même pas eu besoin de l'achever.

— On dirait qu'il s'en est chargé pour nous.

Les gloussements aigus des jumelles se réverbérèrent contre les pierres sombres.

— Non, pas papa, chuchota Will en secouant la tête, puis il recula, à l'abri du menhir.

Il se laissa glisser contre la surface rugueuse de la pierre et s'affala sur le sol, la tête baissée.

— Voici ce que nous te proposons, cria l'une d'elles en reprenant un ton grave.

— Si tu veux que tes meilleurs copains aient la vie sauve...

— ... alors, rends-toi.

— Nous serons clémentes envers eux, ajouta sa sœur.

Elles s'amusaient avec lui! Comme elles auraient joué à un jeu d'enfant, si ce n'est qu'il s'agissait d'une pure torture.

Elles poursuivirent d'un ton plein de persuasion et lui dirent qu'il aiderait ses amis en se rendant. Will les entendait mais ne les écoutait plus. Leur voix n'était plus qu'un bruit de fond, comme s'il ne comprenait plus le sens de leurs paroles.

Il se sentait désorienté, comme perdu au milieu d'un épais brouillard. Il restait assis là, dos au menhir. Il regarda le sol tout autour de lui et ramassa mollement une poignée de terre pour la broyer dans son poing. Il leva la tête, ses yeux se posèrent sur Cal. Il avait le visage noyé de larmes.

Ne sachant que lui dire pour exprimer la peine qu'il ressentait à cause de la mort de mamie Macaulay, Will détourna la tête; il remarqua alors qu'Elliott avait quitté sa position derrière le menhir. Elle traversait l'arche en rampant le long du Pore et se trouvait presque au niveau des premières marches de pierre qui ne menaient nulle part. Relié par la même corde, Chester se faufilait aussi, à quelques mètres en arrière.

Will essaya de se reprendre et jeta la terre qu'il avait dans la main. Il regarda de nouveau Chester. Il savait qu'il aurait dû le suivre, mais il ne parvenait pas à s'y résoudre. Il était comme paralysé. Il était en proie aux affres du doute. Fallait-il s'estimer vaincu ? Devait-il se rendre ? Se sacrifier pour sauver la vie de son frère, de Chester et d'Elliott ? C'était la moindre des choses... Après tout, c'est lui qui les avait entraînés dans tout ça. S'il ne se rendait pas, ils seraient de toute façon condamnés.

— Alors, tu décides quoi, grand frère ? le pressa l'une des jumelles. Tu vas faire le bon choix ?

Elliott était à présent complètement cachée, perchée au bas des escaliers, mais elle entendait évidemment ce que disaient les jumelles.

— Non, Will. Ça ne changera rien ! lui lança-t-elle.

— On attend ! cria l'autre Rebecca sans la moindre trace d'humour dans la voix.

— Dix secondes, pas une de plus !

Elles commencèrent le compte à rebours, égrenant les secondes chacune à leur tour.

— Dix !

— Neuf !

— Oh, mon Dieu, marmonna Will en lançant un autre coup d'œil à Cal.

— Huit !

Cal balbutiait des paroles incompréhensibles, le corps secoué de sanglots, mais Will se contentait de secouer la tête, impuissant.

— Sept !

Depuis le bord du Pore, Elliott les encourageait à la rejoindre.

— Six !

Chester se tenait tout en haut des marches et jacassait à toute allure. Il tentait de lui dire quelque chose.

— Cinq !

— Allez, Will ! lança Elliott d'un ton sec en passant la tête par-dessus la bordure du Pore.

— Quatre !

Chester et Elliott s'adressaient à lui en même temps dans la confusion la plus totale, mais Will n'entendait que la voix glaciale des jumelles qui approchaient de la fin du compte à rebours.

— Trois !

— Will ! hurla Chester en tirant sur la corde pour le rapprocher.

— Will ! hurlait Cal.

— Deux !

Will vacilla sur ses pieds.

– Un!

– Zéro! conclurent simultanément les jumelles.

– C'est fini.

– Il est maintenant trop tard.

– Tu viens de signer d'autres arrêts de morts inutiles, Will.

Ce qui arriva ensuite sembla ne durer que quelques millièmes de secondes.

Will entendit Cal crier et se tourna vers lui.

– Non! Attendez! hurlait son frère. Je veux rentrer à la maison!

Il avait quitté d'un bond l'abri du menhir et agitait les bras, baigné par les feux des projecteurs, en plein dans la ligne de mire des Limiteurs.

À cet instant précis, plusieurs détonations retentirent en même temps. Elles semblaient provenir du sommet de la côte. Les tirs étaient tellement rapprochés qu'on aurait cru entendre un roulement de tambour en accéléré.

Le barrage de tirs frappa Cal avec une précision mortelle. Il n'avait pas la moindre chance de s'en sortir. Il fut soulevé de terre par la puissance de l'impact, laissant temporairement dans son sillage une traînée rouge qui flotta dans l'air.

Impuissant, Will ne pouvait que regarder son frère qui s'affalait à la limite du Pore tel un pantin désarticulé dont on aurait sectionné les fils. Il avait l'impression que tout s'était passé comme dans un ralenti sinistre. Will enregistra jusqu'aux plus infimes détails de la scène. Il vit le bras de son frère rebondir sur le sol humide tel un morceau de caoutchouc inanimé. Il remarqua aussi qu'il ne portait qu'une seule chaussette. Cal avait dû s'habiller si vite qu'il avait oublié de l'enfiler, pensa Will.

Son corps roula ensuite par-dessus le bord du précipice, et la corde que Will avait enroulée autour de la taille se tendit d'un coup, l'obligeant à reculer de plusieurs pas.

Bartleby, qui attendait docilement là où l'avait laissé Cal, se releva d'un coup et bondit à la suite de son maître pour disparaître dans le Pore à son tour. Will sentit soudain le fardeau s'alourdir au bout de la corde : le chat devait s'être accroché au corps de son frère.

Will était en partie visible à présent, et les Limiteurs ouvrirent à nouveau le feu. Les balles fusaient tout autour de lui, au milieu des faisceaux lumineux qui alternaient aussi vite qu'un stroboscope. Une pluie de métal s'abattait sur lui en sifflant tandis que les projectiles ricochaient contre les menhirs en soulevant des gerbes de terre à ses pieds.

Mais Will ne cherchait pas à se cacher. Les mains pressées contre les tempes, il se mit à crier comme un fou, jusqu'à ce qu'il s'étrangle, à bout de souffle, et pousse un ultime coassement rauque. Il reprit sa respiration, et hurla encore : « Assez ! » Un silence de mort s'abattit alors sur les lieux.

Les Limiteurs avaient cessé leurs tirs. Chester et Elliott avaient cessé de brailler pour attirer son attention.

Will vacilla sur ses pieds. Il était comme anesthésié. Il ne sentait pas la corde qui lui entamait les chairs au niveau de la taille et le faisait trébucher.

Il ne sentait plus rien.

Cal était mort.

Cette fois, il n'y avait plus aucun doute. Il aurait pu sauver son frère s'il s'était rendu aux jumelles.

Mais il n'en avait rien fait.

Il avait déjà cru avoir perdu Cal auparavant, mais Drake avait accompli un miracle en le ressuscitant. Cependant, il n'y aurait pas de sursis, pas de fin heureuse, non, pas cette fois.

Will se sentait écrasé par le poids insupportable de sa responsabilité. C'était lui et lui seul qui avait entraîné la perte de tant et tant de vies. Il revoyait leurs visages. Oncle Tam, mamie Macaulay. Tous ces gens qui avaient tout donné pour lui, tous ces gens qu'il aimait.

Il ne pouvait s'empêcher de penser qu'il avait perdu son père adoptif, le Dr Burrows. Il ne le reverrait jamais, plus maintenant. Le rêve de Will s'achevait là.

Le moment d'accalmie cessa brutalement lorsque les tirs des Limiteurs redoublèrent de violence sous les cris paniqués de Chester et d'Elliott qui essayaient de l'atteindre.

Mais Will n'entendait plus rien de ce qui se passait autour de lui, comme si on avait coupé le son. Il tourna un regard vitreux vers le visage désespéré et accablé de Chester qui se trouvait à quelques mètres de lui et hurlait de toutes ses forces, mais en vain. On lui avait volé jusqu'à cette amitié.

Tout ce sur quoi il avait compté, toutes les certitudes qui l'aidaient dans cette vie incertaine avaient été balayées, les unes après les autres.

Il était hanté par l'image atroce et encore fraîche de la mort de son frère. Ce dernier instant effaçait tout le reste.

— Assez, dit-il, d'un ton ferme cette fois.

Cal avait perdu la vie à cause de lui.

C'était indéniable. Inutile de chercher des excuses. Pas de quartier.

Will savait qu'il aurait dû être à sa place, étendu sur le sol, le corps criblé de balles.

Il avait l'impression que quelque chose s'étirait dans sa tête, que ça grinçait et se gondolait de tous côtés, et qu'il était si proche du point de rupture qu'il allait bientôt s'éparpiller en une multitude de minuscules fragments tranchants qu'il serait impossible de recoller ensemble.

Il s'efforçait de rester droit malgré le poids de la mort de Cal qui pesait sur ses épaules. Les Limiteurs continuaient à lui tirer dessus, mais il était ailleurs, et tout ça n'avait plus d'importance.

Accroupi au sommet des marches de pierre, Chester gesticulait et hurlait toujours. Mais il n'arrivait pas à atteindre Will.

Tout cela n'existait plus pour lui.

Will avança d'un grand pas, le corps raide, vers le Pore, en se laissant tirer par le poids du cadavre de son frère.

Chester se précipitait vers lui, la main tendue, hurlant son nom à s'en casser la voix.

Will posa les yeux sur lui et le regarda comme si c'était la première fois qu'il le voyait.

— Je suis tellement désolé, Will! hurlait Chester.

Puis sa voix redevint étrangement calme lorsqu'il comprit que Will l'écoutait.

— Viens ici. Tout va bien.

— C'est vrai? demanda Will.

Malgré la gravité de la situation, ils étaient comme isolés de la terrible scène d'horreur qui les entourait. Chester acquiesça, et lui adressa un bref sourire.

— Oui, et on va bien, nous aussi. Je suis désolé.

Il semblait vouloir s'excuser de la cruauté avec laquelle il avait traité Will, comme s'il avait compris qu'il était lui aussi en partie responsable de l'abattement du jeune garçon.

Une minuscule lueur d'espoir venait de s'allumer au fond de son esprit.

Will avait encore un ami. Tout n'était pas perdu, et ils s'en sortiraient, d'une manière ou d'une autre.

Will fit un autre pas en avant, et tendit la main vers Chester.

Il s'avança encore, toujours plus vite, franchissant la distance qui les séparait jusqu'à ce qu'il comprenne qu'il ne se servait pas vraiment de ses jambes, que c'était la corde qui lui donnait un tel élan. Au moment même où il s'apprêtait à saisir la main de Chester, les jumelles crièrent simultanément depuis le haut de la colline :

– Qu'il aille au diable!

– Ouvrez le feu!

L'artillerie lourde dont elles avaient parlé s'anima brusquement. Les rangées d'obusiers crachèrent des obus massifs qui fusèrent comme des boules de feu vers l'endroit où se trouvait Will, laissant derrière eux des traînées rouges et enflammées dans un fracas assourdissant. Ils éclairaient tout le coteau d'une lumière aveuglante.

Les menhirs se fendirent sous l'impact des obus qui projetaient des rideaux de terre en percutant le sol. L'un d'eux renversa l'unique colonne encore debout, soulevant au passage les dalles de pierre comme une bourrasque de vent éparpille un château de cartes.

Will fut projeté en avant par le souffle des explosions et perdit connaissance. Il alla valdinguer directement dans les ténèbres insondables du Pore, voltigeant par-dessus la tête de son ami.

S'il avait été encore conscient, il aurait vu Chester qui moulinait des bras et des jambes alors qu'il tentait de résister à la traction exercée par la corde qui le reliait à Will. Il essayait de se raccrocher à n'importe quoi.

Il aurait aussi entendu les cris d'Elliott, précipitée dans le Pore à son tour, à la suite de Chester.

Si Will avait été capable de penser, il aurait senti l'air noir autour de lui alors qu'il sombrait toujours plus profond, précédé par le cadavre de son frère, et suivi par les deux autres qui hurlaient à tue-tête. Il aurait été terrifié par les gravats et les morceaux de menhirs pulvérisés par l'explosion qui tombaient tout autour de lui.

Mais il ne pensait pas, l'esprit empli d'un néant semblable à celui dans lequel il s'abîmait.

Il tombait en chute libre. Le changement de pression affectait ses tympans sans relâche, tandis que les bourrasques qui s'engouffraient dans sa bouche lui coupaient parfois le souffle, à mesure que, dans sa chute, il approchait la vitesse maximale.

Il se cognait parfois contre Elliott, Chester, et parfois même contre le corps flasque de Cal, alors que la corde se nouait autour de leurs membres et de leur torse, les liant les uns aux autres avant de se dérouler à nouveau dès qu'ils s'écartaient les uns des autres. On aurait dit un macabre ballet aérien. C'est ainsi qu'il descendit, tournoyant dans le vide obscur, bien que de temps à autre sa trajectoire l'entraînât contre la paroi du Pore apparemment sans fin. Il rebondissait alors contre des rocs impitoyables, mais il heurtait parfois aussi, chose inexplicable, un matériau plus mou, dont la nature l'aurait grandement surpris s'il avait été encore conscient.

Mais il n'avait nullement conscience de tout cela. À ce stade, plus rien n'importait.

Si son esprit n'avait pas été détaché de tout cela, s'il avait eu quelque sensation physique, il aurait également remarqué qu'il descendait de moins en moins vite.

Un ralentissement d'abord imperceptible, mais bien réel. Il descendait de moins en moins vite... moins vite... moins vite...

Chapitre Cinquante-deux

Arrivé à portée de vue des projecteurs des Styx, Drake n'avait pas voulu prendre le risque de rester debout. Il avait en effet traîné Sarah derrière lui jusqu'à un point stratégique, situé à mi-chemin entre la crête, où étaient massés les Limiteurs, et l'endroit où Elliott et les garçons semblaient pris au piège.

Drake s'accroupit derrière un menhir, et Sarah resta allongée à côté de lui. Elle était trop épuisée pour faire autre chose qu'écouter. La tête posée contre un rocher et les vêtements trempés et gluants de son propre sang, elle entendit une partie des échanges entre Will et les jumelles. Le fait d'apprendre qu'il y avait deux Rebecca ne fut pas une grande révélation. Cela faisait longtemps que la rumeur circulait dans la Colonie. Les Styx versaient dans l'eugénisme – des manipulations génétiques visant à améliorer la race –, et les jumeaux, les triplés et même les quadruplés étaient devenus chose courante, alors qu'ils se multipliaient ainsi. Encore un mythe qui se vérifiait. Elle aurait dû comprendre lorsque l'une des deux Rebecca lui avait dit qu'elle s'était rendue dans un hôpital surfacien le matin même – l'enfant styx disait vrai.

Sarah les entendit harceler Will, puis proférer leur menace d'anéantir tous les Surfaciens à l'aide du Dominion.

– Vous avez entendu ça ? lui murmura Drake à l'oreille.

– Oui, dit-elle en acquiesçant d'un air sinistre dans le noir.

Les échanges de cris lui parvenaient comme si elle se trouvait tout au fond d'un puits profond. Ils se réverbéraient et tournoyaient autour d'elle, souvent trop indistincts pour qu'elle puisse en saisir la totalité. Malgré son état qui se détériorait, elle restait assez lucide pour analyser, certes très lentement, les bribes qu'elle saisissait.

Elle entendit son nom, puis ce que les jumelles disaient à propos de la mort de Tam et de mamie Macaulay. Son corps se raidit sous l'effet de la fureur. Les Styx éliminaient tous les membres de sa famille un à un. Les jumelles avaient ensuite menacé de tuer Will, Cal, et tous les autres.

— Il faut que vous les aidiez! dit-elle à Drake.

Il la regarda d'un air impuissant.

— Qu'est-ce que je peux faire? Ils sont en trop grand nombre, et je n'ai que des canons-culasses. Il y a toute une armée styx là-bas.

— Mais vous devez faire quelque chose! l'exhorta-t-elle.

— Qu'est-ce que vous suggérez? Que je leur lance des pierres? dit-il d'une voix angoissée.

Mais Sarah devait au moins essayer de venir en aide à ses fils. À l'insu de Drake, qui continuait à observer la scène, caché derrière le menhir, elle se hissa au-dessus du sol. Elle était déterminée à les rejoindre, même si elle devait s'arrêter après quelques mètres pour se reposer.

Elle voyait mal. Tout semblait flou, elle persévéra néanmoins. Elle releva la tête en tremblant, plissant un œil pour voir les projecteurs qui balayaient la côte.

Elle entendit le compte à rebours des jumelles, et les cris désespérés au bas de la pente.

Elle aperçut la petite silhouette qui entrait dans la lumière. Son intuition de mère lui dit qu'il s'agissait de Cal. Son cœur se mit à battre faiblement tandis qu'elle tendait la main vers lui. Il était si loin. Elle le vit agiter frénétiquement les bras, et entendit ses cris découragés.

C'est alors que retentirent les coups de feu.

Elle laissa retomber sa main sur le sol en le voyant mourir.

Il y eut de terribles hurlements, suivis par un énorme vacarme, puis des comètes enflammées se mirent à fuser dans l'air. C'est tout au moins la perception qu'en avait son esprit troublé. Le sol trembla comme jamais, comme si la caverne tout entière s'effondrait sur elle. Puis le bruit et les éclairs cessèrent, cédant la place à un silence terrifiant.

Elle arrivait trop tard. Trop tard pour les sauver. Elle aurait voulu pouvoir appeler Cal, mais en vain.

Des larmes mêlées de poussière lui roulèrent le long des joues.

Elle avait agi comme une idiote. Elle n'aurait jamais dû douter de Will. Les Styx avaient cherché à la piéger en la poussant à commettre la plus grave erreur de sa pitoyable vie. Ils avaient même convaincu mamie Macaulay que Will était responsable de la mort de Tam. La pauvre vieille femme, bercée d'illusions, avait cru à leurs mensonges.

Il était évident que les Styx se livraient à un grand nettoyage – ils procédaient toujours ainsi – et, bien entendu, quand Sarah aurait rempli son office, elle serait la prochaine à figurer sur l'étal du boucher.

Pourquoi n'ai-je pas suivi mon instinct?

Elle aurait dû se suicider dans l'excavation, à Highfield. Elle s'était trompée en abaissant la lame qu'elle pointait sur sa gorge puis s'était laissé convaincre par cette petite vipère de travailler pour les Styx. Depuis ce moment de faiblesse, Sarah s'était fourvoyée dans une chasse à l'homme, à la poursuite de ses deux fils. Elle n'était qu'un simple rouage dans la machination fomentée par les Styx. Elle ne se le pardonnerait jamais, ni aux Styx d'ailleurs.

Elle ferma les yeux. Elle sentait son cœur palpiter comme si un oiseau-mouche se trouvait pris au piège dans sa cage thoracique.

Peut-être valait-il mieux que tout s'achève ici et maintenant.

Elle ouvrit un œil terne.

Non!

Elle ne pouvait s'accorder le confort que lui apporterait la mort, pas encore. Pas tant qu'il resterait la plus petite chance de réparer ce chaos innommable.

Elle gardait un minuscule espoir de retrouver Will vivant – il n'avait pas été abattu comme son frère, cependant il était peu probable qu'il ait survécu aux explosions. Mais même s'il était encore vivant, et qu'elle parvenait d'une quelconque manière à l'atteindre, que pourrait-elle faire alors? Ces pensées et ces incertitudes lui vrillaient le cerveau comme des piques qui la poussaient à agir tout en lui infligeant des douleurs presque plus intenses que ses blessures elles-mêmes.

Elle se hissa vers l'endroit où Will était acculé, mais chaque geste lui devenait de plus en plus pénible, comme si elle se frayait un chemin dans une nappe de mélasse; elle n'abandonna pas pour autant. Elle avait parcouru plusieurs centaines de mètres, lorsqu'elle perdit à nouveau connaissance.

Quand elle revint à elle, elle ne savait pas combien de temps elle était restée inconsciente. Drake demeurait invisible, mais elle entendait des voix non loin d'elle. Elle leva la tête et aperçut les jumelles styx en bordure du Pore. Elles donnaient des ordres à un escadron de Limiteurs.

Sarah savait qu'il était trop tard pour sauver Will. Mais pouvait-elle agir, affaiblie comme elle l'était ? Pouvait-elle venger la mort de Tam, de sa mère et de ses fils ?

Le Dominion !

Oui, elle pouvait peut-être encore faire quelque chose. Elle était prête à parier que l'une des deux jumelles, voire les deux, transportait encore sur elle les fioles de Dominion. Ce virus était la pièce maîtresse de leur plan.

Oui !

Elle vit ce qu'il lui restait à faire. Si elle parvenait au moins à enrayer les plans des Styx, et peut-être sauver ainsi quelques vies surfaciennes, voilà qui rachèterait quelque peu ses actes. Elle avait douté de son propre fils. Elle avait commis tellement d'erreurs. Il était temps d'agir dans le bon sens.

Sarah parvint à se mettre debout en s'appuyant sur le bord d'un menhir brisé. Son pouls irrégulier battait dans sa tête aussi fort qu'une timbale déchaînée. L'horizon se mit à basculer alors qu'elle se tenait pliée en deux dans la pénombre. D'autres ténèbres commençaient à l'envelopper, d'une telle noirceur que la lumière ne pouvait y pénétrer.

Les jumelles se tenaient au bord d'un gouffre, là où se trouvait précédemment l'unique pilier de l'arche. Les jeunes Styx pointaient du doigt les profondeurs du Pore.

Au prix d'un effort herculéen, et puisant dans ses ultimes ressources, Sarah franchit la distance qui la séparait des deux jumelles aussi vite que le lui permettait son corps rompu, et fondit sur elles, les bras déployés.

Elle lut le même air stupéfait sur le visage des jumelles et les entendit hurler d'une même voix lorsqu'elle les entraîna dans sa chute au fond du précipice. Il n'avait pas fallu beaucoup d'énergie pour les déloger, mais Sarah avait jeté ses dernières forces dans cet ultime assaut.

Aux portes de la mort, Sarah souriait.

Chapitre Cinquante-trois

Mme Burrows était seule dans la salle commune de Humphrey House. Il était minuit largement passé, et à présent que ses yeux étaient débarrassés du mystérieux virus, elle n'avait plus aucun mal à regarder la télévision. Mais elle n'était pas absorbée par l'un de ses nombreux feuilletons préférés. Il y avait à l'écran une image granuleuse en noir et blanc. Elle arrêta la cassette, la rembobina et la lança de nouveau, comme elle l'avait déjà fait à de nombreuses reprises.

On voyait sur l'enregistrement la porte de la réception qui s'ouvrait soudain à la volée pour laisser passer une silhouette. Mais avant de disparaître, elle avait levé les yeux, puis baissé vivement la tête comme si elle savait qu'elle venait d'être repérée par une caméra de sécurité. On voyait en effet son visage.

Mme Burrows mit l'enregistrement sur pause en appuyant sur les boutons de la télécommande avec détermination, puis elle s'approcha du poste de télévision pour examiner le visage de cette femme échevelée au regard affolé. Elle toucha l'écran et dessina les contours flous de son visage pris entre deux images, comme si on avait filmé un fantôme par inadvertance.

– Pour votre plus grand plaisir, la grande, l'unique, Kate O'Leary, intrigante de son état, marmonna Mme Burrows en plissant les yeux et faisant plusieurs fois claquer sa langue contre ses dents, les yeux rivés sur le visage de Sarah. Eh bien, madame Kate, la femme sans nom, je te retrouverai où que tu te caches.

Elle devint songeuse, sifflotant au hasard un petit air atonal, une habitude qu'elle avait contractée auprès de M. Burrows et qu'elle lui avait pourtant souvent reprochée.

— Et tu vas me rendre ma famille, dussé-je en mourir.

Mme Burrows entendit le hululement d'un hibou et se tourna vers les fenêtres pour regarder le jardin plongé dans les ténèbres.

C'est alors qu'un homme coiffé d'une calotte et d'un grand pardessus s'écarta prestement de la fenêtre pour se cacher. Il était fort improbable que cette Surfacienne à la vision nocturne rudimentaire le distingue dans la pénombre, mais il ne voulait prendre aucun risque.

Le hibou s'envola et plana entre les arbres, tandis que l'homme à la carrure massive attendait patiemment avant de reprendre sa surveillance à la fenêtre.

Un autre homme perché sur une butte à quelque trois cents mètres de là ajusta sa lunette de vision nocturne montée sur un trépied.

— Je te vois, dit Drake en remontant le col de sa veste pour se protéger du vent qui venait de se lever.

Il effectua un dernier petit réglage en tournant un anneau, afin d'obtenir une image parfaitement nette de l'homme tapi dans la pénombre.

— Qui surveillera ceux qui nous surveillent?

À cinq cents mètres de là, les pleins phares d'une voiture illuminèrent l'arrière de Humphrey House. À cette distance, il ne s'agissait guère plus que d'une lueur; mais, intensifiée par les systèmes électroniques de la lunette, elle était assez brillante pour obliger Drake à cligner de l'œil. Pris par surprise, il inspira vivement. Cet éclair avait réveillé le souvenir des arcs de lumière éblouissants qui avaient zébré l'atmosphère lorsque les Limiteurs avaient bombardé Elliott et les trois garçons. Il avait été le témoin impuissant de ces atroces et ultimes instants.

Drake s'écarta de la lunette et se redressa pour s'étirer le dos. Il fixa les profondeurs du ciel nocturne au-dessus de lui.

Non, il n'avait pas pu sauver Elliott et les garçons, mais il allait tout faire pour arrêter les Styx. S'ils croyaient pouvoir reprendre leur projet et répandre le Dominion, ils allaient en être pour leurs frais. Il sortit un téléphone mobile de sa poche et composa un numéro; puis il s'achemina d'un pas nonchalant vers la Range Rover qu'il avait garée là, en attendant qu'on décroche à l'autre bout du fil.

À suivre dans *Chute libre*, le troisième volet de la série *Tunnels*...

— Chester, dit Will qui avait recouvré ses esprits, il faut que je te dise quelque chose.

— Quoi ?

— T'as pas remarqué un truc bizarre, ici ? demanda Will en lui adressant un regard interrogateur.

Ne sachant par où commencer, Chester secoua la tête en guise de réponse. Une mèche de cheveux ruisselante d'huile vint se coller au coin de sa bouche. Il la retira aussitôt d'un air dégoûté, puis cracha à plusieurs reprises.

— Non, si ce n'est ce truc dans lequel on est tombés. Ça pue, et ça a sacrément mauvais goût.

— Je crois qu'on est sur un énorme champignon, poursuivit Will. On a atterri sur une sorte de corniche qui s'avance dans le vide, au milieu du Pore. J'ai déjà vu un truc comme ça à la télévision : un champignon gigantesque en Amérique qui s'étirait sur plusieurs milliers de kilomètres sous terre.

— C'est ça que tu voulais ?...

— Non, l'interrompit Will. Regarde attentivement. Voilà un truc intéressant.

Will lança le globe lumineux qu'il tenait dans sa paume à cinq mètres au-dessus de lui. Chester regarda d'un air ébahi le globe qui semblait redescendre en flottant, comme si la scène se déroulait au ralenti.

— Hé, comment t'as fait ça ?

— À ton tour, dit Will en lui tendant le globe. Mais ne le lance pas trop fort, ou tu le perdras.

Chester s'exécuta et le lança en l'air, un peu trop fort malgré tout. Le globe s'éleva à vingt mètres au-dessus d'eux, et illumina un autre champignon avant de retomber comme par magie vers eux en éclairant leurs visages.

— Comment?... souffla Will en écarquillant les yeux.

— Tu ne sens pas, euh, l'apesanteur? hésita Will qui cherchait le mot juste. La gravité est faible. D'après mes déductions, je crois qu'elle fait environ deux tiers de moins qu'en Surface, informa Will en pointa du doigt vers le haut. Ce qui explique, en plus de notre atterrissage en douceur, pourquoi on s'est pas fait aplatir comme des crêpes. Mais fais attention à la façon dont tu te déplaces, car tu risques de quitter ce plateau, et de retomber directement dans le Pore.

— Faible gravité, répéta Chester en essayant de comprendre ce que disait son ami. Qu'est-ce que ça veut dire au juste?

— Ça veut dire que nous sommes descendus très profond.

Chester lui adressa un regard perplexe.

— Tu t'es déjà demandé ce qu'il y avait au centre de la Terre? questionna Will.

Remerciements

Nous souhaitons remercier Barry Cunningham, Rachel Hickman, Imogen Cooper, Mary Byrne, Elinor Bagenal, Ian Butterworth et Gemma Fletcher de chez The Chicken House d'avoir supporté nos colères, et Catherine Pellegrino de chez Rogers, Coleridge et White de les avoir écoutées.

Nous remercions tout particulièrement notre collègue, l'écrivain Stuart Webb de ses précieuses remarques, Mark Carnall du Grant Museum of Zoology and Comparative Anatomy qui nous a éclairés sur les insectes et autres espèces éteintes, ainsi que Katie Morrizon et Cathrin Preece de chez Colman Getty qui nous ont tenu la main.

Nous aimerions enfin remercier nos familles respectives qui attendent toujours de nous voir resurgir à la lumière du jour. Un jour prochain...

Note à l'attention des entomologistes. Clarifions bien les choses : l'acarien du Dr Burrows est un arachnide (et il appartient, de fait, à la famille des araignées). Ce n'est donc pas un insecte. Il est bien évident que, dans les Profondeurs, les pressions liées à l'évolution des espèces ont entraîné de multiples adaptations spécifiques. Les vaches des cavernes possèdent trois paires de pattes (ce qui est assez fréquent chez les acariens), tandis que la quatrième paire de pattes s'est transformée en ce que le Dr Burrows prenait pour des « antennes » ou des « mandibules ». Les auteurs de ce livre s'efforceront de capturer un spécimen pour une étude plus complète et publieront en temps utile leurs découvertes sur le site suivant : « www.deeperthebook.com ». Merci.

Autorisation de reproduction
Ralph Hodgson, extrait de « The Hammers », *Collected Poems*
(Macmillan, 1961)

Impression réalisée par

C P I
Brodard & Taupin
La Flèche

pour le compte des Éditions Michel Lafon
en novembre 2008

Imprimé en France
Dépôt légal : novembre 2008
N° d'impression : 49907
ISBN : 978-2-7499-0954-7
LAF 1050 B